U0875212

2009

CHINA RURAL STATISTICAL YEARBOOK

中国农村统计年鉴

国家统计局农村社会经济调查司 编

中国统计出版社
China Statistics Press

(京)新登字 041 号

图书在版编目（CIP）数据

中国农村统计年鉴. 2009/ 国家统计局农村社会经济调查司编.
- 北京：中国统计出版社，2009.10
ISBN 978-7-5037-5773-0

Ⅰ. 中… Ⅱ. 国… Ⅲ. 农业统计 - 统计资料 - 中国 -2009- 年鉴 Ⅳ. F322-66

中国版本图书馆 CIP 数据核字（2009）第 155139 号

中国农村统计年鉴— 2009

作　　者 / 国家统计局农村社会经济调查司
责任编辑 / 许立舫
E-mail /cbsebs@stats.gov.cn
出版发行 / 中国统计出版社
通信地址 / 北京市西城区月坛南街 57 号
邮政编码 /100826
办公地址 / 北京市丰台区西三环南路甲 6 号
网　　址 /www.stats.gov.cn/tjshujia
电　　话 / 邮购（010）63376907　书店（010）68783172
印　　刷 / 河北天普润印刷厂
经　　销 / 新华书店
开　　本 /880 × 1230 毫米　1/16
字　　数 /800 千字
印　　张 /27
版　　别 /2009 年 11 月第 1 版
版　　次 /2009 年 11 月第 1 次印刷
书　　号 /ISBN 978-7-5037-5773-0/F・2844
定　　价 /168.00 元

《中国农村统计年鉴—2009》编辑委员会

编者说明

《中国农村统计年鉴—2009》由17部分组成：一、发展综述；二、综合与概要；三、农村基本情况与农业生产条件；四、农业生态与环境；五、农村投资；六、农林牧渔业总产值、中间消耗及增加值；七、主要农产品种（养）面积与产量；八、农村市场与物价；九、农产品进出口；十、农产品成本与收益；十一、农村居民收入与消费；十二、农村文化、教育、卫生及其他事业；十三、国有农场；十四、区域农村经济；十五、各地区主要农村经济指标排序；十六、国外主要农业指标；十七、如何使用《中国农村统计年鉴》。

因2006年为全国第二次农业普查年，《中国农村统计年鉴—2009》中部分农业增加值、总产值、种（养）面积和产量历史数据根据农业普查资料进行了调整。本书使用的乡村人口和乡村就业人员的统计口径进行了调整与往年版本不同，增加了农村环境和国际部分数据内容。

《中国农村统计年鉴—2009》收录了2008年农村社会经济统计资料及建国以后各关键历史年份全国主要统计数据。本年鉴中所涉及的全国性数据均未包括台湾省及港澳地区。

《中国农村统计年鉴—2009》中，从2002年起税金按费改税后的口径计算。已实行费改税的地区按照农业税及附加的实际数额填报，尚未实行的地区按原口径的税金与村提留、乡统筹之和的70%计算。为与2002年数据保持可比性，2001年及以前的税金相应作了调整，调整后的税金等于原口径的税金与村提留、乡统筹之和。

《中国农村统计年鉴—2009》中，执行新国民经济行业分类标准，自2003年起，农林牧渔业包括农林牧渔服务业。

《中国农村统计年鉴—2009》第十四部分的资料，仅包括县和县级市部分，没有包括市辖区部分资料。由于行政区划的调整和部分单位数据的修正，本书中不同区域农村经济历史数据也相应调整。

《中国农村统计年鉴—2009》第十六部分的资料，因国际组织数据库进行了调整，所以往年部分数据也随之做了修正，指标设置也有调整。

《中国农村统计年鉴—2009》中的符号：“…”表示数据不足本表最小单位；“空格”表示缺或无该项数据；“#”表示其中项，未标年份的数据均为2008年数据。

在本书的编辑过程中，得到了国务院有关部门、各省、自治区、直辖市调查总队、统计局农村处的大力支持，在此谨致谢意。

目录

第一部分　发展综述

2008年农业与农村经济发展良好 3

第二部分　综合与概要

2-1　农村经济主要指标 7
2-2　按人口平均的主要农产品产量 8
2-3　农村经济在国民经济中的地位 10
2-4　各地区农村经济在国民经济中的地位 14
2-5　各地区农村社会消费品零售额及占全国的比重 15
2-6　各地区城乡居民收入水平 16
2-7　各地区城乡居民消费水平 17
2-8　主要农产品供需情况 18

第三部分　农村基本情况与农业生产条件

3-1　全国乡村人口和乡村就业人员情况 25
3-1　各地区乡村人口和乡村就业人员 26
3-3　农村居民家庭劳动力文化状况 27
3-4　各地区农村居民家庭劳动力文化状况 28
3-5　各地区农村居民家庭劳动力文化程度（按人均纯收入分组） 29
3-6　主要农业机械年末拥有量 30
3-7　主要农业机械年末拥有量及增长情况 31
3-8　各地区主要农业机械年末拥有量 32
3-9　农村电力、灌溉面积、化肥施用量情况 38
3-10　农村电力和农田水利建设情况 39
3-11　农用化肥、农膜、柴油和农药使用量 39
3-12　各地区农村电力和农田水利建设情况 40
3-13　各地区农用化肥施用量 42
3-14　各地区农用塑料薄膜使用量 44
3-15　各地区农用柴油和农药使用量 45
3-16　各地区农村居民家庭拥有生产性固定资产原值 46
3-17　各地区耕地面积及占全国的比重 50
3-18　各地区耕地面积构成 51

第四部分　农业生态与环境

4-1　全国自然保护区情况 55

4-2 全国农村环境情况 …… 55
4-3 各地区自然保护基本情况 …… 56
4-4 各地区农村改水、改厕情况 …… 57
4-5 各地区农村可再生资源利用情况 …… 58
4-6 全国林业重点工程历年完成造林面积 …… 59
4-7 各地区林业重点工程建设情况 …… 61
4-8 灌区、水库、除涝、治水情况 …… 63
4-9 各地区水利设施和除涝、治水、治碱面积 …… 64
4-10 全国受灾和成灾面积 …… 65
4-11 全国受灾、成灾和绝收面积 …… 66
4-12 各地区受灾面积 …… 67
4-13 各地区成灾面积 …… 69

第五部分　农村投资

5-1 国家财政用于农业的支出 …… 73
5-2 农业基本建设投资和新增固定资产 …… 74
5-3 农村集体单位和农村居民个人固定资产投资额 …… 75
5-4 农村居民家庭经营费用现金支出 …… 76
5-5 农村居民家庭购买生产性固定资产现金支出 …… 76
5-6 各地区农村居民家庭生产投入现金支出 …… 77
5-7 各地区农村居民家庭总支出（按人均纯收入分组） …… 78
5-8 农村固定资产投资情况 …… 79
5-9 各地区农村固定资产投资情况 …… 80
5-10 各地区农村固定资产构成情况 …… 81
5-11 各地区农村固定资产投向情况 …… 82

第六部分　农林牧渔业总产值、中间消耗及增加值

6-1 农林牧渔业增加值和指数 …… 89
6-2 农林牧渔业总产值、增加值、中间消耗及构成（按当年价格计算） …… 90
6-3 各地区农林牧渔业总产值、增加值和中间消耗（按当年价格计算） …… 91
6-4 各地区分部门农林牧渔业增加值（按当年价格计算） …… 92
6-5 各地区分部门农林牧渔业增加值构成（按当年价格计算） …… 93
6-6 各地区分部门农林牧渔业增加值比重（按当年价格计算） …… 94
6-7 各地区分部门农林牧渔业中间消耗（按当年价格计算） …… 95
6-8 各地区分部门农林牧渔业中间消耗构成（按当年价格计算） …… 96
6-9 各地区分部门农林牧渔业中间消耗比重（按当年价格计算） …… 97
6-10 分项农林牧渔业中间消耗 …… 98
6-11 各地区农林牧渔业增加值、中间消耗及占农林牧渔业总产值比重（按当年价格计算） …… 99
6-12 农林牧渔业总产值(按当年价格计算) …… 100
6-13 农林牧渔业总产值构成(按当年价格计算) …… 101
6-14 农林牧渔业分项产值及构成(按当年价格计算) …… 102
6-15 各地区农林牧渔业总产值（按当年价格计算） …… 103
6-16 各地区农业分项产值（按当年价格计算） …… 105
6-17 各地区林业分项产值(按当年价格计算） …… 107
6-18 各地区畜牧业分项产值(按当年价格计算） …… 108
6-19 各地区渔业分项产值(按当年价格计算) …… 110
6-20 四大地区农林牧渔业总产值及构成(按当年价格计算) …… 111
6-21 农林牧渔业总产值 …… 112
6-22 农林牧渔业总产值指数(以1952年为100) …… 113
6-23 各地区农林牧渔业总产值指数(以上年为100) …… 114
6-24 各地区农林牧渔业总产值及占全国的比重(按可比价格计算) …… 115

6-25 各地区农林牧渔业总产值(按可比价格计算) 116
6-26 农林牧渔业分项产值及增幅(按可比价格计算) 117
6-27 各地区农业分项产值(按可比价格计算) 118
6-28 各地区林业分项产值(按可比价格计算) 119
6-29 各地区畜牧业分项产值(按可比价格计算) 120
6-30 各地区渔业分项产值(按可比价格计算) 121

第七部分　主要农产品种（养）面积与产量

7-1 主要农作物播种面积 125
7-2 主要农作物播种面积及增减情况 127
7-3 主要农作物播种面积构成 128
7-4 各地区农作物总播种面积 129
7-5 各地区粮食播种面积及增减情况 130
7-6 各地区粮食播种面积(按季节分) 131
7-7 各地区粮食播种面积(按品种分) 132
7-8 各地区油料播种面积 134
7-9 各地区棉花和麻类播种面积 135
7-10 各地区糖料播种面积 136
7-11 各地区烟叶和药材播种面积 137
7-12 各地区蔬菜、瓜类和青饲料播种面积 138
7-13 各地区主要农作物播种面积构成 139
7-14 主要农作物产品产量 140
7-15 主要农作物产品产量增减情况 141
7-16 各地区粮食总产量 142
7-17 各地区分季粮食作物产量 143
7-18 各地区分品种粮食作物产量 144
7-19 各地区油料产量 146
7-20 各地区棉花和麻类产量 147
7-21 各地区糖料产量 148
7-22 各地区烟叶和蔬菜产量 149
7-23 主要农作物单位面积产量 150
7-24 各地区分季粮食作物单位面积产量 151
7-25 各地区分品种粮食作物单位面积产量 152
7-26 各地区油料作物单位面积产量 154
7-27 各地区棉花和麻类作物单位面积产量 155
7-28 各地区糖料作物单位面积产量 156
7-29 茶叶、水果产量 157
7-30 茶叶、水果主要品种面积和产量及增减情况 158
7-31 各地区茶园面积和茶叶产量 159
7-32 各地区果园面积 161
7-33 各地区水果产量 163
7-34 主要林产品产量 167
7-35 营林面积和主要林产品产量及增减情况 168
7-36 各地区造林面积 169
7-37 各地区主要林产品产量 173
7-38 主要牲畜出栏量和畜产品产量及增长情况 177
7-39 各地区主要牲畜出栏量 178
7-40 各地区肉类总产量 179
7-41 各地区其他畜产品产量 180
7-42 牲畜年末存栏头数及增减情况 181
7-43 各地区牲畜年末存栏头数 182
7-44 水产品产量和养殖面积 185

7-45 水产品产量和养殖面积及增减情况 186
7-46 海水产品和内陆水产品产量 187
7-47 各地区水产品产量(按来源分) 188
7-48 各地区水产品产量(按类别分) 189
7-49 各地区海水产品产量(按来源分) 190
7-50 各地区海水产品产量(按类别分) 191
7-51 各地区内陆水产品产量(按来源分) 192
7-52 各地区内陆水产品产量(按类别分) 193
7-53 各地区水产养殖面积 194

第八部分 农村市场与物价

8-1 农村主要物价总指数 199
8-2 各地区农村商品零售价格分类指数 200
8-3 各地区农村居民消费价格分类指数 210
8-4 各地区农业生产资料价格分类指数 224
8-5 农产品生产价格指数 227
8-6 各地区农产品生产价格指数 228
8-7 各地区主要农产品分品种生产价格指数 229
8-8 主要农产品集贸市场价格指数 234

第九部分 农产品进出口

9-1 海关出口主要农产品数量 237
9-2 海关进口主要农产品数量 238
9-3 海关出口农副产品及加工品数量 239
9-4 海关出口农副产品及加工品金额 240
9-5 海关进口农副产品及加工品数量 241
9-6 海关进口农副产品及加工品金额 242
9-7 各地区出口农产品数量 243
9-8 各地区进口农产品数量 244

第十部分 农产品成本与收益

10-1 全国种植业产品成本与收益 247
10-2 全国饲养业产品成本与收益 254

第十一部分 农村居民收入与消费

11-1 农村居民纯收入 259
11-2 农村居民生活消费支出 260
11-3 农村居民主要食品消费量 261
11-4 农村居民家庭基本情况 263
11-5 农村居民总收入和纯收入 264
11-6 各地区农村居民纯收入 265
11-7 各地区农村居民纯收入（按收入来源分） 266
11-8 农村居民生活消费支出及构成 267
11-9 农村居民生活消费现金支出及构成 268
11-10 各地区农村居民生活消费支出 269
11-11 各地区农村居民生活消费支出构成 271
11-12 各地区农村居民生活消费现金支出 272
11-13 农村居民家庭年末主要耐用消费品拥有量 274

11-14 农村居民家庭新建房屋和居住情况 274
11-15 各地区农村居民家庭年末主要耐用消费品拥有量 275
11-16 各地区农村居民年内新建（购）住房情况 279
11-17 各地区农村居民居住情况 280
11-18 农村居民主要食物消费量 281
11-19 各地区农村居民主要食品消费量 282
11-20 各地区农村居民家庭纯收入构成（按人均纯收入分组） 285
11-21 四大地区农村居民家庭基本情况 286
11-22 按人均纯收入五等分分组的农村居民收入与消费 286

第十二部分　农村文化、教育、卫生及其他事业

12-1 农村普通中学、小学的学生与教师数 289
12-2 农民成人教育基本情况 290
12-3 农村乡(镇)卫生院、床位和卫生人员 291
12-4 村卫生室及人员数 291
12-5 各地区乡(镇)卫生院、床位数和卫生人员数 292
12-6 各地区农村村卫生室和人员情况 293
12-7 农村文化机构 294
12-8 农村老年收养性福利机构情况 294
12-9 农村社会救济费和自然灾害救济费 294
12-10 各地区农村文化机构 295
12-11 各地区农村五保供养情况 296
12-12 各地区农村社会救济费和自然灾害救济费 297

第十三部分　国有农场

13-1 农垦系统国有农场基本情况 301
13-2 各地区农垦系统国有农场基本情况 302
13-3 农垦系统国有农场种植业生产情况 305
13-4 各地区农垦系统国有农场农作物主要产品产量 306
13-5 农垦系统国有农场茶、桑、果、林业生产情况 306
13-6 各地区农垦系统国有农场茶、果、干胶、林业生产情况 308
13-7 农垦系统国有农场畜牧业、渔业生产情况 309
13-8 各地区农垦系统国有农场畜牧业、渔业生产情况 310

第十四部分　区域农村经济

一、分类型区域农村经济情况
14-1-1 黄淮海地区农村经济情况 315
14-1-2 长江中下游地区农村经济情况 316
14-1-3 黄土高原地区农村经济情况 317
14-1-4 民族地区农村经济情况 318
14-1-5 扶贫工作重点县农村经济情况 319
14-1-6 丘陵地区农村经济情况 320
14-1-7 山区县农村经济情况 321
14-1-8 平原地区农村经济情况 322
14-1-9 陆地边境县农村经济情况 323
14-1-10 沿海开放县农村经济情况 324
14-1-11 粮食生产大县农村经济情况 325

二、西部大开发12省（区、市）农村经济情况
14-2-1 西部大开发12省（区、市）农业机械拥有量 326
14-2-2 西部大开发12省（区、市）农村电力和农田水利建设情况 326
14-2-3 西部大开发12省（区、市）农用化肥、农膜、柴油和农药使用量 327
14-2-4 西部大开发12省（区、市）自然灾害情况 327
14-2-5 西部大开发12省（区、市）农作物播种面积及构成 328
14-2-6 西部大开发12省（区、市）主要农作物产量 330
14-2-7 西部大开发12省（区、市）主要农作物单位面积产量 331
14-2-8 西部大开发12省（区、市）林业生产情况 332
14-2-9 西部大开发12省（区、市）畜牧业生产情况 333
14-2-10 西部大开发12省（区、市）牲畜年末存栏量 334
14-2-11 西部大开发12省（区、市）渔业生产情况 334
14-2-12 西部大开发12省（区、市）按人口平均的主要农产品产量 335
14-2-13 西部大开发12省（区、市）按人口平均的畜产品、水产品产量 335
14-2-14 西部大开发12省（区、市）农林牧渔业总产值及构成（按当年价格计算） 336
14-2-15 西部大开发12省（区、市）农林牧渔业中间消耗及构成（按当年价格计算） 337
14-2-16 西部大开发12省（区、市）农林牧渔业增加值及构成（按当年价格计算） 337
14-2-17 西部大开发12省（区、市）农村住户基本情况 338
14-2-18 西部大开发12省（区、市）农村居民收入及构成 339
14-2-19 西部大开发12省（区、市）农村居民支出及构成 340
14-2-20 西部大开发12省（区、市）农村居民生活消费支出 341
14-2-21 西部大开发12省（区、市）农村居民生活消费现金支出 341
14-2-22 西部大开发12省（区、市）农村居民主要食品消费量 342
14-2-23 西部大开发12省（区、市）农村居民耐用消费品拥有量（平均每百户） 342
14-2-24 西部大开发12省（区、市）扶贫工作重点县基本情况及占全部扶贫工作重点县的比重 343
14-2-25 西部大开发12省（区、市）牧区、半牧区县基本情况及占全部牧区、半牧区县的比重 345
14-2-26 西部大开发12省（区、市）民族县基本情况及占全部民族县的比重 347
14-2-27 西部大开发12省（区、市）陆地边境县基本情况及全部陆地边境县的比重 349
14-2-28 西部大开发12省（区、市）粮棉生产大县基本情况及占全部粮棉生产大县的比重 351
14-2-29 西部大开发12省（区、市）黄土高原县基本情况及占全部黄土高原县的比重 353
14-2-30 西部大开发12省（区、市）平原县基本情况及占全部平原县的比重 355
14-2-31 西部大开发12省（区、市）丘陵县基本情况及占全部丘陵县的比重 357
14-2-32 西部大开发12省（区、市）山区县基本情况及占全部山区县的比重 359

第十五部分 各地区主要农村经济指标排序

15-1 粮食总产量与人均占有量 363
15-2 棉花总产量与人均占有量 364
15-3 油料总产量与人均占有量 365
15-4 糖料总产量与人均占有量 366
15-5 肉类总产量与人均占有量 367
15-6 水产品总产量与人均占有量 368
15-7 水果总产量与人均占有量 369
15-8 奶类总产量与人均占有量 370
15-9 各地区农村居民人均纯收入位次 371

第十六部分 国外主要农业指标

16-1 总人口与农业人口 375
16-2 农业生产指数 376
16-3 谷物收获总产量、面积与单产 377
16-4 小麦收获总产量、面积与单产 378
16-5 稻谷收获总产量、面积与单产 379

16-6 玉米收获总产量、面积与单产 380
16-7 大豆收获总产量、面积与单产 381
16-8 薯类作物收获总产量、面积与单产 382
16-9 油菜籽收获总产量、面积与单产 383
16-10 花生收获总产量、面积与单产 384
16-11 籽棉收获总产量、面积与单产 385
16-12 麻类收获总产量、面积与单产 386
16-13 甜菜收获总产量、面积与单产 387
16-14 甘蔗收获总产量、面积与单产 388
16-15 烟叶收获总产量、面积与单产 389
16-16 茶叶收获总产量、面积与单产 390
16-17 水果收获总产量、面积与单产（不包括瓜类） 391
16-18 牲畜存栏数 392
16-19 肉类产量 393
16-20 鸡蛋产量 394
16-21 禽蛋产量 395
16-22 牛奶产量 396
16-23 羊毛产量 397
16-24 鱼类产量 398
16-25 土地利用情况 399
16-26 农业机械拥有量 400
16-27 化肥施用量 401
16-28 主要林产品产量 402
16-29 农业集约化经营程度 403
16-30 中国农业主要指标占世界的比重 404
16-31 中国农业主要指标居世界的位次 404

第十七部分　如何使用《中国农村统计年鉴》

如何使用《中国农村统计年鉴》 407

1

发展综述

2008年农业与农村经济发展良好

2008年,在中央各项强农惠农政策的推动下,各地克服各种自然灾害以及国际金融危机的影响,农业与农村经济发展良好。全年农林牧渔业增加值增长5.5%,增幅比上年同期提高1.8个百分点。

一、农业与农村形势发展情况

(一)粮食总产量创历史新高

2008年全国粮食总产量52871万吨,比1998年的51230万吨增加1641万吨;连续5年增产,比上年增产2711万吨,增长5.4%。其中,全国粮食播种面积106792.6千公顷,增加1154.2千公顷,增长1.1%。因面积扩大增产粮食近548万吨,占粮食增产总量的20%。粮食单产202.5千克/公顷,增长4.3%。因单产提高增加粮食2163万吨,占粮食增产总量的80%。

(二)棉花、油料、糖料生产情况

2008年棉花播种面积5754.1千公顷,比上年减少172千公顷,减少2.9%。产量13多万吨,减少1.7%。

油料播种面积12825.5千公顷,增加1509.7千公顷,增长13%以上;油料产量2900万吨以上,增加近400万吨,增长1989.9千公顷。

糖料播种面积1989.9千公顷,扩大10.4%;产量13419.6万吨,增长10.1%。

(三)生猪生产恢复较快

2008年,畜牧业生产快速增长。全年肉类总产量7278.7万吨以上,增长6.0%。其中,生猪生产在各项扶持政策的作用下恢复较快,全年猪肉产量达到4620.5万吨,增长7.8%,生猪年末存栏4.63亿头,增长5.2%。牛肉产量613.2万吨,与上年基本持平。羊肉产量380.3万吨,下降0.6%。禽蛋产量2702.2万吨,增长6.8%。

(四)农产品价格涨幅回落

2008年全国农产品生产价格总水平比上年上涨14.1%,涨幅比上年低4.4个百分点。

分类看,种植业、畜牧业分别上涨8.4%、23.9%,涨幅分别比上年低1.4和7.4个百分点;林业、渔业分别上涨8.5%、11.2%,涨幅分别比上年高4.1和3.2个百分点。

从主要品种看,多数农产品价格高于上年。其中,粮食价格上涨9.6%,棉花下降9.4%,油料、生猪分别上涨28%和30.8%。

分季节看,多数农产品价格从二季度起涨幅开始回落。2008年一、二、三、四季度农产品生产价格涨幅分别为25.5%、21.2%、12.6%和1.6%,同比涨幅逐季回落。其中,林产品和畜牧业产品四季度价格出现同比下降,如林业产品价格四季度下降0.5%,畜牧业产品下降6.5%。

(五)农民人均纯收入较快增长

2008年农民人均纯收入4761元,同比增加621元,增长15%,扣除价格因素影响,实际增长8%,增速低于上年同期1.5个百分点。

农民人均纯收入增长的主要来源仍然是工资性收入和家庭经营收入。2008年工资性收入人均1854元,增加258元,增长16.1%,对全年纯收入增加量的贡献率为41.5%,比上年提高1.6个百分点。工资性收入继续增加的原因主要是工价提高。2008年,外出务工月工资水平1205元,提高13.7%。2008年,农民家庭经营纯收入人均2436元,增加242元,增长11%,增速比上年同期回落2.6个百分点;对纯收入增加总量的贡献率为39%,比上年低8.6个百分点。其中,第一产业纯收入人均1946元,增加201元,增长11.5%,增速回落3.2个百分点。

二、值得关注的几个问题

(一)农业生产成本加大

2008年农业生产资料价格上涨20.3%,涨幅高于上年12.6个百分点。其中,化肥上涨

31.7%，涨幅高于上年28.3个百分点；饲料上涨15.8%，涨幅高于上年7.6个百分点。国家统计局黑龙江调查总队测算，2008年，因农资价格上涨，造成农民人均纯收入少增加500多元；山西调查总队测算，因农资价格上涨，每亩成本增加40～60元。

(二)农产品价格走低

2008年，农产品价格呈现先扬后抑态势，价格指数逐季回落，尤其是进入四季度后，一些农产品价格开始低于上年水平。如畜牧业产品价格四季度下降6.5%。从12月份看，农产品价格走低趋势更加明显。如12月份，玉米、大豆价格分别比年内最高价下降11.5%和18.2%，其中，玉米价格比上年同月下降了3.3%。籽棉价格降至年内最低价4.92元/公斤，月环比下降3%，比上年同月下降22.1%。生猪价格13.13元/公斤，比年内最高价下降20.2%，比上年同月下降12.2%。2008年农民从第一产业得到的纯收入占农民人均纯收入的比重为41%，比2007年下降了一个百分点，如果今年农产品价格下降趋势不能很好控制，农民收入和农民种粮积极性都会受到一定影响。

(三)外出务工难度加大

2008年，农民外出务工人数与上年基本持平，四季度局部地区又出现农民工失业提前返乡、工资水平降低和工资不能按时兑现情况，一定程度上影响了农民人均纯收入的增加。2009年，随着经济增长放缓，就业压力加大，农民工新增就业机会增加难度加大，进而影响农民工资性收入。

(四)农村居民消费倾向下降

2008年农民消费支出3661元/人，增加437元，增长13.6%，扣除价格因素影响，实际增长6.6%，增速回落1.5个百分点。农村居民消费支出增速已经降到近5年的最低，同时，农村居民消费倾向进一步下降。2008年农村居民平均消费倾向为0.769，低于上年0.01。

三、几点建议

(一)加大粮食收购价格提升幅度，继续大幅度提高农业生产补贴，尤其要增加产粮大县奖励补助。一是鉴于目前农产品价格走低趋势，要实现稳粮、增收目标，有必要进一步提高农产品收购价格。二是随着农业现代化步伐的加快，农业生产中对农机具的利用不断提高，应考虑进一步提高农机购置补贴水平及范围，同时，考虑取消主要农业机械购置税。三是要进一步提高粮食直补标准和农业综合补贴标准，力争粮食直补标准能够抵消价格下降的影响，同时力争农业综合补贴抵消因农业生产资料价格上涨的影响。

(二)进一步加大对农业农村基础投资力度，刺激本地农民工用工量，确保农民本地务工收入稳定增长。2008年，农民从国家投资基建项目得到的收入仅5元/人，仅占农民工资性收入的0.3%。2009年，国家将进一步出台扩大内需的政策措施，一些重大工程也将随之上马，界时，应多吸纳一些农民工就业，尤其是农田水利建设项目，更要尽可能地招用农民工，扩大农民工的工资性收入。

(三)为返乡农民创造就业机会。积极开展再就业服务，及时出台相应的就业扶持政策，如税收减免或低息贷款等，为其在当地就业创造条件。适宜在家务农的，应开展种植、养殖技术培训，提高其农业生产技术水平；对有创业愿望和条件的，应当在土地、税收、贷款等方面予以支持。同时，积极推动农村个体、私营企业发展。为农村劳动力转移大开方便之门，扩大农村内部就业容量。

(四)建立促进农村居民消费增长的长效机制。扩大农村社会保障范围，提高社会保障水平。完善农村养老保险制度，扩大农业保险范围。加强农村基础建设，改善农村居民的消费环境和消费条件。同时，健全农村消费信贷体系，发展农村居民的消费信贷，扩大农村居民的消费信贷范围，允许农村居民利用农产品偿还贷款。

2

综合与概要

2—1 农村经济主要指标

指标	单位	1990年	1995年	2000年	2006年	2007年	2008年
一、农业机械总动力	亿瓦特	2870.8	3611.8	5257.4	7252.2	7659.0	8219.0
二、农林牧渔业总产值	亿元	7662.1	20340.9	24915.8	40810.5	48893.0	58002.2
三、农林牧渔业增加值	亿元	5062.0	12135.8	14944.7	24040.0	28627.0	33702.2
四、农村固定资产投资完成额	亿元			6695.9	16629.5	19859.5	24090.1
#农业	亿元			815.6	1631.8	1943.5	2814.1
制造业	亿元			1901.0	7753.5	9028.4	10334.1
建筑业	亿元			640.6	330.1	309.8	360.2
交通运输、仓储和邮政业	亿元			350.5	913.6	1156.9	1323.9
批发和零售业	亿元			123.9	103.9	429.7	548.8
五、主要农产品产量							
粮食	万吨	44624	46661.8	46217.5	49804.2	50160.3	52870.9
棉花	万吨	450.8	476.8	441.7	753.3	762.4	749.2
油料	万吨	1613.2	2250.3	2954.8	2640.3	2568.7	2952.8
糖料	万吨	7214.5	7940.1	7635.3	10460.0	12188.2	13419.6
黄红麻	万吨	72.6	37.1	12.6	8.7	9.9	8.4
烤烟	万吨	225.9	207.2	223.8	225.5	217.8	262.3
猪牛羊肉	万吨	2513.5	4265.3	4743.2	5591.0	5283.8	5614.0
牛奶	万吨	415.7	576.4	827.4	3193.4	3525.2	3555.8
禽蛋	万吨	794.6	1676.7	2243.3	2424.0	2529.0	2702.2
水产品	万吨	1237	2517.2	4278.5	4583.6	4747.5	4895.6
水果	万吨	1874.4	4214.6	6225.1	17102.0	18136.3	19220.2
六、农村物价总指数(上年＝100)							
农产品生产价格总指数	%	97.4	119.9	96.4	101.2	118.5	114.1
农村商品零售价格指数	%	103.2	116.4	98.5	101.4	104.9	106.7
农业生产资料价格指数	%	105.5	127.4	99.1	101.5	107.7	120.3
农村居民消费价格指数	%	104.5	117.5	99.9	101.5	105.4	106.5
七、农村居民人均纯收入	元	686.3	1577.7	2253.4	3587.0	4140.4	4760.6
农村居民人均生活消费支出	元	584.6	1310.4	1670.1	2829.0	3223.9	3660.7
八、农村教育、卫生							
在校学生数							
#普通中学	万人	2739.0	2773.0	3586.3	2795.8	2452.6	2256.3
普通小学	万人	9595.6	9306.2	8503.7	6676.1	6250.7	5824.9
农民高等学校	人	353	966	800	2130	2209	2137
农民技术培训学校	万人	1050.0	4948.7	6209.6	3842.4	3787.7	3694.8
卫生院床位数	万张	72.3	73.3	73.5	69.6	74.7	84.7
卫生技术人员	万人	77.7	91.9	102.6	86.0	86.4	90.4

注:1.建筑业投资统计口径有调整,不含农户建房投资。
2.2000年以前农产品生产价格总指数为农副产品收购价格指数。
3.从2003年起,农林牧渔业总产值、增加值、中间消耗核算执行新国民经济行业分类标准,包括农林牧渔服务业。
4.从2003年起,水果产量含果用瓜。

2—2 按人口平均的主要农产品产量

单位:千克/人

年 份	粮食	棉花	油料	糖料	猪牛羊肉	水产品
1949	208.9	0.8	4.7	5.2		0.8
1952	288.1	2.3	7.4	13.4		2.9
1957	306.0	2.6	6.6	18.7		4.9
1962	231.9	1.1	3.0	5.7		3.4
1965	272.0	2.9	5.1	21.5		4.2
1970	293.2	2.8	4.6	19.0		3.9
1975	310.5	2.6	4.9	20.9		4.8
1978	318.7	2.3	5.5	24.9		4.9
1979	342.7	2.3	6.6	25.4		4.4
1980	326.7	2.8	7.8	29.7		4.6
1981	327.0	3.0	10.3	36.2		4.6
1982	351.5	3.6	11.7	43.2		5.1
1983	378.5	4.5	10.3	39.4		5.3
1984	392.8	6.0	11.5	46.1		6.0
1985	360.7	3.9	15.0	57.5		6.7
1986	367.0	3.3	13.8	54.9		7.7
1987	371.7	3.9	14.1	51.2		8.8
1988	357.7	3.8	12.0	56.2		9.6
1989	364.3	3.4	11.6	51.9		10.3
1990	393.1	4.0	14.2	63.6		10.9
1991	378.3	4.9	14.2	73.2		11.7
1992	380.0	3.9	14.1	75.6		13.4
1993	387.4	3.2	15.3	64.7		15.5
1994	373.5	3.6	16.7	61.6		17.9
1995	387.3	4.0	18.7	65.9		20.9
1996	414.4	3.5	18.2	68.7	30.3	23.1
1997	401.7	3.7	17.5	76.3	33.2	25.4
1998	412.5	3.6	18.6	78.8	37.0	27.2
1999	405.8	3.1	20.8	66.5	38.0	28.5
2000	366.0	3.5	23.4	60.5	37.6	29.4
2001	355.9	4.2	22.5	68.1	38.0	29.9
2002	357.0	3.8	22.6	80.4	38.5	30.9
2003	334.3	3.8	21.8	74.8	39.5	31.6
2004	362.2	4.9	23.7	73.8	40.4	32.8
2005	371.3	4.4	23.6	72.5	42.0	33.9
2006	379.9	5.7	20.2	79.8	42.7	35.0
2007	380.6	5.8	19.5	92.5	40.1	36.0
2008	399.1	5.7	22.3	101.3	42.4	37.0

注:按年平均人口计算。

2—2 续表

单位：千克/人

年　份	黄红麻	烤烟	水果	牛奶	禽蛋	茶叶
1952	0.3	0.4	4.3			0.14
1957	0.2	0.4	5.1			0.18
1962	0.1	0.2	4.1			0.11
1965	0.4	0.5	4.5			0.14
1970	0.2	0.5	4.6			0.17
1975	0.4	0.8	5.9	1.0		0.23
1978	1.1	1.1	6.9	0.9		0.28
1980	1.1	0.7	6.9	1.2		0.31
1985	3.9	2.0	11.1	2.4	5.1	0.41
1986	1.3	1.3	12.6	2.7	5.2	0.43
1987	1.0	1.5	15.4	3.0	5.4	0.47
1988	1.0	2.1	15.1	3.1	6.3	0.50
1989	0.6	2.1	16.4	3.4	6.4	0.48
1990	0.6	2.0	16.5	3.7	7.0	0.48
1991	0.4	2.3	18.9	4.0	8.0	0.47
1992	0.5	2.7	20.9	4.3	8.7	0.48
1993	0.6	2.6	25.6	4.2	10.0	0.51
1994	0.3	1.6	29.4	4.4	12.4	0.49
1995	0.3	1.6	35.0	4.6	13.1	0.49
1996	0.3	2.4	38.2	5.2	16.0	0.49
1997	0.3	3.2	41.4	5.4	17.3	0.50
1998	0.2	1.7	43.9	6.0	16.2	0.54
1999	0.1	1.7	49.8	5.7	17.0	0.54
2000	0.1	1.8	49.3	6.6	17.3	0.54
2001	0.1	1.6	52.3	8.1	17.4	0.55
2002	0.1	1.7	112.3	10.2	17.7	0.58
2003	0.1	1.6	112.7	13.6	18.1	0.60
2004	0.1	1.7	118.4	17.4	18.3	0.64
2005	0.1	1.9	123.6	21.1	18.7	0.72
2006	0.1	1.7	130.4	24.4	18.5	0.78
2007	0.1	1.7	137.6	26.7	19.2	0.88
2008	0.1	2.0	145.1	26.8	20.4	0.95

注：从 2002 年起，水果产量含果用瓜。

2—3 农村经济在国民经济中的地位

单位:亿元、%

年 份	国内生产总值	#第一产业	所占比重	社会消费品零售额	#县及县以下	所占比重
1952	679.0	342.9	50.5	276.8		
1957	1068.0	430.0	40.3	474.2		
1962	1149.3	453.1	39.4	604.0		
1965	1716.1	651.1	37.9	670.3		
1970	2252.7	793.3	35.2	858.0		
1975	2997.3	971.1	32.4	1271.1		
1978	3624.1	1027.5	28.4	1558.6	1053.4	67.6
1980	4517.8	1371.6	30.4	2140.0	1406.4	65.7
1981	4862.4	1559.5	32.1	2350.0	1506.7	64.1
1982	5294.7	1777.4	33.6	2570.0	1649.5	64.2
1983	5934.5	1978.4	33.3	2849.4	1792.1	62.9
1984	7171.0	2316.1	32.3	3376.4	2027.7	60.1
1985	8964.4	2564.4	28.6	4305.0	2430.5	56.5
1986	10202.2	2788.7	27.3	4950.0	2932.0	59.2
1987	11962.5	3233.0	27.0	5820.0	3393.0	58.3
1988	14928.3	3865.4	25.9	7440.0	4179.2	56.2
1989	16909.2	4265.9	25.2	8101.4	4434.6	54.7
1990	18547.9	5062.0	27.3	8300.1	4411.5	53.1
1991	21617.8	5342.2	24.7	9415.6	4885.8	51.9
1992	26638.1	5866.6	22.0	10993.7	5523.4	50.2
1993	34634.4	6963.8	20.1	12462.1	5237.2	42.0
1994	48197.9	9572.7	19.9	16264.7	6603.5	40.6
1995	60793.7	12135.8	20.0	20620.0	8243.3	40.0
1996	71176.6	14015.4	19.7	24774.1	9822.9	39.6
1997	78973.0	14441.9	18.3	27298.9	10648.5	39.0
1998	84402.3	14817.6	17.6	29152.5	11327.3	38.9
1999	89677.1	14770.0	16.5	31134.7	12043.1	38.7
2000	99214.6	14944.7	15.1	34152.6	13042.3	38.2
2001	109655.2	15781.3	14.4	37595.2	14051.8	37.4
2002	120332.7	16537.0	13.7	42027.0	15041.0	35.8
2003	135822.8	17381.7	12.8	45842.0	16065.0	35.0
2004	159878.3	21412.7	13.4	59501.0	19805.0	33.3
2005	183217.5	22420.0	12.2	67176.6	22082.0	32.9
2006	211923.5	24040.0	11.3	76410.0	24867.4	32.5
2007	257305.6	28627.0	11.1	89210.0	28799.3	32.3
2008	300670.0	34000.0	11.3	108487.7	34752.8	32.0

注:1. 社会消费品零售额,1992 年及以前为社会商品零售总额数据。
2. 国内生产总值依据全国第一次经济普查结果进行了修订。

2—3 续表 1

单位:亿元、%

年 份	财政收入	#农业各税	所占比重	国家财政支出	#支农支出	所占比重
1970	662.9	32.0	4.8	649.4	49.4	7.6
1975	815.6	29.5	3.6	820.9	99.0	12.1
1978	1132.3	28.4	2.5	1122.1	150.7	13.4
1980	1159.9	27.7	2.4	1228.8	150.0	12.2
1981	1175.8	28.4	2.4	1138.4	110.2	9.7
1982	1212.3	29.4	2.4	1230.0	120.5	9.8
1983	1367.0	33.0	2.4	1409.5	132.9	9.4
1984	1642.9	34.8	2.1	1701.0	141.3	8.3
1985	2004.8	42.1	2.1	2004.3	153.6	7.7
1986	2122.0	44.5	2.1	2204.9	184.2	8.4
1987	2199.4	50.8	2.3	2262.2	195.7	8.7
1988	2357.2	73.7	3.1	2491.2	214.1	8.6
1989	2664.9	84.9	3.2	2823.8	265.9	9.4
1990	2937.1	87.9	3.0	3083.6	307.8	10.0
1991	3149.5	90.7	2.9	3386.6	347.6	10.3
1992	3483.4	119.2	3.4	3742.2	376.0	10.0
1993	4349.0	125.7	2.9	4642.3	440.5	9.5
1994	5218.1	231.5	4.4	5792.6	533.0	9.2
1995	6242.2	278.1	4.5	6823.7	574.9	8.4
1996	7408.0	369.5	5.0	7937.6	700.4	8.8
1997	8651.1	397.5	4.6	9233.6	766.4	8.3
1998	9876.0	398.8	4.0	10798.2	1154.8	10.7
1999	11444.1	423.5	3.7	13187.7	1085.8	8.2
2000	13395.2	465.3	3.5	15886.5	1231.5	7.8
2001	16386.0	481.7	2.9	18902.6	1456.7	7.7
2002	18903.6	717.9	3.8	22053.2	1580.8	7.2
2003	21715.3	871.8	4.0	24649.9	1754.5	7.1
2004	26355.9	902.2	3.4	28486.9	2337.6	8.2
2005	31649.3	936.4	3.0	33930.3	2450.3	7.2
2006	38760.2	1084.0	2.8	40422.7	3173.0	7.9
2007	51321.8	1439.1	2.8	49781.4	4318.3	8.7
2008	61330.4	1689.4	2.8	62592.7	5955.5	9.5

注:1.农业各税包括耕地占用税、农林特产税(1994 年为农业特产税)、农业税、牧业税和契税。

2.从 2007 年起,国家财政支农支出因报表制度调整,口径与往年不同,本表中的支农支出仅为中央财政用于"三农"的支出。

2—3 续表 2

单位:元/人

年　份	全国居民消费水平			指数(1978 年=100)		城乡消费水平对比(农村居民=1)
		农村居民	城镇居民	农村居民	城镇居民	
1978	184	138	405	100.0	100.0	2.9
1980	238	178	489	115.4	110.2	2.7
1981	264	201	521	126.8	114.6	2.6
1982	288	223	536	138.3	115.4	2.4
1983	316	250	558	153.1	117.9	2.2
1984	361	287	618	172.8	127.2	2.2
1985	446	349	765	195.7	141.3	2.2
1986	497	378	872	200.3	150.8	2.3
1987	565	421	998	210.0	159.3	2.4
1988	714	509	1311	221.0	174.7	2.6
1989	788	549	1466	217.2	176.0	2.7
1990	833	560	1596	215.4	190.9	2.9
1991	932	602	1840	227.1	211.4	3.1
1992	1116	688	2262	246.5	245.3	3.3
1993	1393	805	2924	257.1	270.8	3.6
1994	1833	1038	3852	265.0	282.8	3.7
1995	2355	1313	4931	282.9	303.2	3.8
1996	2789	1626	5532	323.8	313.6	3.4
1997	3002	1722	5823	334.0	320.4	3.4
1998	3159	1730	6109	338.1	339.2	3.5
1999	3346	1766	6405	355.3	363.0	3.6
2000	3632	1860	6850	371.3	391.1	3.7
2001	3869	1969	7113	388.0	403.6	3.6
2002	4106	2062	7387	408.1	420.5	3.6
2003	4411	2103	7901	409.5	447.2	3.8
2004	4925	2301	8679	423.5	475.7	3.8
2005	5463	2560	9410	455.7	502.8	3.7
2006	6138	2847	10423	494.0	543.5	3.6
2007	7103	3265	11904	533.5	593.5	3.6
2008	8183	3756	13526	572.5	641.0	3.6

注:绝对数按当年价格计算,指数按可比价格计算。

2—3续表3

单位:元/人

年 份	农村居民家庭人均纯收入	指数(1978=100)	城镇居民家庭人均可支配收入	指数(1978=100)
1978	133.6	100.0	343.4	100.0
1980	191.3	139.0	477.6	127.0
1981	223.4	160.4	492.0	127.7
1982	270.1	192.3	527.0	134.1
1983	309.8	219.6	564.0	140.7
1984	355.3	249.5	651.0	158.1
1985	397.6	268.9	739.1	160.4
1986	423.8	277.6	899.6	182.5
1987	462.6	292.0	1002.2	186.9
1988	544.9	310.7	1181.4	182.5
1989	601.5	305.7	1375.7	182.8
1990	686.3	311.2	1510.2	198.1
1991	708.6	317.4	1700.6	212.4
1992	784.0	336.2	2026.6	232.9
1993	921.6	346.9	2577.4	255.1
1994	1221.0	364.4	3496.2	276.8
1995	1577.7	383.7	4283.0	290.3
1996	1926.1	418.2	4838.9	301.6
1997	2090.1	437.4	5160.3	311.9
1998	2162.0	456.2	5425.1	329.9
1999	2210.3	473.5	5854.0	360.6
2000	2253.4	483.5	6280.0	383.7
2001	2366.4	503.8	6859.6	416.3
2002	2475.6	527.9	7702.8	472.1
2003	2622.2	550.7	8472.2	514.6
2004	2936.4	588.1	9421.6	554.2
2005	3254.9	624.5	10493.0	607.4
2006	3587.0	670.7	11759.5	670.7
2007	4140.4	734.4	13785.8	752.3
2008	4760.6	793.2	15780.8	815.7

注:指数按可比价格计算。

2—4 各地区农村经济在国民经济中的地位

单位：%

地 区	第一产业增加值占地区生产总值比重	第一产业人员占就业人员比重
北 京	1.1	5.6
天 津	1.9	15.5
河 北	12.6	40.8
山 西	4.4	40.6
内 蒙 古	11.7	50.5
辽 宁	9.7	33.3
吉 林	14.3	44.7
黑 龙 江	13.1	46.4
上 海	0.8	5.5
江 苏	6.9	20.9
浙 江	5.1	18.2
安 徽	16.0	44.7
福 建	10.7	31.1
江 西	16.4	40.7
山 东	9.7	37.4
河 南	14.4	48.8
湖 北	15.7	35.4
湖 南	18.0	49.6
广 东	5.5	28.3
广 西	20.3	55.2
海 南	30.0	53.8
重 庆	11.3	37.1
四 川	18.9	45.0
贵 州	16.4	52.4
云 南	17.9	62.6
西 藏	15.3	55.7
陕 西	11.0	46.8
甘 肃	14.6	52.9
青 海	11.0	44.5
宁 夏	10.9	44.9
新 疆	16.4	51.6

2—5 各地区农村社会消费品零售额及占全国的比重

（按当年价计算）

单位：亿元

地区	社会消费品零售额	#县零售额	#县以下零售额	县及县以下消费品零售额占全社会消费品零售额的比重(%)
全国合计	**108487.7**	**12212.8**	**22540.0**	**32.0**
北京	4589.0	38.1	550.7	12.8
天津	2000.3	67.1	51.1	5.9
河北	4880.4	997.5	1547.2	52.1
山西	2356.5	435.3	385.1	34.8
内蒙古	2363.3	464.7	271.7	31.2
辽宁	4917.5	244.0	567.5	16.5
吉林	2484.3	196.7	348.2	21.9
黑龙江	2838.6	325.2	311.9	22.4
上海	4537.1	30.2	502.5	11.7
江苏	9661.4	627.3	1916.7	26.3
浙江	7441.7	727.0	1754.3	33.3
安徽	2965.5	601.2	729.4	44.9
福建	3828.0	393.5	853.5	32.6
江西	2082.8	445.7	522.2	46.5
山东	10381.2	1184.8	2467.7	35.2
河南	5662.5	1120.6	1401.9	44.5
湖北	4965.8	477.6	1001.8	29.8
湖南	4119.7	670.6	1006.2	40.7
广东	12772.2	582.8	3178.9	29.5
广西	2338.4	410.5	544.3	40.8
海南	448.4	32.2	91.0	27.5
重庆	2064.1	269.7	528.3	38.7
四川	4800.8	863.3	1535.4	50.0
贵州	1014.9	206.2	223.1	42.3
云南	1718.5	391.0	367.8	44.2
西藏	129.1	51.0	13.8	50.2
陕西	2256.1	384.9	367.0	33.3
甘肃	990.1	158.6	192.7	35.5
青海	252.8	48.1	24.8	28.8
宁夏	285.2	41.5	31.0	25.4
新疆	1025.7	148.5	147.6	28.9

2—6 各地区城乡居民收入水平

单位:元/人

地　区	农村居民家庭人均纯收入	城镇居民家庭人均可支配收入	城乡居民收入水平对比（农村居民=1）
全国合计	**4760.6**	**15780.8**	**3.31**
北　京	10661.9	24724.9	2.32
天　津	7910.8	19422.5	2.46
河　北	4795.5	13441.1	2.80
山　西	4097.2	13119.1	3.20
内蒙古	4656.2	14432.6	3.10
辽　宁	5576.5	14392.7	2.58
吉　林	4932.7	12829.5	2.60
黑龙江	4855.6	11581.3	2.39
上　海	11440.3	26674.9	2.33
江　苏	7356.5	18679.5	2.54
浙　江	9257.9	22726.7	2.45
安　徽	4202.5	12990.4	3.09
福　建	6196.1	17961.5	2.90
江　西	4697.2	12866.4	2.74
山　东	5641.4	16305.4	2.89
河　南	4454.2	13231.1	2.97
湖　北	4656.4	13152.9	2.82
湖　南	4512.5	13821.2	3.06
广　东	6399.8	19732.9	3.08
广　西	3690.3	14146.0	3.83
海　南	4390.0	12607.8	2.87
重　庆	4126.2	14367.6	3.48
四　川	4121.2	12633.4	3.07
贵　州	2796.9	11758.8	4.20
云　南	3102.6	13250.2	4.27
西　藏	3175.8	12481.5	3.93
陕　西	3136.5	12857.9	4.10
甘　肃	2723.8	10969.4	4.03
青　海	3061.2	11640.4	3.80
宁　夏	3681.4	12931.5	3.51
新　疆	3502.9	11432.1	3.26

2—7　各地区城乡居民消费水平

单位:元/人

地　区	居民消费水平	农村居民	城镇居民	城乡居民消费水平对比(农村居民=1)
北　京	20346	10043	22207	2.2
天　津	14000	6389	16301	2.6
河　北	6570	3553	10955	3.1
山　西	6187	3274	9810	3.0
内蒙古	8108	3668	12386	3.4
辽　宁	9625	4321	13216	3.1
吉　林	7591	3854	10878	2.8
黑龙江	7039	3781	9743	2.6
上　海	27343	12202	29250	2.4
江　苏	11013	6461	14930	2.3
浙　江	13893	7665	18515	2.4
安　徽	6377	3454	10835	3.1
福　建	10361	5633	15223	2.7
江　西	5753	4533	6586	1.5
山　东	9573	4859	14851	3.1
河　南	5877	3208	10797	3.4
湖　北	7406	3864	11780	3.0
湖　南	7145	3926	11716	3.0
广　东	14390	5176	19743	3.8
广　西	6103	3070	11221	3.7
海　南	6550	3593	10163	2.8
重　庆	9835	4049	15817	3.9
四　川	6072	3362	10608	3.2
贵　州	4426	2142	10106	4.7
云　南	4553	2547	9010	3.5
西　藏	3504	2149	8324	3.9
陕　西	6290	2993	10965	3.7
甘　肃	4869	2480	9975	4.0
青　海	5830	3121	9816	3.1
宁　夏	7193	3142	12245	3.9
新　疆	5542	2661	9975	3.7

2—8　主要农产品供需情况

一、粮食

年　份	生产量（万吨）	进口量（万吨）	出口量（万吨）	城镇居民人均消费（千克/人）	农村居民人均消费（千克/人）
1980	32056	1343	162		257.2
1981	32502	1481	126	145.4	256.1
1982	35450	1612	125	144.6	260.0
1983	38728	1344	196	144.5	259.9
1984	40731	1045	357	142.1	266.5
1985	37911	600	932	134.8	257.5
1986	39151	773	942	137.9	259.3
1987	40298	1628	737	133.9	259.4
1988	39408	1533	717	137.2	259.5
1989	40755	1658	656	133.9	262.3
1990	44624	1372	583	130.7	262.1
1991	43529	1345	1086	127.9	255.6
1992	44266	1175	1364	111.5	250.5
1993	45649	752	1535	97.8	251.8
1994	44510	920	1346	101.7	257.6
1995	46662	2081	214	97.0	256.1
1996	50450	1200	144	94.7	256.2
1997	49417	705	859	88.6	250.7
1998	51230	708	906	86.7	248.9
1999	50839	772	758	84.9	247.5
2000	46218	1357	1400	82.3	250.2
2001	45264	1738	903	79.7	238.6
2002	45706	1417	1514	78.5	236.5
2003	43070	2283	2230	79.5	222.4
2004	46947	2298	514	78.2	218.3
2005	48402	3286	1141	77.0	208.9
2006	49804	3186	723	75.9	205.6
2007	50160	3237	1118	77.6	199.5
2008	52871	4131	379		199.1

注：1. 1984 年及以前城镇居民人均消费量为全国城市居民人均消费量。
2. 因报表制度改革，2008 年城镇居民人均消费量无数。

二、食用植物油

2—8 续表 1

年　份	生产量（万吨）	进口量（万吨）	出口量（万吨）	城镇居民人均消费（千克/人）	农村居民人均消费（千克/人）
1980	222		3.1		1.4
1981	292	4.4	6.3	4.8	1.9
1982	345	5.6	10.2	5.8	2.1
1983	360	3.5	15.6	6.5	2.2
1984	382	1.4	13.1	7.1	2.5
1985	401	3.5	16.2	5.8	2.6
1986	441	19.8	16.6	6.2	2.6
1987	478	51.1	5.6	6.5	3.1
1988	480	21.4	2.6	7.0	3.3
1989	496	105.6	6.2	6.2	3.3
1990	544	112.0	14.0	6.4	3.5
1991	644	61.0	9.9	6.9	3.9
1992	661	42.0	6.8	6.7	4.1
1993	965	24.0	13.6	7.1	4.1
1994	723	163.0	27.0	7.5	4.1
1995	1144	353.0	49.6	7.1	4.3
1996	947	264.0	47.3	7.1	4.5
1997	894	285.8	86.1	7.2	4.7
1998	602	205.5	30.9	7.6	4.6
1999	734	208.0	9.7	7.8	4.6
2000	835	179.0	11.2	8.2	5.5
2001	1383	165.0	13.4	8.1	7.0
2002	1531	319.0	9.8	8.5	7.5
2003	1584	541.0	6.0	9.2	6.3
2004	1235	676.0	6.5	9.3	5.3
2005	1612	621.0	22.5	9.3	6.0
2006	1986	671.0	39.9	9.4	5.8
2007	2319	838.0	16.6	9.6	6.0
2008	2419	817.1	24.9	10.3	6.2

注：本表生产量为规模以上企业产量。

三、棉花

2—8 续表 2

年 份	生产量（万吨）	进口量（万吨）	出口量（万吨）	全国人均占有量（千克/人）
1980	270.7	88.5	0.9	2.8
1981	296.8	80.1	0.1	3.0
1982	359.8	47.3	0.4	3.5
1983	463.7	23.0	5.8	4.4
1984	625.8	4.0	18.9	5.9
1985	414.7	…	34.7	3.9
1986	354.0	…	55.8	3.2
1987	424.5	0.6	75.5	3.8
1988	414.9	3.5	46.8	3.7
1989	378.8	51.9	27.2	3.3
1990	450.8	42.0	16.7	3.9
1991	567.5	37.0	20.0	4.8
1992	450.8	28.0	14.5	3.8
1993	373.9	1.0	15.0	3.1
1994	434.0	52.6	11.1	3.6
1995	476.8	74.0	2.2	3.9
1996	420.0	6.5	0.4	3.4
1997	460.3	78.3	0.1	3.7
1998	450.1	20.9	4.5	3.6
1999	382.9	5.0	23.6	3.1
2000	441.7	4.7	29.2	3.5
2001	532.4	6.0	5.2	4.2
2002	491.6	18.0	15.0	3.8
2003	486.0	87.0	11.2	3.8
2004	632.0	191.0	0.9	4.9
2005	571.4	257.0	0.5	4.4
2006	753.3	364.0	1.3	5.2
2007	762.4	246.0	2.1	5.8
2008	749.2	211.0	1.6	5.7

四、糖料

2—8 续表 3

年　份	生产量 （万吨）	食糖进口量 （万吨）	食糖出口量 （万吨）	城镇居民人均消费 （千克/人）	农村居民人均消费 （千克/人）
1980	2911.2	91.2	30.1		1.1
1981	3602.8	102.9	12.5	2.9	1.1
1982	4359.4	217.7	6.7	2.8	1.2
1983	4103.3	190.0	6.0	2.8	1.3
1984	4780.3	123.0	5.2	2.9	1.3
1985	6046.8	191.0	18.4	2.5	1.5
1986	5852.5	118.0	26.6	2.6	1.6
1987	5550.3	183.0	45.2	2.5	1.7
1988	6187.4	371.0	24.8	2.6	1.4
1989	5803.8	158.0	43.0	2.4	1.5
1990	7214.5	113.0	57.0	2.1	1.5
1991	8418.7	101.0	34.3	1.8	1.4
1992	8808.0	110.0	167.0	1.9	1.5
1993	7624.2	45.0	185.0	1.8	1.4
1994	7346.0	155.2	94.7	1.9	1.3
1995	7940.0	295.0	48.0	1.7	1.3
1996	8360.0	125.0	66.5	1.7	1.4
1997	9380.0	78.3	37.9	1.6	1.4
1998	9790.4	50.8	43.6	1.8	1.4
1999	8334.1	42.0	36.7	1.8	1.5
2000	7635.3	64.1	41.5	1.7	1.3
2001	8655.1	120.0	19.6	1.7	1.4
2002	10293.0	118.3	32.6	—	1.6
2003	9642.0	78.0	10.3	—	1.2
2004	9528.0	121.0	8.5	—	1.1
2005	9451.9	139.0	35.8	—	1.1
2006	10460.0	137.0	15.4	—	1.1
2007	12188.2	119.0	11.1	—	1.1
2008	13419.6	78.0	6.2	—	1.1

3

农村基本情况与农业生产条件

3—1 全国乡村人口和乡村就业人员情况

单位:万人、%

年 份	乡村人口		乡村就业人员数(年末)		
	人口数	占总人口比重		第一产业	第一产业人员所占比重
1978	79014	82.1	30638	28318	92.4
1980	79565	80.6	31836	29122	91.5
1985	80757	76.3	37065	31130	84.0
1990	84138	73.6	47708	38914	81.6
1991	84620	73.1	48026	39098	81.4
1992	84996	72.5	48291	38699	80.1
1993	85344	72.0	48546	37680	77.6
1994	85681	71.5	48802	36628	75.1
1995	85947	71.0	49025	35530	72.5
1996	85085	69.5	49028	34820	71.0
1997	84177	68.1	49039	34840	71.0
1998	83153	66.7	49021	35177	71.8
1999	82038	65.2	48982	35768	73.0
2000	80837	63.8	48934	36043	73.7
2001	79563	62.3	49085	36513	74.4
2002	78241	60.9	48960	36870	75.3
2003	76851	59.5	48793	36546	74.9
2004	75705	58.2	48724	35269	72.4
2005	74544	57.0	48494	33970	70.0
2006	73742	56.1	48090	32561	67.7
2007	72750	55.1	47640	31444	66.0
2008	72135	54.3	47270	30654	64.8

注:1. 本书中的乡村人口和乡村就业人员的统计口径进行了调整,不同于往年版本数据。
2. 1982年以前人口数据为户籍统计数;1982—1989年数据根据1990年人口普查数据进行了调整;1990—2000年数据根据2000年人口普查数据进行了调整;2001—2004年、2006年和2007年数据为人口变动情况抽样调查推算数;2005年数据根据全国1%人口抽样调查数据推算(下表同)。
3. 资料来源《中国统计年鉴》。

3－2 各地区乡村人口和乡村就业人员

单位:万人、%

年 份	乡村人口		乡村就业人员数(年末)		
	人口数	占总人口比重		第一产业	乡镇企业
全 国	72135	54.3	77480	30654	15451
北 京	256	15.1	1174	66	140
天 津	268	22.8	503	78	121
河 北	4061	58.1	3652	1488	1180
山 西	1872	54.9	1583	643	407
内蒙古	1166	48.3	1103	557	293
辽 宁	1724	40.0	2098	698	690
吉 林	1279	46.8	1144	511	254
黑龙江	1706	44.6	1670	776	190
上 海	215	11.4	896	49	275
江 苏	3509	45.7	4384	917	1884
浙 江	2171	42.4	3692	672	1313
安 徽	3650	59.5	3595	1605	581
福 建	1806	50.1	2080	648	828
江 西	2580	58.6	2223	904	417
山 东	4935	52.4	5352	2001	1574
河 南	6032	64.0	5835	2847	1089
湖 北	3130	54.8	2876	1017	778
湖 南	3691	57.9	3811	1890	1033
广 东	3496	36.6	5478	1553	1466
广 西	2978	61.8	2807	1549	505
海 南	444	52.0	412	222	36
重 庆	1420	50.0	1837	681	259
四 川	5094	62.6	4874	2193	848
贵 州	2689	70.9	2302	1206	308
云 南	3044	67.0	2679	1679	411
西 藏	222	77.4	160	89	4
陕 西	2178	57.9	1947	910	457
甘 肃	1783	67.9	1389	734	224
青 海	327	59.1	277	123	25
宁 夏	340	55.0	304	136	62
新 疆	1286	60.4	814	420	104

注:本表数据根据2008年人口变动情况抽样调查数据推算。

3—3 农村居民家庭劳动力文化状况

指　　标	单位	1990 年	1995 年	2000 年	2007 年	2008 年	2008 年为下列各年百分比(%)	
							1990 年	2007 年
平均每百个劳动力中：								
不识字或识字很少	人	20.73	13.47	8.09	6.34	6.15	29.7	97.0
小学程度	人	38.86	36.62	32.22	25.76	25.30	65.1	98.2
初中程度	人	32.84	40.10	48.07	52.91	52.81	160.8	99.8
高中程度	人	6.96	8.61	9.31	11.01	11.40	163.8	103.5
中专程度	人	0.51	0.96	1.83	2.54	2.66	521.6	104.5
大专及大专以上	人	0.10	0.24	0.48	1.45	1.68	1683.3	116.3

3—4　各地区农村居民家庭劳动力文化状况

单位:人

地　区	平均每百个劳动力中:					
	不识字或识字很少	小学程度	初中程度	高中程度	中专程度	大专及大专以上
全国合计	6.1	25.3	52.8	11.4	2.7	1.7
北　京	1.0	6.0	54.8	18.3	8.9	10.9
天　津	2.2	18.2	59.4	12.6	5.3	2.3
河　北	1.8	17.8	59.8	16.6	2.4	1.6
山　西	2.4	19.5	62.0	12.7	1.9	1.4
内蒙古	5.8	29.4	49.2	12.4	2.0	1.3
辽　宁	0.8	20.1	65.1	7.3	3.3	3.4
吉　林	2.4	28.5	57.1	9.4	1.6	1.0
黑龙江	1.9	24.1	63.8	7.4	1.6	1.2
上　海	1.9	14.5	48.7	16.2	8.4	10.3
江　苏	6.1	20.1	54.2	13.7	2.7	3.1
浙　江	4.3	30.9	45.4	13.4	2.8	3.2
安　徽	10.8	22.1	54.1	9.0	2.4	1.6
福　建	6.5	28.5	46.9	12.5	3.3	2.3
江　西	5.7	30.1	50.2	10.1	2.5	1.4
山　东	4.6	16.4	56.2	16.4	4.4	2.0
河　南	5.8	16.1	61.5	12.4	2.8	1.4
湖　北	5.1	23.5	56.4	11.2	2.8	1.0
湖　南	2.9	28.3	50.9	14.3	2.4	1.2
广　东	3.6	23.1	53.5	12.9	4.2	2.6
广　西	1.6	23.5	58.5	12.2	3.3	1.0
海　南	4.6	20.9	54.4	16.9	2.4	0.8
重　庆	6.5	36.9	46.9	6.4	2.5	1.0
四　川	6.5	32.0	50.6	7.8	2.2	0.9
贵　州	13.1	35.8	43.3	5.3	1.8	0.7
云　南	13.2	37.9	41.4	5.3	1.6	0.6
西　藏	50.2	45.2	3.7	0.9		0.1
陕　西	6.0	20.6	56.9	13.1	1.9	1.4
甘　肃	14.4	28.7	41.1	12.6	1.7	1.5
青　海	23.7	38.9	29.0	6.9	1.1	0.5
宁　夏	18.7	31.2	40.4	8.2	0.8	0.8
新　疆	4.0	37.1	48.6	7.1	2.2	1.0

3—5 各地区农村居民家庭劳动力文化程度

（按人均纯收入分组）

单位：%

地　区	劳动力文化程度构成					
	不识字或识字很少	小学程度	初中程度	高中程度	中专程度	大专及大专以上
全国总计	6.1	25.3	52.8	11.4	2.7	1.7
4000元以上地区						
上　海	1.9	14.5	48.7	16.2	8.4	10.3
北　京	1.0	6.0	54.8	18.3	8.9	10.9
浙　江	4.3	30.9	45.4	13.4	2.8	3.2
天　津	2.2	18.2	59.4	12.6	5.3	2.3
江　苏	6.1	20.1	54.2	13.7	2.7	3.1
广　东	3.6	23.1	53.5	12.9	4.2	2.6
福　建	6.5	28.5	46.9	12.5	3.3	2.3
山　东	4.6	16.4	56.2	16.4	4.4	2.0
辽　宁	0.8	20.1	65.1	7.3	3.3	3.4
吉　林	2.4	28.5	57.1	9.4	1.6	1.0
黑龙江	1.9	24.1	63.8	7.4	1.6	1.2
河　北	1.8	17.8	59.8	16.6	2.4	1.6
江　西	5.7	30.1	50.2	10.1	2.5	1.4
湖　北	5.1	23.5	56.4	11.2	2.8	1.0
内蒙古	5.8	29.4	49.2	12.4	2.0	1.3
湖　南	2.9	28.3	50.9	14.3	2.4	1.2
河　南	5.8	16.1	61.5	12.4	2.8	1.4
海　南	4.6	20.9	54.4	16.9	2.4	0.8
安　徽	10.8	22.1	54.1	9.0	2.4	1.6
重　庆	6.5	36.9	46.9	6.4	2.5	1.0
四　川	6.5	32.0	50.6	7.8	2.2	0.9
山　西	2.4	19.5	62.0	12.7	1.9	1.4
3000～4000元地区						
广　西	1.6	23.5	58.5	12.2	3.3	1.0
宁　夏	18.7	31.2	40.4	8.2	0.8	0.8
新　疆	4.0	37.1	48.6	7.1	2.2	1.0
西　藏	50.2	45.2	3.7	0.9	0.0	0.1
陕　西	6.0	20.6	56.9	13.1	1.9	1.4
云　南	13.2	37.9	41.4	5.3	1.6	0.6
青　海	23.7	38.9	29.0	6.9	1.1	0.5
2000～3000元地区						
贵　州	13.1	35.8	43.3	5.3	1.8	0.7
甘　肃	14.4	28.7	41.1	12.6	1.7	1.5

3－6 主要农业机械年末拥有量

年 份	农用机械总动力（亿瓦）	大中型拖拉机（台）	小 型拖拉机（万台）	大中型拖拉机配套农具（万部）	联 合收获机（台）	渔用机动船	
						（艘）	（万千瓦）
1957	12.1	14674			1789	1485	7.6
1962	75.7	54938	0.1	19.2	5906	5657	33.3
1965	109.9	72599	0.4	25.8	6704	7789	47.1
1970	216.5	125498	7.8	34.6	8002	14200	73.0
1975	747.9	344518	59.9	90.8	12551	33701	157.1
1978	1175.0	557358	137.3	119.2	18987	47176	213.6
1979	1337.9	666823	167.1	131.3	23026	52225	230.1
1980	1474.6	744865	187.4	136.9	27045	61022	258.5
1981	1568.0	792032	203.7	139.0	31268	73586	293.2
1982	1661.4	812447	228.7	137.4	33904	95692	322.3
1983	1802.2	840776	275.0	130.8	35728	120167	326.8
1984	1949.7	853914	329.8	117.0	35861	143430	335.2
1985	2091.3	852357	382.4	112.8	34573	172582	367.2
1986	2295.0	866463	452.6	100.6	30945	205923	424.0
1987	2483.6	880952	530.0	103.5	33802	238628	486.0
1988	2657.5	870187	595.8	97.1	35004	265126	545.0
1989	2806.7	848220	654.3	99.1	36582	289205	609.0
1990	2870.8	813521	698.1	97.4	38719	320927	696.0
1991	2938.9	784466	730.4	99.1	43996	329843	733.4
1992	3030.8	758904	750.7	104.4	51075	335875	786.1
1993	3181.7	721216	788.3	100.1	56304	334656	804.4
1994	3380.3	693154	823.7	98.0	63918	351327	831.1
1995	3611.8	671846	864.6	99.1	75351	376813	965.7
1996	3854.7	670848	918.9	105.0	96378	358869	864.1
1997	4201.6	689051	1048.5	115.7	141312	400010	1084.0
1998	4520.8	725215	1122.1	120.4	182629	411322	1174.4
1999	4899.6	784216	1200.3	132.0	226036	417379	1253.1
2000	5257.4	974547	1264.4	140.0	262578	459888	1338.7
2001	5517.2	829900	1305.1	146.9	282871	480125	1379.7
2002	5793.0	911670	1339.4	157.9	310147	485693	1381.2
2003	6038.7	980560	1377.7	169.8	365041	478123	1425.9
2004	6402.8	1118636	1454.9	188.7	410520	486878	1384.2
2005	6839.8	1395981	1526.9	226.2	480378	439604	1376.1
2006	7252.2	1718247	1567.9	261.5	565578	492126	1498.3
2007	7659.0	2062731	1619.1	308.3	633784	524848	1605.3
2008	8219.0	2995214	1722.4	435.4	743474	—	—

注：1. 自 2000 年起，大中型拖拉机、联合收获机、渔用机动船统计口径变化，数字有调整。

2. 自 2008 年起使用农业部农机化司统计数字，取消渔用机动船指标。（以下表同）

3—7 主要农业机械年末拥有量及增长情况

指　　标	单位	1990 年	1995 年	2000 年	2007 年	2008 年	2008 年为 2007 年百分比(%)
一、农用机械总动力	万千瓦	28707.7	36118.1	52573.6	76589.6	82190.4	107.3
柴油发动机动力	万千瓦		24176.3	39140.0	60885.4	65927.9	108.3
汽油发动机动力	万千瓦		3433.9	3128.9	2591.9	2279.1	87.9
电动机动力	万千瓦		8443.7	10126.7	12975.6	13886.9	107.0
其他机械动力	万千瓦		64.2	89.9	136.7	96.4	70.5
二、主要农业机械与设备							
大中型拖拉机	万台	81.4	67.2	97.5	206.3	299.5	145.2
	万千瓦	2745.5	2404.1	3161.1	6101.1	8186.5	134.2
小型拖拉机	万台	698.1	864.6	1264.4	1619.1	1722.4	106.4
	万千瓦	6231.4	7848.1	11663.9	15729.2	16647.7	105.8
大中型拖拉机配套农具	万部	97.4	99.1	140.0	308.3	435.4	141.2
小型拖拉机配套农具	万部	648.8	958.0	1788.8	2733.0	2794.5	102.3
农用排灌电动机	万台	430.8	535.2	741.3	1036.5	1086.4	104.8
	万千瓦	3748.8	4038.1	4983.9	6055.4	6347.0	104.8
农用排灌柴油机	万台	411.1	491.2	688.1	861.5	898.4	104.3
	万千瓦	3348.5	3839.0	5232.6	6282.8	6561.7	104.4
联合收获机	万台	3.9	7.5	26.2	63.4	74.3	117.3
	万千瓦	190.9	242.7	660.9	2194.5	2707.4	123.4
机动脱粒机	万台	493.3	605.9	876.2	987.3	963.1	97.6
机电井	万眼			435.8	468.4	443.7	94.7
节水灌溉类机械	万套	39.3	58.6	91.9	123.2	134.5	109.2
农用水泵	万台	723.9	903.5	1392.5	1894.2	1979.2	104.5

注:从 2002 年起大中型拖拉机中不包括变形拖拉机。

3—8 各地区主要农业机械年末拥有量

地区	农用机械总动力（万千瓦）		大中型拖拉机			
			台		万千瓦	
	2007年	2008年	2007年	2008年	2007年	2008年
全国总计	**76589.6**	**82190.4**	**2062731**	**2995214**	**6101.1**	**8186.5**
北京	300.5	267.0	7892	6927	34.6	31.0
天津	604.9	596.6	11000	11500	45.3	47.1
河北	9134.5	9525.4	114345	136200	463.9	541.9
山西	2440.8	2509.9	41379	51703	152.9	177.9
内蒙古	2209.3	2779.4	170668	451900	420.0	891.9
辽宁	1941.7	2042.7	67556	117600	219.1	290.3
吉林	1678.3	1800.0	165300	201300	339.5	415.8
黑龙江	2785.3	3018.4	381813	482000	927.3	1145.9
上海	97.7	95.3	4584	4811	18.1	19.4
江苏	3392.4	3630.9	49600	71700	207.5	257.3
浙江	2331.6	2343.5	6036	5842	18.1	19.7
安徽	4535.3	4807.5	66670	90200	225.3	311.7
福建	1063.1	1112.5	1496	1636	5.4	5.8
江西	2506.3	2946.4	11890	13100	34.9	30.6
山东	9917.8	10350.0	288376	365500	924.9	1156.6
河南	8718.7	9429.3	149400	202608	532.8	693.2
湖北	2551.1	2797.0	92952	104200	248.8	302.8
湖南	3684.4	4021.1	24500	67501	78.9	199.0
广东	1847.2	2093.9	12367	13600	37.6	58.0
广西	2127.2	2373.6	14155	17100	59.2	72.2
海南	328.5	373.1	5841	17600	18.1	44.8
重庆	860.3	903.2	2252	2600	6.9	9.0
四川	2523.1	2687.5	20151	55500	49.8	122.8
贵州	1411.7	1537.5	19200	23577	54.1	55.5
云南	1861.9	2013.9	75097	175100	181.0	378.9
西藏	329.4	349.6	9973	12100	30.7	38.4
陕西	1576.1	1709.9	45597	54836	152.8	180.0
甘肃	1577.3	1686.3	31240	38300	83.0	100.3
青海	348.6	355.7	3002	4373	10.4	11.8
宁夏	629.8	657.9	15414	17900	42.6	46.1
新疆	1274.7	1375.6	152985	176400	477.6	530.8

3－8 续表 1

地　区	小型拖拉机				大中型拖拉机配套农具（部）	
	台		万千瓦			
	2007 年	2008 年	2007 年	2008 年	2007 年	2008 年
全国总计	**16191147**	**17224101**	**15729. 2**	**16647. 7**	**3082785**	**4353649**
北　京	32082	13517	36. 5	15. 0	14828	13623
天　津	34070	32300	35. 1	34. 3	16860	17300
河　北	1481451	1500500	1571. 6	1619. 8	223486	260500
山　西	259533	267598	243. 1	251. 9	88512	105166
内蒙古	538042	510800	625. 5	621. 7	252379	639400
辽　宁	240121	236900	272. 6	253. 0	76588	155100
吉　林	558400	566800	555. 0	554. 2	136406	389600
黑龙江	757190	713000	820. 3	771. 4	472034	593000
上　海	6326	6457	6. 4	5. 9	10923	11354
江　苏	899500	1204400	815. 5	1085. 8	91273	110100
浙　江	170274	166200	148. 3	145. 4	7605	8300
安　徽	2235600	2305300	1782. 7	1842. 4	127706	152700
福　建	86171	96193	79. 8	93. 5	880	1921
江　西	212800	286300	230. 1	377. 2	18400	19300
山　东	1931012	2003000	1608. 5	1647. 6	506704	659200
河　南	3239700	3636700	3422. 0	3775. 0	313400	431570
湖　北	741190	852300	523. 2	598. 2	129617	154900
湖　南	188235	174768	189. 2	176. 2	13972	17357
广　东	317898	355100	251. 0	294. 5	9083	21300
广　西	288440	297000	250. 9	254. 9	21769	25000
海　南	40403	49600	39. 3	49. 6	3689	10700
重　庆	6819	6900	8. 8	9. 0	1282	1100
四　川	133530	114310	171. 6	143. 1	12889	20160
贵　州	51100	48162	62. 7	56. 8	8300	11996
云　南	286199	295700	328. 1	311. 7	15078	19100
西　藏	88321	90500	145. 8	147. 7	3486	4900
陕　西	175610	176139	208. 8	191. 2	75378	101702
甘　肃	411560	423200	453. 9	468. 8	57762	64500
青　海	245443	245657	228. 6	207. 2	3424	3600
宁　夏	170327	172900	182. 2	185. 7	29006	33700
新　疆	363800	375900	432. 1	458. 9	340066	295500

3—8 续表 2

地　区	小型拖拉机配套农具（部）		农用排灌电动机			
			台		万千瓦	
	2007 年	2008 年	2007 年	2008 年	2007 年	2008 年
全国总计	**27329552**	**27945401**	**10364935**	**10863833**	**6055.4**	**6347.0**
北　京	11698	10639	46660	45004	51.1	49.7
天　津	37910	38500	73500	73200	95.4	93.7
河　北	2005543	1989600	1426205	1452300	1137.4	1157.9
山　西	332090	348113	122015	125501	141.0	140.1
内蒙古	806243	806400	173595	144100	127.6	136.9
辽　宁	334337	323000	854586	788500	181.3	180.0
吉　林	1739265	1630000	155423	171500	74.4	89.0
黑龙江	1102720	1132000	70376	77100	61.9	68.3
上　海	6444	6038	16499	16064	21.4	21.7
江　苏	1430653	1634300	389490	391800	431.4	430.5
浙　江	173506	180400	857746	869800	231.7	232.0
安　徽	5191930	5241000	1119259	1080200	358.9	356.7
福　建	86256	91707	50135	50951	35.9	35.7
江　西	180400	203200	253700	265100	221.3	254.6
山　东	2901595	2924300	972657	1099900	668.4	751.3
河　南	6023100	6395200	997900	1022300	556.8	592.0
湖　北	1490826	1697000	452600	524300	348.0	370.0
湖　南	78033	73398	612781	704500	263.0	272.0
广　东	303401	372700	266466	319200	149.5	180.5
广　西	750854	423600	192041	198900	70.2	74.2
海　南	27190	44000	10726	31500	17.5	11.1
重　庆	4523	2100	491512	621200	88.4	93.2
四　川	135016	103280	93694	100770	149.4	157.4
贵　州	15500	16386	175600	171063	76.3	80.0
云　南	202281	223000	59076	67800	66.3	69.7
西　藏	21294	25300	3000	1200	3.9	1.5
陕　西	234788	257940	270928	285050	151.7	162.0
甘　肃	819872	803800	87214	94400	122.1	125.3
青　海	180567	199200	2243	2230	8.9	10.8
宁　夏	189117	198600	23381	22500	21.4	20.6
新　疆	512600	550700	43927	45900	123.1	128.9

3—8 续表 3

地　　区	农用排灌柴油机				农用水泵（台）	
	台		万千瓦			
	2007 年	2008 年	2007 年	2008 年	2007 年	2008 年
全国总计	**8614952**	**8983851**	**6282.8**	**6561.7**	**18941573**	**19792448**
北　京	2142	2178	1.4	1.5	40932	40279
天　津	44810	39300	31.5	32.3	98200	96800
河　北	1231205	1179000	1110.1	1073.3	1705128	1786900
山　西	18872	19441	24.4	25.3	130184	128039
内蒙古	181681	189000	172.7	193.4	371961	354700
辽　宁	176347	194100	143.0	159.0	1186038	1218100
吉　林	290662	287600	215.5	209.6	441804	474000
黑龙江	202567	207000	193.2	195.3	346663	356300
上　海	12	11	0.0	0.0	16208	15974
江　苏	178370	177700	172.5	171.3	590927	598000
浙　江	90095	87400	43.0	42.1	967644	966200
安　徽	359191	371800	262.6	269.7	1628489	1673500
福　建	90631	90673	57.7	57.7	132745	137227
江　西	580800	650900	372.5	397.5	682100	689800
山　东	1741528	1791400	1390.9	1462.0	2772971	2910200
河　南	542600	509640	516.7	501.8	2079700	2073400
湖　北	220290	208600	193.3	189.3	827016	877300
湖　南	1059437	1169100	484.7	550.7	1778945	1703700
广　东	234348	352400	131.7	202.1	419389	594300
广　西	394486	421600	185.8	215.4	648071	687000
海　南	132964	155900	58.4	67.6	81823	174600
重　庆	85013	95000	45.9	51.3	620500	763400
四　川	405894	411200	250.2	252.3	554250	563830
贵　州	174200	174194	98.9	101.2	194800	261850
云　南	104176	122300	51.8	62.4	147306	170900
西　藏	3500	2900	5.1	3.3	1015	900
陕　西	39069	41244	35.4	36.4	299423	294549
甘　肃	17093	18100	16.3	17.0	90196	92100
青　海	775	670	1.3	1.1	3284	2300
宁　夏	3976	4100	3.8	4.6	35185	34800
新　疆	8218	9400	12.4	15.1	48676	51500

3－8 续表 4

地　区	联合收割机			
	台		万千瓦	
	2007 年	2008 年	2007 年	2008 年
全国总计	**633784**	**743474**	**2194.5**	**2707.4**
北　京	2136	1801	13.2	11.3
天　津	4260	3300	14.1	16.8
河　北	63618	68600	253.3	289.4
山　西	6014	8224	27.7	37.8
内蒙古	5527	5600	32.0	35.9
辽　宁	1456	2360	5.0	10.8
吉　林	3001	5500	11.1	21.3
黑龙江	36968	30700	239.0	199.6
上　海	1934	1903	3.8	5.3
江　苏	78498	85300	238.6	298.0
浙　江	14837	15200	41.7	44.5
安　徽	67728	77700	240.1	292.2
福　建	2337	2717	7.1	8.7
江　西	21600	25800	73.5	89.2
山　东	110468	131400	221.9	383.0
河　南	93200	102530	355.8	431.0
湖　北	29803	35000	110.1	140.7
湖　南	36206	44008	111.8	139.7
广　东	6843	13994	16.4	33.2
广　西	4728	8298	12.9	20.9
海　南	1218	2200	4.0	5.0
重　庆	466	900	1.8	2.3
四　川	7621	8500	23.6	30.7
贵　州	440	507	2.5	1.6
云　南	2168	2500	5.8	7.5
西　藏	2261	29100	3.9	6.1
陕　西	18328	18888	67.6	82.7
甘　肃	2313	2200	10.7	11.5
青　海	736	950	5.0	6.6
宁　夏	3095	3394	10.4	13.4
新　疆	3976	4400	30.6	30.6

3—8 续表 5

地　区	机动脱粒机（部）		节水灌溉类机械（套）	
	2007 年	2008 年	2007 年	2008 年
全国总计	**9872961**	**9631477**	**1232215**	**1345392**
北　京	5512	5477	10647	9852
天　津	20820	19300	2580	2700
河　北	259693	218100	38101	39000
山　西	53261	53022	8427	8986
内蒙古	96012	79000	32853	41800
辽　宁	119174	117000	53061	104400
吉　林	130904	143000	27658	25700
黑龙江	149530	160200	16082	18000
上　海	30772	13920	303	5300
江　苏	590039	436200	34112	31300
浙　江	1453599	1312500	25131	22700
安　徽	458562	408500	180094	180200
福　建	78363	84034	9990	10221
江　西	866300	821100	29500	31520
山　东	542467	441500	440591	460100
河　南	618000	573890	196600	162400
湖　北	131363	130000	18092	22300
湖　南	1186447	1188800	11188	6200
广　东	544383	539800	18478	68900
广　西	654462	692300	29500	31200
海　南	41606	36600	1276	2500
重　庆	468200	543000	1100	1000
四　川	799967	961360	12316	14220
贵　州	83500	101645	6400	8700
云　南	176746	218000	2175	2100
西　藏	21574	22600	23	0
陕　西	147689	151165	7935	8493
甘　肃	74152	93800	2303	2700
青　海	13763	14600	2012	1400
宁　夏	16966	14200	819	1300
新　疆	39135	36864	12868	20200

3—9　农村电力、灌溉面积、化肥施用量情况

年　份	乡村(农村)办水电站		农村用电量（亿千瓦时）	有效灌溉面积（千公顷）	化肥施用量（万吨）
	个数(个)	装机容量(万千瓦)			
1952	98	0.8	0.5	19959.0	7.8
1957	544	2.0	1.4	27339.0	37.3
1962	7436	25.2	16.1	30545.0	63.0
1965			37.1		194.2
1978	82387	228.4	253.1	44965.0	884.0
1979	83224	276.4	282.7	45003.1	1086.3
1980	80319	304.1	320.8	44888.1	1269.4
1981	74017	336.0	369.9	44573.8	1334.9
1982	66256	353.0	396.9	44176.9	1513.4
1983	62328	346.3	435.2	44644.1	1659.8
1984	60062	361.5	464.0	44453.0	1739.8
1985	55754	380.2	508.9	44035.9	1775.8
1986	54136	387.9	586.7	44225.8	1930.6
1987	51978	394.1	658.8	44403.0	1999.7
1988	51558	461.1	712.0	44375.9	2141.5
1989	50862	416.8	790.5	44917.2	2357.1
1990	52387	428.8	844.5	47403.1	2590.3
1991	49644	456.9	963.2	47822.1	2805.1
1992	48082	478.6	1107.1	48590.1	2930.2
1993	45153	481.9	1244.9	48727.9	3151.9
1994	48722	503.7	1473.9	48759.1	3317.9
1995	40699	519.5	1655.7	49281.6	3593.7
1996	37743	533.7	1812.7	50381.6	3827.9
1997	36117	562.4	1980.1	51238.5	3980.7
1998	33185	634.8	2042.2	52295.6	4083.7
1999	31678	664.1	2173.4	53158.4	4124.3
2000	29962	698.5	2421.3	53820.3	4146.4
2001	29183	896.6	2610.8	54249.4	4253.8
2002	27633	812.2	2993.4	54354.9	4339.4
2003	26696	862.3	3432.9	54014.2	4411.6
2004	27115	993.8	3933.0	54478.4	4636.6
2005	26726	1099.2	4375.7	55029.3	4766.2
2006	27493	1243.0	4895.8	55750.5	4927.7
2007	27664	1366.6	5509.9	56518.3	5107.8
2008	44433	5127.4	5713.2	58471.7	5239.0

注:2008 年起乡村办水电站统计口径变更为农村水电。农村水电是指装机容量 5 万千瓦及以下水电站和配套电网。(以下表同)

3—10 农村电力和农田水利建设情况

指 标	单位	1990年	1995年	2000年	2007年	2008年	2008年为2007年百分比(%)
一、乡村办水电站	**个**	**52387**	**40699**	**29962**	**27664**	**44433**	
装机容量	万千瓦	428.8	519.5	698.5	1366.6	5127.4	
发电量	亿千瓦时		134.1	205.0	402.3	1627.6	
二、农村用电量	**亿千瓦时**	**844.5**	**1655.7**	**2421.3**	**5509.9**	**5713.2**	**103.7**
三、农田水利建设情况							
有效灌溉面积	千公顷	47403.1	49281.2	53820.3	56518.3	58471.7	103.5
旱涝保收面积	千公顷	33638.5	36118.8	38336.3	41152.8	42024.9	102.1
机电排灌面积	千公顷	27148.3	32205.3	35954.1	37761.6	39277.5	104.0

注:2008年在乡村办水电站统计口径改为农村水电,统计口径与往年不可比。

3—11 农用化肥、农膜、柴油和农药使用量

指 标	单位	1990年	1995年	2000年	2007年	2008年	2008年为2007年百分比(%)
一、化肥施用量(折纯量)	**万吨**	**2590.3**	**3593.7**	**4146.4**	**5107.8**	**5239.0**	**102.6**
氮肥	万吨	1638.4	2021.9	2161.5	2297.2	2302.9	100.2
磷肥	万吨	462.4	632.4	690.5	773.0	780.1	100.9
钾肥	万吨	147.9	268.5	376.5	533.6	545.2	102.2
复合肥	万吨	341.6	670.8	917.9	1503.0	1608.6	107.0
二、农用塑料薄膜使用量	**万吨**	**48.2**	**91.5**	**133.5**	**193.7**	**200.7**	**103.6**
#地膜使用量	万吨		47.0	72.2	105.6	110.6	104.7
地膜覆盖面积	千公顷		6493.0	10624.8	14938.3	15308.1	102.5
三、农用柴油使用量	**万吨**		**1087.8**	**1405.0**	**2020.8**	**1887.9**	**93.4**
四、农药使用量	**万吨**	**73.3**	**108.7**	**128.0**	**162.3**	**167.2**	**103.0**

3—12 各地区农村电力和农田水利建设情况

地　区	乡村办水电站（个）		装机容量（万千瓦）		发电量（万千瓦时）		农村用电量（亿千瓦时）	
	2007 年	2008 年	2007 年	2008 年	2007 年	2008 年	2007 年	2008 年
全国总计	**27664**	**44433**	**1366.6**	**5127.4**	**4023458**	**16275902**	**5509.9**	**5713.2**
北　京	19	72	0.7	4.3	307	3641	41.1	42.7
天　津	0	1	0.0	0.5	0	1400	52.5	45.8
河　北	122	229	6.2	36.5	5983	38428	430.1	418.9
山　西	70	169	2.4	16.2	8711	29370	75.9	79.0
内蒙古	3	36	0.0	5.3	360	8248	34.1	36.5
辽　宁	153	164	38.5	29.5	90000	79376	265.4	281.3
吉　林	69	186	4.2	37.5	13683	104473	32.6	34.7
黑龙江	15	69	1.4	23.5	4779	30614	41.0	44.3
上　海							171.7	178.1
江　苏	0	132	0.0	6.9	0	9986	1159.0	1234.1
浙　江	2434	3194	247.4	342.4	504600	773671	650.0	675.4
安　徽	600	772	25.6	71.7	47504	154441	82.0	89.9
福　建	5148	6576	279.5	669.6	1005857	2071339	183.4	209.7
江　西	2233	3420	84.3	239.2	262100	630967	63.1	58.5
山　东	12	88	0.3	7.3	346	10685	408.2	400.0
河　南	334	600	9.1	34.2	13288	65710	223.4	227.4
湖　北	502	1737	61.4	252.5	54201	735062	87.8	98.1
湖　南	3995	4101	116.6	468.8	458959	1406835	76.4	81.5
广　东	5639	9336	216.0	614.6	607679	1843769	937.3	951.2
广　西	717	2269	24.1	331.2	51634	1053833	40.3	44.1
海　南	34	331	8.1	28.5	3077	94015	4.7	5.1
重　庆	606	1118	34.0	125.4	118971	454400	48.4	55.1
四　川	2415	4174	99.3	619.7	426076	2271948	123.3	128.2
贵　州	791	1256	30.2	181.4	93620	682685	30.2	31.4
云　南	455	1672	24.6	623.2	95925	2444966	48.5	50.4
西　藏	283	435	4.3	10.3	11421	24997	0.6	0.6
陕　西	598	981	19.9	72.8	65263	220161	102.0	104.2
甘　肃	255	674	15.6	127.7	43272	467325	36.9	38.6
青　海	46	185	2.7	49.5	10598	216302	3.5	3.7
宁　夏	0	1	0.0	0.3	0	800	10.6	10.9
新　疆	116	452	10.2	86.6	25244	304117	45.8	53.9
水利部属	0	3	0.0	10.5	0	42338		

3—12 续表

单位：千公顷

地　　区	有效灌溉面积		旱涝保收面积		机电排灌面积	
	2007 年	2008 年	2007 年	2008 年	2007 年	2008 年
全国总计	**56518.3**	**58471.7**	**41152.8**	**42024.9**	**37761.6**	**39277.5**
北　　京	173.6	241.7	160.5	195.2	163.0	252.5
天　　津	349.3	348.1	233.7	234.6	381.5	386.8
河　　北	4579.0	4559.2	3733.9	3548.7	4360.2	4474.7
山　　西	1255.7	1254.6	715.3	723.2	943.3	945.7
内 蒙 古	2816.6	2871.3	1493.6	1507.5	2843.9	2897.8
辽　　宁	1490.5	1492.9	1084.2	1067.8	1519.1	1391.2
吉　　林	1640.6	1654.1	964.2	1023.1	1472.0	1463.9
黑 龙 江	2950.3	3122.5	1681.5	1789.2	3061.4	3227.7
上　　海	206.1	234.5	192.8	234.5	178.5	144.5
江　　苏	3835.2	3817.1	3086.5	3036.2	3509.8	3601.2
浙　　江	1431.4	1435.9	1075.1	1087.5	1038.2	1045.8
安　　徽	3403.2	3453.7	2568.8	2581.4	2918.5	2964.1
福　　建	952.9	955.5	679.7	679.8	153.2	147.9
江　　西	1839.9	1841.2	1478.6	1481.4	568.0	572.4
山　　东	4836.8	4857.5	3569.7	3547.4	4429.8	4476.8
河　　南	4955.8	4989.2	3962.4	3992.5	3936.6	3991.0
湖　　北	2095.4	2330.2	1784.0	1780.7	1315.4	1378.6
湖　　南	2696.6	2709.0	2213.5	2196.2	1170.7	1159.3
广　　东	1312.0	1863.4	927.5	1410.3	417.9	646.9
广　　西	1522.3	1521.4	1171.3	1168.5	264.7	271.3
海　　南	169.9	246.1	91.2	152.9	26.1	19.5
重　　庆	633.7	658.9	323.1	330.8	177.6	187.0
四　　川	2499.8	2506.7	1729.6	1731.9	354.0	263.8
贵　　州	779.7	917.4	564.6	586.4	70.1	74.1
云　　南	1517.1	1536.9	911.4	917.3	183.9	183.7
西　　藏	156.4	220.7	82.6	15.1	8.0	4.7
陕　　西	1287.4	1301.4	793.9	848.1	748.3	845.7
甘　　肃	1063.0	1254.7	659.1	999.8	450.3	433.2
青　　海	176.6	251.7	57.3	151.3	22.1	32.6
宁　　夏	426.2	451.9	381.2	368.3	112.6	175.3
新　　疆	3465.4	3572.5	2782.2	2637.3	963.0	1617.7

3－13　各地区农用化肥施用量

（按折纯法计算）

单位：万吨

地　区	农用化肥施用量		1.氮肥		2.磷肥	
	2007年	2008年	2007年	2008年	2007年	2008年
全国总计	**5107.8**	**5239.0**	**2297.2**	**2302.9**	**773.0**	**780.1**
北　京	14.0	13.6	7.2	7.0	1.1	1.0
天　津	25.8	25.9	12.7	12.1	4.2	3.9
河　北	311.9	312.4	156.1	153.5	48.2	47.9
山　西	100.8	103.4	40.5	40.3	18.7	18.7
内蒙古	140.3	154.1	67.6	73.0	25.2	25.0
辽　宁	127.5	128.8	65.4	65.6	11.5	11.7
吉　林	154.4	163.8	62.7	63.9	6.5	6.7
黑龙江	175.2	180.7	65.9	66.6	39.3	40.3
上　海	14.1	14.3	8.3	8.9	1.3	1.1
江　苏	342.0	340.8	182.8	180.7	48.1	48.1
浙　江	92.8	93.0	53.9	53.6	12.0	12.0
安　徽	305.0	307.4	111.5	111.8	37.0	36.7
福　建	119.7	118.7	48.4	47.3	16.3	16.6
江　西	132.7	133.0	45.3	44.1	22.7	21.5
山　东	500.3	476.3	193.1	170.3	57.7	54.9
河　南	569.7	601.7	239.0	239.5	109.8	111.4
湖　北	299.9	327.7	142.8	149.4	63.5	66.5
湖　南	219.6	223.4	107.7	106.5	25.9	26.0
广　东	219.6	226.6	94.5	98.1	21.0	20.8
广　西	220.8	222.6	67.3	67.9	27.5	27.5
海　南	41.7	45.6	11.6	13.9	2.7	3.0
重　庆	84.3	88.1	48.0	50.0	18.4	17.3
四　川	238.2	242.8	127.9	128.6	48.0	48.9
贵　州	82.1	83.1	45.9	46.3	10.7	10.8
云　南	158.3	167.7	86.6	91.9	24.8	26.0
西　藏	4.6	4.6	1.9	1.7	1.1	0.9
陕　西	158.8	165.9	81.1	81.3	14.8	16.0
甘　肃	80.1	81.4	38.2	37.7	15.7	15.9
青　海	7.6	8.1	3.2	3.3	1.5	0.8
宁　夏	34.6	34.8	16.6	16.7	4.0	4.2
新　疆	131.5	148.9	63.5	71.4	33.9	38.0

3－13 续表 单位:万吨

地区	3. 钾肥		4. 复合肥	
	2007 年	2008 年	2007 年	2008 年
全国总计	**533.6**	**545.2**	**1503.0**	**1608.6**
北京	0.7	0.7	5.0	5.0
天津	2.0	2.3	7.0	7.7
河北	25.1	25.5	82.5	85.5
山西	7.5	7.8	34.0	36.6
内蒙古	13.5	12.8	34.0	43.3
辽宁	10.9	11.4	39.7	40.1
吉林	11.1	11.9	74.1	81.3
黑龙江	22.7	24.7	47.3	49.1
上海	0.6	0.5	3.9	3.9
江苏	21.0	20.1	90.1	91.9
浙江	7.8	7.5	19.1	19.9
安徽	32.9	31.6	123.7	127.2
福建	24.9	24.1	30.1	30.6
江西	21.4	20.8	43.4	46.5
山东	49.3	47.5	200.3	203.6
河南	55.7	56.5	165.2	194.3
湖北	24.0	27.7	69.6	84.1
湖南	37.2	38.1	48.8	52.7
广东	43.1	45.0	61.0	62.6
广西	51.8	50.5	74.2	76.7
海南	6.2	6.9	21.1	21.9
重庆	4.3	4.7	13.4	15.5
四川	14.8	15.8	46.6	48.0
贵州	6.7	7.0	18.7	19.0
云南	13.6	15.2	33.2	34.5
西藏	0.5	0.1	1.2	1.8
陕西	11.4	13.1	51.5	55.5
甘肃	4.8	5.3	21.4	22.5
青海	0.3	0.3	2.6	3.8
宁夏	1.5	1.8	12.6	12.1
新疆	6.5	8.0	27.5	31.5

3－14 各地区农用塑料薄膜使用量

地区	农用塑料薄膜使用量（吨）		地膜使用量（吨）		地膜覆盖面积（公顷）	
	2007年	2008年	2007年	2008年	2007年	2008年
全国总计	**1937468**	**2006924**	**1056151**	**1105761**	**14938348**	**15308075**
北京	14615	14199	5434	5038	23977	22162
天津	11439	11281	6502	6458	100005	100505
河北	113687	116508	62687	63424	1077870	1097496
山西	35724	36073	26893	26607	465403	456142
内蒙古	41253	49058	32464	39070	644732	736174
辽宁	112390	109889	30241	31656	235518	249428
吉林	47250	50107	17080	18581	140490	149116
黑龙江	63612	65606	24338	26732	316734	327560
上海	21287	21280	7323	7121	32248	32592
江苏	80407	85375	45253	35308	494585	493807
浙江	49150	52104	23405	24096	151989	148070
安徽	77394	71660	34492	35030	673191	502927
福建	60881	61799	24773	25802	115586	122095
江西	38071	41645	23218	24916	103108	134631
山东	341192	321250	151014	148190	2426943	2607608
河南	126619	130736	59426	61525	957710	960380
湖北	58421	59135	30930	33002	402210	516890
湖南	68042	69465	48700	49328	672756	687498
广东	32374	35602	18436	19569	108887	113174
广西	26747	29708	19194	21632	253421	305508
海南	21947	19417	5927	6815	20708	33893
重庆	30053	30914	17573	18257	334398	341118
四川	99424	103240	68050	71026	785109	832042
贵州	33710	47765	18623	19838	215953	226611
云南	69845	74830	55152	58272	668100	724828
西藏	484	527	340	389	1222	2865
陕西	26780	27612	18993	18981	432498	439338
甘肃	84642	90670	50277	54690	720087	784053
青海	959	1070	439	515	6901	6865
宁夏	7737	9365	4233	4778	87134	115039
新疆	141332	169034	124740	149114	2268876	2037660

3—15 各地区农用柴油和农药使用量

地区	农用柴油使用量(万吨)		农药使用量(吨)	
	2007 年	2008 年	2007 年	2008 年
全国总计	**2020.8**	**1887.9**	**1622837**	**1672259**
北京	4.4	4.5	3735	3869
天津	15.7	16.1	3522	3807
河北	487.0	329.9	83520	85078
山西	28.0	29.1	23238	23982
内蒙古	51.3	55.1	17497	19136
辽宁	62.7	63.9	50331	52454
吉林	50.5	53.3	37718	40526
黑龙江	104.6	110.2	81706	62422
上海	14.5	13.9	8064	8096
江苏	80.6	83.9	96792	93837
浙江	193.6	184.3	64932	65787
安徽	62.4	63.2	99142	111535
福建	78.9	81.0	56951	57505
江西	22.3	23.8	88833	96662
山东	193.8	182.7	165721	173461
河南	96.4	99.2	117992	119128
湖北	48.2	52.5	135561	138428
湖南	33.5	35.7	109142	112750
广东	64.4	66.7	99164	100509
广西	54.8	55.4	60004	61991
海南	16.9	18.7	24936	32411
重庆	15.3	15.0	20372	20972
四川	39.7	39.8	60322	60772
贵州	5.4	5.6	10722	12920
云南	46.9	50.0	35206	42875
西藏	1.4	1.7	1002	1187
陕西	52.8	47.8	10698	10953
甘肃	22.7	25.1	35317	36511
青海	5.6	5.6	1892	1954
宁夏	15.7	17.1	2228	2385
新疆	50.5	57.3	16576	18356

3－16　各地区农村居民家庭拥有生产性固定资产原值

单位:元/户

地　区	合计	农业	房屋及建筑物	役畜	大中型铁木农具	农业机械	林业
全国总计	**9054.9**	**4549.9**	**1415.1**	**550.7**	**366.1**	**2072.6**	**20.9**
北　京	9503.7	2105.7	1228.9	88.0	14.3	763.8	75.9
天　津	12987.5	4051.5	1168.2	88.7	241.6	2406.6	0.0
河　北	10986.5	5317.6	1004.0	221.1	317.6	3600.9	14.5
山　西	5563.1	2453.5	361.7	321.2	180.7	1411.6	7.7
内蒙古	16117.7	9091.1	2502.8	1060.5	829.3	4412.3	0.7
辽　宁	10124.7	4947.5	2498.0	624.3	164.6	1563.8	
吉　林	15027.3	11023.2	4408.7	1589.2	493.4	4221.4	17.2
黑龙江	16452.6	12517.8	3419.9	493.7	888.3	7459.1	4.2
上　海	1087.4	618.1	496.0		3.3	118.8	
江　苏	9027.0	3311.5	1553.9	48.7	192.1	1394.8	44.6
浙　江	15143.6	1908.7	1116.8	17.9	182.2	517.0	32.3
安　徽	8620.8	6006.8	1816.1	168.0	682.6	3169.4	11.5
福　建	8370.6	2857.4	1603.0	215.3	254.4	718.7	132.9
江　西	5334.1	3016.7	1109.5	809.3	379.5	660.6	3.1
山　东	11461.9	5969.2	1458.0	209.1	348.9	3736.4	5.8
河　南	8154.1	5368.5	909.3	262.6	423.2	3630.2	3.3
湖　北	5435.0	2920.7	986.9	638.0	298.7	945.6	8.6
湖　南	4196.9	1786.9	517.8	273.2	313.2	662.2	
广　东	4276.7	1667.6	510.9	499.0	186.7	435.0	1.3
广　西	5661.6	3209.2	541.2	1042.6	279.6	1256.9	8.3
海　南	7566.1	2913.1	301.1	1300.3	438.9	756.2	530.9
重　庆	4331.4	1874.1	1182.6	285.6	204.7	174.9	12.7
四　川	6183.7	2674.3	1346.8	371.1	317.3	400.2	19.5
贵　州	5467.2	2615.3	885.3	1345.6	189.1	154.2	
云　南	8852.0	4775.0	2085.5	1518.6	129.6	868.4	34.4
西　藏	34332.4	17733.4	8547.2	4619.7	932.0	3359.8	51.9
陕　西	7585.5	2815.7	518.3	311.4	223.2	1609.2	0.2
甘　肃	8408.1	6036.8	1744.1	1172.2	490.6	2411.3	24.7
青　海	12160.4	4878.6	788.3	493.8	378.4	3087.8	
宁　夏	18244.7	9359.2	2122.9	792.1	585.3	5492.2	
新　疆	16883.1	8904.9	1878.6	994.4	1314.9	4299.8	2.0

3—16 续表 1

单位:元/户

地　区	林业机械	牧业	房屋及建筑物	产品畜	渔业	渔业机械	采矿业
全国总计	**3.9**	**1835.3**	**947.9**	**747.8**	**131.7**	**79.7**	**27.6**
北　京	75.9	961.3	412.7	504.7	368.0	100.0	
天　津		1831.2	1203.3	440.8	107.3	81.5	
河　北	7.6	1596.5	644.7	872.7			47.9
山　西		688.6	186.7	470.4			9.8
内蒙古		6323.8	1990.7	2716.6			
辽　宁		2950.6	1781.7	1008.3	121.2	97.4	11.1
吉　林		2387.3	1136.0	1135.9	17.4	1.8	
黑龙江		2921.2	1185.5	1677.0	10.0	1.1	8.9
上　海		146.8	65.0	76.2	146.9	87.0	
江　苏	0.2	828.2	639.6	166.0	234.4	133.1	
浙　江	25.7	2686.2	1536.2	1019.6	1016.6	822.3	51.9
安　徽		705.1	396.8	267.8	51.5	22.1	8.1
福　建	10.6	1474.2	883.4	518.5	290.2	73.2	93.1
江　西		932.2	789.5	109.8	30.4	2.5	12.3
山　东	1.2	1312.3	762.0	463.7	107.6	29.0	123.2
河　南	0.9	981.8	486.9	465.4	13.3	6.1	119.5
湖　北	1.2	1148.9	893.6	197.2	101.5	54.4	1.0
湖　南		1426.8	1201.7	176.6	32.2	16.1	18.4
广　东		624.0	436.6	156.7	318.6	126.7	13.4
广　西	1.1	930.8	665.6	205.2	125.8	113.4	38.0
海　南	15.4	723.6	203.9	503.9	2224.9	1567.0	
重　庆	0.3	1667.1	1156.3	375.8	32.9	5.1	0.6
四　川		2395.1	1820.4	387.8	38.7	11.1	7.5
贵　州		1771.0	1337.6	338.7	1.1		4.3
云　南	13.8	2516.1	1532.4	837.2	6.9	1.0	1.1
西　藏	27.9	10331.3	1229.0	8242.3	0.0		
陕　西	0.1	1033.1	455.3	480.6	1.4	1.4	
甘　肃	5.7	1020.8	304.8	638.7	7.2	1.7	
青　海		4849.1	1514.6	2445.3	21.5	21.5	
宁　夏		2487.5	1075.4	1230.3	64.0	17.7	
新　疆		6353.0	1449.9	4770.0			

3—16 续表 2　　　　单位:元/户

地　区	制造业	房屋及建筑物	生产设备	电力煤气水的生产及供应	建筑业	交通运输仓储和邮政业	批发和零售贸易业
全国总计	**605.5**	**177.0**	**392.0**	**1.5**	**92.5**	**1091.9**	**288.5**
北　京	53.3	13.3	40.0		237.1	2672.5	280.5
天　津	1583.3	308.3	1243.3		925.0	2246.2	1073.0
河　北	1387.1	408.5	918.0	1.8	97.4	1538.6	525.4
山　西	74.4	14.8	48.2		130.8	1338.6	196.2
内蒙古	30.3	12.1	18.1		109.8	291.9	129.9
辽　宁	205.4	61.6	72.4		58.3	917.5	568.7
吉　林	23.9	16.7	6.7		0.6	1112.1	127.5
黑龙江	50.7	5.8	44.9		41.1	667.9	161.4
上　海	83.3	25.0	58.3			81.4	2.5
江　苏	1533.6	478.4	1015.1		296.5	1789.7	544.5
浙　江	6336.2	1553.8	4314.2	7.6	345.2	1850.6	545.8
安　徽	228.8	64.9	159.3	3.2	50.1	817.9	297.7
福　建	406.6	156.0	222.0		165.6	1116.6	693.3
江　西	241.3	113.2	118.6	19.8	45.1	653.1	256.3
山　东	1084.2	435.4	582.7	0.5	108.3	1529.7	538.3
河　南	287.1	89.8	159.2		46.7	881.0	151.0
湖　北	235.7	61.4	168.9	0.6	65.1	704.5	141.1
湖　南	182.0	93.5	83.4		45.4	494.8	109.3
广　东	177.3	33.2	138.4	0.3	62.1	679.9	559.7
广　西	177.4	50.0	123.0		45.5	965.4	49.2
海　南	193.4	55.3	138.1		11.5	556.9	115.2
重　庆	59.8	44.4	10.6		15.9	342.5	144.1
四　川	32.4	9.1	22.1		14.4	601.5	194.0
贵　州	27.5	6.7	13.8	1.1	55.4	848.3	78.6
云　南	52.9	7.5	44.8		0.4	1350.3	58.9
西　藏	30.2	4.2	26.0			5944.6	97.6
陕　西	36.2	4.1	26.9		62.6	1123.8	275.6
甘　肃	59.8	22.0	33.0	2.9	90.3	686.6	169.0
青　海	170.6	41.7	128.9		125.0	1752.0	212.7
宁　夏	475.7	172.7	271.0		20.9	4367.0	331.9
新　疆	46.5	13.6	33.0		32.3	1194.1	76.0

3—16 续表 3

单位:元/户

地　区	住宿和餐饮业	居民服务与其他服务业	教育	卫生、社会保障和福利业	文化体育和娱乐业	其他
全国总计	**109.7**	**179.1**	**4.8**	**32.2**	**13.9**	**69.9**
北　京	528.0	1834.7			13.3	373.3
天　津	579.2	590.9				
河　北	157.9	130.7	5.6	93.8	2.9	69.2
山　西	339.1	259.6		11.3	0.5	53.2
内 蒙 古	17.5	34.7		13.0		75.1
辽　宁	66.0	77.6		169.7	4.2	27.0
吉　林		277.9		12.5	2.0	25.8
黑 龙 江	0.9	41.5		8.0		19.0
上　海		8.3				
江　苏	83.7	175.6	0.6	55.6	87.7	40.8
浙　江	58.4	136.9	2.7	26.5	53.9	84.2
安　徽	224.0	55.9	14.4	53.1	1.7	90.9
福　建	758.6	158.6	19.2	36.8	61.2	106.4
江　西	20.0	62.0	6.5	19.8	2.5	13.1
山　东	202.9	174.2	28.3	46.4	28.3	202.8
河　南	148.3	82.1		23.1	23.8	24.5
湖　北	28.8	51.4	1.5	16.0	1.0	8.8
湖　南	13.1	39.9	4.3	6.7	6.0	31.3
广　东	89.7	42.3		24.6	0.6	15.5
广　西		27.3	4.3	9.7	5.6	65.0
海　南	229.9	27.8	9.7	2.8	0.6	25.7
重　庆	16.8	28.6		29.5	10.0	97.0
四　川	61.7	37.0	2.8	24.2	13.7	67.2
贵　州	5.1	25.5		2.2	2.7	29.2
云　南	3.3	16.2		13.6		23.1
西　藏	50.0	54.6			4.4	34.6
陕　西	69.8	2061.3	14.4	21.1	3.2	67.1
甘　肃	42.4	100.0		41.9		125.8
青　海	22.5	24.5		35.2	2.2	66.6
宁　夏	57.0	502.2		25.0		554.4
新　疆	12.3	45.6		33.6		182.8

3－17 各地区耕地面积及占全国的比重

地 区	耕地面积(总资源) (千公顷)	占全国比重 (%)
31省(自治区、直辖市)合计	**121715.9**	**100.00**
北 京	231.7	0.19
天 津	441.1	0.36
河 北	6317.3	5.19
山 西	4055.8	3.33
内蒙古	7147.2	5.87
辽 宁	4085.3	3.36
吉 林	5534.6	4.55
黑龙江	11830.1	9.72
上 海	244.0	0.20
江 苏	4763.8	3.91
浙 江	1920.9	1.58
安 徽	5730.2	4.71
福 建	1330.1	1.09
江 西	2827.1	2.32
山 东	7515.3	6.17
河 南	7926.4	6.51
湖 北	4664.1	3.83
湖 南	3789.4	3.11
广 东	2830.7	2.33
广 西	4217.5	3.47
海 南	727.5	0.60
重 庆	2235.9	1.84
四 川	5947.4	4.89
贵 州	4485.3	3.69
云 南	6072.1	4.99
西 藏	361.6	0.30
陕 西	4050.3	3.33
甘 肃	4658.8	3.83
青 海	542.7	0.45
宁 夏	1107.1	0.91
新 疆	4124.6	3.39

注：本表数据来源于国土资源部。2008年度土地变更调查截止时点为2008年12月31日。

3—18 各地区耕地面积构成

单位：%

地区	耕地	水田	水浇地	旱地
全国总计	**100.0**	**26.0**	**19.0**	**55.1**
北京	100.0	3.0	76.3	20.8
天津	100.0	11.9	49.3	38.8
河北	100.0	2.4	55.7	42.0
山西	100.0	0.3	21.8	77.9
内蒙古	100.0	1.2	26.9	72.0
辽宁	100.0	15.8	3.8	80.4
吉林	100.0	12.7	1.3	86.1
黑龙江	100.0	10.9	1.1	88.0
上海	100.0	77.1	22.4	0.6
江苏	100.0	60.0	15.3	24.7
浙江	100.0	78.5	2.0	19.5
安徽	100.0	46.2	3.4	50.5
福建	100.0	80.6	3.8	15.5
江西	100.0	82.0	4.1	13.8
山东	100.0	1.7	60.3	38.0
河南	100.0	8.8	39.9	51.3
湖北	100.0	54.3	5.5	40.2
湖南	100.0	76.9	1.3	21.8
广东	100.0	70.5	3.5	26.0
广西	100.0	51.4	0.4	48.2
海南	100.0	53.2	2.0	44.9
重庆	100.0	48.7	0.4	50.8
四川	100.0	48.3	0.7	51.0
贵州	100.0	31.8	0.5	67.7
云南	100.0	25.2	1.4	73.4
西藏	100.0	3.1	71.4	25.5
陕西	100.0	4.8	21.6	73.6
甘肃	100.0	0.3	21.8	77.9
青海	100.0	0.0	34.1	65.9
宁夏	100.0	4.1	32.5	63.4
新疆	100.0	1.7	93.3	5.0

4

农业生态与环境

4—1 全国自然保护区情况

项　　目	单位	1997年	1999年	2000年	2005年	2006年	2007年	2008年
1. 自然保护区数	个	926	1146	1227	2349	2395	2531	2538
国家级	个	124	155	155	243	265	303	303
省级	个	392	404	433	773	793	780	806
市级	个	84	138	154	421	422	462	432
县级	个	326	449	479	912	915	986	997
2. 自然保护区总面积	万公顷	7698	8815	9821	14995	15154	15188	14894
国家级	万公顷	2647	5816	5806	8899	9170	9366	9120
省级	万公顷	4606	2265	3031	4487	4442	4260	4240
市级	万公顷	66	163	253	502	522	538	497
县级	万公顷	379	571	730	1107	1020	1025	1037
3. 自然保护区占辖区面积比重	%	7.6	8.8	9.85	15.0	15.2	15.2	15.1
4. 珍稀濒危动物繁殖场数	个	1015	940	992	164	164		
5. 珍稀植物引种栽培场数	个	72	72	50	77	77		
6. 生态示范区个数	个	130	222	220	528	528		
#国家级	万公顷	130	154	158	233	233		

4—2 农村环境情况

指　　标	2000	2001	2004	2005	2006	2007	2008
农村改水累计受益人口(万人)	88112	86113	88616	88893	86629	87859	89447
累计受益率(%)	92.4	91.0	93.8	94.1	91.1	92.1	93.6
累计使用卫生厕所户数(万户)	9572	11405	13192	13740	13873	14442	15166
卫生厕所普及率(%)	44.8	46.1	53.1	55.3	55.0	57.0	59.7
累计使用卫生公厕户数(万户)		852.8	1095.2	1034.1	2126.3	2049.0	2739.5
农村沼气池产气量(亿立方米)	25.9	29.8	55.7	72.9	83.6	101.7	118.4
太阳能热水器(万平方米)	1107.8	1319.4	2845.9	3205.6	3941.0	4286.4	4758.7
太阳灶(台)	332390	388599	577625	685552	865238	1118763	1356755

4—3 各地区自然保护基本情况

地　区	自然保护区		
	个数（个）	面积（千公顷）	占辖区面积比重（%）
全国总计	**2538**	**14894.3**	**15.1**
北　京	20	13.4	8.0
天　津	8	15.4	13.6
河　北	34	56.7	3.0
山　西	46	114.0	7.3
内 蒙 古	196	1383.2	11.7
辽　宁	95	264.6	10.4
吉　林	34	224.0	12.4
黑 龙 江	190	617.5	13.6
上　海	4	9.4	14.8
江　苏	30	56.5	5.5
浙　江	31	25.7	2.5
安　徽	102	52.8	4.1
福　建	92	50.6	3.1
江　西	174	110.1	6.6
山　东	75	109.7	6.6
河　南	35	75.2	4.5
湖　北	63	99.3	5.3
湖　南	95	112.1	5.3
广　东	371	355.2	4.8
广　西	76	142.9	5.9
海　南	68	281.3	5.3
重　庆	51	90.1	11.0
四　川	164	873.9	17.9
贵　州	129	95.3	5.4
云　南	152	284.1	7.2
西　藏	45	4140.3	34.5
陕　西	50	104.6	5.1
甘　肃	57	754.1	16.5
青　海	11	2182.2	30.3
宁　夏	13	50.7	9.8
新　疆	27	2149.4	13.4

4—4　各地区农村改水、改厕情况

地　区	累计已改水受益人口（万人）	自来水累计受益人口	累计使用卫生厕所户数（万户）	卫生厕所普及率（%）
全　国	**89447.4**	**62612.6**	**15165.9**	**59.7**
北　京	300.5	298.7	88.4	74.4
天　津	376.1	348.6	105.4	89.6
河　北	5203.8	4434.7	670.7	47.0
山　西	2167.4	1869.4	300.1	47.3
内蒙古	1172.6	551.9	135.5	32.6
辽　宁	2198.3	1317.2	372.8	55.3
吉　林	1481.8	914.6	268.3	65.5
黑龙江	2111.3	1342.0	384.3	59.5
上　海	344.4	344.4	125.1	96.4
江　苏	5304.4	5304.4	1090.3	69.6
浙　江	3516.6	3288.3	977.0	83.8
安　徽	5131.7	2054.7	717.7	53.3
福　建	2627.0	2167.8	476.8	68.8
江　西	3234.2	1757.7	575.5	68.4
山　东	6953.3	5974.9	1545.8	75.9
河　南	7806.9	4374.9	1363.9	68.0
湖　北	4389.3	2822.1	732.5	67.8
湖　南	4796.9	3032.3	858.1	59.5
广　东	5837.0	4653.3	1158.1	79.5
广　西	3548.3	2312.8	477.7	49.2
海　南	608.1	412.4	76.2	52.8
重　庆	2501.9	1963.8	332.2	45.7
四　川	6202.3	3069.6	862.3	43.9
贵　州	2481.7	1834.6	275.9	33.7
云　南	2919.5	2181.9	469.5	52.3
西　藏	—	—	—	—
陕　西	2678.1	1474.2	267.2	37.6
甘　肃	1952.1	1117.2	272.8	56.5
青　海	327.2	297.8	37.2	42.6
宁　夏	394.7	237.0	35.2	37.9
新　疆	880.1	859.7	113.2	39.9

资料来源：卫生部。

4—5 各地区农村可再生能源利用情况

地区	沼气池产气总量（万立方米）	#大中型沼气工程	太阳能热水器（万平方米）	太阳房（万平方米）	太阳灶（台）	生活污水净化沼气池（个）
全国	**1184340.0**	**45507.8**	**4758.7**	**1590.5**	**1356755**	**163719**
北京	2245.4	1852.9	67.1	25.1	3043	2
天津	833.0	64.8	30.2	1.0	1700	8
河北	86751.6	1214.2	492.0	155.3	6373	137
山西	18236.8	1545.4	401.9	0.4	2115	51
内蒙	8047.3	664.3	40.2	162.7	19374	
辽宁	12637.8	491.2	121.0	461.1	1109	2
吉林	2228.9		21.4	254.8	490	2
黑龙江	7597.2	434.4	33.8	237.8	396	
上海						120
江苏	14372.6	2080.1	434.9	5.0	15	27197
浙江	12290.8	6254.6	360.9			45417
安徽	18288.9	329.4	307.5	0.2		1188
福建	24821.6	4206.8	34.7			1922
江西	46116.4	2005.7	61.6			1648
山东	52992.0	4733.6	724.8	14.8	14456	99
河南	112585.6	3587.0	213.0	1.4	30	1426
湖北	75261.9	517.5	163.0	0.4		1082
湖南	88435.7	1303.1	96.7		5	1782
广东	21556.3	4161.7	5.3	0.7	24	3738
广西	134993.8	541.5	30.1			630
海南	22105.3	3084.5	392.7			21
重庆	30061.4	470.4	2.8			16586
四川	156626.3	5131.2	39.9	0.5	125128	58725
贵州	76756.8	74.2	290.4			1577
云南	97990.4	54.5	173.1			111
西藏	1520.0				5864	
陕西	27604.4	207.0	97.3	12.6	11313	233
甘肃	15426.7	101.2	54.8	195.3	757764	15
青海	2886.0		2.4	43.1	204366	
宁夏	4899.9	395.9	20.7	8.9	201028	
新疆	8169.4	0.8	44.5	9.4	2162	

资料来源：农业部。

4—6 全国林业重点工程历年完成造林面积

单位：千公顷

年　份	合计	天然林保护工程	退耕还林工程		京津风沙源治理工程	速生丰产用材林基地工程
			退耕还林工程合计	其中：退耕地造林		
1979～1985年	10109.80					
1986年	1106.73					
1987年	1064.80					
1988年	1063.93					
1989年	1001.80					
1990年	1662.06					
"七五"小计	5899.32					
1991年	2082.20					
1992年	2308.00					
1993年	2602.10				132.80	257.50
1994年	2729.59				139.79	223.32
1995年	2862.17				168.59	242.87
"八五"小计	12584.06				441.18	723.69
1996年	2669.49				164.95	187.81
1997年	2642.61				215.95	193.20
1998年	2856.00	290.35			231.58	138.05
1999年	3275.63	477.56	447.93	381.47	211.58	106.10
2000年	3345.92	426.37	683.60	328.42	280.27	246.88
"九五"小计	14789.65	1194.28	1131.53	709.89	1104.33	872.04
2001年	3160.18	948.08	870.99	386.14	217.32	88.87
2002年	6777.38	856.08	4423.61	2039.77	676.38	45.68
2003年	8262.78	688.26	6196.13	3085.93	824.43	20.43
2004年	4802.85	641.45	3217.54	824.90	473.27	22.27
2005年	3109.10	424.81	1898.36	667.39	408.25	9.49
"十五"小计	26112.30	3558.68	16606.63	7004.13	2599.64	186.73
2006年	2810.80	774.82	1050.53	218.49	409.54	9.10
2007年	2681.65	732.88	1056.02	59.46	315.13	3.39
2008年	3438.15	1009.02	1190.35	2.16	469.04	3.98
1979～2008年	78425.73	7269.67	21035.06	7994.13	5338.87	1798.93

注：1. 太行山绿化工程1990年造林面积354.60千公顷系指1984—1990年的造林面积，其中1990年造林面积为109.73千公顷。
2. 京津风沙源治理工程1993—2000年数据为原全国防沙治沙工程数据。速丰林基地工程1993—2000年数据为原利用世界银行贷款营造速丰林工程数据。
3. 本表数据从2001年开始，将原有的16个工程整合形成10个重点林业工程。
4. 根据造林技术规程(GB/T15776—2006)，本表自2006年起将无林地和疏林地新封山育林面积计入造林总面积。

4－6 续表　　单位：千公顷

年　份	三北及长江流域等防护林工程						
	小　计	三北防护林体系工程	长江中上游防护林体系工程	沿海防护林体系工程	珠江流域防护林体系工程	太行山绿化工程	平原绿化工程
1979～1985 年	10109.80	10109.80					
1986 年	1106.73	1106.73					
1987 年	1064.80	1064.80					
1988 年	1063.93	1063.93					
1989 年	1001.80	956.07	45.73				
1990 年	1662.06	983.33	324.13			354.60	
"七五"小计	5899.32	5174.86	369.86			354.60	
1991 年	2082.20	1170.47	462.40	223.60		225.73	
1992 年	2308.00	1255.20	584.60	235.80		232.40	
1993 年	2211.80	1160.00	573.00	131.20		275.20	72.40
1994 年	2366.48	1255.49	546.00	152.78		358.22	53.99
1995 年	2450.71	1333.26	535.71	103.27		427.04	51.43
"八五"小计	11419.19	6174.42	2701.71	846.65		1518.59	177.82
1996 年	2316.73	1342.28	463.96	72.17		402.46	35.86
1997 年	2233.46	1266.12	447.75	63.48	56.72	366.32	33.07
1998 年	2196.02	1243.96	448.60	60.29	39.85	343.74	59.58
1999 年	2032.46	1245.41	369.84	44.48	32.09	293.36	47.28
2000 年	1708.80	1053.16	206.94	56.91	30.68	298.51	62.60
"九五"小计	10487.47	6150.93	1937.09	297.33	159.34	1704.39	238.39
2001 年	1034.92	541.71	162.72	90.90	27.05	141.29	71.25
2002 年	775.63	453.76	110.29	55.71	46.55	76.15	33.16
2003 年	533.54	275.30	108.75	38.56	44.71	50.05	16.18
2004 年	448.32	232.34	113.28	30.18	31.76	30.92	9.85
2005 年	368.20	217.89	65.94	22.68	30.67	28.52	2.50
"十五"小计	3160.62	1721.00	560.98	238.03	180.74	326.93	132.94
2006 年	566.82	326.83	78.67	16.96	28.82	114.67	0.87
2007 年	574.22	381.53	76.40	23.85	17.42	73.93	1.10
2008 年	765.77	497.95	72.25	74.25	36.97	80.28	4.07
1979～2008 年	42983.21	30537.31	5796.95	1497.06	423.29	4173.39	555.19

4—7 各地区林业重点工程建设情况

单位:公顷

地区	总计	天然林保护工程	退耕还林工程		
			合计	其中:退耕地造林面积	其中:荒山荒地造林面积
全国合计	**3438150**	**1009016**	**1190347**	**2164**	**861461**
北京	11216				
天津	11216				
河北	324619		55513		28782
山西	182483	25547	60428		40433
内蒙古	548861	119657	101369		64038
辽宁	81532		58159		31495
吉林	25879		10044	2035	8009
黑龙江	120609		87200		46998
上海					
江苏	13131				
浙江	5974				
安徽	29190		18620		18620
福建	4416				
江西	65203		46833		23706
山东	27451				
河南	81973	8573	53155		53155
湖北	109685	43282	53467		53467
湖南	65054		47025	17	47008
广东	2150				
广西	57195		49704	112	46392
海南	12635		11321		11321
重庆	101242	81242	20000		
四川	487528	425594	61934		31932
贵州	96984	35048	45936		20003
云南	155673	73361	71778		61969
西藏	11180	1180	10000		10000
陕西	224470	114066	74131		47469
甘肃	145003	48058	60069		33402
青海	43782	20541	15509		15509
宁夏	103422	12867	35844		35844
新疆	208394		62308		51909

注:退耕还林工程中包括军事管理区 80000 公顷荒山荒地造林。

4—7 续表

单位:公顷

地　区	三北及长江流域防护林建设工程							京津风沙源治理工程	速生丰产林基地建设工程
	合计	三北防护林四期工程	长江流域防护林二期工程	沿海防护林体系二期工程	珠江流域防护林二期工程	太行山绿化防护林二期工程	平原绿化二期工　程		
全国合计	**765770**	**497947**	**72250**	**74245**	**36973**	**80282**	**4073**	**469042**	**3975**
北　京	1417	1017				400		9799	
天　津	10062	2843		7219				1154	
河　北	100792	31853		11833		56537	569	165971	2343
山　西	60053	44287				15565	201	36455	
内蒙古	72172	72172						255663	
辽　宁	23239	15999		6972			268		134
吉　林	15835	15835							
黑龙江	32263	32263							1146
上　海									
江　苏	13131		5884	7247					
浙　江	5974		365	5609					
安　徽	10570		10570						
福　建	4416			4416					
江　西	18370		14009		1694		2667		
山　东	27451		2803	24608			40		
河　南	20245		12197			7780	268		
湖　北	12936		12876				60		
湖　南	18029		12879		5150				
广　东	2150			851	1299				
广　西	7139			4176	2963				352
海　南	1314			1314					
重　庆									
四　川									
贵　州	16000				16000				
云　南	10534		667		9867				
西　藏									
陕　西	36273	36273							
甘　肃	36876	36876							
青　海	7732	7732							
宁　夏	54711	54711							
新　疆	146086	146086							

4—8 灌区、水库、除涝、治水情况

指　　标	单 位	1990 年	1995 年	2000 年	2005 年	2006 年	2007 年	2008 年
年底万亩以上灌区数	处	5363	5562	5683	5860	5894	5869	6414
#3.3 万公顷以上	处	72	74	101	117	119	120	149
2.0～3.3 万公顷	处	76	99	141	170	166	174	298
灌区有效灌溉面积	万公顷	2123.1	2249.9	2449.3	2641.9	2802.1	2834.0	2944.0
#3.3 万公顷以上	万公顷	604.7	631.4	788.3	1023.0	1052.0	1052.0	1120.7
2.0～3.3 万公顷	万公顷	189.6	244.4	344.0	408.0	409.2	414.9	551.7
水库	座	81527	82915	83260	84577	85249	85412	86353
大型水库	座	366	387	420	470	482	493	529
中型水库	座	2499	2593	2704	2934	3000	3110	3181
小型水库	座	78662	79935	80136	81173	81767	81809	82643
水库库容量	亿立方米	4660	4797	5183	5623	5841	6345	6924
大型水库	亿立方米	3397	3493	3843	4197	4379	4836	5386
中型水库	亿立方米	690	719	746	826	852	883	910
小型水库	亿立方米	573	585	593	601	610	625	628
节水灌溉面积	万公顷			1638.9	2133.8	2242.6	2348.9	2443.6
除涝面积	万公顷	1933.7	2006.5	2098.9	2134.0	2137.6	2141.9	2142.5
水土流失治理面积	万公顷	5300.0	6690.0	8096.0	9465.4	9749.1	9987.1	10158.7
堤防长度	万公里	22.0	24.7	27.0	27.7	28.1	28.4	28.7
堤防保护耕地面积	万公顷	3200.0	3060.9	3960.0	4412.1	4548.6	4551.8	4571.2

注:2008 年对万亩以上灌区的统计口径进行调整,故处数与面积增加较多。

4－9　各地区水利设施和除涝、治水、治碱面积

地　　区	水库数（座）	水库库容量（亿立方米）	除涝面积（千公顷）	水土流失治理面积（千公顷）
全国总计	**86353**	**6924.0**	**21424.5**	**101587.0**
北　京	82	93.9	149.8	454.4
天　津	29	25.9	392.4	44.8
河　北	1069	161.4	1647.3	6194.0
山　西	733	56.8	89.2	4969.3
内蒙古	492	162.8	277.0	10247.8
辽　宁	952	357.5	995.0	6108.0
吉　林	1631	319.5	981.4	3497.6
黑龙江	697	158.4	3305.7	4470.9
上　海			53.7	
江　苏	906	189.4	2800.2	1007.1
浙　江	4202	394.8	496.2	2334.6
安　徽	4797	281.0	2247.2	2059.2
福　建	2971	178.0	124.3	1386.0
江　西	9800	292.8	368.9	4135.5
山　东	6244	225.5	2609.2	4489.5
河　南	2344	400.8	1908.2	4348.0
湖　北	5794	1000.9	1205.4	4269.2
湖　南	11815	397.7	441.3	2758.8
广　东	7059	424.5	509.7	1342.1
广　西	4371	385.1	207.9	1774.0
海　南	995	95.3	12.3	31.1
重　庆	2825	56.6		2143.3
四　川	6728	208.5	91.3	5878.2
贵　州	2032	248.2	50.5	2862.8
云　南	5477	128.3	244.4	4932.0
西　藏	64	12.9	22.3	15.6
陕　西	1001	75.7	130.6	9102.9
甘　肃	288	88.6	12.5	7683.8
青　海	157	341.9		798.6
宁　夏	223	25.5	10.5	1880.8
新　疆	575	135.8	40.2	367.0

4—10 全国受灾和成灾面积

单位：千公顷

年份	受灾面积	旱灾	洪涝灾	成灾面积	旱灾	洪涝灾
1952	9137	4236	2794	4433	2589	1844
1957	29149	17205	8083	14983	7400	6032
1962	37175	20808	9810	17286	8691	6318
1965	20804	13631	5587	11223	8107	2813
1970	9974	5723	3129	3295	1931	1234
1975	35379	24832	6817	10239	5318	3467
1978	50807	32641	3109	24457	16564	2012
1979	39367	24646	6757	15790	9316	2868
1980	50025	21901	9687	29777	14174	6070
1981	39786	25693	8625	18743	12134	3973
1982	33133	20697	8361	16117	9972	4397
1983	34713	16089	12162	16209	7586	5747
1984	31887	15819	10632	15607	7015	5395
1985	44365	22989	14197	22705	10063	8949
1986	47135	31042	9155	23656	14765	5601
1987	42086	24920	8686	20393	13033	4104
1988	50874	32904	11949	24503	15303	6128
1989	46991	29358	11328	24449	15262	5917
1990	38474	18175	11804	17819	7805	5605
1991	55472	24914	24596	27814	10559	14614
1992	51332	32981	9422	25895	17047	4463
1993	48827	21097	16390	23134	8656	8608
1994	55046	30423	17328	31382	17050	10744
1995	45824	23455	12734	22268	10402	7604
1996	46991	20152	18147	21234	6247	10855
1997	53427	33516	11415	30307	20012	5839
1998	50145	14236	22292	25181	5060	13785
1999	49980	30156	9020	26734	16614	5071
2000	54688	40541	7323	34374	26784	4321
2001	52215	38472	6042	31793	23698	3614
2002	46964	22124	12288	27160	13174	7388
2003	54506	24852	19208	32516	14470	12289
2004	37106	17253	7314	16297	8482	3747
2005	38818	16028	10932	19966	8479	6047
2006	41091	20738	8003	24632	13411	4569
2007	48992	29386	10463	25064	16170	5105
2008	39990	12137	6477	22284	6798	3656

4—11 全国受灾、成灾和绝收面积

单位：千公顷

指 标	1990 年	1995 年	2000 年	2007 年	2008 年	2008 年为 2007 年百分比（%）
一、受灾面积	38474	45824	54688	48992	39990	81.6
旱灾	18175	23455	40541	29386	12137	41.3
洪涝灾	11804	12734	7323	10463	6477	61.9
风雹灾	6354	4479	2307	2986	4180	140.0
冷冻灾	2141	3578	2795	4072	14696	360.9
台风灾			1722	2086	2310	110.8
二、成灾面积	17819	22268	34374	25064	22284	88.9
旱灾	7805	10402	26784	16170	6798	42.0
洪涝灾	5605	7604	4321	5105	3656	71.6
风雹灾	3415	2076	1162	1415	2123	150.0
冷冻灾	994	1791	1032	1509	8719	577.7
台风灾			1075	864	939	108.7
三、绝收面积		5618	10148	5747	4826	84.0
旱灾		2121	8006	3191	812	25.4
洪涝灾		2627	1324	1642	756	46.1
风雹灾		561	321	430	475	110.4
冷冻灾		194	260	271	1828	673.6
台风灾			237	213	939	440.1

4—12 各地区受灾面积

单位：千公顷

地 区	受灾面积合计		旱 灾		洪涝灾	
	2007年	2008年	2007年	2008年	2007年	2008年
全国总计	**48992**	**39990**	**29386**	**12137**	**10463**	**6477**
北 京	76	31	47	8	5	
天 津	106	80	67	24	5	
河 北	2338	1152	1298	629	491	55
山 西	2404	2164	1434	1917	520	57
内蒙古	3399	2497	3184	1658	59	434
辽 宁	2393	539	2251	321	43	173
吉 林	3016	580	2889	466	24	52
黑龙江	6653	2367	6500	1597	69	159
上 海	21	21				
江 苏	1642	497	70		719	101
浙 江	901	1075	83	23	31	233
安 徽	1990	1277	11		1470	302
福 建	329	231	101	4	50	58
江 西	1320	2376	1019	128	126	812
山 东	1865	672	531	256	632	121
河 南	2116	967	755	584	906	74
湖 北	2790	4033	831	20	1348	1180
湖 南	2178	4474	1260	486	504	666
广 东	746	1600	377	71	216	415
广 西	1126	2306	699	224	364	642
海 南	288	366	160	81	4	93
重 庆	863	662	233	156	520	86
四 川	2490	1412	1387	107	890	206
贵 州	524	1760	179	30	177	186
云 南	1448	1460	703	475	450	121
西 藏	28	54	8		5	5
陕 西	1946	1047	908	478	462	134
甘 肃	2284	1334	1535	784	195	71
青 海	152	122	68	66	11	10
宁 夏	611	667	341	494	37	5
新 疆	950	2172	459	1050	131	28

4—12 续表

地　区	风雹灾		冷冻灾		台风灾	
	2007年	2008年	2007年	2008年	2007年	2008年
全国总计	**2986**	**4180**	**4072**	**14696**	**2086**	**2310**
北　京	18	23	5			
天　津	31	56	4			
河　北	313	449	236	19		
山　西	122	109	327	81		
内蒙古	141	324	16	81		
辽　宁	82	32	17	13		
吉　林	100	62	4			
黑龙江	79	494	5	116		
上　海		1		20	20	
江　苏	76	78	373	177	403	142
浙　江	6	67	41	613	740	139
安　徽	82	57	336	695	91	223
福　建	4	47	7	33	166	89
江　西	81	72	16	1205	78	77
山　东	302	260	371	32	30	3
河　南	155	171	300	138		
湖　北	101	338	505	2490	5	
湖　南	73	132	88	3171	254	13
广　东	1		18	433	134	680
广　西	21	42	3	701	39	697
海　南				74	124	119
重　庆	108	117	2	298		
四　川	154	398	59	644		
贵　州	128	52	40	1490		
云　南	165	125	130	591		128
西　藏	13	15	3	33		
陕　西	156	167	420	267		
甘　肃	207	161	347	312		
青　海	23	11	50	31		
宁　夏	45	102	188	66		
新　疆	200	221	160	873		

4—13 各地区成灾面积

单位：千公顷

地区	成灾面积合计		旱灾		洪涝灾	
	2007年	2008年	2007年	2008年	2007年	2008年
全国总计	**25064**	**22283**	**16170**	**6798**	**5105**	**3656**
北京	34	25	19	5		
天津	47	54	13	7	3	
河北	1420	834	829	480	272	29
山西	866	1007	647	907	118	23
内蒙古	2427	1318	2307	938	39	159
辽宁	1077	299	1005	236	16	36
吉林	1967	244	1906	165	17	29
黑龙江	3187	1345	3133	930	20	53
上海	11	8				
江苏	610	275	49		259	95
浙江	465	519	34	9	21	134
安徽	1063	621	6		968	202
福建	199	82	81	2	31	24
江西	598	1142	470	46	80	255
山东	636	234	281	88	134	82
河南	968	653	295	376	521	52
湖北	1204	2659	332	14	653	931
湖南	1475	2843	947	160	347	279
广东	302	794	167	40	100	234
广西	429	1129	310	127	110	556
海南	127	172	70	21		79
重庆	427	399	155	93	242	47
四川	1128	637	524	35	491	105
贵州	212	1050	86	18	71	122
云南	755	882	351	359	236	55
西藏	6	36			5	4
陕西	1041	502	548	341	153	15
甘肃	1361	841	992	573	120	36
青海	82	73	35	45	5	1
宁夏	373	283	272	223	32	4
新疆	568	1326	306	561	42	16

4—13 续表

地　区	风雹灾		冷冻灾		台风灾	
	2007年	2008年	2007年	2008年	2007年	2008年
全国总计	**1415**	**2123**	**1509**	**8719**	**864**	**939**
北　京	14	20				
天　津	27	47	4			
河　北	169	314	150	11		
山　西	46	59	55	18		
内蒙古	74	204	8	17		
辽　宁	48	25	8	3		
吉　林	44	50				
黑龙江	34	258		103		
上　海				8	11	
江　苏	14	27	187	100	101	53
浙　江	4	10	11	335	395	30
安　徽	14	21	38	267	36	131
福　建			1	12	85	44
江　西	23	13	9	787	16	30
山　东	80	59	121	6	20	
河　南	60	93	92	132		
湖　北	14	208	205	1504		
湖　南	47	54	22	2336	113	10
广　东			7	200	28	320
广　西	6	15	1	193	2	238
海　南				54	57	19
重　庆	31	47		211		
四　川	95	149	17	335		
贵　州	48	28	7	880		
云　南	83	62	85	331		65
西　藏		9	1	23		
陕　西	100	67	240	80		
甘　肃	181	103	67	126		
青　海	16	5	26	19		
宁　夏	24	30	46	26		
新　疆	120	149	100	601		

5

农村投资

5—1 国家财政用于农业的支出

单位:亿元

年 份	农业支出	支援农村生产支出和各项农业事业费	粮食、农资、良种、农机具四项补贴	农村社会事业发展支出	农业支出占财政支出的比重(%)
1952	9.0	2.7			5.1
1957	23.5	8.0			7.7
1962	38.2	19.3			12.5
1965	55.0	17.3			11.8
1970	49.4	15.9			7.6
1975	99.0	42.5			12.1
1978	150.7	77.0			13.4
1980	150.0	82.1			12.2
1985	153.6	101.0			7.7
1986	184.2	124.3			8.4
1987	195.7	134.2			8.7
1988	214.1	158.7			8.6
1989	265.9	197.1			9.4
1990	307.8	221.8			10.0
1991	347.6	243.6			10.3
1992	376.0	269.0			10.0
1993	440.5	323.4			9.5
1994	533.0	399.7			9.2
1995	574.9	430.2			8.3
1996	700.4	510.1			8.8
1997	766.4	560.8			8.3
1998	1154.8	626.0			10.7
1999	1085.8	677.5			8.2
2000	1231.5	766.9			7.8
2001	1456.7	918.0			7.7
2002	1580.8	1102.7			7.2
2003	1754.5	1134.9			7.1
2004	2337.6	1693.8			8.2
2005	2450.3	1792.4			7.2
2006	3173.0	2161.4			7.9
2007	4318.3	1801.7	513.6	1415.8	8.7
2008	5955.5	2260.1	1030.4	2072.8	9.5

注:1. 从1998年开始,"农业基本建设支出"包括增发国债安排的支出。

2. 从2007年起,国家财政支农支出因报表制度调整,口径与往年不同,本表中的支农支出仅为中央财政用于"三农"的支出。

5－2 农业基本建设投资和新增固定资产

单位:亿元、%

年 份	农业基本建设投资	#水利基建投 资	农业基本建设投资占基本建设投资比重	水利基本建设投资占农业基本建设投资比重	农林牧渔水利新增固定资产
“一五”时期	**41.8**	**24.3**	**7.1**	**58.1**	**34.5**
“二五”时期	**135.7**	**96.6**	**11.3**	**71.2**	**84.6**
1963－1965年	74.5	28.9	17.6	38.8	60.6
“三五”时期	**104.3**	**70.1**	**10.7**	**67.3**	**53.8**
“四五”时期	**173.1**	**117.1**	**9.8**	**67.7**	**92.6**
“五五”时期	**246.1**	**157.2**	**10.5**	**63.9**	**152.8**
#1980年	52.0	27.1	9.3	52.0	35.4
“六五”时期	**172.8**	**93.0**	**5.1**	**53.8**	**140.5**
1981年	29.2	13.6	6.6	46.5	23.1
1982年	34.1	17.5	6.1	51.2	23.8
1983年	35.5	21.1	6.0	59.6	36.6
1984年	37.1	20.7	5.0	55.7	27.1
1985年	36.9	20.2	3.4	54.5	30.0
“七五”时期	**241.2**	**143.7**	**3.3**	**59.6**	**174.7**
1986年	35.1	22.9	3.0	65.2	30.3
1987年	42.1	27.0	3.1	64.1	30.9
1988年	46.2	23.6	3.0	51.2	30.6
1989年	50.7	29.5	3.3	58.3	37.2
1990年	67.2	40.7	4.0	60.5	45.7
“八五”时期	**697.8**	**440.7**	**3.0**	**63.1**	**417.8**
1991年	85.0	50.2	4.0	59.0	50.2
1992年	111.0	68.3	3.7	61.5	62.9
1993年	127.8	81.6	2.8	63.8	77.2
1994年	154.9	98.2	2.4	63.4	91.6
1995年	219.1	142.5	3.1	65.0	135.9
“九五”时期	**3143.2**	**1993.7**	**5.6**	**63.4**	**1725.0**
1996年	317.9	206.6	3.7	65.0	153.2
1997年	412.7	258.8	4.2	62.7	211.7
1998年	637.1	411.7	5.4	64.6	288.7
1999年	835.5	536.5	6.7	64.2	498.4
2000年	940.0	580.1	7.0	61.7	572.9
“十五”时期					
2001年	993.4	558.8	6.8	56.3	506.5
2002年	1291.6	703.8	7.3	54.5	636.8
2003年	1097.7	680.9	4.8	62.0	702.1
2004年	—	—	—	—	877.5

5—3　农村集体单位和农村居民个人固定资产投资额

单位:亿元、%

年　份	全社会固定资产投资总额	#农村集体单位固定资产投资	占全社会固定资产投资比重	#农村居民个人固定资产投资	占全社会固定资产投资比重
"六五"时期	**7997.6**	**699.8**	**8.8**	**1527.4**	**19.1**
1981年	961.0	83.7	8.7	166.3	17.3
1982年	1230.4	131.4	10.7	198.5	16.1
1983年	1430.1	110.7	7.7	305.1	21.3
1984年	1832.9	174.8	9.5	379.1	20.7
1985年	2543.2	199.2	7.8	478.4	18.8
"七五"时期	**19744.0**	**1818.3**	**9.2**	**3903.9**	**19.8**
1986年	3120.6	245.4	8.1	574.8	19.0
1987年	3791.7	365.7	10.0	695.4	19.1
1988年	4753.8	456.7	10.2	865.2	19.2
1989年	4410.4	384.4	9.3	892.0	21.6
1990年	4517.0	366.1	8.2	876.5	19.7
"八五"时期	**62211.3**	**7476.4**	**12.0**	**6712.9**	**10.8**
1991年	5594.5	494.0	9.0	1042.6	18.9
1992年	8080.1	994.9	12.7	1005.5	12.8
1993年	13072.3	1631.2	13.1	1137.7	9.1
1994年	17042.1	1988.6	12.1	1519.2	9.3
1995年	20019.3	2367.7	11.8	2007.9	10.0
"九五"时期	**138734.5**	**16225.9**	**11.7**	**13596.6**	**9.8**
1996年	22913.6	2802.3	12.2	2540.0	11.1
1997年	24941.1	3055.6	12.3	2691.2	10.8
1998年	28406.2	3233.3	11.4	2681.5	9.4
1999年	29855.0	3343.1	11.2	2779.6	9.3
2000年	32918.0	3791.6	11.5	2904.3	8.8
"十五"时期					
2001年	37213.5	4235.7	11.4	2976.6	8.0
2002年	43499.9	4887.9	11.2	3123.2	7.2
2003年	55566.6	6553.9	11.8	3201.0	5.8
2004年	70072.7	8086.5	11.5	3362.7	4.8
2005年	88604.0	9737.9	11.0	3940.6	4.4
"十一五"时期					
2006年	109998.2	12193.3	11.1	4436.2	4.0
2007年	137323.9	14736.2	10.7	5123.3	3.7
2008年	172828.4	18138.3	10.5	5951.8	3.4

5—4　农村居民家庭经营费用现金支出

单位:元/人、%

指　　标	1990年	1995年	2000年	2007年	2008年	2008年为下列各年百分比	
						1990年	2007年
家庭经营费用现金支出	162.9	454.7	544.5	1287.2	1551.0	952.1	120.5
一、第一产业生产支出	146.4	410.7	462.9	1125.3	1378.2	941.2	122.5
农业生产支出	99.5	261.4	286.5	642.5	765.6	769.7	119.2
林业生产支出	0.8	2.1	4.2	9.8	9.6	1262.3	97.9
牧业生产支出	43.2	138.3	155.7	428.2	555.9	1287.4	129.8
渔业生产支出	3.0	8.8	16.5	44.8	47.1	1559.8	105.2
二、第二产业生产支出	4.2	13.8	27.0	59.5	62.6	1480.3	105.3
工业生产支出	3.8	10.6	21.3	45.4	47.8	1254.0	105.2
建筑业支出	0.4	3.2	5.8	14.1	14.8	3532.7	105.4
三、第三产业生产支出	12.3	30.3	54.6	102.4	110.2	899.8	107.6
交通运输邮电业支出	7.5	16.3	26.2	49.0	50.4	675.3	102.7
批发和零售贸易餐饮业支出	2.0	7.4	13.9	37.6	42.9	2135.3	114.1
社会服务业支出	0.9	2.5	3.8	6.7	7.7	855.9	115.4
文教卫生业支出			1.1	3.3	3.9		117.6
其他支出	1.9	4.2	9.5	5.8	5.3	282.0	92.1

5—5　农村居民家庭购买生产性固定资产现金支出

单位:元/人、%

指　　标	1990年	1995年	2000年	2007年	2008年	2008年为下列各年百分比	
						1990年	2007年
购买生产性固定资产现金支出	20.1	62.3	63.9	144.3	158.6	787.3	109.9
#购买生产用建筑材料				15.9	20.6		129.5
购买生产用房				4.2	3.2		76.1
购买生产用役畜、产品畜		12.7	11.8	17.0	21.8		128.0
农林牧渔业机械	6.6	20.0	18.3	53.2	55.7	842.1	104.6
工业机械	1.4	3.2	4.3	5.6	3.8	279.0	68.6
运输机械		16.5	21.9	38.6	42.5		110.1
购买其他生产性固定资产				9.8	11.0		112.6

5—6 各地区农村居民家庭生产投入现金支出

单位:元/人

地　区	1.家庭经营费用现金支出		2.购买生产性固定资产支出	
	2007年	2008年	2007年	2008年
全国总计	**1287.2**	**1551.0**	**144.3**	**158.6**
北　京	1372.8	1528.3	87.0	111.1
天　津	2048.7	2193.8	198.6	155.8
河　北	1539.1	1768.9	107.0	152.4
山　西	808.1	954.4	70.9	189.0
内蒙古	1977.7	2504.8	324.5	317.8
辽　宁	2388.0	3141.0	212.3	240.5
吉　林	1904.3	2794.1	420.5	393.4
黑龙江	3067.5	4033.9	413.7	438.4
上　海	659.8	707.4	45.2	2.5
江　苏	1221.9	1356.5	127.5	106.4
浙　江	2070.0	2513.0	198.0	174.7
安　徽	991.9	1251.3	126.9	141.8
福　建	1081.0	1229.4	89.9	94.5
江　西	1097.9	1279.0	77.7	130.3
山　东	1785.0	2079.3	111.2	123.8
河　南	1133.5	1317.7	117.0	152.0
湖　北	1159.1	1383.6	73.1	97.8
湖　南	1007.6	1223.0	81.7	81.8
广　东	1083.3	1230.1	41.8	58.7
广　西	1116.6	1321.0	113.2	167.9
海　南	1142.0	1234.9	44.8	67.7
重　庆	562.8	812.1	85.4	47.8
四　川	995.9	1241.1	85.0	105.2
贵　州	451.6	637.7	76.7	168.0
云　南	1018.3	1209.2	172.5	158.1
西　藏	256.8	258.6	217.8	141.1
陕　西	867.2	1033.2	180.5	164.6
甘　肃	755.3	900.7	124.2	128.9
青　海	642.8	771.6	190.2	260.6
宁　夏	1442.6	1751.8	377.8	393.8
新　疆	2531.2	2789.1	456.8	338.5

5—7 各地区农村居民家庭总支出

（按人均纯收入分组）

单位:元/人

地　　区	总支出	1.家庭经营费用支出	2.购置生产性固定资产支出	3.建造生产性固定资产雇工工资支出	4.税费支出	5.生活消费支出	6.财产性支出	7.转移性支出
全国总计	**5915.7**	**1704.5**	**158.6**	**3.0**	**11.6**	**3660.7**	**32.0**	**345.3**
4000元以上地区								
上　海	10844.9	714.3	2.5		1.7	9119.7	12.9	993.8
北　京	9732.7	1531.6	111.1	42.1	6.4	7284.7	6.8	750.0
浙　江	11219.9	2531.3	174.7	9.3	16.4	7534.1	63.1	891.1
天　津	6579.5	2235.5	155.8		14.8	3825.4	34.8	313.2
江　苏	7484.3	1417.3	106.4	2.6	36.1	5328.4	10.8	582.6
广　东	6458.3	1267.7	58.7	3.3	4.2	4872.5	22.9	229.0
福　建	6440.4	1255.2	94.5	12.1	2.7	4661.9	20.3	393.6
山　东	6697.4	2139.4	123.8	3.2	24.9	4077.1	30.6	298.5
辽　宁	8289.7	3386.6	240.5	4.4	4.6	3814.0	31.4	808.2
吉　林	7867.1	2978.6	393.4	3.2	6.7	3443.2	268.9	773.0
黑龙江	9593.4	4309.0	438.4	1.5	8.0	3844.7	302.7	689.2
河　北	5480.5	1860.3	152.4	1.3	26.5	3125.6	14.4	300.0
江　西	5040.6	1307.9	130.3	1.4	10.9	3309.2	16.9	264.1
湖　北	5402.1	1493.0	97.8	2.2	13.3	3652.6	9.0	134.3
内蒙古	7520.9	3064.6	317.8	6.1	9.9	3618.1	103.2	401.1
湖　南	5695.0	1374.4	81.8	0.5	14.9	3805.0	6.1	412.5
河　南	4832.4	1377.7	152.0	0.7	2.6	3044.2	7.2	248.0
海　南	4438.9	1349.5	67.7	10.5	0.8	2883.1	10.6	116.7
安　徽	5048.3	1317.6	141.8	2.1	21.4	3284.1	5.4	275.9
重　庆	4422.1	1139.1	47.8	2.8	5.2	2884.9	1.9	340.4
四　川	5154.8	1578.7	105.2	2.5	13.1	3127.9	3.4	324.0
山　西	4609.3	1018.6	189.0	1.0	4.9	3097.5	9.6	288.7
3000～4000元地区								
广　西	4734.6	1437.4	167.9	0.2	7.0	2985.0	3.7	133.5
宁　夏	6095.0	2194.4	393.8	6.1	1.3	3094.9	28.6	376.0
新　疆	6229.9	2918.4	338.5	0.7	9.3	2691.8	100.3	171.0
西　藏	2921.9	526.9	141.1		2.6	2199.6		51.7
陕　西	4629.9	1181.8	164.6	2.0	10.1	2979.4	6.3	285.8
云　南	4923.2	1611.8	158.1	2.9	2.8	2990.6	8.7	148.3
青　海	4307.6	930.8	260.6		0.4	2896.6	13.0	206.2
2000～3000元地区								
贵　州	3590.5	944.6	168.0	0.8	1.4	2165.7	1.5	308.5
甘　肃	3784.8	1096.7	128.9	3.0	4.6	2401.0	4.7	146.0

5—8 农村固定资产投资情况

单位:亿元

指　　标	全国总计	非农户	农　户
农村固定资产投资完成额	**24090.1**	**18138.3**	**5951.8**
一、按投资构成分			
1. 建筑工程	13668.6	9608.8	4059.8
＃水利	300.0	279.4	20.6
住宅	4365.2	653.6	3711.6
2. 安装工程	928.5	890.9	37.6
3. 设备工具器具购置	7021.8	5871.4	1150.4
＃生产设备	1353.8	600.3	753.5
4. 其他	2471.2	1767.2	704.0
二、按投资方向分			
农业	2814.1	1559.0	1255.1
采掘业	859.0	848.8	10.2
制造业	10334.1	10238.2	95.9
电力、燃气及水的生产和供应业	508.1	501.7	6.4
建筑业	360.2	223.0	137.2
交通运输、仓储和邮政业	1323.9	880.2	443.7
信息传输、计算机服务和软件业	31.4	24.8	6.6
批发和零售业	548.8	472.2	76.6
住宿和餐饮业	224.2	193.9	30.3
金融业	7.7	7.7	0.0
房地产业	4527.7	818.6	3709.0
租赁和商务服务业	100.8	96.8	4.0
科学研究、技术服务和地质勘查业	64.4	64.4	0.0
水利、环境和公共设施管理业	1255.2	1244.9	10.3
居民服务和其他服务业	209.3	63.9	145.4
教育	168.4	165.5	2.9
卫生、社会保障和社会福利业	89.7	87.4	2.3
文化、体育和娱乐业	153.4	138.0	15.4
公共管理和社会组织	509.5	509.2	0.3
国际组织	0.3	0.0	0.3

5—9 各地区农村固定资产投资情况

单位:亿元

地　区	总投资额	非农户	农　户
全国总计	**24090.1**	**18138.3**	**5951.8**
北　京	293.8	271.6	22.1
天　津	214.7	181.5	33.2
河　北	1402.8	1007.1	395.6
山　西	336.6	192.3	144.3
内蒙古	148.4	68.0	80.4
辽　宁	1137.1	935.5	201.7
吉　林	446.2	312.9	133.3
黑龙江	301.1	17.8	283.4
上　海	418.2	415.0	3.2
江　苏	3690.8	3387.7	303.2
浙　江	2771.9	2375.6	396.3
安　徽	798.3	480.1	318.3
福　建	606.2	452.8	153.4
江　西	420.1	227.9	192.2
山　东	2907.0	2383.3	523.7
河　南	1769.5	1099.8	669.6
湖　北	498.3	275.7	222.5
湖　南	654.1	422.1	232.0
广　东	2227.8	1936.9	290.9
广　西	430.5	193.9	236.5
海　南	37.4	11.9	25.5
重　庆	263.7	181.3	82.4
四　川	765.7	440.6	325.2
贵　州	255.1	155.1	100.0
云　南	329.6	158.1	171.5
西　藏	38.7	38.7	0.0
陕　西	328.0	144.7	183.3
甘　肃	202.0	122.6	79.4
青　海	69.2	51.8	17.3
宁　夏	93.1	55.0	38.2
新　疆	234.3	141.3	93.1

5—10 各地区农村固定资产构成情况

地区	投资额	建筑工程			安装工程	设备工具器具购置		其他
			#水利	#住宅			#生产设备	
全国总计	**24090.1**	**13668.6**	**300.0**	**4365.2**	**928.5**	**7021.8**	**1353.8**	**2471.2**
北京	293.8	227.4	16.5	36.7	4.0	31.0	7.4	31.4
天津	214.7	112.9	0.3	34.6	7.4	63.7	10.8	30.6
河北	1402.8	707.9	3.8	262.5	62.4	432.3	27.8	200.2
山西	336.6	219.7	1.2	121.7	15.8	77.6	39.5	23.5
内蒙古	148.4	83.9	2.4	34.3	2.7	34.9	11.2	26.9
辽宁	1137.1	626.9	13.6	129.3	54.6	345.1	24.5	110.6
吉林	446.2	204.4	6.9	40.7	17.6	136.1	12.6	88.2
黑龙江	301.1	92.7	2.1	79.3	0.7	120.4	97.1	87.4
上海	418.2	247.0	0.2	6.5	15.7	107.9	12.4	47.7
江苏	3690.8	1645.6	15.2	186.4	157.6	1601.8	205.2	285.8
浙江	2771.9	1460.9	23.2	359.3	105.5	964.2	192.8	241.3
安徽	798.3	540.4	11.5	261.0	28.3	146.8	50.9	82.8
福建	606.2	389.8	5.4	114.4	16.8	148.2	37.0	51.5
江西	420.1	276.6	5.7	150.8	15.8	74.1	22.8	53.6
山东	2907.0	1472.3	44.8	359.8	151.8	968.2	96.3	314.7
河南	1769.5	1258.1	19.0	573.9	30.6	383.3	98.0	97.5
湖北	498.3	350.2	8.1	189.5	14.5	74.0	22.8	59.6
湖南	654.1	416.7	14.8	157.1	38.0	129.0	49.6	70.4
广东	2227.8	1291.3	31.0	290.6	109.0	616.7	109.6	210.8
广西	430.5	276.3	7.3	167.3	7.9	91.6	40.3	54.7
海南	37.4	23.7		13.8	1.7	2.2		9.9
重庆	263.7	181.7	5.9	54.8	8.0	35.9	14.2	38.1
四川	765.7	500.1	7.0	234.9	10.3	136.5	32.9	118.7
贵州	255.1	146.1	7.5	74.9	12.9	73.0	23.5	23.2
云南	329.6	243.4	20.5	117.0	20.0	30.2	10.4	36.0
西藏	38.7	37.6	0.1	20.8		1.0		
陕西	328.0	235.9	4.5	133.0	4.5	64.7	43.1	22.9
甘肃	202.0	153.5	3.3	73.7	5.0	23.2	8.0	20.4
青海	69.2	46.8	1.0	9.8	2.6	12.7	7.2	7.1
宁夏	93.1	59.3	4.9	20.9	1.5	25.8	18.2	6.6
新疆	234.3	139.6	12.3	55.9	5.2	70.0	27.6	19.5

5－11 各地区农村固定资产投向情况

单位:亿元

地　区	投资额	农业	采掘业	制造业	电力、燃气及水的生产和供应业	建筑业
全国总计	**24090.1**	**2814.1**	**859.0**	**10334.1**	**508.1**	**360.2**
北　京	293.8	26.7	2.5	37.7	15.3	0.7
天　津	214.7	15.9	0.1	118.6	1.2	5.6
河　北	1402.8	198.3	79.4	580.0	16.3	6.3
山　西	336.6	44.8	54.9	44.3	6.0	0.9
内蒙古	148.4	95.1	1.5	2.4		3.0
辽　宁	1137.1	238.4	90.3	455.0	14.0	22.2
吉　林	446.2	123.9	23.9	159.0	7.7	2.5
黑龙江	301.1	187.1	0.2	5.2		2.5
上　海	418.2	6.3	0.2	296.5	3.7	0.5
江　苏	3690.8	86.2	7.4	2784.4	58.5	20.0
浙　江	2771.9	56.4	10.6	1963.4	70.9	11.2
安　徽	798.3	119.6	29.0	177.2	15.6	19.7
福　建	606.2	72.7	47.2	180.4	20.8	9.8
江　西	420.1	80.8	17.6	70.3	12.3	0.9
山　东	2907.0	337.2	91.9	1302.8	54.2	73.2
河　南	1769.5	281.6	65.6	420.6	20.8	13.3
湖　北	498.3	90.1	22.2	66.1	6.2	7.5
湖　南	654.1	88.5	44.8	140.5	30.7	14.5
广　东	2227.8	96.5	32.0	1191.3	73.3	38.2
广　西	430.5	66.1	25.3	58.2	12.7	18.6
海　南	37.4	13.7		0.5	0.3	0.1
重　庆	263.7	49.9	19.1	50.9	10.3	12.7
四　川	765.7	122.9	60.3	114.4	16.2	18.5
贵　州	255.1	34.6	76.2	22.5	8.9	0.9
云　南	329.6	74.3	25.5	10.7	11.2	1.8
西　藏	38.7	1.3			0.3	0.5
陕　西	328.0	40.6	9.0	31.5	2.6	8.0
甘　肃	202.0	27.7	6.7	17.3	5.5	31.9
青　海	69.2	20.6	2.6	5.2	4.4	1.4
宁　夏	93.1	27.8	2.0	7.3	3.2	1.1
新　疆	234.3	88.4	11.1	19.8	4.8	12.3

5—11 续表 1

单位:亿元

地　　区	交通运输、仓储和邮政业	信息传输、计算机服务和软件业	批发和零售业	住宿和餐饮业	金融业
全国总计	**1323.9**	**31.4**	**548.8**	**224.2**	**7.7**
北　　京	54.7	0.5	5.6	11.3	
天　　津	7.7		11.7	1.5	
河　　北	80.5	1.1	48.4	8.7	0.1
山　　西	24.5	0.9	3.4	2.0	
内 蒙 古	5.4		1.8	2.0	
辽　　宁	55.9	1.5	18.7	9.0	0.1
吉　　林	28.8	0.9	7.8	3.9	0.1
黑 龙 江	18.0	0.1	0.1	0.1	
上　　海	11.6		34.0	10.0	0.3
江　　苏	87.6	3.5	120.0	31.1	0.7
浙　　江	59.7	0.5	34.7	18.1	0.7
安　　徽	51.7	1.1	10.8	5.8	0.1
福　　建	51.7	1.9	9.7	3.6	0.1
江　　西	35.2	0.2	3.2	8.1	
山　　东	168.0	2.5	101.8	23.9	1.6
河　　南	96.7	1.8	41.6	8.3	0.2
湖　　北	25.8	0.5	5.5	1.5	
湖　　南	74.4	2.4	7.2	4.5	0.2
广　　东	106.7	1.4	56.5	36.5	2.9
广　　西	51.7	1.7	2.9	1.3	0.1
海　　南	1.0		0.4	0.4	
重　　庆	20.8	0.7	0.8	0.9	
四　　川	56.3	3.5	9.6	20.6	0.1
贵　　州	12.5	0.6	1.1	2.0	0.3
云　　南	30.3		2.8	3.7	
西　　藏	0.5				
陕　　西	28.5	1.4	4.8	3.7	
甘　　肃	9.9	0.9	2.2	0.7	
青　　海	17.2	0.3	0.5	0.5	
宁　　夏	17.3	0.1	0.2	0.3	
新　　疆	33.3	1.4	1.0	0.6	

5—11 续表 2

单位:亿元

地　区	房地产业	租赁和商务服务业	科学研究、技术服务和地质勘查业	水利、环境和公共设施管理业	居民服务和其他服务业
全国总计	**4527.7**	**100.8**	**64.4**	**1255.2**	**209.3**
北　京	37.5	5.4	1.4	43.6	0.9
天　津	17.1	4.2	0.2	2.8	1.1
河　北	302.3	4.9	2.3	38.0	6.7
山　西	121.5	0.1	0.2	17.8	0.7
内蒙古	31.5		0.6	0.7	1.3
辽　宁	118.3	4.8	2.5	66.5	7.1
吉　林	54.1	2.0	1.0	19.7	0.8
黑龙江	84.0		0.1	3.0	
上　海	6.5	7.8	3.1	23.8	0.8
江　苏	242.2	17.5	4.8	123.4	46.7
浙　江	373.2	7.0	3.6	114.2	3.2
安　徽	282.8	2.7	0.4	38.6	1.7
福　建	116.1	1.8	1.6	32.8	3.4
江　西	137.9	1.0		36.0	5.7
山　东	398.2	10.2	14.7	145.4	24.9
河　南	616.5	3.4	6.3	89.3	25.5
湖　北	193.7	0.4	1.8	37.0	2.1
湖　南	176.1	1.1	0.8	32.1	4.6
广　东	317.7	21.8	12.7	176.0	2.4
广　西	155.0	1.2	0.5	14.6	9.8
海　南	14.5			1.0	0.1
重　庆	63.9	0.2	0.5	23.0	0.5
四　川	181.9	1.9	2.8	87.4	44.0
贵　州	75.3	0.1	0.1	12.8	1.0
云　南	122.3	0.1	0.5	20.2	0.3
西　藏	33.4			0.3	
陕　西	126.7	0.1	0.1	21.0	6.9
甘　肃	65.6	0.3	0.3	7.8	3.4
青　海	8.5		1.0	1.7	0.1
宁　夏	18.1		0.2	7.8	0.1
新　疆	35.3	0.7	0.4	16.7	3.7

5—11 续表 3

单位:亿元

地区	教育	卫生、社会保障和社会福利业	文化、体育和娱乐业	公共管理和社会组织	国际组织
全国总计	**168.4**	**89.7**	**153.4**	**509.5**	**0.3**
北京	7.8	3.1	11.1	27.8	0.0
天津	0.6	0.1	0.0	26.3	0.0
河北	6.2	4.6	6.4	12.1	0.0
山西	2.7	0.8	2.5	8.5	0.0
内蒙古	0.0	0.0	0.5	2.7	0.0
辽宁	5.8	3.2	6.3	17.8	0.0
吉林	2.2	2.5	2.3	3.2	0.0
黑龙江	0.0	0.0	0.0	0.6	0.0
上海	4.7	3.5	3.1	1.8	0.0
江苏	16.6	7.4	13.8	19.0	0.0
浙江	11.1	5.3	9.0	19.0	0.0
安徽	13.1	4.8	3.6	20.1	0.0
福建	8.1	4.1	4.3	35.9	0.0
江西	0.8	1.5	1.6	7.0	0.0
山东	14.2	11.6	41.8	89.0	0.0
河南	22.9	15.0	12.3	27.7	0.0
湖北	2.9	1.2	3.0	30.9	0.0
湖南	5.3	2.8	5.6	18.0	0.0
广东	26.3	6.9	11.2	17.3	0.3
广西	1.8	1.0	0.6	7.7	0.0
海南	0.2	0.5	0.3	4.3	0.0
重庆	1.8	0.6	1.3	6.0	0.0
四川	3.5	2.6	6.6	12.7	0.0
贵州	1.5	0.7	1.3	2.8	0.0
云南	2.4	0.8	0.5	22.3	0.0
西藏	0.1	0.0	0.0	2.0	0.0
陕西	1.9	0.8	0.8	39.4	0.0
甘肃	1.3	0.4	1.4	18.8	0.0
青海	0.9	0.4	0.2	3.8	0.0
宁夏	0.6	3.0	1.2	2.8	0.0
新疆	0.9	0.8	1.0	2.0	0.0

6

农林牧渔业总产值、中间消耗及增加值

6—1 农林牧渔业增加值和指数

年 份	农林牧渔业增加值（亿元）	指 数	
		以1978年为100	以上年为100
1978	1027.5	100.0	104.1
1979	1270.2	106.1	106.1
1980	1371.6	104.5	98.5
1981	1559.5	111.9	107.0
1982	1777.4	124.8	111.5
1983	1978.4	135.1	108.3
1984	2316.1	152.6	112.9
1985	2564.4	155.4	101.8
1986	2788.7	160.5	103.3
1987	3233.0	168.1	104.7
1988	3865.4	172.3	102.5
1989	4265.9	177.6	103.1
1990	5062.0	190.7	107.3
1991	5342.2	195.2	102.4
1992	5866.6	203.1	104.1
1993	6963.8	211.2	104.0
1994	9572.7	219.6	104.0
1995	12135.8	229.5	104.5
1996	14015.4	241.2	105.1
1997	14441.9	251.6	104.3
1998	14817.6	260.4	103.5
1999	14770.0	267.7	102.8
2000	14944.7	274.1	102.4
2001	15781.3	281.8	102.8
2002	16537.0	290.0	102.9
2003	17381.7	297.3	102.5
2004	21412.7	316.0	106.3
2005	22420.0	332.4	105.2
2006	24040.0	349.0	105.0
2007	28627.0	361.9	103.7
2008	33702.2	381.8	105.5

注：1. 根据新国民经济行业分类标准，对农林牧渔业增加值历史数据进行了调整，农林牧渔业增加值包括农林牧渔服务业增加值。

2. 根据第二次农业普查结果，对2005—2006年农林牧渔业增加值进行了修正。

3. 农林牧渔业增加值增长速度为可比增长速度。

4. 2007年农林牧渔业增加值最终核实数为28627亿元，2008年《中国统计年鉴》使用的28095亿元为初步核实数。

6—2 农林牧渔业总产值、增加值、中间消耗及构成

（按当年价格计算）

指 标	总产值	增加值	中间消耗	#农林牧渔业物质消耗	#农林牧渔业生产服务支出
一、绝对数（亿元）					
农林牧渔业合计	**58002**	**33702**	**24300**	**20645**	**2562**
#农业	28044	18151	9893	8505	1388
林业	2153	1459	694	533	156
牧业	20584	9985	10599	9944	650
渔业	5203	3172	2031	1663	368
二、构成（%）					
（以农林牧渔业合计为100）					
农林牧渔业合计	**100.0**	**100.0**	**100.0**	**100.0**	**100.0**
#农业	48.4	53.9	40.7	41.2	54.2
林业	3.7	4.3	2.9	2.6	6.1
牧业	35.5	29.6	43.6	48.2	25.4
渔业	9.0	9.4	8.4	8.1	14.4

注：农林牧渔业物质消耗、农林牧渔业生产服务支出未包括农林牧渔服务业（后同）。

6—3 各地区农林牧渔业总产值、增加值和中间消耗

(按当年价格计算)

单位:亿元

地区	总产值	增加值	中间消耗	#农林牧渔业物质消耗	#农林牧渔业生产服务支出
全国	**58002**	**33702**	**24300**	**20645**	**2562**
北京	304	113	191	168	19
天津	268	123	146	127	12
河北	3505	2035	1471	1252	122
山西	596	314	282	257	16
内蒙古	1526	908	618	509	99
辽宁	2477	1302	1175	950	191
吉林	1615	917	698	656	37
黑龙江	2123	1089	1034	953	61
上海	280	112	169	148	15
江苏	3591	2100	1491	1246	156
浙江	1780	1096	684	553	114
安徽	2447	1418	1028	862	119
福建	1965	1158	807	640	134
江西	1680	1060	620	536	53
山东	5613	3003	2610	2162	333
河南	4670	2659	2011	1728	172
湖北	2940	1780	1160	933	154
湖南	3325	2008	1317	1171	93
广东	3298	1973	1325	1050	206
广西	2390	1454	936	855	32
海南	665	436	229	170	50
重庆	871	575	296	269	24
四川	3903	2366	1537	1446	70
贵州	844	539	305	260	21
云南	1595	974	621	521	64
西藏	88	61	28	21	6
陕西	1278	754	524	432	59
甘肃	808	462	346	255	26
青海	153	106	48	42	5
宁夏	227	119	108	103	2
新疆	1177	691	486	369	97

注:物质消耗和生产服务支出未包括农林牧渔服务业。

6－4 各地区分部门农林牧渔业增加值

（按当年价格计算）

单位:亿元

地　区	合　计	#农　业	林　业	牧　业	渔　业
全国总计	**33702**	**18151**	**1459**	**9985**	**3172**
北　京	113	59	9	40	3
天　津	123	63	1	36	21
河　北	2035	1187	43	666	61
山　西	314	200	7	95	2
内蒙古	908	469	52	364	8
辽　宁	1302	536	41	428	247
吉　林	917	504	33	353	14
黑龙江	1089	738	42	274	13
上　海	112	62	4	20	23
江　苏	2100	1214	37	372	370
浙　江	1096	579	78	188	235
安　徽	1418	736	80	402	152
福　建	1158	484	97	224	308
江　西	1060	463	116	296	147
山　东	3003	1697	72	702	422
河　南	2659	1515	74	975	40
湖　北	1780	878	30	600	233
湖　南	2008	1055	127	679	110
广　东	1973	1037	59	438	391
广　西	1454	758	96	427	141
海　南	436	176	63	81	105
重　庆	575	351	21	178	17
四　川	2366	1162	73	1018	77
贵　州	539	307	23	183	7
云　南	974	515	125	314	13
西　藏	61	29	2	27	0
陕　西	754	481	26	207	3
甘　肃	462	312	10	118	1
青　海	106	36	1	66	0
宁　夏	119	76	3	32	2
新　疆	691	472	12	180	4

6—5 各地区分部门农林牧渔业增加值构成

（按当年价格计算）

单位：%

地区	合计	#农业	林业	牧业	渔业
全国总计	**100.0**	**53.9**	**4.3**	**29.6**	**9.4**
北京	100.0	52.0	7.9	35.8	3.0
天津	100.0	51.3	1.1	29.4	17.2
河北	100.0	58.4	2.1	32.7	3.0
山西	100.0	63.6	2.1	30.2	0.8
内蒙古	100.0	51.7	5.7	40.1	0.9
辽宁	100.0	41.2	3.1	32.9	19.0
吉林	100.0	54.9	3.6	38.5	1.5
黑龙江	100.0	67.8	3.8	25.2	1.2
上海	100.0	55.3	3.7	17.5	20.5
江苏	100.0	57.8	1.8	17.7	17.6
浙江	100.0	52.8	7.1	17.2	21.4
安徽	100.0	51.9	5.7	28.4	10.7
福建	100.0	41.8	8.4	19.3	26.6
江西	100.0	43.7	11.0	27.9	13.9
山东	100.0	56.5	2.4	23.4	14.1
河南	100.0	57.0	2.8	36.7	1.5
湖北	100.0	49.3	1.7	33.7	13.1
湖南	100.0	52.5	6.3	33.8	5.5
广东	100.0	52.5	3.0	22.2	19.8
广西	100.0	52.1	6.6	29.4	9.7
海南	100.0	40.4	14.5	18.6	24.0
重庆	100.0	61.1	3.7	30.9	2.9
四川	100.0	49.1	3.1	43.0	3.2
贵州	100.0	57.0	4.3	34.0	1.3
云南	100.0	52.9	12.9	32.3	1.4
西藏	100.0	48.2	3.2	44.8	0.3
陕西	100.0	63.8	3.5	27.5	0.5
甘肃	100.0	67.4	2.1	25.4	0.1
青海	100.0	34.4	1.1	62.5	0.1
宁夏	100.0	63.6	2.3	27.0	2.0
新疆	100.0	68.3	1.8	26.1	0.6

6—6 各地区分部门农林牧渔业增加值比重

（以该部门总产值为100）

单位：%

地 区	农 业	林 业	牧 业	渔 业
全国总计	**64.7**	**67.8**	**48.5**	**61.0**
北 京	45.8	43.6	28.8	34.6
天 津	49.3	60.9	41.9	48.2
河 北	67.4	76.2	47.2	59.1
山 西	54.5	32.7	51.0	58.4
内蒙古	65.5	71.6	52.0	67.2
辽 宁	59.8	58.7	40.7	66.0
吉 林	67.2	60.2	45.9	61.8
黑龙江	64.6	46.6	33.8	36.4
上 海	44.9	45.3	28.6	40.1
江 苏	69.5	56.7	40.5	55.5
浙 江	71.2	72.8	44.9	57.6
安 徽	61.5	70.2	49.9	65.4
福 建	63.5	64.9	52.6	56.0
江 西	66.7	77.2	53.3	69.6
山 东	58.6	70.5	41.2	61.6
河 南	59.1	60.4	55.4	68.3
湖 北	62.9	59.7	59.5	62.5
湖 南	72.9	82.0	46.4	65.0
广 东	70.0	74.5	45.3	59.9
广 西	68.5	77.1	49.0	68.2
海 南	64.4	69.1	57.7	75.0
重 庆	75.5	72.9	51.7	78.1
四 川	72.3	74.5	50.0	74.0
贵 州	66.1	65.8	62.8	65.2
云 南	66.0	68.3	55.1	47.1
西 藏	66.9	69.9	69.6	67.9
陕 西	62.0	63.0	53.8	57.6
甘 肃	58.9	43.3	69.9	67.6
青 海	61.9	57.0	74.0	71.7
宁 夏	57.6	36.6	43.9	39.9
新 疆	60.2	53.1	56.7	43.2

6—7 各地区分部门农林牧渔业中间消耗

(按当年价格计算)

单位:亿元

地区	合计	#农业	林业	牧业	渔业
全国合计	**24300**	**9893**	**694**	**10599**	**2031**
北京	191	69	12	100	6
天津	146	65	1	50	23
河北	1471	573	13	745	42
山西	282	167	14	91	2
内蒙古	618	247	21	336	4
辽宁	1175	361	29	624	127
吉林	698	245	22	417	9
黑龙江	1034	404	48	539	23
上海	169	76	5	49	34
江苏	1491	533	28	545	296
浙江	684	234	29	231	173
安徽	1028	462	34	405	80
福建	807	279	53	202	242
江西	620	231	34	260	64
山东	2610	1198	30	1003	264
河南	2011	1047	49	786	19
湖北	1160	518	20	409	140
湖南	1317	392	28	785	59
广东	1325	445	20	530	262
广西	936	349	29	444	66
海南	229	98	28	59	35
重庆	296	114	8	166	5
四川	1537	445	25	1018	27
贵州	305	157	12	108	4
云南	621	265	58	256	15
西藏	28	14	1	12	0
陕西	524	295	15	178	3
甘肃	346	218	13	51	0
青海	48	22	1	23	0
宁夏	108	56	5	41	4
新疆	486	312	11	138	6

6—8 各地区分部门农林牧渔业中间消耗构成

(按当年价格计算)

单位:%

地 区	合计	#农 业	林 业	牧 业	渔 业
全国合计	**100.0**	**40.7**	**2.9**	**43.6**	**8.4**
北 京	100.0	36.4	6.1	52.4	3.3
天 津	100.0	44.5	0.6	34.4	15.6
河 北	100.0	39.0	0.9	50.6	2.9
山 西	100.0	59.0	4.8	32.2	0.6
内蒙古	100.0	40.0	3.3	54.4	0.6
辽 宁	100.0	30.7	2.4	53.1	10.8
吉 林	100.0	35.2	3.1	59.7	1.2
黑龙江	100.0	39.1	4.6	52.1	2.2
上 海	100.0	44.9	3.0	29.0	20.3
江 苏	100.0	35.8	1.9	36.6	19.9
浙 江	100.0	34.2	4.3	33.7	25.3
安 徽	100.0	44.9	3.3	39.3	7.8
福 建	100.0	34.6	6.5	25.0	30.0
江 西	100.0	37.3	5.5	41.9	10.4
山 东	100.0	45.9	1.2	38.4	10.1
河 南	100.0	52.0	2.4	39.1	0.9
湖 北	100.0	44.6	1.7	35.2	12.0
湖 南	100.0	29.8	2.1	59.6	4.5
广 东	100.0	33.6	1.5	40.0	19.7
广 西	100.0	37.2	3.0	47.5	7.0
海 南	100.0	42.7	12.4	25.9	15.3
重 庆	100.0	38.5	2.7	56.1	1.6
四 川	100.0	29.0	1.6	66.2	1.8
贵 州	100.0	51.7	4.0	35.6	1.2
云 南	100.0	42.8	9.4	41.2	2.4
西 藏	100.0	52.0	3.0	42.5	0.3
陕 西	100.0	56.3	2.9	34.0	0.5
甘 肃	100.0	63.0	3.7	14.7	0.1
青 海	100.0	46.8	1.8	48.5	0.1
宁 夏	100.0	51.3	4.4	37.9	3.4
新 疆	100.0	64.3	2.2	28.4	1.2

6—9 各地区分部门农林牧渔业中间消耗比重

（按当年价格计算）

单位：%

地　区	以该部门总产值为 100			
	农　业	林　业	牧　业	渔　业
全国总计	**35.3**	**32.2**	**51.5**	**39.0**
北　京	54.2	56.4	71.2	65.4
天　津	50.7	39.1	58.1	51.8
河　北	32.6	23.8	52.8	40.9
山　西	45.5	67.3	49.0	41.6
内蒙古	34.5	28.4	48.0	32.8
辽　宁	40.2	41.3	59.3	34.0
吉　林	32.8	39.8	54.1	38.2
黑龙江	35.4	53.4	66.2	63.6
上　海	55.1	54.7	71.4	59.9
江　苏	30.5	43.3	59.5	44.5
浙　江	28.8	27.2	55.1	42.4
安　徽	38.5	29.8	50.1	34.6
福　建	36.5	35.1	47.4	44.0
江　西	33.3	22.8	46.7	30.4
山　东	41.4	29.5	58.8	38.4
河　南	40.9	39.6	44.6	31.7
湖　北	37.1	40.3	40.5	37.5
湖　南	27.1	18.0	53.6	35.0
广　东	30.0	25.5	54.7	40.1
广　西	31.5	22.9	51.0	31.8
海　南	35.6	30.9	42.3	25.0
重　庆	24.5	27.1	48.3	21.9
四　川	27.7	25.5	50.0	26.0
贵　州	33.9	34.2	37.2	34.8
云　南	34.0	31.7	44.9	52.9
西　藏	33.1	30.1	30.4	32.1
陕　西	38.0	37.0	46.2	42.4
甘　肃	41.1	56.7	30.1	32.4
青　海	38.1	43.0	26.0	28.3
宁　夏	42.4	63.4	56.1	60.1
新　疆	39.8	46.9	43.3	56.8

6—10 分项农林牧渔业中间消耗

指　　标	1990 年	1997 年	2000 年	2007 年	2008 年
中间消耗总计		**9616**	**10288**	**20266**	**24300**
一、物质消耗	**2508**	**8865**	**9498**	**17124**	**20645**
#用种量	246	855	879	2080	2394
饲料	995	3709	3908	7763	9661
肥料	601	1634	1642	3033	3576
燃料	152	545	684	1237	1509
农药	71	260	208	417	477
农膜		122	137	291	306
畜牧用药	69	182	256		
用电量	62	365	442	681	769
小农机			114	219	261
对物质生产部门的劳务支出			481		
二、生产服务支出			**790**	**2178**	**2562**

注:1. 从 2003 年起,物质消耗项下的“对物质生产部门的劳务支出”调至“生产服务支出”项下。
2. 物质消耗和生产服务支出未包括农林牧渔服务业中间消耗。
3. 2007 物质消耗和生产服务支出分项数据未包括四川。

6—11 各地区农林牧渔业增加值、中间消耗及占农林牧渔业总产值比重

（按当年价格计算）

单位：亿元

地区	农林牧渔业增加值	占农林牧渔业总产值比重（%）	农林牧渔业中间消耗	占农林牧渔业总产值比重（%）
全国总计	**33702**	**58.1**	**24300**	**41.9**
北京	113	37.1	191	62.9
天津	123	45.7	146	54.3
河北	2035	58.0	1471	42.0
山西	314	52.6	282	47.4
内蒙古	908	59.5	618	40.5
辽宁	1302	52.6	1175	47.4
吉林	917	56.8	698	43.2
黑龙江	1089	51.3	1034	48.7
上海	112	39.9	169	60.1
江苏	2100	58.5	1491	41.5
浙江	1096	61.6	684	38.4
安徽	1418	58.0	1028	42.0
福建	1158	58.9	807	41.1
江西	1060	63.1	620	36.9
山东	3003	53.5	2610	46.5
河南	2659	56.9	2011	43.1
湖北	1780	60.5	1160	39.5
湖南	2008	60.4	1317	39.6
广东	1973	59.8	1325	40.2
广西	1454	60.8	936	39.2
海南	436	65.6	229	34.4
重庆	575	66.0	296	34.0
四川	2366	60.6	1537	39.4
贵州	539	63.9	305	36.1
云南	974	61.1	621	38.9
西藏	61	68.5	28	31.5
陕西	754	59.0	524	41.0
甘肃	462	57.2	346	42.8
青海	106	68.8	48	31.2
宁夏	119	52.3	108	47.7
新疆	691	58.7	486	41.3

6—12 农林牧渔业总产值

（按当年价格计算）

单位:亿元

年 份	农林牧渔业总产值	#农业产值	林业产值	牧业产值	渔业产值
1952	461	396	7	52	6
1957	537	444	18	65	10
1962	584	495	13	64	13
1965	833	684	22	112	15
1970	1021	838	29	137	17
1975	1260	1020	39	178	22
1978	1397	1118	48	209	22
1979	1698	1325	61	286	26
1980	1923	1454	81	354	33
1981	2181	1636	99	402	44
1982	2483	1865	110	457	51
1983	2750	2074	127	485	63
1984	3214	2380	162	587	85
1985	3619	2506	189	798	126
1986	4013	2772	201	876	164
1987	4676	3160	222	1068	225
1988	5865	3667	275	1601	322
1989	6535	4101	285	1800	349
1990	7662	4954	330	1967	411
1991	8157	5146	368	2159	483
1992	9085	5588	423	2461	613
1993	10996	6605	494	3014	882
1994	15750	9169	611	4672	1298
1995	20341	11885	710	6045	1701
1996	22354	13540	778	6016	2020
1997	23788	13853	818	6835	2283
1998	24542	14242	851	7026	2423
1999	24519	14106	886	6998	2529
2000	24916	13874	937	7393	2713
2001	26180	14463	939	7963	2815
2002	27391	14932	1034	8455	2971
2003	29692	14870	1240	9539	3138
2004	36239	18138	1327	12174	3606
2005	39451	19613	1426	13311	4016
2006	40811	21522	1611	12084	3971
2007	48893	24658	1862	16125	4458
2008	58002	28044	2153	20584	5203

6—13 农林牧渔业总产值构成

（按当年价格计算）

单位:%

年 份	以农林牧渔业总产值为 100			
	农业产值	林业产值	牧业产值	渔业产值
1952	85.9	1.6	11.2	1.3
1957	82.7	3.3	12.2	1.9
1962	84.7	2.2	10.9	2.2
1965	82.2	2.7	13.4	1.8
1970	82.1	2.8	13.4	1.7
1975	81.0	3.1	14.2	1.7
1978	80.0	3.4	15.0	1.6
1979	78.1	3.6	16.8	1.5
1980	75.6	4.2	18.4	1.7
1981	75.0	4.5	18.4	2.0
1982	75.1	4.4	18.4	2.1
1983	75.4	4.6	17.6	2.3
1984	74.1	5.0	18.3	2.6
1985	69.2	5.2	22.1	3.5
1986	69.1	5.0	21.8	4.1
1987	67.6	4.7	22.8	4.8
1988	62.5	4.7	27.3	5.5
1989	62.8	4.4	27.6	5.3
1990	64.7	4.3	25.7	5.4
1991	63.1	4.5	26.5	5.9
1992	61.5	4.7	27.1	6.8
1993	60.1	4.5	27.4	8.0
1994	58.2	3.9	29.7	8.2
1995	58.4	3.5	29.7	8.4
1996	60.6	3.5	26.9	9.0
1997	58.2	3.4	28.8	9.6
1998	58.0	3.5	28.6	9.9
1999	57.5	3.6	28.5	10.4
2000	55.7	3.8	29.7	10.8
2001	55.2	3.6	30.4	10.8
2002	54.5	3.8	30.9	10.8
2003	50.1	4.2	32.1	10.6
2004	50.1	3.7	33.6	9.9
2005	49.7	3.6	33.7	10.2
2006	52.7	3.9	29.6	9.7
2007	50.4	3.8	33.0	9.1
2008	48.4	3.7	35.5	9.0

注:2006 年为根据农普调整的数据。

6—14 农林牧渔业分项产值及构成

指　　标	绝对数(亿元)		构成(%)	
	2007年	2008年	2007年	2008年
农林牧渔业总产值	**48893**	**58002**	**100.0**	**100.0**
一、农业产值	**24659**	**28044**	**50.4**	**48.3**
(一)谷物及其他作物	13226	14824	27.1	25.6
谷物	7870	8953	16.1	15.4
薯类	802	889	1.6	1.5
油料	1226	1565	2.5	2.7
豆类	709	827	1.4	1.4
棉花	1246	1102	2.5	1.9
麻类	38	33	0.1	0.1
糖料	388	406	0.8	0.7
烟草	264	362	0.5	0.6
其他农作物	684	687	1.4	1.2
(二)蔬菜园艺作物	7898	9101	16.2	15.7
#蔬菜(含菜用瓜)	7421	8569	15.2	14.8
(三)水果、坚果、饮料和香料作物	3129	3675	6.4	6.3
#水果、坚果(含果用瓜)	2797	3176	5.7	5.5
(四)中药材	406	444	0.8	0.8
二、林业产值	**1862**	**2153**	**3.8**	**3.7**
林木的培育和种植	491	610	1.0	1.1
竹木采运	662	768	1.4	1.3
林产品	708	775	1.4	1.3
三、牧业产值	**16125**	**20584**	**33.0**	**35.5**
牲畜饲养	3118	4075	6.4	7.0
#牛的饲养	1364	1740	2.8	3.0
羊的饲养	897	1084	1.8	1.9
猪的饲养	8133	10960	16.6	18.9
家禽饲养	4203	4881	8.6	8.4
狩猎和捕捉动物	11	13	…	…
其他畜牧业	661	655	1.4	1.1
四、渔业产值	**4458**	**5203**	**9.1**	**9.0**
海水产品	2032	2341	4.2	4.0
#养殖	1058	985	2.2	1.7
内陆水域水产品	2427	2863	5.0	4.9
#养殖	2039	2398	4.2	4.1

6—15 各地区农林牧渔业总产值

（按当年价格计算）

单位：亿元

地区	农林牧渔业总产值		农业产值	
	2007年	2008年	2007年	2008年
全国总计	**48893**	**58002**	**24659**	**28044**
北京	272	304	115	128
天津	241	268	118	128
河北	3076	3505	1639	1761
山西	498	596	323	366
内蒙古	1276	1526	620	717
辽宁	2128	2477	838	897
吉林	1360	1615	642	749
黑龙江	1701	2123	972	1142
上海	256	280	127	138
江苏	3065	3591	1543	1747
浙江	1597	1780	736	813
安徽	2070	2447	1054	1198
福建	1692	1965	685	763
江西	1427	1680	621	694
山东	4766	5613	2604	2896
河南	3880	4670	2255	2561
湖北	2297	2940	1152	1396
湖南	2632	3325	1243	1447
广东	2821	3298	1329	1482
广西	2026	2390	971	1107
海南	548	665	224	274
重庆	721	871	401	465
四川	3377	3903	1317	1608
贵州	697	844	392	465
云南	1332	1595	684	781
西藏	80	88	39	44
陕西	1003	1278	629	776
甘肃	686	808	459	530
青海	121	153	49	59
宁夏	183	227	111	131
新疆	1064	1177	767	784

6—15 续表 单位:亿元

地区	林业产值		牧业产值		渔业产值	
	2007年	2008年	2007年	2008年	2007年	2008年
全国总计	**1862**	**2153**	**16125**	**20584**	**4458**	**5203**
北京	18	20	122	141	10	10
天津	2	2	77	86	36	44
河北	52	56	1147	1411	85	103
山西	18	20	140	185	3	4
内蒙古	64	73	560	700	11	12
辽宁	60	69	831	1052	326	375
吉林	49	55	635	770	19	23
黑龙江	79	90	585	813	25	36
上海	10	9	58	68	54	57
江苏	59	65	704	916	579	666
浙江	95	107	368	419	370	408
安徽	101	114	637	807	195	232
福建	121	150	340	426	473	549
江西	126	151	436	556	182	212
山东	82	102	1313	1705	580	686
河南	105	123	1326	1761	44	59
湖北	42	50	686	1009	311	373
湖南	144	155	1014	1463	155	170
广东	73	79	776	968	542	653
广西	100	124	710	872	178	207
海南	80	92	106	140	121	140
重庆	26	29	264	344	18	21
四川	87	98	1827	2036	86	104
贵州	28	36	232	292	9	10
云南	156	184	438	570	25	28
西藏	3	3	35	39	0	0
陕西	34	41	274	385	4	6
甘肃	19	22	131	168	1	1
青海	2	2	67	89	0	0
宁夏	6	7	53	73	5	6
新疆	21	23	232	318	7	10

6—16 各地区农业分项产值

（按当年价格计算）

单位:亿元

地区	农业	1.谷物及其他作物	#谷物	#小麦	#油料
全国	**28044**	**14824**	**8953**	**1993**	**1565**
北京	128	27	21	6	1
天津	128	55	36	13	0
河北	1761	763	488	211	80
山西	366	224	164	43	8
内蒙古	717	568	302	32	52
辽宁	897	456	347	1	38
吉林	749	592	442	1	30
黑龙江	1142	951	590	13	29
上海	138	30	24	3	2
江苏	1747	855	611	153	76
浙江	813	241	148	4	19
安徽	1198	813	538	210	118
福建	763	206	113	0	12
江西	694	444	335	0	41
山东	2896	1243	767	389	189
河南	2561	1410	895	479	260
湖北	1396	738	407	79	166
湖南	1447	793	533	1	81
广东	1482	518	259	0	48
广西	1107	591	259	0	17
海南	274	69	30	0	3
重庆	465	257	153	10	22
四川	1608	860	562	96	136
贵州	465	290	160	11	29
云南	781	504	225	16	18
西藏	44	22	18	4	2
陕西	776	319	199	82	23
甘肃	530	285	127	57	21
青海	59	47	9	6	13
宁夏	131	72	46	13	7
新疆	784	582	143	62	22

6—16 续表

单位:亿元

地区	#棉花	#糖料	#烟草	2. 蔬菜园艺	3. 水果、坚果、饮料和香料作物
全国	**1103**	**406**	**362**	**9101**	**3675**
北京	0			67	34
天津	18			58	14
河北	116	2	0	714	263
山西	16	1	1	82	53
内蒙古	0	6	1	126	17
辽宁	1	1	4	327	109
吉林	0	1	5	100	41
黑龙江		15	8	138	45
上海	1	0		75	33
江苏	53	2	…	735	145
浙江	3	10	1	347	209
安徽	61	4	3	259	104
福建	…	3	21	350	201
江西	17	5	4	158	86
山东	177	…	12	1169	457
河南	115	2	35	843	273
湖北	71	1	13	523	112
湖南	47	6	30	470	134
广东		38	7	652	299
广西	0	223	4	344	151
海南		14	…	105	100
重庆	…	1	9	154	47
四川	2	12	30	489	235
贵州	0	3	43	141	21
云南	0	45	124	186	79
西藏				7	0
陕西	14	…	7	203	225
甘肃	19	1	0	151	64
青海			…	11	1
宁夏		…	0	28	15
新疆	372	11	0	89	110

6—17 各地区林业分项产值

（按当年价格计算）

单位:亿元

地　区	林业产值	1. 林木的培育和种植	2. 竹木采运	＃村及村以下	3. 林产品
全　国	**2153**	**610**	**768**	**365**	**775**
北　京	21	13	1	0	6
天　津	2	2	0	0	0
河　北	56	14	5	3	37
山　西	20	12	0	0	8
内蒙古	73	50	17	0	6
辽　宁	69	37	17	8	16
吉　林	55	10	35	3	11
黑龙江	90	9	69	4	12
上　海	9	9	0	0	0
江　苏	65	46	8	4	10
浙　江	107	6	49		51
安　徽	114	34	40	21	40
福　建	150	7	90	55	53
江　西	151	53	57	34	41
山　东	102	34	14	13	55
河　南	123	53	43	9	28
湖　北	50	17	23	17	11
湖　南	155	44	66	43	45
广　东	79	12	52	51	15
广　西	124	9	76	53	39
海　南	92	15	8	0	69
重　庆	29	11	2	1	16
四　川	87	34	37	4	26
贵　州	36	5	9	8	22
云　南	184	29	42	27	112
西　藏	3	1	1	1	0
陕　西	42	14	3	2	24
甘　肃	22	10	0	0	12
青　海	2	2	0	0	0
宁　夏	8	7	0	0	0
新　疆	23	13	1	1	9

6—18 各地区畜牧业分项产值

（按当年价格计算）

单位：亿元

地　　区	牧业产值	1.牲畜饲养	#1.牛	2.羊	3.奶产品
全　　国	**20584**	**4075**	**1740**	**1085**	**1010**
北　　京	141	35	10	5	19
天　　津	86	28	7	3	16
河　　北	1411	444	170	96	165
山　　西	185	40	7	14	15
内 蒙 古	700	541	79	209	223
辽　　宁	1052	225	116	15	29
吉　　林	770	172	137	10	17
黑 龙 江	813	277	109	21	140
上　　海	68	11	0	2	9
江　　苏	916	50	6	23	15
浙　　江	419	16	2	7	7
安　　徽	807	106	58	44	5
福　　建	426	24	8	10	6
江　　西	556	42	34	4	4
山　　东	1705	323	157	92	70
河　　南	1761	569	326	106	88
湖　　北	1009	60	42	13	5
湖　　南	1463	53	37	14	3
广　　东	968	18	10	2	6
广　　西	872	47	37	6	3
海　　南	140	11	8	3	0
重　　庆	344	17	11	3	2
四　　川	2036	226	107	89	26
贵　　州	292	37	29	6	2
云　　南	570	86	52	22	9
西　　藏	39	37	16	10	6
陕　　西	385	120	35	32	49
甘　　肃	168	80	26	39	10
青　　海	89	70	26	29	12
宁　　夏	73	50	17	12	20
新　　疆	318	261	62	146	30

6－18 续表

单位:亿元

地　　区	2. 猪的饲养	3. 家禽饲养	#肉禽	4. 狩猎和捕猎动物	5. 其他畜牧业
全　　国	**10960**	**4881**	**2716**	**13**	**655**
北　　京	48	46	32		11
天　　津	37	21	8		0
河　　北	502	371	110	…	94
山　　西	94	47	8	0	4
内 蒙 古	109	48	23		1
辽　　宁	461	352	196	…	14
吉　　林	356	224	115	1	19
黑 龙 江	359	169	70	…	8
上　　海	40	16	11	…	1
江　　苏	422	379	184	2	63
浙　　江	295	73	48	0	34
安　　徽	463	221	128	1	15
福　　建	303	86	58	2	12
江　　西	378	123	76	1	11
山　　东	757	502	254	1	123
河　　南	803	341	108	1	46
湖　　北	724	219	104	0	5
湖　　南	1149	250	112	…	11
广　　东	568	344	312	2	37
广　　西	510	261	237	0	55
海　　南	82	43	40	0	4
重　　庆	228	85	47	0	15
四　　川	1309	451	326	0	50
贵　　州	213	40	25	0	2
云　　南	408	70	46	0	7
西　　藏	2	0	0	…	0
陕　　西	202	54	18	1	8
甘　　肃	73	14	8	0	1
青　　海	17	2	1	0	0
宁　　夏	16	7	3	…	0
新　　疆	33	22	9	0	2

6－19 各地区渔业分项产值

（按当年价格计算）

单位：亿元

地 区	渔业产值	1.海水产品	#养殖	2.内陆水产品	#养殖
全 国	**5203**	**2341**	**985**	**2863**	**2398**
北 京	10	1		9	8
天 津	44	10	4	34	33
河 北	103	59	30	44	33
山 西	4			4	4
内蒙古	12			12	8
辽 宁	375	288	158	86	54
吉 林	23			23	19
黑龙江	36			36	31
上 海	57	20		37	36
江 苏	666	176	92	490	435
浙 江	408	277	87	131	118
安 徽	232			232	154
福 建	549	438		112	0
江 西	212			212	176
山 东	686	548	325	138	124
河 南	59			59	56
湖 北	373			373	337
湖 南	170			170	145
广 东	653	293	202	360	345
广 西	207	116	62	91	83
海 南	140	115	25	25	19
重 庆	21			21	19
四 川	104			104	97
贵 州	10			10	9
云 南	28			28	29
西 藏	0			0	0
陕 西	6			6	6
甘 肃	1			1	1
青 海	0			0	0
宁 夏	6			6	6
新 疆	10			10	10

6—20　四大地区农林牧渔业总产值及构成

（按当年价格计算）

指　标	东部地区		中部地区		西部地区		东北地区	
	2007年	2008年	2007年	2008年	2007年	2008年	2007年	2008年
一、绝对数(亿元)								
农林牧渔业总产值	**18335**	**21269**	**12804**	**15657**	**12566**	**14860**	**5189**	**6215**
＃农业	9120	10128	6648	7662	6440	7465	2451	2788
林业	593	683	535	613	545	643	188	214
牧业	5012	6280	4239	5782	4823	5886	2051	2636
渔业	2851	3315	891	1050	345	406	370	433
二、构成(%)								
农林牧渔业总产值	**100.0**	**100.0**	**100.0**	**100.0**	**100.0**	**100.0**	**100.0**	**100.0**
＃农业	49.7	47.6	51.9	48.9	51.2	50.2	47.2	44.9
林业	3.2	3.2	4.2	3.9	4.3	4.3	3.6	3.4
牧业	27.3	29.5	33.1	36.9	38.4	39.6	39.5	42.4
渔业	15.6	15.6	7.0	6.7	2.7	2.7	7.1	7.0

6－21 农林牧渔业总产值

单位:亿元

年 份	农林牧渔业总产值	农业产值	林业产值	牧业产值	渔业产值
	(按1957年不变价格计算)				
1952	417	365	3	48	1
1957	537	456	9	69	3
1962	430	371	7	45	
1965	590	485	12	83	10
1970	716	597	16	93	11
	(按1970年不变价格计算)				
1975	1202	967	37	179	19
1978	1289	1031	44	193	20
1979	1386	1101	45	221	20
	(按1980年不变价格计算)				
1980	1965	1492	95	340	39
1981	2091	1593	98	360	41
1982	2328	1767	107	408	46
1983	2508	1917	118	424	49
1984	2816	2137	140	481	58
1985	2912	2133	146	563	69
1986	3011	2191	141	595	83
1987	3185	2332	141	614	98
1988	3310	2364	144	692	110
1989	3413	2421	145	730	118
	(按1990年不变价格计算)				
1990	8151	5191	378	2049	533
1991	8452	5240	409	2230	574
1992	8989	5461	440	2426	662
1993	9693	5747	475	2687	784
1994	10526	5934	517	3134	940
1995	11671	6405	543	3599	1123
1996	12127	6902	574	3371	1280
1997	12942	7210	593	3712	1428
1998	13713	7565	610	3985	1553
1999	14351	7891	630	4166	1665
2000	14864	8000	663	4428	1772
2001	15494	8288	659	4706	1842
2002	16260	8612	705	4989	1954
2003	16997	8006	819	5564	2067
	(按可比价格计算)				
2004	31905	16133	1265	10225	3327
2005	38291	18891	1369	13129	3842
2006	40008	20645	1513	12382	3813
2007	42409	22363	1722	12462	4135
2008	51693	25837	2012	17214	4723

注:1. 从2004年起,农林牧渔业总产值使用可比价格计算。

2. 2006年为农业普查调整数。

6—22 农林牧渔业总产值指数

（以 1952 年为 100）

年　份	农林牧渔业总　产　值	农业产值	林业产值	牧业产值	渔业产值
1949	65.2	64.6	55.2	70.4	46.2
1952	100.0	100.0	100.0	100.0	100.0
1957	128.7	124.8	320.7	144.1	223.1
1962	103.2	101.6	251.7	92.9	592.3
1965	141.4	132.9	413.8	172.7	776.9
1970	171.8	163.6	551.7	193.3	838.5
1975	192.4	179.4	745.5	232.2	1150.3
1978	206.2	191.3	892.2	249.8	1222.5
1979	221.8	204.2	904.2	286.3	1180.4
1980	224.9	203.6	1014.8	306.4	1270.7
1981	239.5	217.4	1056.6	324.4	1326.4
1982	266.5	241.2	1146.8	368.0	1490.1
1983	287.2	261.7	1263.9	382.5	1617.8
1984	322.4	291.7	1504.4	433.6	1902.8
1985	333.4	291.2	1572.1	508.2	2263.0
1986	344.7	299.1	1516.2	536.6	2728.1
1987	364.7	318.3	1512.3	553.8	3221.0
1988	379.0	322.4	1547.5	623.8	3595.3
1989	390.8	330.4	1553.0	658.3	3852.7
1990	420.5	356.7	1601.1	704.4	4238.2
1991	436.0	360.1	1728.5	766.5	4562.1
1992	463.0	375.3	1861.1	834.1	5260.5
1993	500.0	394.9	2010.4	923.8	6222.5
1994	543.0	407.5	2189.3	1078.1	7467.0
1995	602.2	439.7	2298.8	1237.7	8915.6
1996	658.9	474.0	2428.1	1379.0	10161.8
1997	703.2	495.2	2508.7	1518.3	11331.4
1998	745.0	519.6	2582.0	1629.9	12328.6
1999	779.7	542.0	2664.6	1704.0	13215.0
2000	807.8	549.6	2808.5	1811.4	14074.0
2001	842.0	569.4	2788.4	1924.8	14622.3
2002	883.6	591.6	2985.6	2040.5	15518.0
2003	918.9	591.6	3194.6	2183.3	16293.9
2004	987.8	641.9	3258.5	2340.5	17271.5
2005	1044.1	668.2	3362.8	2523.1	18394.1
2006	1100.7	704.2	3550.5	2649.3	19496.5
2007	1143.2	731.7	3795.6	2718.2	20451.8
2008	1208.7	766.7	4102.1	2901.7	21671.7

注：本表按可比价格计算。

6—23 各地区农林牧渔业总产值指数

（以上年为100）

地 区	农林牧渔总产值	#农业产值	林业产值	牧业产值	渔业产值
全国合计	**5.7**	**4.8**	**8.1**	**6.8**	**6.0**
北 京	0.8	3.5	13.8	−1.3	−10.2
天 津	3.3	3.1	6.2	3.5	3.4
河 北	5.1	3.7	8.6	6.5	6.9
山 西	9.6	7.3	16.1	12.5	2.8
内蒙古	7.6	8.6	6.1	6.6	4.1
辽 宁	6.5	3.9	5.5	8.0	9.5
吉 林	10.0	15.2	−3.4	5.8	11.3
黑龙江	9.5	7.5	8.0	13.0	15.2
上 海	0.1	3.0	−18.7	4.4	−9.3
江 苏	4.5	3.2	4.7	7.1	5.4
浙 江	4.6	5.0	8.8	2.9	3.8
安 徽	6.3	5.5	7.2	7.1	6.3
福 建	5.2	4.6	8.1	4.6	6.5
江 西	4.8	3.9	7.9	5.1	5.4
山 东	5.1	3.6	13.9	5.9	5.9
河 南	5.8	5.1	7.9	7.0	8.5
湖 北	6.2	2.8	5.0	10.0	12.0
湖 南	5.3	2.1	4.3	9.0	5.0
广 东	4.0	1.6	3.2	7.0	4.7
广 西	5.4	3.6	21.4	5.9	2.4
海 南	7.8	6.5	7.9	12.0	6.2
重 庆	7.1	7.7	4.5	6.7	4.0
四 川	3.1	2.6	3.0	3.7	6.0
贵 州	6.8	6.1	15.5	7.1	1.5
云 南	7.9	7.0	11.8	8.0	5.1
西 藏	6.6	7.5	−2.3	6.3	40.2
陕 西	7.9	7.8	9.0	8.5	8.7
甘 肃	7.4	8.9	9.5	2.9	1.2
青 海	4.5	7.6	4.4	2.4	30.3
宁 夏	8.8	9.2	20.5	6.0	9.7
新 疆	6.7	6.1	7.3	9.4	7.7

注：本表按可比价格计算。

6—24　各地区农林牧渔业总产值及占全国的比重

（按可比价格计算）

地　区	农林牧渔业总产值（亿元）	2008年比2007年增减百分比(%)	占全国的比重(%)
全国合计	**51693**	**5.7**	**100.0**
北　京	274	0.8	0.5
天　津	249	3.3	0.5
河　北	3234	5.1	6.3
山　西	546	9.6	1.1
内蒙古	1373	7.6	2.7
辽　宁	2267	6.5	4.4
吉　林	1496	10.0	2.9
黑龙江	1862	9.5	3.6
上　海	256	0.1	0.5
江　苏	3203	4.5	6.2
浙　江	1671	4.6	3.2
安　徽	2200	6.3	4.3
福　建	1781	5.2	3.4
江　西	1496	4.8	2.9
山　东	5008	5.1	9.7
河　南	4106	5.8	7.9
湖　北	2439	6.2	4.7
湖　南	2772	5.3	5.4
广　东	2933	4.0	5.7
广　西	2135	5.4	4.1
海　南	591	7.8	1.1
重　庆	772	7.1	1.5
四　川	3482	3.1	6.7
贵　州	745	6.8	1.4
云　南	1437	7.9	2.8
西　藏	85	6.6	0.2
陕　西	1083	7.9	2.1
甘　肃	737	7.4	1.4
青　海	127	4.5	0.2
宁　夏	199	8.8	0.4
新　疆	1135	6.7	2.2

6－25 各地区农林牧渔业总产值

（按可比价格计算）

单位:亿元

地区	农林牧渔业总产值	农业产值	林业产值	牧业产值	渔业产值
全国总计	**51693**	**25837**	**2012**	**17214**	**4723**
北京	274	120	20	121	9
天津	249	121	2	80	37
河北	3234	1700	57	1222	91
山西	546	346	20	158	4
内蒙古	1373	674	68	597	11
辽宁	2267	870	64	897	357
吉林	1496	739	47	672	21
黑龙江	1862	1045	85	661	29
上海	256	131	8	61	49
江苏	3203	1592	62	754	610
浙江	1671	773	104	378	384
安徽	2200	1112	108	683	207
福建	1781	717	131	356	504
江西	1496	646	136	458	192
山东	5008	2698	93	1391	615
河南	4106	2369	113	1418	48
湖北	2439	1184	44	755	348
湖南	2772	1269	150	1106	162
广东	2933	1350	76	830	567
广西	2135	1006	121	752	183
海南	591	239	87	119	129
重庆	772	432	27	282	19
四川	3482	1351	90	1895	91
贵州	745	416	32	248	9
云南	1437	732	174	474	27
西藏	85	42	3	37	0
陕西	1083	678	37	297	5
甘肃	737	499	21	135	1
青海	127	53	2	69	0
宁夏	199	121	7	56	6
新疆	1135	814	22	253	8

6—26　农林牧渔业分项产值及增幅

（按可比价格计算）

指　　标	绝对数（亿元）	比上年增长幅度（%）
农林牧渔业总产值	**51693**	**5.7**
农业产值	**25837**	**4.8**
谷物及其他作物	13048	—1.3
蔬菜园艺作物	8273	4.7
水果、坚果、饮料和香料作物	3300	5.5
中药材	383	—5.6
林业产值	**2012**	**8.1**
林木的培育和种植	555	12.9
竹木采运	718	8.4
林产品	715	0.9
牧业产值	**17214**	**6.8**
牲畜饲养	3084	—1.1
猪的饲养	8761	7.7
家禽饲养	4466	6.3
狩猎和捕捉动物	12	8.3
其他畜牧业	628	—4.9
渔业产值	**4723**	**5.9**
海水产品	2139	5.3
内陆水域水产品	2588	6.6

6—27 各地区农业分项产值

（按可比价格计算）

单位:亿元

地　区	农　业	谷物及其他作物	蔬菜及园艺	水果坚果及饮料	中药材
全　国	**25837**	**13048**	**8273**	**3300**	**383**
北　京	120	24	63	32	0
天　津	121	53	55	13	0
河　北	1700	727	723	230	20
山　西	346	210	75	55	6
内蒙古	674	527	126	16	5
辽　宁	870	439	331	95	4
吉　林	739	578	102	44	15
黑龙江	1045	861	133	42	8
上　海	131	28	69	34	0
江　苏	1592	814	635	131	12
浙　江	773	219	317	218	20
安　徽	1112	757	236	98	21
福　建	717	184	325	202	5
江　西	646	401	146	93	5
山　东	2698	1153	1085	438	21
河　南	2369	1291	800	243	35
湖　北	1184	631	425	108	20
湖　南	1269	665	439	118	47
广　东	1350	473	584	282	10
广　西	1006	552	298	135	20
海　南	239	61	90	87	1
重　庆	432	233	146	46	7
四　川	1351	767	416	148	20
贵　州	416	254	130	20	13
云　南	732	475	175	94	11
西　藏	42				
陕　西	678	290	169	203	16
甘　肃	499	270	148	58	23
青　海	53	42	9	1	1
宁　夏	121	69	25	13	15
新　疆	814				

6—28 各地区林业分项产值

（按可比价格计算）

单位：亿元

地　区	林业产值	林木的培育和种植	竹木采运	林产品
全　国	**2012**	**555**	**718**	**715**
北　京	20	13	1	6
天　津	2	2	0	0
河　北	57	14	5	38
山　西	20	11	0	9
内蒙古	68	46	16	5
辽　宁	64	32	14	17
吉　林	47	8	30	9
黑龙江	85	8	66	11
上　海	8	8	0	0
江　苏	62	44	8	10
浙　江	104	6	49	49
安　徽	108	33	38	36
福　建	131	6	83	41
江　西	136	47	50	39
山　东	93	31	13	49
河　南	113	47	40	26
湖　北	44	15	19	9
湖　南	150	42	66	43
广　东	76	10	51	15
广　西	121	9	73	40
海　南	87	15	7	65
重　庆	27	10	2	15
四　川	90	32	34	24
贵　州	32	4	8	19
云　南	174	28	39	108
西　藏	3			
陕　西	37	13	3	21
甘　肃	21	11	0	10
青　海	2	2	0	0
宁　夏	7	6	0	0
新　疆	22			

6—29 各地区畜牧业分项产值

(按可比价格计算)

单位:亿元

地区	牧业产值	牲畜饲养	猪的饲养	家禽饲养	捕猎	其他畜牧业
全国	**17214**	**3084**	**8761**	**4466**	**12**	**628**
北京	121	27	41	42		11
天津	80	25	34	20		0
河北	1222	377	415	354		77
山西	158	33	76	45	0	4
内蒙古	597	462	88	45		1
辽宁	897	197	342	336		22
吉林	672	144	305	205	1	18
黑龙江	661	201	314	140		7
上海	61	9	34	16		1
江苏	754	43	301	338	2	70
浙江	378	14	256	70	0	37
安徽	683	88	365	213	1	15
福建	356	18	250	76	1	10
江西	458	34	300	111	1	11
山东	1391	265	550	456	1	119
河南	1418	365	662	349	1	41
湖北	755	47	507	196	0	4
湖南	1106	43	879	173		11
广东	830	16	464	316	1	33
广西	752	39	416	243		54
海南	119	9	66	39	0	4
重庆	282	14	178	76	…	14
四川	1895	255	1154	441		45
贵州	248	33	178	36	0	1
云南	473	72	359	63	…	7
西藏	37					
陕西	297	95	147	46	1	8
甘肃	135	64	57	13		1
青海	69	54	12	2		0
宁夏	56	40	11	6		0
新疆	253					

6—30 各地区渔业分项产值

（按可比价格计算）

单位：亿元

地　　区	渔业产值	海水产品	内陆水产品
全　　国	**4723**	**2139**	**2588**
北　　京	9	1	9
天　　津	37	9	28
河　　北	91	54	37
山　　西	4		4
内 蒙 古	11		11
辽　　宁	357	273	84
吉　　林	21		21
黑 龙 江	29		29
			0
上　　海	49	17	32
江　　苏	610	158	453
浙　　江	384	256	128
安　　徽	207		207
福　　建	504	398	106
江　　西	192		192
山　　东	615	501	114
河　　南	48		48
湖　　北	348		348
湖　　南	162		162
广　　东	567	263	305
广　　西	183	105	77
海　　南	129	105	24
重　　庆	19		19
四　　川	91		91
贵　　州	9		9
云　　南	27		38
西　　藏	0		
陕　　西	5		5
甘　　肃	1		1
青　　海	0		0
宁　　夏	6		6
新　　疆	8		

7

主要农产品种（养）面积与产量

7—1 主要农作物播种面积

单位：千公顷

年份	农作物总播种面积	粮食面积	稻谷	小麦	玉米	大豆	薯类
1952	141256	123979	28382	24780	12566	11679	8688
1957	157244	133633	32241	27542	14943	12748	10495
1962	140229	121621	26935	24075	12819	9504	12171
1965	143291	119627	29825	24709	15671	8593	11175
1970	143487	119267	32358	25458	15831	7985	10717
1975	149545	121062	35729	27661	18598	6999	10969
1978	150104	120587	34421	29183	19961	7144	11796
1979	148477	119263	33873	29357	20133	7247	10952
1980	146380	117234	33878	28844	20087	7226	10153
1981	145157	114958	33295	28307	19425	8024	9620
1982	144755	113462	33071	27955	18543	8419	9370
1983	143993	114047	33136	29050	18824	7567	9402
1984	144221	112884	33178	29576	18537	7286	8988
1985	143626	108845	32070	29218	17694	7718	8572
1986	144204	110933	32266	29616	19124	8295	8685
1987	144957	111268	32193	28798	20212	8445	8868
1988	144869	110123	31987	28785	19692	8120	9054
1989	146554	112205	32700	29841	20353	8057	9097
1990	148362	113466	33064	30753	21401	7560	9121
1991	149586	112314	32590	30948	21574	7041	9078
1992	149007	110560	32090	30496	21044	7221	9057
1993	147741	110509	30355	30235	20694	9454	9220
1994	148241	109544	30171	28981	21152	9222	9270
1995	149879	110060	30744	28860	22776	8127	9519
1996	152381	112548	31406	29611	24498	7471	9797
1997	153969	112912	31765	30057	23775	8346	9785
1998	155706	113787	31214	29774	25239	8500	10000
1999	156373	113161	31283	28855	25904	7962	10355
2000	156300	108463	29962	26653	23056	9307	10538
2001	155708	106080	28812	24664	24282	9482	10217
2002	154636	103891	28202	23908	24634	8720	9881
2003	152415	99410	26508	21997	24068	9313	9702
2004	153553	101606	28379	21626	25446	9589	9457
2005	155488	104278	28847	22793	26358	9591	9503
2006	152149	104958	28938	23613	28463	9304	7877
2007	153464	105638	28919	23721	29478	8754	8082
2008	156266	106793	29241	23617	29864	9127	8427

7—1续表 单位:千公顷

年　份	棉　花	花　生	油菜籽	芝　麻	黄红麻	甘　蔗	甜　菜	烤　烟
1952	5576	1804	1863		158	183	35	186
1957	5775	2541	2308		143	267	159	355
1962	3497	1301	1361		62	154	83	176
1965	5003	1846	1822		113	351	171	325
1970	4997	1709	1453		135	387	199	291
1975	4955	1877	2313		297	523	303	460
1978	4866	1768	2600	638	412	549	331	613
1979	4512	2074	2761	843	362	512	325	509
1980	4920	2339	2844	776	314	480	443	397
1981	5185	2472	3801	818	306	551	436	586
1982	5828	2416	4122	965	246	653	462	888
1983	6077	2201	3669	789	227	654	544	572
1984	6923	2421	3413	858	320	728	502	715
1985	5140	3318	4494	1052	992	965	560	1077
1986	4306	3253	4916	1007	345	950	520	894
1987	4844	3022	5267	869	272	859	498	913
1988	5535	2977	4936	704	277	924	745	1304
1989	5203	2946	4993	722	286	959	569	1503
1990	5588	2907	5503	669	300	1009	670	1342
1991	6538	2880	6133	680	270	1164	783	1562
1992	6835	2976	5976	746	277	1246	660	1849
1993	4985	3379	5300	754	274	1088	599	1835
1994	5528	3776	5783	690	176	1057	698	1302
1995	5422	3809	6907	642	147	1125	695	1309
1996	4722	3616	6734	594	147	1207	638	1683
1997	4491	3722	6475	615	162	1311	612	2161
1998	4459	4039	6527	630	93	1401	583	1200
1999	3726	4268	6899	697	65	1303	341	1216
2000	4041	4856	7494	784	50	1185	329	1269
2001	4810	4991	7095	758	52	1248	406	1181
2002	4184	4921	7143	759	55	1393	424	1192
2003	5111	5057	7221	687	41	1409	248	1139
2004	5693	4745	7271	624	32	1378	190	1145
2005	5062	4662	7278	593	31	1354	210	1245
2006	5816	3956	5984	564	31	1378	189	1088
2007	5926	3945	5642	486	33	1586	216	1066
2008	5754	4246	6594	472	26	1743	246	1230

7—2 主要农作物播种面积及增减情况

单位：千公顷

指 标	1990 年	1995 年	2000 年	2007 年	2008 年	2008 年为 2007 年百分比(%)
农作物总播种面积	148362	149879	156300	153464	156266	101.8
一、粮食作物	113466	110060	108463	105638	106793	101.1
1.谷物		89309	85264	85777	86248	100.5
稻谷	33064	30744	29962	28919	29241	101.1
小麦	30753	28860	26653	23721	23617	99.6
玉米	21401	22776	23056	29478	29864	101.3
谷子	2278	1522	1250	839	815	97.1
高粱	1545	1215	889	500	490	97.9
其他谷物		4192	3454	2320	2221	95.7
2.豆类		11232	12660	11780	12118	102.9
#大豆	7560	8127	9307	8754	9127	104.3
杂豆		3105	3353	3026	2991	98.9
3.薯类	9121	9519	10538	8082	8427	104.3
#马铃薯	2865	3434	4723	4430	4663	105.3
二、油料作物	10900	13101	15400	11316	12825	113.3
#花生	2907	3809	4856	3945	4246	107.6
油菜籽	5503	6907	7494	5642	6594	116.9
芝麻	669	642	784	486	472	97.1
胡麻籽	703	621	498	486	338	69.5
向日葵	713	813	1229	719	964	134.1
三、棉花	558	5422	4041	5926	5754	97.1
四、麻类	495	376	262	263	221	84.2
#黄红麻	300	147	50	33	26	78.5
苎麻	81	97	96	143	126	88.3
大麻	21	16	13	18	12	66.1
亚麻	57	113	96	67	57	85.0
五、糖料	1679	1820	1514	1802	1990	110.4
甘蔗	1009	1125	1185	1586	1743	109.9
甜菜	670	695	329	216	246	114.1
六、烟叶	1593	1470	1437	1164	1326	113.9
#烤烟	1342	1309	1269	1066	1230	115.4
七、药材	153	279	676	961	1194	124.3
八、蔬菜、瓜类	6338	9515	15237	19580	20132	102.8
#蔬菜	721	1101	2044	17329	17876	103.2
九、其他农作物	6161	6736	7352	6814	6029	88.5
#青饲料	1862	1825	2142	2824	2296	81.3

7—3 主要农作物播种面积构成

（以农作物总播种面积为100）

单位：%

指　　标	1990年	1995年	2000年	2007年	2008年
农作物总播种面积	100.0	100.0	100.0	100.0	100.0
一、粮食作物	76.5	73.4	69.4	68.8	68.3
1.谷物		59.6	54.6	55.9	55.2
稻谷	22.3	20.5	19.2	18.8	18.7
小麦	6.3	19.3	17.1	15.5	15.1
玉米	20.7	15.2	14.8	19.2	19.1
谷子	14.4	1.0	0.8	0.5	0.5
高粱	1.5	0.8	0.6	0.3	0.3
其他谷物	1.0	2.8	2.2	1.5	1.4
2.豆类		7.5	8.1	7.7	7.8
#大豆	5.1	5.4	6.0	5.7	5.8
杂豆		2.1	2.1	2.0	1.9
3.薯类	6.1	6.4	6.7	5.3	5.4
#马铃薯	1.9	2.3	3.0	2.9	3.0
二、油料作物	7.3	8.7	9.9	7.4	8.2
#花生	2.0	2.5	3.1	2.6	2.7
油菜籽	3.7	4.6	4.8	3.7	4.2
芝麻	0.5	0.4	0.5	0.3	0.3
胡麻籽	0.5	0.4	0.3	0.3	0.2
向日葵	0.5	0.5	0.8	0.5	0.6
三、棉花	14.4	3.6	2.6	3.9	3.7
四、麻类	0.3	0.3	0.2	0.2	0.1
#黄红麻	0.2	0.1	...	0.0	0.0
苎麻	...	0.1	0.1	0.1	0.1
大麻	...	...	...	0.0	0.0
亚麻	0.1	0.1	0.1	0.0	0.0
五、糖料	1.1	1.2	1.0	1.2	1.3
甘蔗	0.7	0.8	0.8	1.0	1.1
甜菜	0.5	0.5	0.2	0.1	0.2
六、烟叶	1.1	1.0	0.9	0.8	0.8
#烤烟	0.9	0.9	0.8	0.7	0.8
七、药材	0.1	0.2	0.4	0.6	0.8
八、蔬菜、瓜类	4.8	7.1	11.1	12.8	12.9
#蔬菜	4.3	6.3	9.7	11.3	11.4
九、其他农作物	4.2	4.5	4.7	4.4	3.9
#青饲料	1.3	1.2	1.4	1.8	1.5

7—4 各地区农作物总播种面积

单位：千公顷

地　区	1990 年	1995 年	2000 年	2007 年	2008 年	2008 年为 2007 年百分比(%)
全国总计	**148361.5**	**149879.4**	**156299.8**	**153463.9**	**156265.7**	**101.8**
北　京	590.3	553.2	457.3	295.0	322.0	109.2
天　津	573.2	572.7	533.1	434.0	446.3	102.8
河　北	8786.7	8720.1	9024.4	8652.7	8713.2	100.7
山　西	4016.3	3895.6	4042.4	3653.2	3726.5	102.0
内蒙古	4722.4	5079.4	5914.4	6761.5	6860.8	101.5
辽　宁	3618.9	3623.7	3622.0	3703.9	3716.2	100.3
吉　林	4039.8	4059.8	4542.2	4944.0	4998.2	101.1
黑龙江	8558.5	8647.4	9329.5	11898.5	12088.4	101.6
上　海	631.1	542.1	520.7	390.7	388.4	99.4
江　苏	8259.2	7909.0	7944.9	7407.7	7510.3	101.4
浙　江	4384.7	3923.0	3554.3	2462.8	2482.4	100.8
安　徽	8313.6	8354.2	9005.8	8853.9	8976.6	101.4
福　建	2745.9	2835.1	2793.3	2191.2	2220.7	101.3
江　西	5758.1	5950.6	5650.8	5245.1	5330.9	101.6
山　东	10882.6	10837.3	11147.3	10724.4	10764.0	100.4
河　南	11889.7	12136.8	13136.9	14087.8	14147.4	100.4
湖　北	7361.1	7413.7	7584.1	7030.0	7349.9	104.5
湖　南	7951.8	7840.4	8002.1	7390.7	7503.5	101.5
广　东	5671.5	5304.3	5156.9	4363.1	4404.3	100.9
广　西	5141.3	5745.7	6260.7	5594.4	5695.6	101.8
海　南	821.3	870.0	906.0	754.3	810.6	107.5
重　庆			3590.8	3134.7	3215.1	102.6
四　川	12475.3	12838.8	9609.1	9278.2	9438.9	101.7
贵　州	3578.3	4203.1	4696.7	4464.5	4619.4	103.5
云　南	4492.1	4958.9	5786.0	5801.9	6056.2	104.4
西　藏	213.5	219.3	231.1	232.9	235.8	101.2
陕　西	4859.8	4496.9	4555.4	4044.7	4165.8	103.0
甘　肃	3611.3	3773.3	3740.2	3759.0	3868.6	102.9
青　海	544.7	568.8	553.7	516.7	513.6	99.4
宁　夏	888.9	956.0	1016.5	1189.8	1209.7	101.7
新　疆	2979.5	3050.2	3391.6	4202.6	4486.7	106.8

7—5　各地区粮食播种面积及增减情况

单位：千公顷

地　　区	1990 年	1995 年	2000 年	2007 年	2008 年	2008 年为 2007 年百分比(%)
全国总计	**113465.9**	**110060.4**	**108462.5**	**105638.4**	**106792.6**	**101.1**
北　　京	484.4	434.1	308.3	197.5	226.3	114.6
天　　津	457.9	443.3	345.9	292.0	293.5	100.5
河　　北	6827.8	6829.5	6918.7	6168.2	6158.1	99.8
山　　西	3290.3	3151.5	3186.5	3028.2	3111.3	102.7
内 蒙 古	3874.5	4143.2	4435.9	5119.9	5254.5	102.6
辽　　宁	3121.6	3030.9	2858.6	3127.2	3035.9	97.1
吉　　林	3525.9	3576.9	3833.7	4334.7	4391.2	101.3
黑 龙 江	7420.0	7500.2	7852.5	10820.5	10988.9	101.6
上　　海	417.1	343.9	258.8	169.6	174.5	102.9
江　　苏	6363.0	5755.2	5304.3	5215.6	5267.1	101.0
浙　　江	3266.0	2814.4	2300.3	1219.6	1271.6	104.3
安　　徽	6246.1	5852.5	6183.8	6477.8	6561.1	101.3
福　　建	2080.6	2017.3	1828.5	1201.0	1210.3	100.8
江　　西	3699.3	3509.3	3322.0	3525.3	3578.1	101.5
山　　东	8151.9	8131.6	7363.2	6936.5	6955.6	100.3
河　　南	9316.1	8810.0	9029.6	9468.0	9600.0	101.4
湖　　北	5200.0	4776.7	4156.2	3981.4	3906.7	98.1
湖　　南	5365.7	5115.6	5029.9	4531.3	4588.8	101.3
广　　东	3996.3	3472.3	3311.1	2479.5	2499.9	100.8
广　　西	3639.9	3662.7	3655.9	2984.0	2973.1	99.6
海　　南	567.5	574.9	542.0	402.6	421.3	104.6
重　　庆			2773.4	2195.8	2215.4	100.9
四　　川	9827.7	9933.7	6854.5	6450.0	6430.9	99.7
贵　　州	2543.2	2864.5	3151.3	2821.8	2919.6	103.5
云　　南	3622.3	3643.0	4238.7	3994.5	4095.9	102.5
西　　藏	191.7	188.2	201.4	171.8	170.6	99.3
陕　　西	4134.7	3807.7	3821.5	3099.8	3126.0	100.8
甘　　肃	2875.1	2928.7	2798.2	2687.0	2683.0	99.8
青　　海	400.3	384.3	322.7	301.8	272.0	90.1
宁　　夏	723.5	761.8	807.1	856.3	826.2	96.5
新　　疆	1835.5	1602.5	1468.2	1379.1	1585.2	114.9

7—6 各地区粮食播种面积

（按季节分）

单位：千公顷

地区	夏收粮食		早稻		秋收粮食	
	2007年	2008年	2007年	2008年	2007年	2008年
全国总计	**26767.0**	**26826.6**	**5742.4**	**5707.9**	**73129.0**	**74258.1**
北京	41.4	64.0			156.1	162.3
天津	104.9	107.7			187.2	185.8
河北	2443.1	2447.2			3725.2	3710.9
山西	734.5	718.6			2293.8	2392.7
内蒙古					5119.9	5254.5
辽宁	70.7	71.6			3056.5	2964.3
吉林					4334.7	4391.2
黑龙江					10820.5	10988.9
上海	49.1	56.4			120.5	118.2
江苏	2288.2	2321.5			2927.4	2945.6
浙江	103.3	160.4	121.0	104.3	995.3	1006.9
安徽	2382.3	2386.7	276.3	266.0	3819.2	3908.4
福建	89.9	76.0	222.0	212.2	889.1	922.1
江西	57.5	59.6	1372.5	1385.5	2095.2	2132.9
山东	3520.1	3527.2			3416.4	3428.4
河南	5246.7	5286.7			4221.4	4313.3
湖北	1306.5	1207.7	343.2	341.1	2331.8	2357.8
湖南	131.9	134.9	1297.6	1294.6	3101.8	3159.3
广东	216.8	215.9	940.3	933.5	1322.5	1350.6
广西	83.9	59.1	991.5	984.4	1908.6	1929.6
海南	42.4	37.2	124.4	129.4	235.8	254.8
重庆	557.7	546.5			1638.1	1668.9
四川	1845.2	1799.1	2.8	1.5	4602.0	4630.3
贵州	969.2	946.7	0.1	0.1	1852.5	1972.8
云南	1097.2	1101.7	50.7	55.3	2846.5	2939.0
西藏					171.8	170.6
陕西	1329.4	1317.3			1770.4	1808.7
甘肃	1152.7	1142.4			1534.3	1540.6
青海					301.8	272.0
宁夏	245.0	244.6			611.3	581.5
新疆	657.6	789.9			721.4	795.3

7—7 各地区粮食播种面积

（按品种分）

单位:千公顷

地区	谷物		#稻谷		#小麦		#玉米	
	2007年	2008年	2007年	2008年	2007年	2008年	2007年	2008年
全国总计	**85776.7**	**86247.8**	**28918.8**	**29241.1**	**23720.6**	**23617.2**	**29477.5**	**29863.7**
北京	183.1	212.7	0.5	0.4	41.4	63.9	139.0	146.2
天津	281.7	282.9	14.4	15.0	104.9	107.7	162.2	159.8
河北	5662.4	5648.9	84.5	81.5	2412.4	2416.1	2862.6	2841.1
山西	2443.4	2556.6	1.5	1.1	712.3	697.4	1270.5	1378.6
内蒙古	3296.8	3517.8	79.9	97.9	533.4	452.2	2012.5	2340.0
辽宁	2879.4	2739.2	660.6	658.7	12.4	10.3	1998.6	1884.9
吉林	3618.2	3679.5	669.9	658.7	5.4	5.7	2853.7	2922.5
黑龙江	6505.8	6419.7	2253.2	2390.7	233.0	238.8	3883.6	3593.9
上海	159.0	165.5	109.1	108.6	37.5	44.2	3.9	3.6
江苏	4826.5	4857.7	2228.1	2232.6	2039.1	2073.1	391.2	398.5
浙江	1059.1	1050.1	954.3	937.5	49.3	54.3	23.6	25.9
安徽	5296.3	5323.9	2205.2	2218.9	2330.3	2346.7	710.4	705.1
福建	911.9	906.9	868.7	861.2	4.5	4.4	34.7	37.0
江西	3224.9	3286.9	3194.3	3255.5	11.2	10.2	15.5	15.6
山东	6528.3	6554.8	130.5	130.7	3519.1	3525.2	2854.2	2874.2
河南	8662.5	8741.1	600.0	604.7	5213.3	5260.0	2779.2	2820.0
湖北	3559.6	3483.8	1978.8	1978.9	1096.3	1000.6	436.3	470.4
湖南	4156.2	4211.4	3897.2	3932.0	13.6	13.6	220.2	241.3
广东	2082.2	2099.9	1939.0	1946.9	1.0	0.8	132.8	143.4
广西	2631.4	2623.2	2126.7	2119.2	3.9	3.7	490.4	489.7
海南	320.4	327.6	298.3	310.0			17.6	17.4
重庆	1322.0	1336.2	652.1	673.5	199.7	189.0	453.7	455.6
四川	4862.9	4824.5	2036.2	2035.9	1316.8	1286.5	1330.5	1323.8
贵州	1728.2	1766.9	676.2	691.1	242.7	262.4	731.2	734.6
云南	2910.6	2943.9	990.2	1017.5	426.8	425.0	1282.1	1325.8
西藏	163.4	163.0	1.0	1.0	40.3	37.3	3.3	4.0
陕西	2583.5	2592.8	115.3	124.6	1144.6	1140.0	1154.0	1157.6
甘肃	1796.1	1797.7	5.3	5.5	982.1	903.5	492.0	557.2
青海	221.5	147.3			154.0	104.4	2.3	2.1
宁夏	632.2	533.1	77.0	80.3	233.7	204.3	206.0	208.5
新疆	1267.5	1452.5	71.0	70.8	605.8	735.8	529.8	585.5

7—7 续表　　　　单位：千公顷

地　区	豆　类		#大　豆		薯　类		#马铃薯	
	2007 年	2008 年	2007 年	2008 年	2007 年	2008 年	2007 年	2008 年
全国总计	**11779.5**	**12118.0**	**8753.8**	**9127.1**	**8082.1**	**8426.8**	**4430.3**	**4663.4**
北　京	10.1	10.6	8.8	9.4	4.3	3.1		
天　津	9.6	9.9	9.2	9.5	0.7	0.8		
河　北	248.4	249.6	188.5	187.6	257.5	259.6	136.8	149.1
山　西	348.4	347.7	212.2	204.7	236.5	207.0	197.7	183.7
内蒙古	1200.7	1037.3	756.7	668.0	622.4	699.3	613.3	679.5
辽　宁	151.5	203.9	130.4	181.0	96.3	92.8	59.8	64.6
吉　林	616.9	618.7	444.9	457.1	99.6	93.0	93.3	88.2
黑龙江	4099.4	4324.4	3808.8	4036.5	215.3	244.9	212.3	244.9
上　海	9.3	8.0	6.2	5.0	1.3	1.0		
江　苏	321.3	343.2	222.7	232.8	67.7	66.2		
浙　江	121.4	129.9	50.5	54.4	39.1	91.7		51.2
安　徽	1017.3	1068.5	938.0	988.4	164.2	168.7	6.8	7.7
福　建	68.0	73.4	52.0	55.8	221.2	230.0	60.8	62.9
江　西	165.8	160.3	106.7	102.6	134.6	131.0	5.2	
山　东	176.4	175.0	168.5	167.0	231.8	225.8		
河　南	525.5	551.0	468.8	486.1	280.0	307.9		
湖　北	202.6	206.8	114.8	112.3	219.2	216.1	119.5	127.5
湖　南	154.2	155.6	86.8	88.2	220.9	221.8	69.2	72.3
广　东	79.7	80.6	61.3	62.0	317.6	319.4	36.3	36.5
广　西	145.8	144.8	89.7	89.3	206.7	205.0		
海　南	2.1	7.7	2.1	3.2	80.1	86.0		0.1
重　庆	193.3	197.1	72.9	81.7	680.4	682.0	306.9	310.1
四　川	482.4	479.5	209.9	208.6	1104.8	1126.9	278.8	277.1
贵　州	305.5	310.2	121.3	125.7	788.1	842.5	604.9	605.8
云　南	522.2	565.1	81.1	128.9	561.7	586.9	443.4	466.2
西　藏	7.8	7.1	0.6	0.3	0.6	0.5	0.6	0.5
陕　西	213.9	228.9	180.2	189.5	302.5	304.3	257.8	259.3
甘　肃	233.1	227.9	99.0	99.8	657.8	657.4	657.8	657.4
青　海	44.8	39.1			35.5	85.6	35.5	85.6
宁　夏	23.5	59.8	7.8	21.0	200.7	233.3	200.7	233.3
新　疆	78.4	96.4	53.4	70.5	33.2	36.3	33.2	

7—8 各地区油料播种面积

单位:千公顷

地区	油料合计		#花生		#油菜籽	
	2007年	2008年	2007年	2008年	2007年	2008年
全国总计	**11315.8**	**12825.5**	**3944.8**	**4245.8**	**5642.2**	**6593.7**
北京	7.0	7.2	6.9	6.9		
天津	1.8	1.8	0.8	0.8		
河北	498.3	516.9	391.5	409.9	12.3	23.7
山西	166.8	179.2	13.0	10.4	7.2	6.1
内蒙古	532.5	705.1	12.4	19.0	205.5	220.7
辽宁	106.8	167.5	98.7	148.3	0.3	0.6
吉林	243.2	212.3	100.2	126.9		
黑龙江	176.5	218.7	29.3	40.7	0.6	0.4
上海	16.3	15.5	1.1	1.0	15.0	14.3
江苏	540.8	567.4	95.7	101.6	434.4	454.5
浙江	151.6	190.8	12.8	18.7	128.8	167.5
安徽	864.3	936.7	172.7	194.5	619.8	670.4
福建	101.5	107.4	90.6	96.0	9.5	9.8
江西	603.5	658.8	152.1	142.0	402.2	486.3
山东	802.0	812.5	790.1	800.5	8.9	9.5
河南	1497.4	1518.3	947.8	956.7	356.4	376.6
湖北	1171.7	1365.6	137.8	176.0	927.1	1089.6
湖南	693.7	929.3	73.8	93.4	609.9	827.6
广东	310.6	323.9	302.5	314.1	6.4	7.6
广西	152.8	163.3	136.2	145.2	11.4	10.7
海南	32.9	40.2	30.2	37.6		
重庆	192.9	215.5	36.9	44.6	135.4	150.2
四川	996.1	1155.1	237.8	256.2	747.3	886.2
贵州	433.1	455.1	25.4	33.5	400.1	412.8
云南	135.9	188.0	15.6	34.5	84.3	149.9
西藏	23.1	24.7	0.1	0.1	23.1	24.7
陕西	252.1	277.2	29.2	32.6	155.4	178.3
甘肃	278.7	331.7	0.8	0.8	145.0	162.1
青海	150.6	172.7			148.5	169.8
宁夏	51.1	80.5		0.2	0.4	0.1
新疆	130.0	286.7	2.8	3.2	47.2	83.7

7—9 各地区棉花和麻类播种面积

单位：千公顷

地区	棉花		麻类		#黄红麻	
	2007年	2008年	2007年	2008年	2007年	2008年
全国总计	**5926.1**	**5754.1**	**263.2**	**221.5**	**33.4**	**26.2**
北京	1.7	1.2				
天津	67.5	69.2				
河北	680.0	690.0	1.5	0.4	0.3	0.3
山西	104.0	89.1	0.1	0.1		
内蒙古	2.6	2.0	4.3	3.1		
辽宁	1.1	1.4				
吉林	0.5	2.4	0.1	0.7		
黑龙江	0.0	0.0	51.1	41.3		
上海	1.4	1.5	0.0	0.0		
江苏	326.9	300.5	1.2	1.1		
浙江	19.0	20.3	0.3	0.2	0.2	0.2
安徽	375.9	390.1	15.1	11.1	8.8	5.5
福建	0.8	0.5	0.1	0.1	0.1	0.1
江西	81.7	66.6	7.7	8.2	0.3	0.4
山东	900.0	888.3	0.4	0.2	0.3	0.2
河南	700.0	606.0	14.9	11.4	14.8	11.4
湖北	514.2	543.0	25.8	23.5	0.6	0.5
湖南	172.0	183.0	56.2	42.1	0.3	0.3
广东			0.5	0.5	0.5	0.5
广西	2.5	2.3	5.7	5.5	5.2	5.1
海南			0.2	0.2	0.2	0.2
重庆	0.2	0.2	11.4	11.5	0.2	0.3
四川	21.6	18.5	39.8	38.9	1.6	1.5
贵州	1.4	1.4	0.9	0.8		
云南	0.2	0.4	5.9	4.8		
西藏						
陕西	89.1	85.1	0.7	0.5		
甘肃	79.3	72.7	3.2	2.3		
青海						
宁夏						
新疆	1782.6	1718.6	16.3	13.0		

7—10 各地区糖料播种面积

单位：千公顷

地区	糖料合计		1.甘蔗		2.甜菜	
	2007年	2008年	2007年	2008年	2007年	2008年
全国总计	**1801.7**	**1989.9**	**1585.8**	**1743.5**	**215.9**	**246.4**
北京						
天津						
河北	15.7	15.7			15.7	15.7
山西	5.8	6.4			5.8	6.4
内蒙古	30.3	48.7			30.3	48.7
辽宁	0.7	2.0			0.7	2.0
吉林	2.8	7.1			2.8	7.1
黑龙江	78.6	90.4			78.6	90.4
上海	0.2	0.2	0.2	0.2		
江苏	1.2	1.6	1.2	1.6		
浙江	9.4	13.9	9.4	13.9		
安徽	5.4	6.8	5.4	6.8		
福建	9.1	10.7	9.1	10.7		
江西	10.8	14.0	10.8	14.0		
山东		0.1				0.1
河南	3.0	3.5	3.0	3.5		
湖北	3.6	6.6	3.6	6.6		
湖南	12.7	14.4	12.7	14.4		
广东	147.5	149.7	147.5	149.7		
广西	1012.4	1090.1	1012.4	1090.1		
海南	63.3	78.6	63.3	78.6		
重庆	2.9	3.0	2.9	3.0		
四川	20.7	23.2	20.5	23.0	0.2	0.2
贵州	17.2	17.7	17.1	17.6	0.1	
云南	265.5	309.8	265.4	309.7	0.1	0.1
西藏						
陕西	1.9	0.2	1.4	0.2	0.5	
甘肃	5.9	4.6			5.9	4.6
青海	0.2				0.2	
宁夏	0.1				0.1	
新疆	75.0	71.1			75.0	71.1

7—11　各地区烟叶和药材播种面积

单位：千公顷

地　区	烟叶合计		#烤　烟		药　材	
	2007 年	2008 年	2007 年	2008 年	2007 年	2008 年
全国总计	**1163.8**	**1326.0**	**1066.0**	**1230.0**	**960.7**	**1194.0**
北　京					1.9	2.5
天　津						
河　北	1.9	3.0	1.1	2.5	10.2	19.9
山　西	3.5	3.2	3.5	3.2	28.6	23.3
内蒙古	2.9	4.9	1.8	3.7	18.5	28.7
辽　宁	8.0	11.5	7.3	10.7	1.5	23.3
吉　林	10.5	22.0	5.6	11.8	16.8	31.1
黑龙江	31.7	33.3	28.2	32.7	55.3	51.7
上　海					0.5	0.5
江　苏	0.1	0.3			4.1	12.1
浙　江	1.3	1.3			27.1	29.9
安　徽	10.1	9.7	9.6	9.2	54.8	54.3
福　建	63.0	67.3	62.4	66.9	10.5	11.1
江　西	15.5	20.5	14.7	19.8	24.3	24.4
山　东	34.8	40.9	34.1	40.6	32.1	31.3
河　南	102.3	111.9	100.0	111.6	96.6	111.1
湖　北	32.7	61.3	23.4	46.8	29.6	73.0
湖　南	78.2	88.7	73.3	85.3	36.9	50.3
广　东	19.6	23.5	16.6	21.2	7.1	8.2
广　西	14.0	17.4	12.2	14.5	44.4	50.4
海　南					3.1	3.7
重　庆	43.6	47.8	33.4	39.5	46.4	54.9
四　川	77.5	110.3	57.2	91.0	95.0	90.0
贵　州	192.8	207.7	177.4	194.8	24.7	24.9
云　南	381.3	400.6	367.6	387.2	36.8	42.6
西　藏						
陕　西	31.5	34.0	31.2	33.4	82.7	145.4
甘　肃	4.8	4.0	3.9	3.1	144.4	160.5
青　海	0.2	0.2			0.7	4.2
宁　夏	0.5	0.6	0.3	0.6	17.2	15.0
新　疆	1.7	0.2	1.2	0.2	8.8	15.7

7—12 各地区蔬菜、瓜类和青饲料播种面积

单位:千公顷

地区	蔬菜		瓜果类		青饲料	
	2007年	2008年	2007年	2008年	2007年	2008年
全国总计	**17328.6**	**17875.9**	**2251.5**	**2256.6**	**2823.6**	**2296.0**
北京	70.1	68.2	8.5	8.1	2.9	2.6
天津	63.4	72.2	6.5	6.7	0.6	0.9
河北	1075.0	1101.4	104.8	102.5	62.9	64.0
山西	240.1	241.0	29.6	25.9	34.9	29.3
内蒙古	218.2	260.3	47.3	52.8	618.5	389.8
辽宁	376.0	388.7	40.2	46.5	5.3	4.9
吉林	215.6	209.5	61.8	61.1	4.3	2.0
黑龙江	291.1	287.7	106.4	100.6	149.1	275.7
上海	133.9	133.6	20.6	19.6	7.1	5.8
江苏	1042.4	1093.4	125.2	126.3	40.1	34.5
浙江	684.0	618.5	114.5	114.0	10.8	10.2
安徽	732.7	718.6	174.6	166.5	33.1	32.9
福建	635.6	644.0	34.7	35.2	56.1	55.1
江西	500.5	512.9	69.4	72.1	58.1	64.5
山东	1704.7	1725.1	260.3	258.2	5.1	4.8
河南	1688.3	1713.7	326.8	315.8	25.8	18.6
湖北	918.1	1016.0	95.1	90.3	110.8	91.2
湖南	983.8	1003.0	124.1	126.6	250.8	208.3
广东	1065.0	1112.6	44.8	40.4	75.3	62.1
广西	935.9	959.0	65.0	76.5	11.0	13.3
海南	175.0	188.6	27.1	30.7	0.6	0.5
重庆	432.9	481.6	21.0	22.1	87.2	82.9
四川	1045.5	1102.1	50.7	48.5	284.4	252.7
贵州	527.9	558.3	26.5	27.5	104.9	106.8
云南	562.0	583.4	22.2	18.3	164.9	160.8
西藏	19.7	20.8	0.1	0.0	17.6	18.9
陕西	368.9	385.6	61.8	58.6	43.7	39.9
甘肃	347.0	367.8	45.3	46.4	143.7	126.4
青海	30.1	34.2	0.4	0.4	31.9	28.7
宁夏	68.8	80.2	59.4	76.4	62.5	70.1
新疆	176.6	194.2	76.6	82.0	319.9	37.9

7—13 各地区主要农作物播种面积构成

（以农作物总播种面积为100）

单位：%

地 区	粮 食	棉 花	油 料	糖 料	烟 叶	蔬 菜	瓜果类
全国总计	**68.3**	**3.7**	**8.2**	**1.3**	**0.8**	**11.4**	**1.4**
北 京	70.3	0.4	2.2			21.2	2.5
天 津	65.8	15.5	0.4			16.2	1.5
河 北	70.7	7.9	5.9	0.2		12.6	1.2
山 西	83.5	2.4	4.8	0.2	0.1	6.5	0.7
内蒙古	76.6		10.3	0.7	0.1	3.8	0.8
辽 宁	81.7		4.5	0.1	0.3	10.5	1.3
吉 林	87.9		4.2	0.1	0.4	4.2	1.2
黑龙江	90.9		1.8	0.7	0.3	2.4	0.8
上 海	44.9	0.4	4.0			34.4	5.0
江 苏	70.1	4.0	7.6			14.6	1.7
浙 江	51.2	0.8	7.7	0.6	0.1	24.9	4.6
安 徽	73.1	4.3	10.4	0.1	0.1	8.0	1.9
福 建	54.5		4.8	0.5	3.0	29.0	1.6
江 西	67.1	1.2	12.4	0.3	0.4	9.6	1.4
山 东	64.6	8.3	7.5		0.4	16.0	2.4
河 南	67.9	4.3	10.7		0.8	12.1	2.2
湖 北	53.2	7.4	19.3	0.1	0.8	13.8	1.2
湖 南	61.2	2.4	11.7	0.2	1.2	13.4	1.7
广 东	56.8		7.4	3.4	0.5	25.3	0.9
广 西	52.2		2.9	19.1	0.3	16.8	1.3
海 南	52.0		5.0	9.7		23.3	3.8
重 庆	68.9		6.7	0.1	1.5	15.0	0.7
四 川	68.1	0.2	12.2	0.2	1.2	11.7	0.5
贵 州	63.2		9.9	0.4	4.5	12.1	0.6
云 南	67.6		3.1	5.1	6.6	9.6	0.3
西 藏	72.3		10.5			8.8	0.0
陕 西	75.0	2.0	6.7		0.8	9.3	1.4
甘 肃	69.4	1.9	8.6	0.1	0.1	9.5	1.2
青 海	53.0		33.6			6.7	0.1
宁 夏	68.3		6.7			6.6	6.3
新 疆	35.3	38.3	6.4	1.6		4.3	1.8

7—14 主要农作物产品产量

单位:万吨

年 份	粮食总产量	#稻 谷	#小 麦	#玉 米	#大 豆	#薯 类
1949	11318	4865	1381	1242	509	985
1952	16392	6843	1813	1685	952	1633
1957	19505	8678	2364	2144	1005	2192
1962	15441	6299	1667	1626	651	2345
1965	19453	8772	2522	2366	614	1986
1970	23996	10999	2919	3303	871	2668
1975	28452	12556	4531	4722	724	2857
1978	30477	13693	5384	5595	757	3174
1979	33212	14375	6273	6004	746	2846
1980	32056	13991	5521	6260	794	2873
1981	32502	14396	5964	5921	933	2597
1982	35450	16160	6847	6056	903	2705
1983	38728	16887	8139	6821	976	2925
1984	40731	17826	8782	7341	970	2848
1985	37911	16857	8581	6383	1050	2604
1986	39151	17222	9004	7086	1161	2534
1987	40298	17426	8590	7924	1247	2821
1988	39408	16911	8543	7735	1165	2697
1989	40755	18013	9081	7893	1023	2730
1990	44624	18933	9823	9682	1100	2743
1991	43529	18381	9595	9877	971	2716
1992	44266	18622	10159	9538	1030	2844
1993	45649	17751	10639	10270	1531	3181
1994	44510	17593	9930	9928	1600	3025
1995	46662	18523	10221	11199	1350	3263
1996	50454	19510	11057	12747	1322	3536
1997	49417	20073	12329	10431	1473	3192
1998	51230	19871	10973	13295	1515	3604
1999	50839	19849	11388	12809	1425	3641
2000	46218	18791	9964	10600	1541	3685
2001	45264	17758	9387	11409	1541	3563
2002	45706	17454	9029	12131	1651	3666
2003	43070	16066	8649	11583	1539	3513
2004	46947	17909	9195	13029	1740	3558
2005	48402	18059	9745	13937	1635	3469
2006	49804	18172	10847	15160	1507	2701
2007	50160	18603	10930	15230	1273	2808
2008	52871	19190	11246	16591	1554	2980

7—15 主要农作物产品产量及增减情况

单位：万吨

指　　标	1990年	1995年	2000年	2007年	2008年	2008年为2007年百分比(%)
一、粮食作物	44624.3	46661.8	46217.5	50160.3	52870.9	105.4
1.谷物		41611.6	40522.4	45632.4	47847.4	104.9
稻谷	18933.1	18522.6	18790.8	18603.4	19189.6	103.2
小麦	9822.9	10220.7	9963.6	10929.8	11246.4	102.9
玉米	9681.9	11198.6	10600.0	15230.0	16591.4	108.9
谷子	457.5	301.9	212.5	150.7	128.6	85.3
高粱	567.5	475.6	258.2	192.0	183.7	95.6
其他谷物		892.3	697.3	526.4	507.8	96.5
2.豆类		1787.5	2010.0	1720.1	2043.3	118.8
#大豆	1100.0	1350.2	1540.9	1272.5	1554.2	122.1
杂豆		437.3	469.1	447.6	489.1	109.3
3.薯类	2743.3	3262.6	3685.2	2807.8	2980.2	106.1
#马铃薯	648.4	914.4	1325.5	1295.8	1415.6	109.2
二、油料作物	1613.2	2250.3	2954.8	2568.7	2952.8	115.0
#花生	636.8	1023.5	1443.7	1302.7	1428.6	109.7
油菜籽	695.8	977.7	1138.1	1057.3	1210.2	114.5
芝麻	46.9	58.3	81.1	55.7	58.6	105.2
胡麻籽	53.5	36.4	34.4	26.8	35.0	130.3
向日葵	133.9	126.9	195.4	118.7	179.2	151.0
三、棉花	450.8	476.8	441.7	762.4	749.2	98.3
四、麻类	109.7	89.7	52.9	72.8	62.5	85.8
#黄红麻	72.6	37.1	12.6	9.9	8.4	85.0
苎麻	8.9	14.7	16.1	29.1	25.0	86.0
大麻	3.2	2.2	1.7	4.8	3.0	62.9
亚麻	24.2	35.2	21.4	28.4	25.7	90.5
五、糖料	7214.5	7940.1	7635.3	12188.2	13419.6	110.1
甘蔗	5762.0	6542.0	6828.0	11295.1	12415.2	109.9
甜菜	1452.5	1398.4	807.3	893.1	1004.4	112.5
六、烟叶	262.7	231.4	255.2	239.5	283.8	118.5
#烤烟	225.9	207.2	223.8	217.8	262.3	120.4
七、蔬菜				56452.0	59240.3	104.9
八、瓜果类				7616.0	7881.3	103.5

7—16 各地区粮食总产量

单位:万吨

地 区	1990 年	1995 年	2000 年	2007 年	2008 年	2008 年为 2007 年 百分比(%)
全国总计	**44624.3**	**46661.8**	**46217.5**	**50160.3**	**52870.9**	**105.4**
北 京	264.6	259.8	144.2	102.1	125.5	122.9
天 津	188.9	207.5	124.1	147.2	148.9	101.2
河 北	2276.9	2739.2	2551.1	2841.6	2905.8	102.3
山 西	969.0	917.1	853.4	1007.1	1028.0	102.1
内蒙古	973.0	1055.4	1241.9	1810.7	2131.3	117.7
辽 宁	1494.7	1423.5	1140.0	1835.0	1860.3	101.4
吉 林	2046.5	1992.4	1638.0	2453.8	2840.0	115.7
黑龙江	2312.5	2552.1	2545.5	3462.9	4225.0	122.0
上 海	239.5	210.4	174.0	109.2	115.7	105.9
江 苏	3230.8	3286.3	3106.6	3132.2	3175.5	101.4
浙 江	1586.1	1430.9	1217.7	728.6	775.6	106.4
安 徽	2457.2	2580.7	2472.1	2901.4	3023.3	104.2
福 建	879.6	919.7	854.7	635.1	652.3	102.7
江 西	1658.2	1607.4	1614.6	1904.0	1958.1	102.8
山 东	3354.9	4246.4	3837.7	4148.8	4260.5	102.7
河 南	3303.7	3466.5	4101.5	5245.2	5365.5	102.3
湖 北	2475.0	2463.8	2218.5	2185.4	2227.2	101.9
湖 南	2651.4	2691.6	2767.9	2692.2	2805.0	104.2
广 东	1896.9	1734.8	1760.1	1284.7	1243.4	96.8
广 西	1363.1	1508.2	1528.5	1396.6	1394.7	99.9
海 南	169.6	201.8	199.6	177.5	183.5	103.4
重 庆			1106.9	1088.0	1153.2	106.0
四 川	4266.8	4365.0	3372.0	3027.0	3140.0	103.7
贵 州	721.0	948.9	1161.3	1100.9	1158.0	105.2
云 南	1057.2	1188.9	1467.8	1460.7	1518.6	104.0
西 藏	55.5	70.0	96.2	93.9	95.0	101.2
陕 西	1070.7	913.4	1089.1	1067.9	1111.0	104.0
甘 肃	690.7	644.2	713.5	824.0	888.5	107.8
青 海	114.0	114.2	82.7	106.2	101.8	95.9
宁 夏	190.1	203.2	252.7	323.5	329.2	101.8
新 疆	666.2	718.5	783.7	867.0	930.5	107.3

7—17 各地区分季粮食作物产量

单位:万吨

地 区	夏收粮食		早 稻		秋收粮食	
	2007年	2008年	2007年	2008年	2007年	2008年
全国总计	**11737.1**	**12074.9**	**3151.5**	**3159.5**	**35271.6**	**37636.5**
北 京	20.4	32.8			81.7	92.7
天 津	50.6	52.5			96.6	96.5
河 北	1207.8	1236.5			1633.7	1669.3
山 西	222.3	254.8			784.8	773.2
内蒙古					1810.7	2131.3
辽 宁	45.2	43.0			1789.8	1817.3
吉 林					2453.8	2840.0
黑龙江					3462.9	4225.0
上 海	19.0	23.0			90.2	92.7
江 苏	1070.7	1094.5			2061.5	2081.0
浙 江	35.3	54.7	67.7	59.4	625.6	661.5
安 徽	1126.9	1172.0	147.4	140.8	1627.1	1710.5
福 建	30.9	28.1	123.7	122.0	480.5	502.2
江 西	7.8	7.4	746.3	773.3	1149.9	1177.4
山 东	1996.0	2034.8			2152.8	2225.7
河 南	2993.8	3060.0			2251.5	2305.5
湖 北	406.4	386.2	194.5	198.4	1584.5	1642.6
湖 南	40.4	41.6	740.1	766.4	1911.7	1997.0
广 东	95.3	94.6	499.6	475.4	689.8	673.4
广 西	19.6	13.5	536.8	522.4	840.2	858.8
海 南	14.2	14.0	60.6	65.0	102.7	104.5
重 庆	162.2	162.9			925.8	990.3
四 川	590.0	555.6	1.8	0.9	2435.2	2583.5
贵 州	219.9	216.8		0.1	880.9	941.1
云 南	223.4	207.6	33.0	35.5	1204.3	1275.5
西 藏					93.9	95.0
陕 西	393.3	438.8			674.6	672.2
甘 肃	316.8	351.3			507.3	537.2
青 海					106.2	101.8
宁 夏	63.4	67.9			260.1	261.4
新 疆	365.5	430.0			501.5	500.5

7—18 各地区分品种粮食作物产量

单位:万吨

地区	谷物		#稻谷		#小麦		#玉米	
	2007年	2008年	2007年	2008年	2007年	2008年	2007年	2008年
全国总计	**45632.4**	**47847.4**	**18603.4**	**19189.6**	**10929.8**	**11246.4**	**15230.0**	**16591.4**
北京	97.6	121.5	0.3	0.3	20.4	32.7	76.5	88.0
天津	145.7	147.3	10.0	10.5	50.6	52.5	85.1	84.3
河北	2716.0	2758.5	57.6	55.6	1193.7	1221.9	1421.8	1442.2
山西	916.5	948.3	0.6	0.1	220.2	253.0	640.4	682.8
内蒙古	1500.6	1780.0	60.2	70.5	175.6	154.0	1155.3	1410.7
辽宁	1748.1	1760.0	505.0	505.6	5.3	4.9	1167.8	1189.0
吉林	2337.1	2705.0	500.0	579.0	1.6	1.8	1800.0	2083.0
黑龙江	2971.5	3501.5	1417.9	1518.0	68.8	89.5	1442.0	1822.0
上海	106.8	113.8	86.0	89.3	14.6	18.2	2.5	2.1
江苏	3008.5	3047.2	1761.1	1771.9	973.8	998.2	197.3	203.0
浙江	678.5	706.0	636.9	660.4	18.4	21.2	10.0	11.1
安徽	2731.7	2846.7	1356.4	1383.5	1111.3	1167.9	250.0	286.6
福建	515.6	525.4	501.0	508.8	1.5	1.5	11.8	13.6
江西	1815.7	1872.3	1806.4	1862.1	2.0	1.9	6.4	6.6
山东	3929.8	4039.6	110.2	110.4	1995.6	2034.2	1816.5	1887.4
河南	5023.4	5126.3	436.5	443.1	2980.2	3051.0	1582.5	1615.0
湖北	2060.0	2101.2	1485.9	1533.7	353.2	329.2	205.1	226.4
湖南	2551.3	2665.3	2425.7	2528.0	3.2	3.2	116.3	128.0
广东	1109.8	1070.9	1046.1	1003.3	0.3	0.2	59.2	63.5
广西	1319.2	1317.3	1112.5	1107.6	0.6	0.5	204.1	207.2
海南	144.5	151.0	136.4	143.8	0.0	0.0	7.0	7.0
重庆	790.7	839.1	491.6	529.4	61.1	58.2	234.2	246.0
四川	2523.5	2615.6	1419.7	1497.6	451.7	426.8	602.8	637.0
贵州	865.8	907.0	449.8	461.1	47.9	42.8	357.1	391.2
云南	1218.4	1236.7	589.7	621.0	91.2	83.1	498.6	529.6
西藏	90.2	91.9	0.6	0.5	26.5	25.8	1.7	2.2
陕西	947.6	979.0	73.0	83.1	359.1	391.5	493.9	483.6
甘肃	582.2	637.1	3.4	3.8	237.4	268.1	242.7	265.4
青海	79.8	54.7			61.4	42.0	1.3	1.8
宁夏	280.2	282.9	60.5	66.4	61.6	64.1	146.6	149.9
新疆	826.1	898.2	62.5	41.0	341.3	406.5	393.7	425.3

7—18 续表

单位：万吨

地　　区	豆　　类		#大　豆		薯　　类		#马铃薯	
	2007 年	2008 年	2007 年	2008 年	2007 年	2008 年	2007 年	2008 年
全国总计	**1720.1**	**2043.3**	**1272.5**	**1554.2**	**2807.8**	**2980.2**	**1295.8**	**1415.6**
北　　京	1.6	2.1	1.5	1.9	2.9	1.9		
天　　津	1.2	1.3	1.1	1.2	0.3	0.3		
河　　北	42.8	45.9	36.4	38.1	82.8	101.4	26.2	34.8
山　　西	39.7	34.8	26.6	22.9	50.8	44.9	39.3	36.2
内 蒙 古	156.2	155.7	114.0	106.1	153.9	195.7	149.1	188.3
辽　　宁	36.2	52.9	32.0	48.8	50.8	47.5	35.7	38.3
吉　　林	92.1	106.6	78.3	90.6	24.5	28.4	20.5	23.7
黑 龙 江	442.7	667.0	419.8	620.5	48.8	56.5	48.1	56.5
上　　海	2.1	1.6	1.4	1.0	0.3	0.3		
江　　苏	81.6	86.6	56.4	60.2	42.2	41.7		
浙　　江	28.2	30.6	11.9	13.1	21.9	39.0		16.3
安　　徽	121.5	130.0	113.6	127.8	48.2	46.6	4.3	4.9
福　　建	15.4	17.3	11.7	13.1	104.1	109.7	21.8	23.1
江　　西	27.1	26.7	19.4	19.3	61.2	59.1	3.0	
山　　东	42.5	41.9	40.7	40.1	176.5	179.0		
河　　南	91.8	96.2	85.0	88.7	130.0	143.0		
湖　　北	45.3	45.0	25.5	26.0	80.1	81.0	38.1	41.5
湖　　南	34.6	35.2	20.4	20.9	106.3	104.5	27.4	28.5
广　　东	17.6	18.0	13.5	13.9	157.4	154.6	15.8	16.2
广　　西	22.5	23.0	14.2	14.6	54.9	54.4		
海　　南	0.4	1.8	0.4	0.8	32.6	30.7		
重　　庆	35.1	37.8	13.3	15.4	262.2	276.3	90.0	101.7
四　　川	105.8	116.3	46.0	50.6	397.7	408.1	146.7	161.2
贵　　州	36.0	36.2	14.9	16.6	199.0	214.8	152.7	150.3
云　　南	80.1	112.1	17.9	26.2	162.2	169.8	137.0	144.4
西　　藏	3.2	2.7	0.2	0.1	0.5	0.5	0.5	0.5
陕　　西	47.1	50.0	24.7	46.0	73.2	82.0	56.8	56.1
甘　　肃	35.2	36.8	15.5	15.3	206.6	214.6	206.6	214.6
青　　海	12.0	10.9			14.4	36.2	14.4	36.2
宁　　夏	1.9	4.1	0.6	1.0	41.4	42.3	41.4	42.3
新　　疆	20.7	16.7	15.8	13.7	20.3	15.6	20.3	0.0

7—19 各地区油料产量

单位:吨

地 区	油料合计		#花 生		#油菜籽	
	2007 年	2008 年	2007 年	2008 年	2007 年	2008 年
全国总计	**25687412**	**29528200**	**13027478**	**14286146**	**10572561**	**12101661**
北 京	21865	21703	21689	21253		
天 津	4630	4800	2742	2824		
河 北	1380931	1525905	1306822	1400727	15870	34797
山 西	134537	191185	25301	22068	5770	8890
内 蒙 古	794372	1175354	22774	39695	207472	202083
辽 宁	263800	485027	250000	450740	1100	1188
吉 林	287000	518418	220000	349874		
黑 龙 江	212824	284767	54844	61224	1118	1044
上 海	36178	36028	3125	2837	32750	32934
江 苏	1450756	1502927	338371	355733	1094587	1128060
浙 江	330011	412686	35839	52034	271855	353412
安 徽	1991987	2280332	617642	778624	1299163	1402685
福 建	233012	253977	219105	239547	12392	12590
江 西	826699	911919	382692	367891	417122	516281
山 东	3285976	3406341	3255549	3370879	25231	26699
河 南	4839822	5053354	3735946	3845890	859052	970735
湖 北	2547508	2857352	486021	575010	1933012	2148900
湖 南	1101096	1337972	171259	227338	910091	1099327
广 东	777222	815353	766562	805266	8702	7643
广 西	338162	375455	320353	353798	12616	10320
海 南	68432	86905	65611	83378		
重 庆	306773	356767	63646	76597	231918	265430
四 川	2042627	2499402	509562	589993	1525102	1894167
贵 州	696630	683909	49263	64422	643555	603845
云 南	220566	303774	21722	50375	157000	246413
西 藏	52262	60306	137	161	52125	60145
陕 西	391476	494634	71432	82044	273749	333531
甘 肃	423637	535388	1229	2265	233185	285540
青 海	280175	352224			277387	348048
宁 夏	77468	135569	1	463	436	224
新 疆	268978	568467	8239	13196	70201	106730

7—20 各地区棉花和麻类产量

单位:吨

地区	棉花		麻类合计		#黄红麻	
	2007年	2008年	2007年	2008年	2007年	2008年
全国总计	**7623597**	**7491881**	**728322**	**624930.04**	**99140**	**84316**
北京	1990	1357				
天津	93100	82928				
河北	724738	737334	3962	710	717	617
山西	115076	106735	93	116		
内蒙古	3621	2860	14013	21645		
辽宁	2100	2401	9	21		
吉林	500	5243	500	2489		
黑龙江			180008	164514		
上海	2510	3183				
江苏	347533	325950	3927	2796	60	60
浙江	25722	28171	1328	1010	1066	811
安徽	374208	363496	45172	31831	29912	18515
福建	667	395	353	367	278	290
江西	127641	111915	11568	12820	512	1404
山东	1000938	1040597	949	489	869	423
河南	750000	650844	47517	43788	46756	43738
湖北	557300	513400	53180	47639	2133	2241
湖南	244200	246600	143826	106410	609	617
广东			996	1001	996	1001
广西	2070	2020	11942	11464	10708	10100
海南			829	985	829	985
重庆	114	98	15399	16982	147	256
四川	16731	15527	69013	67959	3450	3184
贵州	562	897	1177	1102	91	60
云南	308	358	24221	22774	5	5
西藏						
陕西	89771	100691	847	566	2	9
甘肃	129424	123181	8825	4756		
青海						
宁夏	30		11			
新疆	3012744	3025700	88657	60696		

7—21 各地区糖料产量

单位:吨

地 区	糖料合计		1.甘 蔗		2.甜 菜	
	2007 年	2008 年	2007 年	2008 年	2007 年	2008 年
全国总计	**121881771**	**134196202**	**112950527**	**124152361**	**8931244**	**10043840**
北 京						
天 津						
河 北	530780	593763			530780	593763
山 西	210929	234395			210929	234395
内 蒙 古	1181600	1700361			1181600	1700361
辽 宁	50300	74952			50300	74952
吉 林	50000	242667			50000	242667
黑 龙 江	2072300	2600000			2072300	2600000
上 海	10385	9975	10385	9975		
江 苏	65942	87526	65942	87526		
浙 江	573509	854536	573509	854536		
安 徽	238777	295152	238777	291805		3347
福 建	563552	709048	563552	709048		
江 西	480864	642066	480864	642066		
山 东	104	576			104	576
河 南	165982	207395	165982	207395		
湖 北	149000	264708	149000	264708		
湖 南	700300	770354	700300	770354		
广 东	11806891	11988387	11806891	11988387		
广 西	77374690	82155820	77374690	82155820		
海 南	4058332	5188168	4058332	5188168		
重 庆	112633	111844	112633	111844		
四 川	1022077	1164625	1019803	1162842	2274	1783
贵 州	670087	717906	669689	717649	398	257
云 南	14912000	18988779	14910609	18987478	1392	1301
西 藏						
陕 西	54057	2957	49569	2761	4488	196
甘 肃	278020	200890			278020	200890
青 海	6859				6859	
宁 夏	3101	534			3101	534
新 疆	4538700	4388818			4538700	4388818

7—22 各地区烟叶和蔬菜产量

单位:吨

地区	烟叶合计		#烤烟		蔬菜	
	2007年	2008年	2007年	2008年	2007年	2008年
全国总计	**2395481**	**2838222**	**2178394**	**2623193**	**564520368**	**592403482**
北京	1	6			3401037	3213119
天津					2743743	3141572
河北	4226	6114	2271	3562	64406880	66845624
山西	7733	8410	6806	8131	8215047	8527544
内蒙古	15533	14365	9888	10406	12774657	13608404
辽宁	29100	32255	23300	29655	22320000	24382874
吉林	30400	65321	9900	27674	7970907	8576045
黑龙江	62000	78000	55102	78000	10187924	10578998
上海					4134871	4099935
江苏	73	547		40	33179998	35446642
浙江	3260	3623			18601602	17579211
安徽	25659	25368	24296	24019	19136733	19234899
福建	124840	139145	123903	138481	14407062	14802580
江西	33862	47794	32751	46724	10672058	10849546
山东	87715	98935	85796	98186	83423318	86349733
河南	239421	267288	235379	267193	62354944	63943128
湖北	58991	117979	39008	87232	26553480	28906484
湖南	168245	193207	158907	186668	26522045	25781767
广东	41751	49340	33984	43901	23514772	24314274
广西	24000	28973	21500	24049	19860489	20151735
海南					3585050	3792084
重庆	71513	85513	48643	68992	8553338	9945191
四川	169145	228420	121317	182022	27052775	30782906
贵州	335153	397864	312188	377143	8773398	9910613
云南	791249	863483	766818	839355	11133345	11666045
西藏					450650	481408
陕西	56985	72438	55598	71424	9281102	10671207
甘肃	9897	10365	7980	8151	9065316	10822887
青海	941	741			982673	1100799
宁夏	1605	2185	1569	2185	2547786	3189536
新疆	2184	543	1490		8713368	9706692

7—23 主要农作物单位面积产量

单位:千克/公顷、%

指 标	1990 年	1995 年	2000 年	2007 年	2008 年	2008 年为 2007 年百分比
一、粮食作物	3933	4240	4261	4748.3	4950.8	104.3
1.谷物		4659	4753	5319.9	5547.7	104.3
稻谷	5726	6025	6272	6433.0	6562.5	102.0
小麦	3194	3541	3738	4607.7	4762.0	103.3
玉米	4524	4917	4598	5166.7	5555.7	107.5
谷子	2008	1982	1700	1796.7	1578.2	87.8
高粱	3674	3914	2904	3837.2	3749.8	97.7
其他谷物		2129	2019	2268.4	2286.0	100.8
2.豆类		1591	1588	1460.2	1686.2	115.5
#大豆	1455	1661	1656	1453.7	1702.8	117.1
杂豆		1408	1399	1479.3	1635.4	110.5
3.薯类	3008	3428	3497	3474.1	3536.6	101.8
#马铃薯	2263	2663	2806	2924.9	3035.5	103.8
二、油料作物	1480	1718	1919	2270.0	2302.3	101.4
#花生	2191	2687	2973	3302.4	3364.8	101.9
油菜籽	1264	1415	1519	1873.8	1835.3	97.9
芝麻	702	908	1034	1147.0	1243.2	108.4
胡麻籽	761	586	690	789.4	1035.1	131.1
向日葵	1878	1562	1590	1650.1	1858.1	112.6
三、棉花	807	879	1093	1286.4	1302.0	101.2
四、麻类	2216	2386	2024	2767.5	2821.5	102.0
#黄红麻	2421	2534	2516	2968.8	3216.5	108.3
苎麻	1099	1513	1685	2039.9	1985.7	97.3
大麻	1524	1404	1324	2685.3	2555.3	95.2
亚麻	2782	3115	2229	4255.0	4530.9	106.5
五、糖料	42965	43630	50426	67648.4	67437.8	99.7
甘蔗	57118	58133	57626	71228.2	71209.7	100.0
甜菜	21668	20132	24518	41359.8	40754.4	98.5
六、烟叶	1650	1574	1776	2058.3	2140.4	104.0
#烤烟	1683	1584	1763	2043.5	2132.7	104.4

7—24 各地区分季粮食作物单位面积产量

单位：千克/公顷

地　　区	夏收粮食		早　　稻		秋收粮食	
	2007年	2008年	2007年	2008年	2007年	2008年
全国总计	**4384.9**	**4501.1**	**5488.2**	**5535.3**	**4823.2**	**5068.3**
北　　京	4929.9	5118.7			5231.5	5710.1
天　　津	4825.0	4872.3			5159.2	5191.0
河　　北	4943.8	5052.8			4385.7	4498.3
山　　西	3026.2	3545.7			3421.4	3231.5
内 蒙 古					3536.6	4056.2
辽　　宁	6395.9	6005.9			5855.7	6130.6
吉　　林					5660.8	6467.5
黑 龙 江					3200.4	3844.8
上　　海	3871.2	4074.9			7484.9	7846.0
江　　苏	4679.3	4714.6			7042.2	7064.8
浙　　江	3416.0	3411.9	5598.3	5689.6	6285.8	6569.4
安　　徽	4730.4	4910.5	5333.0	5293.2	4260.4	4376.5
福　　建	3431.7	3700.0	5573.5	5747.8	5403.9	5446.8
江　　西	1361.3	1241.6	5437.4	5581.3	5488.1	5520.1
山　　东	5670.2	5768.9			6301.4	6491.9
河　　南	5706.0	5788.1			5333.5	5345.0
湖　　北	3111.0	3198.0	5666.6	5817.2	6795.3	6966.4
湖　　南	3062.9	3083.8	5703.6	5920.0	6163.2	6321.0
广　　东	4395.2	4383.7	5313.3	5092.7	5216.2	4986.1
广　　西	2337.0	2284.3	5414.2	5306.8	4402.0	4450.8
海　　南	3345.9	3763.1	4868.6	5022.0	4356.9	4103.0
重　　庆	2909.2	2980.4			5651.5	5933.9
四　　川	3197.5	3088.2	6428.6	6000.0	5291.6	5579.6
贵　　州	2269.2	2290.4	5843.5	5000.0	4755.0	4770.5
云　　南	2036.2	1884.1	6514.2	6430.8	4230.6	4339.9
西　　藏					5464.0	5569.7
陕　　西	2958.3	3331.0			3810.6	3716.5
甘　　肃	2747.9	3075.2			3306.0	3486.9
青　　海					3518.0	3742.8
宁　　夏	2589.0	2774.5			4254.6	4494.4
新　　疆	5558.3	5443.7			6951.6	6293.2

7—25 各地区分品种粮食作物单位面积产量

单位:千克/公顷

地 区	谷 物		#稻 谷		#小 麦		#玉 米	
	2007年	2008年	2007年	2008年	2007年	2008年	2007年	2008年
全国总计	**5319.9**	**5547.7**	**6433.0**	**6562.5**	**4607.7**	**4762.0**	**5166.7**	**5555.7**
北 京	5332.6	5713.8	6153.8	6818.2	4931.1	5123.6	5506.9	6017.5
天 津	5171.4	5208.9	6968.6	6997.3	4825.0	4872.3	5246.0	5275.4
河 北	4796.6	4883.3	6810.2	6814.7	4948.2	5057.4	4966.8	5076.2
山 西	3751.1	3709.4	4162.8	1228.1	3090.8	3627.8	5040.3	4953.0
内蒙古	4551.7	5059.8	7536.6	7204.0	3292.5	3405.6	5740.7	6028.7
辽 宁	6070.9	6425.2	7644.6	7675.7	4236.3	4786.4	5843.1	6308.0
吉 林	6459.4	7351.5	7463.8	8790.0	2875.7	3140.4	6307.6	7127.4
黑龙江	4567.5	5454.3	6293.1	6349.5	2952.5	3747.9	3713.2	5069.7
上 海	6717.4	6874.1	7883.4	8223.4	3900.3	4119.5	6410.3	5882.4
江 苏	6233.2	6272.9	7904.2	7936.7	4775.6	4815.0	5042.0	5092.7
浙 江	6406.6	6723.6	6674.0	7044.6	3731.2	3903.2	4229.5	4290.1
安 徽	5157.7	5347.1	6150.6	6235.0	4769.1	4976.8	3519.3	4064.7
福 建	5654.7	5793.6	5767.3	5908.0	3332.1	3330.3	3410.5	3687.5
江 西	5630.2	5696.2	5655.0	5719.9	1767.9	1852.9	4109.3	4207.2
山 东	6019.6	6162.8	8440.6	8449.0	5670.7	5770.4	6364.2	6566.7
河 南	5799.0	5864.6	7275.0	7328.5	5716.5	5800.4	5694.2	5727.0
湖 北	5787.2	6031.4	7508.8	7750.2	3222.0	3290.0	4700.0	4813.7
湖 南	6138.5	6328.8	6224.2	6429.3	2352.9	2352.9	5281.6	5304.6
广 东	5329.7	5099.8	5394.8	5153.3	3000.0	2891.6	4454.8	4424.8
广 西	5013.2	5021.7	5231.4	5226.5	1533.6	1351.4	4161.5	4231.2
海 南	4509.7	4608.4	4572.1	4640.7			3979.5	4006.9
重 庆	5980.8	6279.6	7538.2	7859.8	3057.9	3080.2	5161.9	5400.7
四 川	5189.4	5421.5	6972.6	7356.0	3430.2	3317.5	4530.7	4811.9
贵 州	5010.2	5133.4	6652.2	6671.5	1971.9	1631.3	4883.8	5324.9
云 南	4186.2	4201.0	5955.0	6103.1	2137.1	1954.1	3889.2	3994.2
西 藏	5519.4	5635.9	5500.0	5204.1	6572.4	6898.8	5030.3	5572.1
陕 西	3667.9	3775.9	6332.0	6667.7	3137.2	3434.2	4280.1	4177.6
甘 肃	3241.4	3544.3	6458.3	6907.8	2417.4	2967.3	4931.9	4763.0
青 海	3604.9	3716.7			3985.7	4025.9	5807.8	8737.9
宁 夏	4432.4	5305.6	7862.3	8267.5	2634.2	3136.2	7114.6	7190.7
新 疆	6517.4	6183.9	8811.8	5792.8	5633.7	5525.2	7431.0	7263.7

7—25 续表　　　　单位:千克/公顷

地　区	豆　类		#大　豆		薯　类		#马铃薯	
	2007 年	2008 年	2007 年	2008 年	2007 年	2008 年	2007 年	2008 年
全国总计	**1460.2**	**1686.2**	**1453.7**	**1702.8**	**3474.1**	**3536.6**	**2924.9**	**3035.5**
北　京	1562.8	1945.2	1644.0	2042.8	6651.2	6103.9		
天　津	1207.1	1262.6	1228.3	1246.0	4411.8	4533.3		
河　北	1723.2	1838.4	1928.7	2032.1	3214.0	3905.5	1917.2	2333.0
山　西	1140.0	999.4	1253.0	1116.1	2148.9	2169.7	1989.3	1969.5
内蒙古	1300.7	1500.7	1506.3	1588.2	2473.0	2798.3	2431.5	2771.7
辽　宁	2385.7	2592.0	2454.6	2693.4	5275.2	5113.1	5980.6	5928.8
吉　林	1493.5	1723.0	1759.5	1982.1	2460.7	3053.8	2194.0	2687.1
黑龙江	1079.8	1542.4	1102.2	1537.2	2265.4	2307.4	2266.4	2307.4
上　海	2250.8	2025.0	2243.6	2080.0	2362.2	2700.0		
江　苏	2540.2	2522.8	2530.9	2587.5	6225.0	6300.4		
浙　江	2322.1	2352.7	2344.7	2397.6	5615.6	4249.6		3180.3
安　徽	1194.3	1216.2	1211.3	1293.0	2937.0	2762.9	6281.1	6324.7
福　建	2258.9	2354.0	2247.7	2337.9	4704.5	4767.3	3591.2	3677.1
江　西	1637.0	1667.9	1816.8	1882.4	4547.1	4513.6	5780.4	
山　东	2409.0	2394.9	2413.1	2400.6	7615.2	7926.4		
河　南	1746.9	1745.9	1813.0	1825.3	4642.9	4644.4		
湖　北	2237.7	2175.2	2225.7	2313.2	3652.5	3750.3	3190.5	3252.6
湖　南	2243.8	2262.2	2350.2	2369.6	4812.1	4711.5	3959.5	3941.9
广　东	2201.1	2231.2	2206.0	2235.5	4955.9	4838.6	4351.1	4438.7
广　西	1544.0	1588.2	1578.5	1634.9	2655.4	2653.7		
海　南	1990.7	2356.5	1990.7	2397.5	4067.9	3569.4		4500.0
重　庆	1816.5	1916.5	1825.2	1883.0	3853.7	4051.4	2933.0	3279.8
四　川	2193.2	2425.4	2191.8	2425.7	3599.6	3621.4	5261.6	5817.4
贵　州	1178.9	1166.2	1231.0	1318.0	2524.9	2549.6	2524.9	2481.3
云　南	1533.5	1984.0	2209.9	2029.0	2887.9	2892.3	3089.7	3097.7
西　藏	4095.0	3742.9	2786.9	2258.1	8064.5	9622.6	8064.5	9622.6
陕　西	2202.4	2182.3	1368.5	2427.7	2420.2	2695.9	2204.5	2163.2
甘　肃	1509.2	1612.8	1564.3	1528.8	3141.2	3264.4	3141.2	3264.4
青　海	2673.4	2781.9			4041.0	4226.6	4041.7	4226.6
宁　夏	813.8	686.1	769.2	475.3	2063.1	1812.5	2063.1	1812.5
新　疆	2638.4	1731.5	2961.2	1939.9	6114.6	4298.3	6114.6	

7－26 各地区油料作物单位面积产量

单位：千克/公顷

地　　区	油料合计		#花　生		#油菜籽	
	2007 年	2008 年	2007 年	2008 年	2007 年	2008 年
全国总计	**2270.0**	**2302.3**	**3302.4**	**3364.8**	**1873.8**	**1835.3**
北　京	3105.8	3026.9	3134.2	3080.1		
天　津	2630.7	2651.9	3470.9	3486.4		
河　北	2771.4	2952.3	3337.6	3417.4	1293.4	1469.5
山　西	806.8	1067.1	1941.7	2121.9	803.6	1447.9
内蒙古	1491.7	1666.9	1830.7	2090.3	1009.8	915.6
辽　宁	2470.2	2896.5	2532.9	3038.8	3437.5	1980.0
吉　林	1180.0	2441.6	2196.5	2757.7		
黑龙江	1205.6	1302.3	1869.9	1505.4	1863.3	2610.0
上　海	2215.4	2330.4	2765.5	2808.9	2180.4	2303.1
江　苏	2682.7	2648.7	3535.5	3502.0	2520.0	2482.0
浙　江	2176.6	2163.2	2806.5	2787.0	2111.0	2109.9
安　徽	2304.7	2434.5	3576.4	4003.6	2096.0	2092.2
福　建	2294.8	2365.7	2417.9	2494.1	1300.9	1285.7
江　西	1369.9	1384.2	2515.9	2591.5	1037.0	1061.7
山　东	4097.4	4192.3	4120.7	4211.1	2847.7	2819.3
河　南	3232.1	3328.3	3941.9	4019.8	2410.1	2577.6
湖　北	2174.2	2092.4	3527.0	3267.1	2085.0	1972.2
湖　南	1587.2	1439.7	2319.9	2434.0	1492.1	1328.3
广　东	2502.0	2517.5	2534.3	2563.4	1353.3	1005.7
广　西	2213.4	2299.9	2352.0	2436.3	1108.7	966.3
海　南	2080.0	2162.3	2172.5	2220.5		
重　庆	1590.2	1655.3	1726.2	1717.0	1713.2	1767.5
四　川	2050.6	2163.8	2143.0	2302.7	2040.9	2137.4
贵　州	1608.4	1502.6	1939.5	1923.3	1608.4	1462.9
云　南	1622.8	1615.6	1392.4	1460.4	1862.4	1643.4
西　藏	2259.5	2438.6	1370.6	2305.7	2261.4	2439.0
陕　西	1552.7	1784.7	2443.8	2519.5	1761.9	1870.5
甘　肃	1520.2	1614.1	1480.7	2903.8	1607.8	1761.6
青　海	1860.5	2039.2			1868.2	2049.8
宁　夏	1514.7	1684.1	1000.0	2013.0	1126.6	1600.0
新　疆	2069.6	1982.9	2953.0	4071.8	1488.9	1275.6

7－27　各地区棉花和麻类作物单位面积产量

单位：千克/公顷

地　区	棉　花		麻类合计		＃黄红麻	
	2007 年	2008 年	2007 年	2008 年	2007 年	2008 年
全国总计	**1286.4**	**1302.0**	**2767.5**	**2821.5**	**2968.8**	**3216.5**
北　京	1184.5	1130.8				
天　津	1379.7	1198.6				
河　北	1065.8	1068.6	2713.7	1972.2		
山　西	1106.6	1198.3	1328.6	2320.0		
内蒙古	1392.7	1430.0	3258.8	6915.3		
辽　宁	1944.4	1690.8	900.0	2100.0		
吉　林	943.4	2216.9	3846.2	3581.3		
黑龙江			3524.7	3980.5		
上　海	1792.9	2136.2				
江　苏	1063.0	1084.8	3218.9	2452.6	3000.0	3000.0
浙　江	1353.1	1385.0	4111.5	4208.3	4634.8	4770.6
安　徽	995.6	931.8	2991.5	2875.4	3418.5	3354.2
福　建	843.7	847.0	2747.1	2784.5	3088.9	2971.3
江　西	1562.9	1681.4	1508.2	1567.2	1706.7	4011.4
山　东	1112.2	1171.5	2711.4	2573.7	2803.2	2820.0
河　南	1071.4	1074.0	3193.3	3844.4	3169.9	3846.8
湖　北	1083.8	945.5	2065.2	2031.5	3615.3	4482.0
湖　南	1419.6	1347.5	2557.4	2528.2	1964.5	2468.0
广　东			2067.8	2022.8	2067.8	2022.8
广　西	840.4	889.9	2084.1	2069.3	2047.4	2000.0
海　南			5181.3	5474.1	5181.3	5472.2
重　庆	633.3	576.5	1356.7	1479.3	816.7	984.6
四　川	773.9	838.8	1735.4	1746.3	2112.7	2145.6
贵　州	401.4	651.4	1271.1	1400.3	3956.5	2857.1
云　南	1539.5	890.8	4112.2	4726.8		1666.7
西　藏						
陕　西	1007.2	1182.6	1240.1	1109.8	333.3	3000.0
甘　肃	1632.9	1693.7	2775.2	2032.5		
青　海						
宁　夏	1000.0		1100.0			
新　疆	1690.1	1760.6	5442.4	4681.8		

7—28 各地区糖料作物单位面积产量

单位:千克/公顷

地区	糖料合计		1.甘蔗		2.甜菜	
	2007年	2008年	2007年	2008年	2007年	2008年
全国总计	**67648**	**67438**	**71228**	**71210**	**41360**	**40754**
北京						
天津						
河北	33851	37843			33851	37843
山西	36620	36624			36620	36624
内蒙古	38984	34922			38984	34922
辽宁	67973	37664			67973	37664
吉林	17857	34193			17857	34193
黑龙江	26358	28761			26358	28761
上海	61088	66500	61088	66500		
江苏	55883	55048	55883	55048		
浙江	61207	61301	61207	61301		
安徽	44300	43469	44300	42976		
福建	61829	66236	61829	66236		
江西	44442	45862	44442	45862		
山东	10400	8229			10400	8229
河南	54840	59426	54840	59426		
湖北	41389	39986	41389	39986		
湖南	55046	53683	55046	53683		
广东	80036	80097	80036	80097		
广西	76429	75367	76429	75367		
海南	64163	66016	64163	66016		
重庆	38973	37532	38973	37532		
四川	49478	50208	49797	50490	12775	10806
贵州	39065	40626	39224	40706	4973	6268
云南	56166	61289	56188	61309	10704	10328
西藏						
陕西	28451	15898	35215	16337	9114	11529
甘肃	47202	43767			47202	43767
青海	32662				32662	
宁夏	34456	17800			34456	17800
新疆	60556	61691			60556	61691

7—29 茶叶、水果产量

单位：万吨

年 份	茶叶产量	水果产量	苹 果	柑 桔	梨	葡 萄	香 蕉
1952	8.2	244.3	11.8	20.7	39.4	4.8	11.0
1957	11.2	324.7	22.2	32.2	50.4	8.5	7.3
1962	7.4	271.2	22.5	20.6	44.3	8.4	3.5
1965	10.1	323.9	31.8	25.4	51.1	10.0	14.5
1970	13.6	374.5	79.8	24.2	65.4	8.5	16.6
1975	21.1	538.1	158.3	33.6	108.7	12.3	16.5
1978	26.8	657.0	227.5	38.3	151.7	10.4	8.5
1979	27.7	701.5	286.9	58.2	143.8	12.6	7.4
1980	30.4	679.3	236.3	71.3	146.6	11.0	6.1
1981	34.3	780.1	300.6	79.8	159.3	14.8	12.6
1982	39.7	771.3	243.0	93.9	175.5	18.6	20.1
1983	40.1	948.7	354.1	129.6	179.5	24.7	20.7
1984	41.4	984.5	294.1	149.9	210.0	29.4	30.0
1985	43.2	1163.9	361.4	180.8	213.7	36.1	63.1
1986	46.1	1347.7	333.7	254.8	234.8	44.2	125.1
1987	50.8	1667.9	426.4	322.4	248.9	64.1	202.9
1988	54.5	1666.1	434.4	256.0	272.1	79.2	183.0
1989	53.5	1831.9	449.9	456.1	256.5	87.4	140.4
1990	54.0	1874.4	431.9	485.5	235.3	85.9	145.6
1991	54.2	2176.1	454.0	633.3	249.8	91.6	198.1
1992	56.0	2440.1	655.6	516.0	284.6	112.5	245.1
1993	60.0	3011.2	907.0	656.1	321.7	135.5	270.1
1994	58.8	3499.8	1112.9	680.5	404.2	152.2	289.8
1995	58.8	4214.6	1400.8	822.5	494.2	174.2	312.5
1996	59.3	4652.8	1704.7	845.7	580.7	188.3	253.6
1997	61.3	5089.3	1721.9	1010.2	641.5	203.2	289.2
1998	66.5	5452.9	1948.1	859.0	727.5	235.8	351.8
1999	67.6	6237.6	2080.2	1078.7	774.2	270.8	419.4
2000	68.3	6225.1	2043.1	878.3	841.2	328.2	494.1
2001	70.2	6629.2	2001.5	1160.7	879.6	368.0	527.2
2002	74.5	14374.6	1924.1	1199.0	930.9	447.9	555.7
2003	76.8	14517.4	2110.2	1345.4	979.8	517.6	590.3
2004	83.5	15340.9	2367.5	1495.8	1064.2	567.5	605.6
2005	93.5	16120.1	2401.1	1591.9	1132.4	579.4	651.8
2006	102.8	17102.0	2605.9	1789.8	1198.6	627.1	690.1
2007	116.5	18136.3	2786.0	2058.3	1289.5	669.7	779.7
2008	125.8	19220.2	2984.7	2331.3	1353.8	715.1	783.5

注：2002 年起，水果产量包括种植业中的瓜果类产量。（后同）

7—30 茶叶、水果主要品种面积和产量及增减情况

指　　标	单　位	1990 年	1995 年	2000 年	2007 年	2008 年	2008 年为 2007 年百分比(%)
一、茶叶生产情况							
年末实有茶园面积	千公顷	1061.3	1115.3	1089.0	1613.3	1719.4	106.6
茶叶产量	吨	540070	588553	683324	1165500	1257600	107.9
红毛茶	吨	109680	52003	47294	53165	69692	131.1
绿毛茶	吨	332502	413784	498057	874055	926587	106.0
乌龙毛茶	吨	33411	55372	67608	129663	144142	111.2
紧压茶原料	吨	25026	17476	22558	35513	38791	109.2
其他茶	吨	39451	49918	47807	73104	78388	107.2
二、水果生产情况							
年末果园面积	千公顷	5178.7	8097.6	8931.6	10471.1	10734.3	102.5
#香蕉园	千公顷	108.8	190.2	249.2	306.6	317.8	103.7
苹果园	千公顷	1633.1	2953.1	2254.1	1961.8	1992.3	101.6
柑桔园	千公顷	1061.2	1214.1	1271.8	1941.4	2030.8	104.6
梨园	千公顷	480.7	859.4	1014.6	1071.3	1074.5	100.3
葡萄园	千公顷	122.6	152.5	283.0	438.4	451.2	102.9
园林水果产量	万吨	1874.4	4214.6	6225.1	10520.3	11338.9	107.8
#香蕉	万吨	145.6	312.5	494.1	779.7	783.5	100.5
苹果	万吨	431.9	1400.8	2043.1	2786.0	2984.7	107.1
柑桔	万吨	485.5	822.5	878.3	2058.3	2331.3	113.3
梨	万吨	235.3	494.2	841.2	1289.5	1353.8	105.0
葡萄	万吨	85.9	174.2	328.2	669.7	715.1	106.8
菠萝	万吨	46.3	53.9	85.7	90.5	93.4	103.2
红枣	万吨	42.3	78.2	130.6	303.1	363.4	119.9
柿子	万吨	62.5	96.9	159.2	257.4	271.1	105.3

7—31 各地区茶园面积和茶叶产量

单位：千公顷、吨

地区	年末实有茶园面积		本年采摘面积		茶叶产量		红毛茶	
	2007年	2008年	2007年	2008年	2007年	2008年	2007年	2008年
全国总计	**1613.3**	**1719.4**	**1200.8**	**1283.2**	**1165500**	**1257600**	**53165**	**69692**
北京								
天津								
河北								
山西								
内蒙古								
辽宁								
吉林								
黑龙江								
上海								
江苏	28.6	30.1	24.4	25.4	14801	15487	1971	2101
浙江	168.9	174.1	147.0	154.3	160229	162345	161	163
安徽	135.7	128.9	114.9	114.4	70756	75869	3495	4319
福建	169.8	188.9	150.7	167.8	223933	247268	2479	2765
江西	43.9	44.2	36.3	35.7	20908	22977	2662	2778
山东	15.2	15.7	11.0	11.0	9629	9866		
河南	70.1	55.1	36.9	44.2	26068	31923		
湖北	161.3	184.4	122.1	134.0	104987	130269	7877	10876
湖南	86.2	86.0	69.9	71.0	87503	91885	19506	22403
广东	37.2	36.8	29.8	29.4	48949	48388	1638	1966
广西	47.0	46.8	37.5	37.5	34345	33347	770	620
海南	1.2	1.1		1.0	975	1011	111	80
重庆	27.5	28.5	21.3	21.6	18853	24613	2612	3234
四川	168.6	177.7	116.7	124.9	130297	139305	986	1231
贵州	71.8	105.2	44.9	54.5	28381	34889	70	78
云南	302.9	335.7	197.1	212.4	169866	171535	8827	17078
西藏	0.1		0.1		1	3		
陕西	67.3	69.1	37.2	41.2	14400	16025		
甘肃	10.0	11.3	3.1	2.8	619	595		
青海								
宁夏								
新疆								

7－31 续表

单位：吨

地区	绿毛茶		乌龙毛茶		紧压茶原料		其他茶	
	2007年	2008年	2007年	2008年	2007年	2008年	2007年	2008年
全国总计	**874055**	**926587**	**129663**	**144142**	**35513**	**38791**	**73104**	**78388**
北京								
天津								
河北								
山西								
内蒙古								
辽宁								
吉林								
黑龙江								
上海								
江苏	12794	13172					36	214
浙江	158600	160694	144	146	341	346	983	996
安徽	61169	64188	46	55			6046	7307
福建	101978	108278	111138	126273	8	9	8330	9943
江西	16012	18139					2234	2060
山东	9629	9866						
河南	26068	31923						
湖北	85308	107088			9869	10079	1933	2226
湖南	42174	42831	682	706	13833	14792	11308	11153
广东	24213	23645	17127	16714	8	38	5963	6025
广西	28215	27882	215	69			5145	4776
海南	799	865					65	66
重庆	13455	18389			1	1	2785	2989
四川	101092	109319	159	133	11153	13215	16907	15407
贵州	17680	20928	123	5	264	280	10244	13598
云南	159849	152757	29	41	36	31	1125	1628
西藏	1	3						
陕西	14400	16025						
甘肃	619	595						
青海								
宁夏								
新疆								

7—32 各地区果园面积

单位：千公顷

地 区	年末实有果园面积		#香蕉园		#苹果园	
	2007年	2008年	2007年	2008年	2007年	2008年
全国总计	**10471.1**	**10734.3**	**306.6**	**317.8**	**1961.8**	**1992.3**
北 京	74.3	72.2			10.3	9.2
天 津	35.1	33.8			5.5	5.4
河 北	1088.0	1061.5			250.0	243.8
山 西	274.0	277.2			144.3	148.2
内蒙古	47.1	52.5			21.3	23.1
辽 宁	303.9	323.6			107.1	114.0
吉 林	60.4	63.4			14.2	14.5
黑龙江	40.9	41.0			13.2	12.0
上 海	25.1	26.0				
江 苏	174.8	178.7			35.1	34.8
浙 江	314.3	317.1				
安 徽	100.8	108.7			13.3	17.1
福 建	536.4	535.8	29.4	26.3		
江 西	338.9	361.4				
山 东	659.6	599.2			304.9	276.3
河 南	448.5	438.2			182.3	173.1
湖 北	319.2	347.5			3.0	3.3
湖 南	480.8	469.2				
广 东	1019.1	1052.4	128.1	128.6		
广 西	883.7	888.2	61.6	61.0		
海 南	171.8	171.2	48.0	47.9		
重 庆	206.2	216.7	0.2	0.1	1.8	1.6
四 川	499.7	509.5	1.2	1.2	27.8	28.6
贵 州	124.6	133.3	2.0	1.8	6.4	6.3
云 南	265.1	289.0	36.2	50.9	31.1	29.9
西 藏	1.3	1.5			1.0	1.1
陕 西	884.9	950.7			484.9	530.9
甘 肃	415.6	411.9			247.6	246.5
青 海	4.3	4.1			2.7	2.5
宁 夏	65.3	82.9			21.5	31.5
新 疆	607.6	716.0			32.5	38.5

7—32 续表 单位:千公顷

地 区	#柑桔园		#梨 园		#葡萄园	
	2007年	2008年	2007年	2008年	2007年	2008年
全国总计	**1941.4**	**2030.8**	**1071.3**	**1074.5**	**438.4**	**451.2**
北 京			10.4	10.4	2.7	3.0
天 津			3.9	3.4	5.4	5.1
河 北			200.9	197.7	57.9	61.0
山 西			31.1	30.7	9.8	10.1
内蒙古			8.9	9.7	4.8	4.8
辽 宁			79.6	83.2	25.2	26.6
吉 林			16.0	16.6	11.1	12.4
黑龙江			5.1	5.3	1.8	2.7
上 海	10.9	10.7	2.0	1.9	2.7	3.8
江 苏	3.7	3.7	36.4	36.7	12.7	14.9
浙 江	122.5	122.1	27.9	27.5	12.1	14.6
安 徽	3.2	2.5	36.4	39.5	5.2	6.2
福 建	170.4	173.5	22.3	22.1	5.2	5.5
江 西	262.5	281.9	23.5	26.1	1.6	1.9
山 东			54.9	48.8	44.2	36.7
河 南	10.0	10.1	43.2	46.0	26.2	26.8
湖 北	189.0	211.1	35.5	35.4	5.7	5.9
湖 南	325.9	335.9	36.9	30.7	18.9	14.5
广 东	243.6	248.0	7.0	7.3	0.0	0.0
广 西	165.3	178.4	18.0	18.6	11.1	11.6
海 南	3.7	3.8	0.0	0.0	0.0	0.0
重 庆	113.9	120.3	30.8	32.7	2.7	2.5
四 川	223.3	231.4	82.3	83.3	13.4	14.8
贵 州	37.9	38.5	38.5	41.3	5.9	6.5
云 南	32.1	32.9	43.4	46.9	7.0	7.9
西 藏			0.1	0.0	0.1	
陕 西	23.3	25.7	55.1	52.2	15.1	17.7
甘 肃	0.3	0.3	46.8	44.4	10.2	11.0
青 海			1.1	0.9		
宁 夏			2.7	2.3	10.2	14.0
新 疆			70.5	73.1	109.6	108.8

7—33 各地区水果产量

单位：吨

地 区	水果产量		#香 蕉		#苹 果	
	2007 年	2008 年	2007 年	2008 年	2007 年	2008 年
全国总计	**181362874**	**192201888**	**7796656**	**7834672**	**27859935**	**29846609**
北 京	1248907	1187980			119459	120543
天 津	619133	622978			59709	62946
河 北	14915442	15328854			2478845	2615982
山 西	3422304	4106361			1872681	2228789
内 蒙 古	2080612	2381577			61672	69919
辽 宁	5327249	5916507			1514871	1709138
吉 林	2327673	2738746			133153	135219
黑 龙 江	3732947	3675465			150534	138330
上 海	1123770	1111418			154	162
江 苏	6426802	6828606			618453	575299
浙 江	7014863	7479235				
安 徽	7495107	6918583			403627	304886
福 建	5942047	6324569	884221	882332	201	310
江 西	3811558	4445302				
山 东	25411715	26126162			7249227	7631768
河 南	20885925	21295864			3523310	3743917
湖 北	6547329	6862185			10351	8881
湖 南	6306206	6630948				
广 东	10571548	10812764	3511801	3481411		
广 西	8614870	8557709	1404580	970097		
海 南	3068202	3251987	1422134	1516223		
重 庆	1758938	1932778	1981	1627	6693	5831
四 川	5919878	6350999	23087	26539	296977	389048
贵 州	1128635	1142821	8806	7988	11023	12182
云 南	2519697	3134384	540046	948455	234855	267954
西 藏	10886	10656			3994	4423
陕 西	11249534	12469726			7015682	7455054
甘 肃	3584383	4116229			1424253	1641352
青 海	32981	32637			5804	5823
宁 夏	1538266	1857502			275525	283461
新 疆	6725466	8550355			388881	435392

7—33 续表 1

单位:吨

地区	#柑桔		#梨		#葡萄	
	2007 年	2008 年	2007 年	2008 年	2007 年	2008 年
全国总计	**20582708**	**23312584**	**12895005**	**13538142**	**6696814**	**7151484**
北京			154368	151643	47486	45112
天津			28870	29774	109545	99959
河北			3459772	3539679	946886	988071
山西			326969	378518	104274	116618
内蒙古			85216	86612	40989	40644
辽宁			762452	937944	493775	614422
吉林			129540	147119	138885	131940
黑龙江			46524	47078	21847	45062
上海	240447	264889	31855	30961	45682	62508
江苏	46921	50612	627634	639385	202401	242747
浙江	1987265	2383554	360524	375587	269051	332472
安徽	19225	21636	929719	628895	178298	182011
福建	2385521	2565274	164479	169303	86808	95912
江西	1957503	2485062	89012	113715	9614	16012
山东			1172162	1190413	917312	904759
河南	38450	39595	799939	876538	419473	437329
湖北	2115561	2555084	493185	473326	86313	98467
湖南	2779234	2975738	133225	125529	73180	73365
广东	2567523	2804922	51035	46365		
广西	2346987	2654922	156428	181679	158873	170750
海南	30146	39362				
重庆	1043825	1137224	206088	235587	22666	24711
四川	2324751	2575709	819776	821316	180134	201673
贵州	190650	191050	148008	162872	32793	36182
云南	280769	327196	240519	286850	93800	128449
西藏	439	405	987	1140	250	289
陕西	224334	237309	618962	854119	185261	216562
甘肃	3158	3042	294239	285490	105950	99601
青海			4894	4680	112	106
宁夏			17174	23194	70576	97033
新疆			541451	692831	1654581	1648718

7—33 续表 2

单位：吨

地　　区	#菠　萝		#红　枣		#柿　子	
	2007 年	2008 年	2007 年	2008 年	2007 年	2008 年
全国总计	**905090**	**933633**	**3030623**	**3634071**	**2574143**	**2710998**
北　　京			10431	8384	60127	61366
天　　津			29240	23649	16902	15401
河　　北			910315	929978	394325	410365
山　　西			192953	310405	59332	72525
内 蒙 古						
辽　　宁			109376	119504		
吉　　林						
黑 龙 江						
上　　海			1428	1820	3427	2955
江　　苏			13310	14564	156977	108641
浙　　江					42571	46054
安　　徽			13823	14036	123196	126797
福　　建	40510	40736	34	18	177025	187829
江　　西			3580		13808	18082
山　　东			927713	992862	136331	150121
河　　南			334740	366534	326799	364224
湖　　北			21805	22713	53368	54503
湖　　南			25220	22330	16657	19026
广　　东	535511	555914			122394	117868
广　　西	70576	26988	25921	18637	504897	551349
海　　南	233599	281078				
重　　庆			2158	2302	8107	7523
四　　川	2	2	10287	10447	49529	40378
贵　　州		3	1849	1614	14497	12718
云　　南	24892	28912	6938	7052	42345	43723
西　　藏						
陕　　西			158738	514530	230396	277088
甘　　肃			111653	82771	21133	22462
青　　海						
宁　　夏			31905	38508		
新　　疆			87206	131413		

7—33 续表 3　　　　单位:吨

地　区	#瓜果类		#西　瓜		#甜　瓜	
	2007 年	2008 年	2007 年	2008 年	2007 年	2008 年
全国总计	**76159642**	**78812641**	**62036158**	**62821690**	**10340920**	**11933708**
北　京	384893	337081	369429	322449	12782	9886
天　津	317120	328283	272171	293825	26825	24354
河　北	4757392	4787561	3747424	3725684	499113	552832
山　西	629314	707830	543569	606661	59929	68634
内蒙古	1828364	2105634	1141919	1378763	590167	575054
辽　宁	1666105	1691325	950981	1008401	397517	354876
吉　林	1673406	2075896	977641	1369567	675140	683220
黑龙江	3215288	3081926	2252038	2134825	879716	850349
上　海	684505	650268	560122	522831	102913	107656
江　苏	4169408	4483078	3419078	3588317	446775	459756
浙　江	3456199	3352834	3026864	2917745	161985	182118
安　徽	5424187	5192271	4787729	4496195	374290	405307
福　建	769127	790877	632446	637109	105612	96268
江　西	1629955	1691736	1457938	1573741	106646	112087
山　东	12072684	12167062	9876360	9963144	1495201	1451184
河　南	14251070	14154998	12601207	12067246	1565771	1989435
湖　北	3215087	3085557	2698584	2621622	422866	418879
湖　南	3142160	3079973	2804918	2734988	310436	319863
广　东	1065040	977836	794981	716471	90729	85408
广　西	1706000	1957135	1563028	1799719	136644	150333
海　南	735060	773309	565587	570265	28017	39859
重　庆	277023	308043	254959	284558		
四　川	1175345	1180828	989038	994808	17550	19863
贵　州	525422	525985	466511	471297	26787	20503
云　南	495969	472585	426195	393246	10453	9776
西　藏	3804	2182	3604	1940		242
陕　西	1847224	1792981	1483230	1429143	219456	296327
甘　肃	1303389	1634813	1093412	1366936	127131	106536
青　海	19135	19396	18977	19030		
宁　夏	1114261	1361655	1038059	1264992	69794	54961
新　疆	2605706	4041703	1218160	1546172	1380676	2488143

7—34 主要林产品产量

单位:万吨

年 份	橡 胶	生 漆	油桐籽	油茶籽	乌桕籽	板 栗	核 桃	松 脂
1952			43.5	24.9	11.8			
1957		0.2	51.8	49.4	12.5		10.3	
1962	0.5	0.1	18.3	20.1	8.1		4.0	
1965	1.7	0.2	13.0	33.2			4.8	
1970	4.6	0.1	22.4	35.0			5.1	
1975	6.9	0.2	37.0	42.5	7.7	4.4	6.5	30.3
1978	10.2	0.2	39.1	47.9	8.5	6.2	11.9	33.8
1979	10.8	0.3	32.5	61.7	8.1	4.7	9.0	40.4
1980	11.3	0.2	30.3	49.0	9.3	6.7	11.9	42.1
1981	12.8	0.3	36.0	65.4	9.5	5.1	10.7	56.2
1982	15.3	0.3	33.9	49.4	8.5	5.5	10.3	47.0
1983	17.2	0.3	36.8	43.5	8.5	6.5	11.9	30.4
1984	18.9	0.2	36.2	53.6	8.1	8.3	12.8	36.9
1985	18.8	0.2	37.9	61.9	7.1	8.3	12.2	34.4
1986	20.9	0.3	34.6	43.8	7.0	9.5	13.6	41.6
1987	23.8	0.3	34.2	51.8	6.8	11.5	14.7	52.3
1988	24.0	0.3	35.9	46.3	6.3	10.4	17.7	46.1
1989	24.3	0.3	33.5	66.7	5.6	10.3	16.0	48.7
1990	26.4	0.3	35.1	52.3	5.2	11.5	15.0	43.5
1991	29.6	0.3	32.8	62.1	4.5	13.6	15.2	44.0
1992	30.9	0.3	43.7	62.9	4.3	13.9	16.4	46.9
1993	32.6	0.3	42.1	48.8	4.1	16.2	19.2	58.1
1994	37.4	0.2	43.5	63.1	3.7	22.0	21.0	56.9
1995	42.4	0.3	40.5	62.3	3.9	24.7	23.1	54.8
1996	40.2	0.4	40.8	69.7	4.2	34.0	23.8	58.1
1997	45.2	0.4	45.4	85.7	4.1	37.7	25.0	70.1
1998	46.2	0.5	43.9	72.3	4.1	46.9	26.5	54.3
1999	49.0	0.5	44.8	79.3	3.5	53.5	27.4	57.1
2000	48.0	0.5	45.3	82.3	3.6	59.8	31.0	55.1
2001	47.7	0.5	40.7	82.5	2.9	59.9	25.2	56.4
2002	52.7	0.6	38.9	85.5	3.2	70.5	34.0	56.3
2003	56.5	0.9	37.3	77.9	2.8	79.2	39.4	62.6
2004	57.5	1.0	38.1	87.5	2.3	92.3	43.7	67.3
2005	51.4	1.4	36.9	87.5	3.0	103.2	49.9	76.7
2006	53.8	2.1	38.3	92.0	2.7	114.0	47.5	90.9
2007	58.8	1.3	36.1	93.9	2.6	126.7	63.0	96.6
2008	54.8	1.6	37.1	99.0	3.2	145.0	82.9	84.9

7—35 营林面积和主要林产品产量及增减情况

指　　标	单　位	1990 年	1995 年	2000 年	2007 年	2008 年	2008 年为2007 年百分比(%)
一、营林情况							
1. 荒山荒(沙)地造林面积	千公顷	5208.5	4967.2	5105.1	3907.7	5354.8	137.0
按造林方式分:							
当年人工造林面积	千公顷	4353.4	4405.4	4345.0	2738.5	3684.9	134.6
当年飞机播种面积	千公顷	855.1	561.8	760.1	118.7	154.1	129.8
无林地和疏林地新封	千公顷				1050.5	1515.8	144.3
按用途分:							
用材林	千公顷	3156.5	1823.3	1218.5	610.4	782.1	128.1
经济林	千公顷	644.5	1740.3	1350.3	478.4	850.8	177.8
防护林	千公顷	1029.7	1243.0	2430.8	2790.2	3698.2	132.5
薪炭林	千公顷	340.1	143.8	82.3	8.0	4.0	50.3
特种用材林	千公顷	37.7	16.5	23.2	20.8	19.7	94.8
2. 更新造林	千公顷	671.5	729.7	919.8	390.9	424.0	108.5
3. 零星(四旁)植树	万株	337596.3	326377.6	300504.0	245438.0	235499.4	96.0
4. 育苗面积	千公顷	213.5	206.0	278.6	559.2	591.1	105.7
5. 幼林抚育作业面积	千公顷次	13032.6	15834.2	11825.3	16263.2	15043.0	92.5
6. 成林抚育面积	千公顷	4089.9	6563.4	7528.9	9790.2	10442.0	106.7
二、主要林产品产量							
生漆	吨	2683	2976	5279	12891	15526	120.4
油桐籽	吨	350770	404929	453461	361285	370966	102.7
油茶籽	吨	523313	623128	823224	939096	989859	105.4
乌桕籽	吨	51947	38834	35775	26218	31861	121.5
五倍籽	吨	5783	10084	8678	11963	13191	110.3
棕片	吨	39860	52955	61082	57276	53377	93.2
松脂	吨	435244	548133	551057	965618	849205	87.9
竹笋干	吨	83551	174588	339084	529860	421904	79.6
核桃	吨	149560	230867	309875	629986	828635	131.5
板栗	吨	115191	247026	598185	1266510	1450452	114.5
紫胶(原胶)	吨	1421	3486	1419	3449	3741	108.5

注:1. 2005 年防护林数据有调整,竹笋片改为竹笋干,下同。

2. 幼林抚育作业面积单位改为“千公顷次”,下同。

3. 根据造林技术规程(GB/T15776—2006),本表自 2006 年起将无林地和疏林地新封山育林面积计入造林总面积。

7—36 各地区造林面积

单位：千公顷

地区	当年造林面积		按造林方式分					
			人工造林面积		飞机播种造林面积		无林地和疏林地新封山育林面积	
	2007年	2008年	2007年	2008年	2007年	2008年	2007年	2008年
全国总计	**3907.7**	**5354.8**	**2738.5**	**3684.9**	**118.7**	**154.1**	**1050.5**	**1515.8**
北京	13.3	15.5	10.7	9.0			2.6	6.6
天津	4.0	11.2	2.1	10.5	1.9	0.7		
河北	235.2	345.8	122.3	192.9	24.0	40.7	88.9	112.3
山西	258.8	280.4	166.2	191.4	12.7	15.3	79.9	73.6
内蒙古	590.1	718.6	295.0	377.3	40.1	57.4	255.0	283.9
辽宁	87.1	81.5	83.2	54.9			3.8	26.7
吉林	19.9	26.1	19.0	25.5			0.9	0.6
黑龙江	93.5	120.6	88.3	79.8			5.3	40.8
上海	1.1	1.9	1.1	1.9				
江苏	82.6	88.7	82.6	88.7				
浙江	11.6	8.5	6.2	6.9			5.4	1.6
安徽	31.9	34.1	27.1	28.2			4.8	5.9
福建	36.0	33.1	35.5	32.8			0.6	0.3
江西	157.4	267.0	147.6	234.6			9.8	32.4
山东	144.7	185.6	144.3	184.9			0.4	0.6
河南	51.0	338.1	41.4	320.8			9.6	17.3
湖北	122.9	154.5	105.7	111.5			17.2	43.0
湖南	76.2	80.4	59.5	64.0			16.7	16.4
广东	5.8	9.4	5.3	8.4			0.5	1.0
广西	135.2	129.1	120.6	120.8			14.6	8.2
海南	13.3	17.3	13.3	17.3				
重庆	96.7	106.6	60.0	5.3			36.7	101.2
四川	332.3	574.6	147.7	247.6			184.6	327.0
贵州	167.4	177.9	81.7	60.6			85.7	117.3
云南	319.2	566.1	264.2	507.7			55.0	58.4
西藏	31.0	31.3	20.3	30.3			10.7	1.0
陕西	245.8	275.2	148.6	146.3	40.0	40.0	57.1	89.0
甘肃	153.6	168.0	112.9	83.8			40.7	84.2
青海	45.2	53.6	30.0	32.0			15.1	21.6
宁夏	73.6	103.4	54.9	89.7			18.7	13.7
新疆	171.3	270.7	141.1	239.5			30.2	31.2
大兴安岭军事管理区	100.0	80.0	100.0	80.0				

注：1. 2005年山西数据有调整。

2. 根据造林技术规程，本表自2006年起将无林地和疏林地新封山育林面积计入造林总面积。

7—36 续表 1

单位：千公顷

地　　区	按用途分					
	用材林		经济林		防护林	
	2007 年	2008 年	2007 年	2008 年	2007 年	2008 年
全国总计	**610.4**	**782.1**	**478.4**	**850.8**	**2790.2**	**3698.2**
北　　京			0.8	1.3	11.4	12.4
天　　津	0.2	3.1	0.3	0.2	3.6	7.9
河　　北	17.5	23.2	10.7	8.4	206.0	312.6
山　　西	1.8	11.8	9.3	21.8	247.7	246.8
内 蒙 古	17.3	29.0	12.7	9.9	550.4	677.3
辽　　宁	11.3	6.2	3.2	3.6	72.5	71.7
吉　　林	1.0	0.3	0.1	0.1	18.7	25.7
黑 龙 江	17.9	25.7	0.6	1.2	74.9	92.0
上　　海			0.3	1.6	0.7	0.3
江　　苏	19.1	11.8	19.4	9.0	42.5	67.7
浙　　江	3.6	0.5	1.6	1.1	6.0	6.9
安　　徽	3.1	0.4	1.8	4.2	25.9	29.6
福　　建	28.3	26.5	2.0	1.0	5.7	5.4
江　　西	95.2	147.4	20.3	32.9	41.2	84.8
山　　东	49.4	69.5	27.0	25.9	68.0	89.7
河　　南	15.2	91.7	3.2	38.7	32.5	207.7
湖　　北	46.8	40.8	20.0	24.4	56.2	88.4
湖　　南	21.2	13.6	2.9	3.4	51.8	63.3
广　　东	2.7	5.5		0.5	3.1	3.3
广　　西	114.0	112.8	2.8	2.2	18.4	14.0
海　　南	7.0	6.4	2.7	5.2	3.6	5.6
重　　庆	30.7	12.3	4.2	1.8	61.8	92.5
四　　川	29.0	68.4	29.5	40.3	272.3	465.0
贵　　州	21.0	9.8	9.0	10.2	135.8	156.1
云　　南	38.0	41.6	181.0	408.1	98.0	115.5
西　　藏	4.4	4.4	0.7	1.1	25.9	25.9
陕　　西	7.9	6.9	11.1	13.5	223.0	254.8
甘　　肃	3.8	0.5	2.6	2.8	144.9	156.5
青　　海					45.2	53.6
宁　　夏			19.1	31.3	54.5	72.1
新　　疆	3.0	12.1	79.6	145.1	88.0	113.2
大兴安岭						
军事管理区					100.0	80.0

7—36 续表 2

单位:千公顷

地　　区	按用途分				更新造林	
	薪炭林		特种用材林			
	2007 年	2008 年	2007 年	2008 年	2007 年	2008 年
全国总计	**8.0**	**4.0**	**20.8**	**19.7**	**390.9**	**424.0**
北　　京			1.1	1.8	0.6	0.9
天　　津						
河　　北	0.4	0.1	0.7	1.5	6.3	5.6
山　　西						
内 蒙 古	0.2	2.3	9.5		30.3	27.0
辽　　宁					12.5	8.8
吉　　林			0.1		19.5	51.7
黑 龙 江	0.1	0.1	0.1	1.7	10.8	7.5
上　　海						
江　　苏	1.4		0.1	0.1	2.8	2.4
浙　　江			0.4		14.3	16.0
安　　徽			1.1		2.4	1.8
福　　建		0.1		0.1	74.6	82.1
江　　西	0.5	0.3	0.2	1.5	17.8	28.2
山　　东	0.1		0.3	0.4	6.5	5.8
河　　南					0.8	1.4
湖　　北		0.1		0.8	4.0	3.3
湖　　南			0.3	0.1	12.4	3.9
广　　东		0.1			78.9	73.3
广　　西					47.0	64.5
海　　南				0.1	6.7	6.6
重　　庆						
四　　川	0.4	0.2	1.1	0.8	2.5	10.2
贵　　州	0.4	0.2	1.3	1.6	0.8	0.4
云　　南		0.1	2.2	0.9	10.3	10.4
西　　藏					1.0	
陕　　西	3.8				0.1	
甘　　肃			2.3	8.2		
青　　海						
宁　　夏						
新　　疆	0.6	0.3	0.1		2.6	2.8
大兴安岭					25.5	9.5
军事管理区						

注:迹地更新指标名称改为更新造林。

7—36 续表 3　　单位:千公顷

地区	零星四旁植树(万株)		育苗面积		幼林抚育面积		成林抚育面积	
	2007年	2008年	2007年	2008年	2007年	2008年	2007年	2008年
全国总计	**245438**	**235499**	**559.2**	**591.1**	**16263.2**	**15043.0**	**9790.2**	**10442.0**
北京	463	581	12.7	11.9	43.7	31.4	43.9	59.1
天津	106	370	3.7	3.7	67.0	85.9	51.3	58.7
河北	10700	10585	48.0	43.7	727.5	712.2	409.5	431.1
山西	10353	9382	30.3	30.4	220.4	214.8	55.7	49.5
内蒙古	4656	4808	7.6	7.2	787.0	723.9	638.8	640.4
辽宁	9760	9982	16.9	19.3	286.6	186.8	134.3	76.0
吉林	1302	968	2.8	3.8	506.8	529.4	217.1	211.6
黑龙江	2274	2173	11.3	9.7	706.3	681.6	298.4	296.8
上海	556	127	13.0	12.1	41.3	37.0	35.3	35.4
江苏	11767	13237	76.1	58.4	297.5	319.3	497.9	910.7
浙江	2422	2418	46.7	87.0	61.4	64.3	214.9	242.7
安徽	16555	16933	39.3	32.6	1282.0	788.7	764.1	541.9
福建	2012	2022	0.7	0.8	272.0	311.2	88.1	80.8
江西	18673	13832	12.6	24.8	532.9	694.5	158.4	218.2
山东	17308	19749	89.2	80.6	1259.2	1015.2	1008.4	1202.5
河南	31520	24202	51.3	33.8	1868.2	1080.0	1333.3	1188.7
湖北	9285	12122	21.3	29.0	533.2	338.0	369.6	453.8
湖南	11257	10055	11.5	24.0	737.9	776.9	217.0	241.7
广东	6520	5789	1.9	2.7	218.5	276.0	120.4	162.6
广西	3025	3210	2.0	2.1	475.6	523.3	291.2	368.4
海南	3815	1776	0.6	0.6	7.1	5.9	6.8	34.1
重庆	7960	8337	5.6	6.2	192.7	145.5	200.4	64.0
四川	27402	27582	6.8	7.4	662.6	1011.6	194.6	180.6
贵州	2872	2343	1.3	2.2	343.7	343.2	141.3	242.3
云南	8650	8891	1.9	3.6	63.9	74.9	39.6	24.2
西藏	317	317	0.3	0.3				
陕西	14012	13395	13.5	14.5	551.5	581.7	434.0	407.8
甘肃	5194	5082	11.5	12.3	423.0	375.1	273.7	637.1
青海	1238	1093	2.3	2.3	67.3	78.3	12.0	
宁夏	923	927	4.0	12.9	838.8	843.4	426.9	338.3
新疆	2389	3206	12.4	11.3	2179.6	2186.2	1083.2	1011.5
大兴安岭军事管理区	153	5			7.9	6.5	30.0	31.5

7－37 各地区主要林产品产量

单位:吨

地区	生漆		油桐籽		油茶籽	
	2007年	2008年	2007年	2008年	2007年	2008年
全国总计	**12891**	**15526**	**361285**	**370966**	**939096**	**989859**
北京						
天津						
河北	1	6				
山西						
内蒙古						
辽宁						
吉林						
黑龙江						
上海						
江苏					5	
浙江	8	2	68	62	43833	49634
安徽	491	260	2831	1945	31816	34069
福建	149	213	21700	21292	80690	76528
江西	629	562	18778	7848	208332	191377
山东						
河南	1394	1414	48602	66640	16995	17893
湖北	5149	6723	15260	13175	23743	36244
湖南	281	425	37854	38282	347906	401252
广东			5449	5670	29562	30365
广西	77	50	66332	68996	122551	127157
海南						
重庆	872	800	14594	23432	2679	3489
四川	909	841	31352	28277	10272	3358
贵州	1163	1904	67933	62866	14630	12443
云南	441	402	18363	18076	5232	5871
西藏						
陕西	1300	1893	11576	13884	850	179
甘肃	27	31	593	521		
青海						
宁夏						
新疆						

7—37 续表 1

单位:吨

地　　区	乌柏籽		五倍籽		棕　　片	
	2007 年	2008 年	2007 年	2008 年	2007 年	2008 年
全国总计	**26218**	**31861**	**11963**	**13191**	**57276**	**53377**
北　　京						
天　　津						
河　　北						
山　　西						
内 蒙 古						
辽　　宁						
吉　　林						
黑 龙 江						
上　　海						
江　　苏						
浙　　江	80				525	423
安　　徽	274	182	29	22	1423	1268
福　　建	516	417	140	117	12792	12243
江　　西	474	372	122	221	3905	6014
山　　东						
河　　南	8972	10086	2723	3287	10	
湖　　北	7272	9112	1355	1845	1582	1578
湖　　南	1506	1342	1102	1168	10015	8695
广　　东	162	55	1		1556	1449
广　　西	138	153	162	125	2744	2892
海　　南						
重　　庆	2470	6115	1572	1590	1569	629
四　　川	1724	1292	814	621	5201	4747
贵　　州	2189	2318	1426	1320	3283	1948
云　　南	120	90	107	139	9174	8138
西　　藏						
陕　　西	321	327	2299	2662	3486	3332
甘　　肃			111	74	11	21
青　　海						
宁　　夏						
新　　疆						

7—37 续表 2

单位：吨

地　区	松　脂		竹笋干	
	2007 年	2008 年	2007 年	2008 年
全国总计	**965618**	**849205**	**529860**	**421904**
北　京				
天　津				
河　北				
山　西				
内蒙古				
辽　宁				
吉　林				
黑龙江				
上　海			160	214
江　苏			168	3579
浙　江	1773	1415	158441	124383
安　徽	8536	10560	15119	14264
福　建	80310	69083	181948	94794
江　西	80722	48214	18013	7536
山　东				
河　南	2775	2758	381	88
湖　北	11913	13038	7749	8463
湖　南	44919	14192	22886	32855
广　东	156588	125391	27281	24698
广　西	435192	422468	21159	20764
海　南	10507	9950	1745	1033
重　庆	2784	2244	8836	11142
四　川	5678	4968	40434	62826
贵　州	12575	7741	9264	6309
云　南	110504	115849	6203	7876
西　藏				
陕　西	842	1334	3873	1080
甘　肃			6200	
青　海				
宁　夏				
新　疆				

注：竹笋干即为竹笋片。

7—37 续表 3

单位:吨

地区	核桃		板栗		紫胶	
	2007 年	2008 年	2007 年	2008 年	2007 年	2008 年
全国总计	**629986**	**828635**	**1266510**	**1450452**	**3449**	**3741**
北京	10288	13230	16795	27163		
天津	548	546	496	577		
河北	52253	61590	168874	166115		
山西	47200	61414	220	227		
内蒙古						
辽宁	44830	42122	47909	73807		
吉林	2819	6569	770	717		
黑龙江	245	148	30			
上海						
江苏			17372	15050		
浙江	16046	18189	65402	66713		
安徽	12070	13101	86223	119460		
福建	33	11	65439	79414	106	
江西	150	511	20143	28308	12	
山东	32516	39704	221416	240618		
河南	29491	41067	188298	213244	20	
湖北	5588	4170	133749	168066		
湖南	4414	3945	57251	51456	755	7
广东	540		9057	10201	169	67
广西	502	701	61676	57032		
海南						
重庆	3869	8908	5172	7274		
四川	76721	91170	17812	16744	47	48
贵州	12927	14549	16793	15921	25	334
云南	126262	198630	28155	44120	2280	3285
西藏	267					
陕西	45803	84590	34659	44911	35	
甘肃	36446	42554	2799	3314		
青海	3431	195				
宁夏	20	24				
新疆	64707	80997				

7—38 主要牲畜出栏量和畜产品产量及增长情况

指　　标	单　位	1999 年	2000 年	2007 年	2008 年	2008 年为 2007 年百分比(%)
一、牲畜出栏量						
1. 大牲畜出栏						
牛	万头	3766.2	3806.9	4359.5	4446.1	102.0
马	万头	136.1	146.1	151.2	141.6	93.6
驴	万头	194.3	201.7	216.1	215.0	99.5
骡	万头	59.2	65.3	58.0	54.3	93.8
骆驼	万头	6.7	6.7	7.4	8.1	109.1
2. 猪	万头	50749.0	51862.3	56508.3	61016.6	108.0
3. 羊	万只	18820.4	19653.4	25570.7	26172.3	102.4
4. 家禽	亿只	74.3	82.6	95.8	102.2	106.7
5. 兔	万只	22103.0	25878.2	44087.3	41529.9	94.2
二、肉类总产量	万吨	5820.7	6013.9	6865.7	7278.7	106.0
＃猪牛羊肉产量	万吨	4647.4	4743.2	5283.8	5614.0	106.2
猪肉产量	万吨	3890.7	3966.0	4287.8	4620.5	107.8
平均每头产肉量	千克/头	76.7	76.5	75.9	75.7	99.8
牛肉产量	万吨	505.4	513.1	613.4	613.2	100.0
平均每头产肉量	千克/头	134.2	134.8	140.7	137.9	98.0
羊肉产量	万吨	251.3	264.1	382.6	380.3	99.4
平均每只产肉量	千克/只	13.5	13.4	15.0	14.5	97.1
禽肉产量	万吨	1115.5	1191.1	1447.6	1533.6	105.9
兔肉产量	万吨	31.0	37.0	60.2	58.7	97.6
三、其他畜产品产量						
奶类产量	万吨	806.9	919.1	3633.4	3781.5	104.1
＃牛奶产量	万吨	717.6	827.4	3525.2	3555.8	100.8
山羊毛产量	吨	31849	33266	38382	44406	112.9
绵羊毛产量	吨	283152	292502	363470	367687	95.5
＃细羊毛	吨	114103	117386	123920	123838	86.5
半细羊毛	吨	73700	84921	106760	104838	94.3
羊绒产量	吨	10180	11057	18483	17184	93.0
蜂蜜产量	万吨	23.0	24.6	35.4	40.0	113.2
禽蛋产量	万吨	2134.7	2182.0	2529.0	2702.2	106.8
蚕茧产量	吨	484702	547613	946791	909286	95.7
＃桑蚕茧	吨	447261	500640	879454	831173	94.5
柞蚕茧	吨	37234	46782	67239	78113	110.8

注：本年鉴中 2000—2006 年畜牧业数据根据农业普查结果进行了修订。

7—39 各地区主要牲畜出栏量

单位：万头、万只

地 区	当年出栏猪	当年出栏牛	当年出栏羊	当年出栏家禽
全国总计	**61016.6**	**4446.1**	**26172.3**	**1022155.7**
北 京	292.7	11.9	90.0	11983.0
天 津	301.1	21.8	63.9	6028.0
河 北	3230.8	354.1	1946.2	53900.3
山 西	584.7	30.2	366.3	5845.5
内蒙古	833.1	267.8	5183.7	8751.2
辽 宁	2493.0	254.0	676.4	65602.0
吉 林	1271.8	271.3	282.5	37223.2
黑龙江	1344.0	210.7	635.1	16378.0
上 海	258.2		42.6	4458.1
江 苏	2604.3	16.0	649.4	68230.5
浙 江	1889.0	6.9	107.1	27340.2
安 徽	2527.4	117.6	944.8	58794.5
福 建	1840.1	21.3	120.6	19917.7
江 西	2536.9	120.0	75.4	36196.7
山 东	3916.7	458.2	3098.8	152889.1
河 南	4847.9	560.0	2220.0	75000.0
湖 北	3498.3	112.4	461.2	39548.8
湖 南	5153.1	130.0	655.0	34770.0
广 东	3467.8	49.6	44.7	108933.3
广 西	2935.0	133.7	190.9	69701.1
海 南	445.2	24.2	78.3	11259.2
重 庆	1898.7	41.0	149.6	16363.7
四 川	6431.4	249.6	1557.7	53935.1
贵 州	1561.1	84.2	178.5	7492.1
云 南	2701.7	236.2	651.9	16547.1
西 藏	14.6	123.4	520.1	103.5
陕 西	1034.8	53.5	496.5	5625.3
甘 肃	596.1	139.4	959.3	3300.6
青 海	123.6	92.1	542.0	320.8
宁 夏	118.0	47.7	341.9	1184.9
新 疆	265.5	207.3	2842.3	4532.1

7—40 各地区肉类总产量

单位:万吨

地　区	肉类总产量	#猪牛羊肉	猪　肉	牛　肉	羊　肉
全国总计	**7278.7**	**5614.0**	**4620.5**	**613.2**	**380.3**
北　京	45.1	25.9	22.3	2.1	1.5
天　津	37.1	28.6	23.5	3.7	1.4
河　北	421.1	329.1	245.8	56.8	26.5
山　西	63.3	54.7	45.4	4.2	5.1
内蒙古	218.0	192.6	64.7	43.1	84.8
辽　宁	373.3	255.0	210.0	37.7	7.3
吉　林	216.8	148.1	104.6	40.0	3.5
黑龙江	169.5	139.7	96.6	32.6	10.5
上　海	26.5	17.9	17.3		0.5
江　苏	323.6	204.9	194.9	3.0	7.0
浙　江	170.1	129.7	126.9	1.0	1.8
安　徽	343.9	247.9	217.4	17.1	13.4
福　建	169.4	140.4	136.6	2.1	1.6
江　西	260.3	209.8	198.1	10.6	1.2
山　东	660.3	425.2	321.3	70.7	33.2
河　南	584.8	477.7	367.1	84.1	26.5
湖　北	340.0	283.8	260.4	16.1	7.3
湖　南	446.4	395.4	370.2	14.6	10.6
广　东	412.0	260.5	254.0	5.8	0.8
广　西	350.8	233.7	218.4	12.5	2.9
海　南	61.1	40.1	36.9	2.2	1.0
重　庆	177.4	147.6	140.7	5.2	1.8
四　川	591.5	488.9	436.2	28.7	24.0
贵　州	161.5	147.9	134.6	10.2	3.0
云　南	288.3	257.2	219.6	26.1	11.5
西　藏	23.8	23.7	1.2	14.2	8.3
陕　西	99.4	88.4	73.5	7.6	7.4
甘　肃	79.1	73.0	42.9	14.8	15.4
青　海	25.5	24.7	8.7	7.3	8.7
宁　夏	23.6	21.2	8.5	6.8	5.9
新　疆	115.3	100.7	22.3	32.4	46.0

7—41 各地区其他畜产品产量

单位:万吨

地区	奶类		#牛奶		蜂蜜		禽蛋	
	2007年	2008年	2007年	2008年	2007年	2008年	2007年	2008年
全国总计	**3633.4**	**3781.5**	**3525.2**	**3555.8**	**35.4**	**40.0**	**2529.0**	**2702.2**
北京	62.2	66.5	62.2	66.4	0.2	0.3	15.6	15.2
天津	67.2	70.1	67.2	69.8			19.4	19.7
河北	497.7	515.3	489.4	504.5	0.9	1.0	396.4	411.0
山西	83.5	70.0	81.2	68.2	0.3	0.3	47.3	61.6
内蒙古	916.1	921.2	909.8	912.2	0.4	0.5	43.0	45.5
辽宁	108.3	107.3	105.1	101.2	0.3	0.2	204.1	254.2
吉林	48.0	39.7	47.3	39.7	0.8	1.2	86.3	87.1
黑龙江	511.7	512.8	508.4	508.4	1.1	1.2	91.4	93.7
上海	22.0	23.3	22.0	23.3			5.5	6.2
江苏	61.7	61.1	60.2	61.1	0.7	0.9	166.1	172.1
浙江	23.7	22.5	23.7	22.5	9.0	8.5	37.9	41.4
安徽	18.1	18.1	18.1	18.1	1.4	1.5	108.6	112.1
福建	16.7	14.9	16.3	14.5	0.8	0.8	39.7	33.0
江西	11.3	11.2	11.2	11.2	0.9	1.0	36.4	40.0
山东	242.2	254.9	219.0	230.5	0.9	0.9	359.9	365.0
河南	224.6	298.6	215.6	279.1	6.0	10.2	336.7	371.7
湖北	15.5	33.2	15.5	15.5	1.0	0.7	110.3	124.1
湖南	7.7	15.2	7.7	7.7	1.1	1.0	85.6	87.5
广东	13.0	13.3	12.6	13.0	1.4	1.3	29.8	32.4
广西	7.0	7.5	7.0	7.5	0.9	0.8	16.8	17.9
海南	0.1	0.5	0.1	0.2	0.1	0.1	2.2	3.1
重庆	8.7	7.8	8.7	7.8	0.8	1.0	32.3	41.3
四川	65.5	66.6	65.0	66.1	4.2	4.2	145.2	143.0
贵州	4.1	4.3	4.1	4.3	0.2	0.3	10.3	10.8
云南	44.7	97.3	42.3	44.7	0.6	0.6	18.0	19.4
西藏	28.9	52.4	23.0	23.0			0.3	0.3
陕西	180.3	182.3	149.0	149.0	0.4	0.5	43.3	48.2
甘肃	35.2	34.7	34.7	34.7	0.1	0.1	12.4	11.9
青海	26.5	27.2	25.0	25.3	0.1	0.1	1.3	1.4
宁夏	77.5	89.2	77.5	89.2	0.1	0.1	5.7	6.4
新疆	203.8	142.3	196.2	137.4	0.6	0.5	21.3	24.9

7—42 牲畜年末存栏头数及增减情况

指　　标	单位	1999 年	2000 年	2007 年	2008 年	2008 年为 2007 年百分比(%)
一、大牲畜头数	万头	15024.8	14638.1	12309.3	12250.7	99.5
＃役畜	万头	7403.8	7446.2	5052.1	5052.8	100.0
1.牛	万头	12698.3	12353.2	10594.8	10576.0	99.8
＃黄牛	万头	9436.6	9271.4	7880.1		
＃水牛	万头	2258.7	2185.0	1488.8		
＃肉牛	万头				5253.3	
＃奶牛	万头	442.8	469.4	1225.9	1233.5	100.6
2.马	万头	891.4	876.6	702.8	682.1	97.1
3.驴	万头	934.8	922.7	689.1	673.1	97.7
4.骡	万头	467.3	453.0	298.5	295.5	99.0
5.骆驼	万头	33.0	32.6	24.2	24.0	99.2
二、猪	万头	43144.2	41633.6	43989.5	46291.3	105.2
三、羊	万只	27925.8	27948.2	28564.7	28084.9	98.3
山羊	万只	14816.3	14945.6	14336.5	15229.2	106.2
绵羊	万只	13109.5	13002.6	14228.2	12855.7	90.4
四、家禽	亿只	45.5	46.4	50.2	52.8	105.2
五、兔	万只	15789.3	17781.7	22182.1	21835.1	98.4

注：从 2008 年起牛的品种修正为肉牛和奶牛。

7—43 各地区牲畜年末存栏情况

单位:万头

地区	大牲畜	牛	肉牛	奶牛
全国总计	**12250.7**	**10576.0**	**5253.3**	**1233.5**
北京	24.5	23.0	6.1	16.9
天津	27.2	26.0	9.6	15.0
河北	569.7	449.0	131.4	143.2
山西	139.4	93.8	26.6	31.4
内蒙古	895.1	688.0	269.8	245.6
辽宁	492.8	325.1	186.8	29.3
吉林	539.2	460.9	327.0	15.2
黑龙江	558.9	518.9	286.2	140.1
上海	6.1	6.1		6.0
江苏	41.7	34.3	11.8	16.8
浙江	20.7	20.7	2.3	6.5
安徽	145.2	144.5	95.0	6.2
福建	70.8	70.8	26.9	4.7
江西	239.4	239.4	65.0	4.3
山东	547.2	522.5	325.5	81.2
河南	1097.5	1051.0	648.8	57.8
湖北	319.1	317.5	65.5	5.2
湖南	420.8	415.9	54.8	2.5
广东	231.1	230.9	80.8	5.5
广西	463.5	421.8	392.9	5.1
海南	86.7	86.7	59.4	0.2
重庆	107.4	103.6	12.0	1.9
四川	1102.5	987.0	573.0	18.8
贵州	611.5	523.4	135.3	10.7
云南	883.6	706.4	301.8	19.9
西藏	696.1	644.5	483.3	36.1
陕西	194.6	166.0	21.1	40.7
甘肃	583.8	423.6	209.3	12.7
青海	484.2	445.4	392.3	21.8
宁夏	107.0	93.4	39.1	27.1
新疆	543.4	336.0	13.8	204.9

7—43 续表 1　　　　单位：万头

地　区	马	驴	骡
全国总计	**682.1**	**673.1**	**295.5**
北　京	0.2	1.0	0.3
天　津	0.1	0.8	0.3
河　北	22.7	70.7	27.4
山　西	2.3	22.9	20.5
内蒙古	70.0	90.4	37.9
辽　宁	27.7	116.2	23.7
吉　林	47.8	18.0	12.5
黑龙江	28.2	8.1	3.7
上　海			
江　苏	0.7	5.4	1.4
浙　江			
安　徽	0.2	0.3	0.1
福　建			
江　西			
山　东	5.8	15.1	3.8
河　南	15.6	23.4	7.5
湖　北	1.0	0.5	0.2
湖　南	4.4	0.4	0.2
广　东	0.2		
广　西	36.6	0.1	5.0
海　南			
重　庆	2.1	0.2	1.5
四　川	94.9	10.2	10.4
贵　州	84.6	0.1	3.4
云　南	75.3	34.2	67.6
西　藏	41.0	8.8	1.8
陕　西	1.0	20.0	7.6
甘　肃	13.7	101.0	44.0
青　海	21.8	6.4	9.8
宁　夏	0.3	9.8	3.5
新　疆	83.9	109.3	1.5

7—43 续表 2

单位:万头、万只

地　　区	猪	羊	山　　羊	绵　　羊
全国总计	**46291.3**	**28084.9**	**15229.2**	**12855.7**
北　　京	179.82	73.2	20.94	52.26
天　　津	180.3	37.3	4.4	32.9
河　　北	2015.2	1617.0	750.9	866.1
山　　西	452.2	744.0	416.3	327.7
内 蒙 古	644.4	5125.3	1896.3	3228.9
辽　　宁	1584.0	678.7	388.3	290.4
吉　　林	976.5	406.6	130.1	276.5
黑 龙 江	1286.0	849.2	351.6	497.6
上　　海	162.5	23.9	22.6	1.3
江　　苏	1716.2	410.7	402.5	8.2
浙　　江	1161.9	111.4	61.2	50.1
安　　徽	1432.4	560.3	557.5	2.8
福　　建	1324.1	96.6	96.6	
江　　西	1508.7	61.1	61.1	
山　　东	2725.8	2142.9	1861.8	281.1
河　　南	4462.0	2038.0	1866.0	172.0
湖　　北	2462.4	376.2	375.8	0.4
湖　　南	3915.3	503.1	503.1	0.1
广　　东	2380.4	36.3	36.3	
广　　西	2307.0	176.4	176.4	
海　　南	416.3	70.8	70.8	
重　　庆	1566.5	129.5	129.5	
四　　川	5325.8	1720.8	1514.3	206.5
贵　　州	1587.5	231.2	220.5	10.7
云　　南	2669.0	843.3	755.6	87.7
西　　藏	30.6	1677.9	645.5	1032.4
陕　　西	880.7	681.6	576.8	104.8
甘　　肃	564.8	1675.0	340.4	1334.6
青　　海	107.2	1499.4	267.5	1231.9
宁　　夏	89.0	461.7	119.8	341.9
新　　疆	177.0	3025.7	608.8	2416.9

7—44 水产品产量和养殖面积

年 份	水产品总产量（万吨）	内陆水产品（万吨）		海水产品（万吨）		水产品养殖面积（千公顷）	
			＃人工养殖		＃人工养殖	内陆养殖	海水养殖
1952	166.6	60.6	14.0	106.0	6.0		
1957	311.6	117.9	57.0	193.7	12.0	1054.7	60.0
1962	228.3	78.5	31.0	149.8	9.0	1600.0	50.0
1965	298.4	97.0	51.0	201.4	10.0	1979.3	83.3
1970	318.5	90.4	58.0	228.1	18.0	2721.3	83.3
1975	441.2	106.5	75.0	334.7	28.0	3244.0	112.0
1978	465.3	105.9	76.2	359.5	45.0	2722.8	100.6
1979	430.5	111.6	81.3	318.9	41.6	2737.8	116.5
1980	449.7	124.0	90.1	325.7	44.4	2864.1	133.6
1981	460.6	137.3	101.4	323.2	45.8	2880.3	138.5
1982	515.5	156.2	120.7	359.3	49.5	3050.6	162.5
1983	545.8	184.1	142.8	361.7	54.5	3082.6	186.7
1984	619.3	225.0	181.1	394.4	63.9	3259.5	242.6
1985	705.2	285.4	237.8	419.7	71.2	3687.5	277.0
1986	823.6	348.2	294.4	475.4	85.8	3787.9	325.2
1987	955.3	407.2	347.2	548.2	110.1	3859.3	369.3
1988	1060.9	455.2	389.8	605.7	142.4	3894.9	409.5
1989	1151.7	490.5	417.0	661.2	157.6	3812.3	423.1
1990	1237.0	523.7	445.4	713.3	162.4	3829.8	428.9
1991	1350.8	550.7	459.2	800.1	190.5	3827.5	449.3
1992	1557.1	623.5	533.4	933.7	242.4	3975.7	499.1
1993	1823.0	747.0	644.1	1076.0	308.7	4132.6	586.3
1994	2143.2	901.7	785.0	1241.5	345.7	4429.9	653.5
1995	2517.2	1078.0	940.8	1439.1	412.3	4669.4	715.9
1996	3288.1	1275.2	1099.0	2012.9	763.9	4832.3	822.1
1997	3118.6	1230.5	1067.0	1888.1	691.7	4962.9	937.9
1998	3382.7	1338.1	1140.6	2044.5	752.0	5064.2	1004.4
1999	3570.1	1424.9	1226.9	2145.3	851.9	5182.1	1095.0
2000	3706.2	1502.3	1308.9	2203.9	928.0	5264.8	1243.2
2001	3795.9	1562.4	1376.2	2233.5	989.4	5399.4	1286.9
2002	3954.9	1656.4	1461.7	2298.5	1060.5	5509.7	1344.7
2003	4077.0	1744.2	1530.9	2332.8	1095.9	5609.4	1532.2
2004	4246.6	1842.1	1632.5	2404.5	1151.3	5723.3	1623.8
2005	4419.9	1954.0	1733.0	2465.9	1210.8	5863.7	1694.5
2006	4583.6	2074.0	1853.6	2509.6	1264.2	4253.8	1271.7
2007	4747.5	2196.6	1971.0	2550.9	1307.3	4413.6	1331.5
2008	4895.6	2297.3	2072.5	2598.3	1340.3	4971.0	1578.9

注：1997—2006 年全国水产品总产量、海洋、内陆水产品产量、捕捞、养殖水产品产量根据农业普查结果进行了修订，各地区数据以及全国其他细项数据未作修订。

7—45 水产品产量和养殖面积及增减情况

指　标	单位	1990 年	1995 年	2000 年	2007 年	2008 年	2008 年为 2007 年百分比(%)
一、水产品总产量	**吨**	**12370203**	**25171794**	**37062295**	**47475202**	**48955986**	**103.1**
1.按海水、内陆分							
海水产品产量	吨	7132915	14391297	22039081	25508880	25982815	101.9
内陆水产品产量	吨	5237288	10780497	15023215	21966322	22973171	104.6
2.按生产性质分							
捕捞产量	吨	6291908	11641237	14693895	14691896	14827773	100.9
养殖产量	吨	6078295	13530557	22368401	32783306	34128213	104.1
3.按品种分							
鱼类	吨	9280816	17767539	26060480	27997665	28628011	102.3
甲壳类	吨	1165054	2121365	3853954	5010134	4988213	99.6
贝类	吨	1549061	4127896	10849816	11186967	11225559	100.3
藻类	吨	275186	749140	1221988	1388383	1422615	102.5
其他类	吨	100086	405854	798607	1892053	1608279	85.0
二、水产养殖面积	**千公顷**	**4258.7**	**5385.3**	**6508.1**	**5745.1**	**6549.9**	**114.0**
1.海水养殖面积	千公顷	428.9	715.9	1243.2	1331.5	1578.9	118.6
浅海养殖	千公顷		131.8	326.0	566.1	694.7	122.7
滩涂养殖	千公顷		424.6	686.5	531.7	641.4	120.6
陆基养殖	千公顷		159.5	230.8	233.7	242.8	103.9
2.内陆养殖面积	千公顷	3829.8	4669.4	5264.8	4413.6	4971.0	112.6
池塘养殖	千公顷		1857.9	2212.6	1840.6	2144.7	116.5
湖泊养殖	千公顷		824.2	879.1	1040.1	961.3	92.4
河沟养殖	千公顷		347.4	379.8	123.8	202.2	163.3
水库养殖	千公顷		1515.7	1620.0	1299.3	1549.6	119.3
其他养殖	千公顷		124.2	173.3	109.7	113.2	103.1
三、稻田养殖面积	**千公顷**				**1550.3**	**1477.5**	**95.3**

注:2008 年海水养殖面积中的陆基养殖面积为其他养殖面积。

7－46　海水产品和内陆水产品产量

单位：吨

指　　标	1990 年	1995 年	2000 年	2007 年	2008 年	2008 年为 2007 年 百分比(%)
海水产品产量	**7132915**	**14391297**	**22039081**	**25508880**	**25982815**	**101.9**
一、海洋捕捞产量	5508862	10268373	12759487	11360329	11496270	101.2
鱼类		7436501	9902931	7628752	7895926	103.5
甲壳类		1732445	2626967	2057567	1945772	94.6
贝类		823691	1779621	741628	643759	86.8
藻类		10637	20429	32847	36593	111.4
其他类		265099	444576	899535	974220	108.3
二、海水养殖产量	1624053	4122924	9279594	13073400	13403236	102.5
鱼类		144937	426957	688563	747504	108.6
甲壳类		115901	343940	919008	941791	102.5
贝类		3099099	8607050	9938377	10080901	101.4
藻类		738503	1201559	1355536	1386022	102.2
其他类		24484	33359	171916	247018	143.7
内陆水产品产量	**5237288**	**10780497**	**15023215**	**21966322**	**22973171**	**104.6**
一、内陆捕捞产量	783046	1372864	1934408	2256416	2248194	99.6
鱼类		1080666	1703586	1574051	1615339	102.6
甲壳类		137195	254844	347074	329148	94.8
贝类		125496	256281	298518	268267	89.9
其他类		29507	48941	36773	35440	96.4
二、内陆养殖产量	4454242	9407633	13088807	19709906	20724977	105.2
鱼类		9105435	14027006	17510820	18369242	104.9
甲壳类		135824	628203	1673650	1771502	105.8
贝类		79610	206864	206455	232632	112.7
其他类		86764	271731	318981	351601	110.2

7—47 各地区水产品产量

（按来源分）

单位：吨

地区	水产品总产量		捕捞产量		养殖产量	
	2007年	2008年	2007年	2008年	2007年	2008年
全国总计	**47475202**	**48955986**	**14691896**	**14827773**	**32783306**	**34128213**
北京	60339	60761	6130	11211	54209	49550
天津	311537	322500	39132	33204	272405	289296
河北	906437	966400	327509	334424	578928	631976
山西	29575	30700	1201	890	28374	29810
内蒙古	93565	98212	29429	27929	64136	70283
辽宁	3612708	3776505	1206814	1177734	2405894	2598771
吉林	151610	155000	20521	20130	131089	134870
黑龙江	342506	355800	38737	41795	303769	314005
上海	320000	323400	160170	180986	159830	142414
江苏	4089904	4250005	895127	899974	3194777	3350031
浙江	4151340	4187900	2601047	2626178	1550293	1561722
安徽	1664533	1722849	311745	310113	1352788	1412736
福建	5319950	5420000	1999197	2059071	3320753	3360929
江西	1806557	1903862	222627	241354	1583930	1662508
山东	7127665	7303005	2559834	2610856	4567831	4692149
河南	456794	505760	26548	29610	430246	476150
湖北	2980434	3133937	363925	302637	2616509	2831300
湖南	1700888	1785899	154493	159525	1546395	1626374
广东	6643357	6804121	1619887	1663205	5023470	5140916
广西	2460560	2499838	770853	770390	1689707	1729448
海南	1322724	1394000	925184	958663	397540	435337
重庆	185260	190600	9834	9862	175426	180738
四川	910526	952046	62209	58122	848317	893924
贵州	76798	78000	11275	11391	65523	66609
云南	236587	254629	21228	23697	215359	230932
西藏	528	500	441	404	87	96
陕西	50323	52200	3642	4064	46681	48136
甘肃	11449	11770	741	759	10708	11011
青海	1524	1450	53	30	1471	1420
宁夏	70439	75137	153	182	70286	74955
新疆	87746	91200	11171	11383	76575	79817
中农发集团	291039	248000	291039	248000		

注：2007年以前中农发集团即中水总公司。

7—48 各地区水产品产量

（按类别分）

单位：吨

地　　区	水产品总产量	鱼　类	甲壳类	贝　类	藻　类	其他类
全国总计	**48955986**	**28628011**	**4988213**	**11225559**	**1422615**	**1608279**
北　京	60761	52961	338			312
天　津	322500	247721	59791	5752		3519
河　北	966400	550168	105326	281928		28978
山　西	30700	30528	91			81
内 蒙 古	98212	95968	1287			957
辽　宁	3776505	1147333	270130	1695834	246541	304531
吉　林	155000	154108	696	196		
黑 龙 江	355800	350628	4784	367		21
上　海	323400	93666	70980	218		1387
江　苏	4250005	2570399	855922	695642	26303	89958
浙　江	4187900	2201512	802766	713262	34909	233451
安　徽	1722849	1354939	246607	87629		33674
福　建	5420000	2097548	381885	2146583	512634	132350
江　西	1903862	1693686	102017	68921		39238
山　东	7303005	2819691	539058	3007071	510548	328637
河　南	505760	484276	16783	1667		3034
湖　北	3133937	2764565	313330	32311		23731
湖　南	1785899	1700349	30541	33171		21838
广　东	6804121	3977117	759440	1732123	60056	191715
广　西	2499838	1445693	276821	678203		90415
海　南	1394000	1117987	135970	38093	31624	70326
重　庆	190600	188866	758	560		416
四　川	952046	931883	5923	5288		8952
贵　州	78000	76118	1499	350		33
云　南	254629	249989	4173	281		186
西　藏	500	434				66
陕　西	52200	52072	82			46
甘　肃	11770	11743	24			3
青　海	1450	1381	39			30
宁　夏	75137	74620	517			
新　疆	91200	90062	635	109		394
中农发集团	248000					

7—49 各地区海水产品产量

（按来源分）

单位：吨

地 区	海水产品产量		海洋捕捞产量		海水养殖产量	
	2007年	2008年	2007年	2008年	2007年	2008年
全国总计	**25508880**	**25982815**	**12435480**	**12579579**	**13073400**	**13403236**
北 京	6130	7150	6130	7150		
天 津	44400	38576	30185	24494	14215	14082
河 北	524303	549250	253195	253300	271108	295950
山 西						
内蒙古						
辽 宁	3021559	3161333	1166194	1140353	1855365	2020980
吉 林						
黑龙江						
上 海	155621	177204	155586	177204	35	
江 苏	1199155	1252503	573519	578089	625636	674414
浙 江	3376194	3376004	2514920	2545219	861274	830785
安 徽						
福 建	4664713	4760549	1920960	1982728	2743753	2777821
江 西						
山 东	5980743	6094723	2445466	2481213	3535277	3613510
河 南						
湖 北						
湖 南						
广 东	3731201	3768083	1501581	1538310	2229620	2229773
广 西	1433236	1440596	669591	664730	763645	775866
海 南	1080586	1108844	907114	938789	173472	170055
重 庆						
四 川						
贵 州						
云 南						
西 藏						
陕 西						
甘 肃						
青 海						
宁 夏						
新 疆						
水产总公司	291039	248000	291039	248000		

注：此表海洋捕捞包括远洋捕捞水产品产量。

7—50 各地区海水产品产量

（按类别分）

单位：吨

地 区	海水产品产量	鱼类	甲壳类	贝类	藻类	其他类
全国总计	**24899506**	**8643430**	**2887563**	**10724660**	**1422615**	**1221238**
北 京						
天 津	32859	10778	14937	4522		2622
河 北	549250	164631	80317	278828		25474
山 西						
内 蒙 古						
辽 宁	3049197	575802	232800	1695669	246541	298385
吉 林						
黑 龙 江						
上 海	20055	8706	10476			873
江 苏	1240722	389579	164453	603496	26303	56891
浙 江	3174004	1670078	672097	677633	34909	119287
安 徽						
福 建	4611549	1539873	341038	2099797	512634	118207
江 西						
山 东	5996723	1693800	465710	3001494	510548	325171
河 南						
湖 北						
湖 南						
广 东	3684413	1317264	507315	1665528	60056	134250
广 西	1431890	427543	264390	661435		78522
海 南	1108844	845376	134030	36258	31624	61556
重 庆						
四 川						
贵 州						
云 南						
西 藏						
陕 西						
甘 肃						
青 海						
宁 夏						
新 疆						
水产总公司						

注：此表海洋捕捞未包括远洋捕捞水产品产量。

7—51 各地区内陆水产品产量

（按来源分）

单位:吨

地　　区	内陆水产品产量		内陆捕捞产量		内陆养殖产量	
	2007 年	2008 年	2007 年	2008 年	2007 年	2008 年
全国总计	**21966322**	**22973171**	**2256416**	**2248194**	**19709906**	**20724977**
北　京	54209	53611		4061	54209	49550
天　津	267137	283924	8947	8710	258190	275214
河　北	382134	417150	74314	81124	307820	336026
山　西	29575	30700	1201	890	28374	29810
内蒙古	93565	98212	29429	27929	64136	70283
辽　宁	591149	615172	40620	37381	550529	577791
吉　林	151610	155000	20521	20130	131089	134870
黑龙江	342506	355800	38737	41795	303769	314005
上　海	164379	146196	4584	3782	159795	142414
江　苏	2890749	2997502	321608	321885	2569141	2675617
浙　江	775146	811896	86127	80959	689019	730937
安　徽	1664533	1722849	311745	310113	1352788	1412736
福　建	655237	659451	78237	76343	577000	583108
江　西	1806557	1903862	222627	241354	1583930	1662508
山　东	1146922	1208282	114368	129643	1032554	1078639
河　南	456794	505760	26548	29610	430246	476150
湖　北	2980434	3133937	363925	302637	2616509	2831300
湖　南	1700888	1785899	154493	159525	1546395	1626374
广　东	2912156	3036038	118306	124895	2793850	2911143
广　西	1027324	1059242	101262	105660	926062	953582
海　南	242138	285156	18070	19874	224068	265282
重　庆	185260	190600	9834	9862	175426	180738
四　川	910526	952046	62209	58122	848317	893924
贵　州	76798	78000	11275	11391	65523	66609
云　南	236587	254629	21228	23697	215359	230932
西　藏	528	500	441	404	87	96
陕　西	50323	52200	3642	4064	46681	48136
甘　肃	11449	11770	741	759	10708	11011
青　海	1524	1450	53	30	1471	1420
宁　夏	70439	75137	153	182	70286	74955
新　疆	87746	91200	11171	11383	76575	79817

7—52 各地区内陆水产品产量

（按类别分）

单位：吨

地区	内陆水产品产量	鱼类	甲壳类	贝类	其他类
全国总计	**22973171**	**19984581**	**2100650**	**500899**	**387041**
北京	53611	52961	338		312
天津	283924	236943	44854	1230	897
河北	417150	385537	25009	3100	3504
山西	30700	30528	91		81
内蒙古	98212	95968	1287		957
辽宁	615172	571531	37330	165	6146
吉林	155000	154108	696	196	
黑龙江	355800	350628	4784	367	21
上海	146196	84960	60504	218	514
江苏	2997502	2180820	691469	92146	33067
浙江	811896	531434	130669	35629	114164
安徽	1722849	1354939	246607	87629	33674
福建	659451	557675	40847	46786	14143
江西	1903862	1693686	102017	68921	39238
山东	1208282	1125891	73348	5577	3466
河南	505760	484276	16783	1667	3034
湖北	3133937	2764565	313330	32311	23731
湖南	1785899	1700349	30541	33171	21838
广东	3036038	2659853	252125	66595	57465
广西	1059242	1018150	12431	16768	11893
海南	285156	272611	1940	1835	8770
重庆	190600	188866	758	560	416
四川	952046	931883	5923	5288	8952
贵州	78000	76118	1499	350	33
云南	254629	249989	4173	281	186
西藏	500	434			66
陕西	52200	52072	82		46
甘肃	11770	11743	24		3
青海	1450	1381	39		30
宁夏	75137	74620	517		
新疆	91200	90062	635	109	394

7—53 各地区水产养殖面积

单位:千公顷

地 区	水产品养殖面积		内陆养殖面积		海水养殖面积	
	2007 年	2008 年	2007 年	2008 年	2007 年	2008 年
全国总计	**5745.1**	**6549.9**	**4413.6**	**4971.0**	**1331.5**	**1578.9**
北 京	5.2	4.8	5.2	4.8		
天 津	36.8	40.8	29.9	36.4	6.8	4.4
河 北	120.1	182.1	27.1	72.4	93.0	109.8
山 西	8.3	14.3	8.3	14.3		
内 蒙 古	94.2	100.2	94.2	100.2		
辽 宁	407.9	566.0	113.1	154.4	294.8	411.6
吉 林	226.2	226.2	226.2	226.2		
黑 龙 江	244.9	264.1	244.9	264.1		
上 海	30.2	29.2	30.3	29.2		
江 苏	691.5	703.5	543.4	543.4	148.2	160.1
浙 江	190.2	308.2	133.4	212.0	56.8	96.1
安 徽	435.5	475.2	435.5	475.2		
福 建	193.8	207.0	83.7	86.3	110.1	120.7
江 西	368.4	365.9	368.4	365.9		
山 东	590.0	662.3	183.8	236.1	406.2	426.2
河 南	90.1	146.6	90.1	146.6		
湖 北	550.0	583.4	550.0	583.4		
湖 南	350.5	361.7	350.5	361.7		
广 东	489.1	544.3	329.8	354.5	159.3	189.7
广 西	202.5	209.4	155.3	162.0	47.3	47.4
海 南	27.5	42.1	18.3	29.1	9.1	13.0
重 庆	37.1	49.4	37.1	49.4		
四 川	160.0	169.4	160.0	169.4		
贵 州	8.5	24.9	8.5	24.9		
云 南	36.3	37.1	36.3	37.1		
西 藏		0.1		0.1		
陕 西	6.8	113.3	6.8	113.3		
甘 肃	12.2	12.4	12.2	12.4		
青 海	4.3	4.3	4.3	4.3		
宁 夏	17.1	28.2	17.1	28.2		
新 疆	109.7	73.9	109.7	73.9		

7－53 续表　　单位：千公顷

地　　区	海水养殖			内陆养殖				
	浅海养殖	滩涂养殖	其他养殖	池塘养殖	湖泊养殖	河沟养殖	水库养殖	其他养殖
全国总计	**694.7**	**641.4**	**242.8**	**2144.7**	**961.3**	**202.2**	**1549.6**	**113.2**
北　　京				4.4	0.1		0.2	0.1
天　　津			4.4	29.8	2.0	0.5	4.1	
河　　北	52.6	38.2	18.9	28.5	5.0	1.1	36.9	0.8
山　　西				1.7	2.2	0.1	10.2	0.2
内 蒙 古				14.7	43.9	2.7	38.9	
辽　　宁	262.1	105.1	44.4	41.0		1.4	88.2	23.9
吉　　林				25.8	55.3		122.1	23.0
黑 龙 江				63.8	97.9	15.6	79.3	7.6
上　　海				23.0	0.3	4.8		1.1
江　　苏	15.9	125.8	18.3	346.5	123.9	27.6	33.6	11.8
浙　　江	16.3	45.8	34.0	69.1	6.5	39.3	92.5	4.7
安　　徽				151.1	208.5	34.6	73.0	8.0
福　　建	51.5	48.1	21.1	31.8	1.0	5.1	45.9	2.5
江　　西				129.1	81.9	14.1	137.0	3.7
山　　东	222.1	178.2	25.9	107.0	13.6	5.1	107.8	2.6
河　　南				68.6	2.3	4.8	70.9	…
湖　　北				284.0	191.6	5.7	93.5	8.5
湖　　南				170.0	85.7	0.7	104.2	1.1
广　　东	59.1	71.2	59.4	264.2	2.5	2.2	75.7	10.0
广　　西	12.4	20.8	14.1	74.6	…	5.2	80.6	1.6
海　　南	2.6	8.0	2.4	15.8	0.2	…	12.9	0.2
重　　庆				26.9	5.2	0.5	16.2	0.5
四　　川				93.6	4.1	12.2	59.5	
贵　　州				2.7	0.1	0.7	21.1	0.3
云　　南				14.5	0.3	0.2	22.1	…
西　　藏				0.1				
陕　　西				40.2	2.8	3.2	66.1	0.9
甘　　肃				0.8		6.3	5.3	0.1
青　　海				0.1	3.4		0.8	
宁　　夏				11.1	15.9	0.1	1.0	
新　　疆				10.0	5.1	8.5	50.3	…

8

农村市场与物价

8—1 农村主要物价总指数

(上年=100)

年份	农村居民消费价格指数	农业生产资料价格指数	农产品生产价格总指数
1952			101.7
1957			105.0
1962			99.4
1965			99.2
1970			100.1
1975			102.1
1978		99.9	103.9
1979		100.4	122.1
1980		101.0	107.1
1981		101.7	105.9
1982		101.9	102.2
1983		103.0	104.4
1984		108.9	104.0
1985	107.6	104.8	108.6
1986	106.1	101.1	106.4
1987	106.2	107.0	112.0
1988	117.5	116.2	123.0
1989	119.3	118.9	115.0
1990	104.5	105.5	97.4
1991	102.3	102.9	98.0
1992	104.7	103.7	103.4
1993	113.7	114.1	113.4
1994	123.4	121.6	139.9
1995	117.5	127.4	119.9
1996	107.9	108.4	104.2
1997	102.5	99.5	95.5
1998	99.0	94.5	92.0
1999	98.5	95.8	87.8
2000	99.9	99.1	96.4
2001	100.8	99.1	103.1
2002	99.6	100.5	99.7
2003	101.6	101.4	104.4
2004	104.8	110.6	113.1
2005	102.2	108.3	101.4
2006	101.5	101.5	101.2
2007	105.4	107.7	118.5
2008	106.5	120.3	114.1

注:农产品生产价格总指数2000年以前为农副产品收购价格指数。

8—2 各地区农村商品零售价格分类指数

（上年价格=100）

地　区	总指数	一、食品	1.粮食	2.淀粉	3.干豆类及豆制品	4.油脂
全国平均	**106.7**	**114.0**	**107.1**	**110.0**	**132.1**	**125.5**
北　京						
天　津						
河　北	107.9	115.7	107.4	114.5	134.5	129.0
山　西	107.2	115.6	107.9	105.7	131.0	129.4
内蒙古	106.1	114.2	108.6	116.6	127.5	134.7
辽　宁	105.9	111.7	105.9	116.3	132.0	130.0
吉　林	106.4	112.0	102.5	110.4	131.3	118.3
黑龙江	108.2	115.0	106.7	112.2	130.7	131.3
上　海						
江　苏	105.1	112.6	104.3	105.7	133.1	125.0
浙　江	106.1	113.3	105.5	106.0	146.0	123.7
安　徽	106.7	114.3	105.0	99.7	127.9	124.8
福　建	106.1	112.4	103.8	107.3	129.6	119.7
江　西	106.4	111.6	109.9	109.9	128.0	123.1
山　东	105.8	112.7	104.8	111.9	130.3	125.4
河　南	107.5	115.7	106.9	109.2	136.8	128.1
湖　北	107.6	116.8	108.4	112.3	133.5	128.2
湖　南	108.7	115.9	112.6	101.4	136.7	136.8
广　东	106.2	112.8	107.4	112.7	123.1	120.2
广　西	108.3	121.0	110.8	111.2	140.5	125.7
海　南	108.3	115.8	111.0	111.2	126.8	122.3
重　庆						
四　川	105.4	110.9	106.1	100.5	117.6	117.3
贵　州	108.4	117.9	110.1	117.8	135.8	122.6
云　南	107.0	115.7	109.0	106.2	129.8	128.0
西　藏	103.5	110.1	104.4	103.9	118.5	121.7
陕　西	107.1	113.9	107.0	114.4	133.5	124.7
甘　肃	108.4	116.1	108.2	122.7	124.8	145.1
青　海	111.3	118.9	109.6	107.6	142.9	131.5
宁　夏	112.5	119.4	111.2	118.7	137.3	136.5
新　疆	108.8	118.2	113.7	108.0	133.5	130.5

8—2续表1

地 区	5.肉禽及其制品	6.蛋	7.水产品	8.菜	9.调味品	10.糖
全国平均	**119.9**	**104.4**	**115.9**	**111.1**	**104.5**	**102.5**
北 京						
天 津						
河 北	121.9	106.7	120.4	110.9	104.1	104.1
山 西	124.4	100.3	119.3	111.1	108.4	103.2
内蒙古	121.5	101.6	115.3	108.6	102.4	99.9
辽 宁	120.7	103.6	107.4	100.3	104.5	104.4
吉 林	122.1	114.2	115.6	103.0	105.0	103.6
黑龙江	122.8	101.1	111.8	108.0	106.2	104.8
上 海						
江 苏	120.3	102.1	116.3	114.9	103.4	101.6
浙 江	117.5	105.2	113.9	115.0	102.8	103.4
安 徽	121.4	105.8	117.1	115.9	101.4	102.8
福 建	118.3	105.1	111.3	112.7	102.4	100.0
江 西	118.0	104.2	114.8	104.3	102.2	98.4
山 东	121.2	105.6	115.5	107.3	102.4	100.2
河 南	124.3	104.7	120.5	110.0	106.6	101.2
湖 北	122.3	104.2	125.2	108.4	105.4	105.4
湖 南	118.7	98.9	123.9	126.8	105.5	103.6
广 东	117.0	104.5	115.2	115.3	103.2	103.5
广 西	121.1	111.7	120.9	139.6	106.4	107.0
海 南	119.2	108.9	118.4	113.3	105.0	107.3
重 庆						
四 川	114.3	105.3	112.6	106.1	102.1	101.6
贵 州	123.2	99.5	115.0	108.3	109.9	101.5
云 南	124.1	103.9	112.1	108.0	113.2	105.1
西 藏	120.4	106.1	109.9	105.5	98.0	105.2
陕 西	123.6	103.2	116.1	107.2	102.2	98.3
甘 肃	127.1	99.8	118.5	104.8	109.7	122.2
青 海	125.4	101.9	119.1	124.3	102.3	100.5
宁 夏	130.0	98.3	118.0	110.3	107.4	102.0
新 疆	133.9	104.9	120.5	107.0	111.6	99.1

8—2 续表 2

地　　区	11. 干鲜瓜果	12. 糕点饼干面包	13. 液体乳及乳制品	14. 在外用膳食品	15. 其他食品	二、饮料、烟酒
全国平均	**111.1**	**108.0**	**112.7**	**111.7**	**107.2**	**102.8**
北　京						
天　津						
河　北	110.7	108.4	118.4	117.8	106.5	103.9
山　西	113.3	108.2	123.4	115.0	111.1	101.2
内蒙古	117.4	108.1	114.8	107.6	103.9	101.6
辽　宁	106.6	112.3	113.8	110.1	107.7	103.0
吉　林	113.4	105.6	110.9	111.3	102.0	104.8
黑龙江	116.5	111.3	124.8	113.8	111.9	104.0
上　海						
江　苏	108.1	107.9	114.1	108.9	108.0	101.6
浙　江	108.3	107.4	111.0	109.7	108.6	103.3
安　徽	108.5	107.6	111.8	110.6	101.1	102.5
福　建	107.3	110.3	115.7	109.9	105.1	102.4
江　西	105.4	103.3	109.6	106.0	104.6	103.5
山　东	106.8	107.2	111.9	111.4	106.1	104.5
河　南	116.1	107.4	113.7	112.0	104.9	102.9
湖　北	114.2	110.3	112.0	116.2	108.8	103.8
湖　南	113.0	110.2	105.6	106.2	104.9	100.2
广　东	111.6	104.4	107.7	107.2	110.6	102.2
广　西	116.8	116.8	117.4	114.6	113.8	104.3
海　南	118.4	110.1	126.9	107.7	107.0	102.7
重　庆						
四　川	112.1	106.1	107.6	110.5	106.0	102.4
贵　州	117.5	116.0	109.2	121.9	107.9	102.3
云　南	110.1	110.9	110.9	118.8	110.0	103.1
西　藏	106.7	101.3	110.6	107.3	101.2	102.8
陕　西	109.8	106.8	115.3	113.7	112.0	102.3
甘　肃	110.3	107.9	111.4	116.1	107.9	104.2
青　海	119.7	115.7	122.4	117.2	105.4	105.4
宁　夏	110.3	117.7	122.1	121.8	115.6	103.6
新　疆	110.8	108.9	115.2	120.6	102.3	101.1

8—2 续表 3

地 区	1. 茶及饮料	2. 烟草	3. 酒	三、服装、鞋帽	1. 服装	2. 鞋袜帽
全国平均	**102.9**	**100.5**	**105.8**	**99.2**	**99.0**	**99.6**
北 京						
天 津						
河 北	103.3	100.9	107.4	101.1	100.6	102.5
山 西	102.7	100.4	103.5	101.1	101.2	101.0
内 蒙 古	103.0	100.3	102.4	100.6	100.5	100.7
辽 宁	102.4	99.7	107.5	96.2	95.1	97.9
吉 林	103.7	101.7	108.2	99.7	101.5	96.6
黑 龙 江	101.6	100.2	107.8	103.9	102.1	107.0
上 海						
江 苏	100.3	100.0	106.6	97.8	97.7	98.2
浙 江	105.2	100.3	106.7	97.7	97.9	97.6
安 徽	102.4	100.0	106.5	101.0	99.7	104.3
福 建	100.7	100.2	106.0	96.6	97.2	93.7
江 西	101.1	103.0	105.0	97.9	97.4	98.5
山 东	106.1	100.7	107.0	95.3	95.1	95.1
河 南	104.2	100.2	105.1	101.5	101.3	102.4
湖 北	105.4	102.5	104.3	97.3	96.1	99.8
湖 南	102.6	100.1	99.7	97.2	97.0	97.6
广 东	102.0	101.7	103.0	99.8	99.7	100.5
广 西	105.3	99.1	109.5	96.9	97.4	95.8
海 南	107.3	96.3	107.2	102.2	102.6	101.9
重 庆						
四 川	101.8	100.3	105.7	99.4	99.7	98.9
贵 州	101.0	99.3	109.5	101.5	103.1	99.8
云 南	103.1	101.2	106.0	97.5	96.5	99.5
西 藏	101.8	101.7	104.9	102.9	102.5	104.1
陕 西	101.8	100.3	105.9	100.4	99.8	101.7
甘 肃	106.2	102.9	104.7	103.5	102.9	105.3
青 海	113.2	102.0	106.0	99.6	98.8	101.4
宁 夏	105.0	101.9	105.4	103.7	103.7	105.4
新 疆	101.4	97.5	104.6	100.6	101.0	99.8

8—2 续表 4

地　　区	3. 其他	四、纺织品	1. 衣着材料	2. 床上用品	五、家用电器及音像器材	1. 家庭设备
全国平均	**98.1**	**100.8**	**102.2**	**99.7**	**98.3**	**100.8**
北　　京						
天　　津						
河　　北	97.1	102.5	104.2	101.1	97.1	100.0
山　　西	100.3	100.4	101.0	99.7	98.8	100.5
内 蒙 古	100.6	101.5	101.4	101.6	97.6	100.3
辽　　宁	97.0	98.4	100.3	96.3	98.7	100.8
吉　　林	100.0	100.7	100.7	100.6	97.4	101.5
黑 龙 江	100.0	100.1	100.2	100.0	100.0	101.5
上　　海						
江　　苏	99.0	102.4	105.9	99.1	98.7	100.6
浙　　江	94.3	102.4	101.7	103.1	96.9	100.7
安　　徽	99.1	102.9	105.8	99.9	99.0	100.9
福　　建	101.1	100.9	101.9	100.4	98.4	99.8
江　　西	99.7	101.8	103.7	100.2	98.3	99.5
山　　东	97.8	98.9	101.2	96.0	98.8	100.2
河　　南	96.5	101.9	102.9	100.7	99.4	101.9
湖　　北	98.3	99.0	101.4	97.8	99.7	101.4
湖　　南	98.9	100.1	100.5	99.9	95.5	99.8
广　　东	98.7	102.7	105.7	101.4	99.9	102.6
广　　西	96.5	110.7	101.7	116.6	91.0	98.2
海　　南	99.7	104.3	104.8	104.1	99.4	101.7
重　　庆						
四　　川	99.1	100.0	100.7	99.6	99.1	100.0
贵　　州	96.3	99.8	100.0	99.7	96.4	102.7
云　　南	96.5	100.6	101.1	100.2	96.2	97.7
西　　藏	100.7	102.3	105.5	100.0	95.9	97.6
陕　　西	99.5	102.9	105.3	100.2	97.4	100.7
甘　　肃	100.2	100.6	101.0	100.1	98.6	98.6
青　　海	100.0	100.0	99.9	100.0	97.8	100.7
宁　　夏	84.8	102.6	104.8	100.9	98.1	102.6
新　　疆	99.6	101.1	101.4	100.7	100.0	100.9

8—2 续表 5

地 区	2. 文娱用耐用消费品	3. 音像器材	六、文化办公用品	七、日用品	1. 日用百货	2. 日用杂品
全国平均	**95.1**	**98.9**	**99.2**	**103.9**	**103.9**	**102.3**
北 京						
天 津						
河 北	93.8	98.2	100.0	104.7	103.7	103.7
山 西	96.8	95.4	98.7	104.2	102.6	104.7
内 蒙 古	93.8	100.0	99.3	103.3	104.5	101.4
辽 宁	96.2	100.0	100.7	104.1	102.3	106.1
吉 林	92.3	98.4	97.5	104.4	105.8	100.4
黑 龙 江	98.1	100.0	98.6	105.2	103.3	101.4
上 海						
江 苏	94.5	95.7	94.9	103.7	103.7	102.7
浙 江	91.2	99.9	98.3	104.5	103.7	102.4
安 徽	96.4	98.9	98.9	101.8	102.5	100.2
福 建	96.2	99.7	97.9	103.6	104.8	102.5
江 西	97.1	100.0	99.4	104.3	102.6	101.6
山 东	97.1	100.7	100.2	104.0	103.9	102.6
河 南	95.4	99.9	102.9	106.1	106.9	104.1
湖 北	96.8	99.2	99.0	103.1	102.7	101.5
湖 南	93.4	98.5	102.2	103.1	102.3	102.9
广 东	97.2	99.1	98.8	102.9	103.6	100.9
广 西	81.2	99.9	95.0	107.6	104.6	105.8
海 南	96.6	96.5	99.0	104.2	104.9	103.1
重 庆						
四 川	98.1	99.1	100.4	102.2	101.8	100.5
贵 州	93.9	90.2	101.2	107.3	102.7	108.6
云 南	93.7	99.7	98.5	102.4	102.5	101.2
西 藏	95.6	85.8	95.7	99.0	97.3	99.5
陕 西	93.3	111.8	100.3	107.4	108.1	104.3
甘 肃	97.6	104.0	100.9	104.6	106.8	101.8
青 海	94.7	100.0	104.1	104.6	105.8	103.6
宁 夏	93.9	95.3	97.7	108.5	112.4	102.2
新 疆	98.9	99.8	100.5	102.9	104.0	101.9

8—2 续表 6

地　　区	3.洗涤用品	4.其他日用品	八、体育娱乐用品	1.体育用品	2.娱乐用品	九、交通、通信用品
全国平均	**107.3**	**101.0**	**100.1**	**101.1**	**99.2**	**94.8**
北　京						
天　津						
河　北	107.8	103.5	101.6	103.2	99.8	95.7
山　西	109.1	100.0	99.5	101.0	98.5	95.2
内蒙古	105.7	101.2	99.5	99.7	99.3	94.9
辽　宁	106.9	99.6	99.5	101.2	97.9	95.9
吉　林	108.0	101.9	99.9	100.0	99.7	94.0
黑龙江	112.5	100.3	99.9	100.0	99.8	97.6
上　海						
江　苏	106.4	100.5	99.2	100.2	98.8	93.7
浙　江	107.9	102.8	100.6	101.1	100.2	94.8
安　徽	102.6	100.8	100.6	100.8	100.4	96.8
福　建	104.8	100.8	99.5	100.4	98.8	95.9
江　西	110.9	100.4	100.0	102.3	98.6	93.7
山　东	107.5	101.0	99.8	100.8	98.6	95.8
河　南	109.0	101.4	100.5	101.3	99.1	91.5
湖　北	107.5	99.8	99.9	100.2	99.6	95.5
湖　南	109.1	99.9	103.0	104.2	101.8	94.5
广　东	106.4	100.7	100.0	100.6	99.5	93.4
广　西	115.5	102.9	95.1	98.1	92.1	92.7
海　南	104.4	104.3	102.8	106.8	97.1	94.8
重　庆						
四　川	104.8	100.2	100.0	100.4	100.0	97.2
贵　州	115.3	101.4	99.5	99.5	99.4	98.7
云　南	104.5	99.5	99.9	101.9	97.5	92.0
西　藏	98.7	101.8	96.5	98.1	94.2	98.1
陕　西	113.8	101.3	99.3	99.9	98.8	93.0
甘　肃	106.8	100.8	100.8	101.5	100.1	98.5
青　海	107.6	100.3	100.3	100.2	100.3	94.9
宁　夏	104.7	110.7	96.8	102.1	90.7	94.0
新　疆	105.1	100.6	100.5	100.1	100.8	97.5

8—2 续表 7

地　　区	1、交通运输机械	2. 通讯器材	十、家具	十一、化妆品	十二、金银珠宝	十三、中西药品及医疗保健用品
全国平均	**99.7**	**87.9**	**102.7**	**100.7**	**118.1**	**103.2**
北　　京						
天　　津						
河　　北	100.0	89.3	101.6	101.4	114.7	103.5
山　　西	99.6	86.2	105.0	99.5	117.0	102.6
内 蒙 古	99.7	90.2	99.5	100.4	119.1	102.9
辽　　宁	101.2	87.4	100.4	98.9	119.1	103.1
吉　　林	103.5	83.8	99.7	99.3	124.3	103.3
黑 龙 江	100.8	95.5	101.0	100.1	121.6	101.7
上　　海						
江　　苏	96.6	84.1	100.6	100.5	117.8	101.3
浙　　江	98.8	80.7	102.7	100.8	117.8	105.3
安　　徽	100.1	90.0	103.6	101.2	122.4	101.2
福　　建	101.0	87.8	104.0	100.5	117.8	102.0
江　　西	101.6	85.8	101.4	101.6	119.9	103.8
山　　东	101.4	89.3	105.7	101.8	126.4	102.4
河　　南	100.7	84.9	100.2	100.9	119.9	104.2
湖　　北	100.2	91.7	100.8	99.6	120.7	103.9
湖　　南	99.6	89.7	97.5	100.5	121.9	102.2
广　　东	100.2	86.3	105.8	101.9	109.6	102.3
广　　西	98.0	83.1	101.6	99.9	118.7	104.3
海　　南	100.9	84.2	105.9	100.8	115.5	103.0
重　　庆						
四　　川	100.1	93.3	100.4	99.7	112.3	102.6
贵　　州	99.3	96.5	101.8	98.1	105.3	104.1
云　　南	96.8	86.9	99.7	101.1	125.4	104.5
西　　藏	97.6	98.4	102.3	97.5	110.1	99.6
陕　　西	101.3	85.4	103.7	101.5	117.5	104.5
甘　　肃	99.6	97.7	104.4	102.6	125.2	104.1
青　　海	103.6	86.8	103.0	97.6	124.6	105.2
宁　　夏	102.9	84.7	103.1	100.5	126.1	100.3
新　　疆	101.8	92.7	101.6	98.7	108.0	102.5

8—2 续表 8

地　　区	1. 医疗器具及用品	2. 中药材及中成药	3. 西药	4. 保健器具及用品	十四、书报杂志及电子出版物	1. 教材及参考书	2. 书报杂志
全国平均	**99.0**	**107.8**	**100.9**	**101.1**	**100.6**	**100.0**	**101.8**
北　　京							
天　　津							
河　　北	102.4	107.1	101.9	101.3	99.9	99.4	101.1
山　　西	101.9	107.2	100.6	99.3	99.2	97.5	100.6
内 蒙 古	99.4	108.9	99.0	100.4	99.9	99.6	100.0
辽　　宁	102.7	106.1	101.8	100.6	100.8	100.3	102.5
吉　　林	100.6	105.4	103.1	98.6	99.8	98.7	100.0
黑 龙 江	96.9	102.7	102.3	99.5	96.5	92.5	100.0
上　　海							
江　　苏	99.2	105.3	100.5	100.4	105.0	99.3	107.2
浙　　江	100.4	110.3	102.5	105.7	100.4	100.7	100.1
安　　徽	94.0	103.4	100.5	100.3	99.7	100.1	100.1
福　　建	98.0	105.1	100.9	99.8	103.6	107.5	102.1
江　　西	102.0	108.3	101.4	101.1	99.1	98.0	100.5
山　　东	97.6	109.6	99.0	100.3	100.3	99.9	101.7
河　　南	102.9	110.0	100.9	100.8	102.0	103.0	101.4
湖　　北	98.2	108.9	101.3	99.5	99.4	98.8	100.7
湖　　南	98.3	104.6	101.3	101.2	101.2	101.1	101.1
广　　东	96.5	108.2	98.7	99.5	100.4	101.3	100.3
广　　西	100.1	104.4	103.4	113.4	99.3	98.6	101.1
海　　南	100.1	105.3	101.3	103.7	100.1	100.5	100.0
重　　庆							
四　　川	98.4	105.6	101.6	101.6	99.6	99.1	100.9
贵　　州	99.7	110.3	100.7	101.2	100.8	98.9	103.9
云　　南	101.5	109.0	102.3	102.3	99.1	98.6	100.5
西　　藏	106.0	99.3	97.3	102.3	97.9	98.9	101.1
陕　　西	103.3	107.5	103.2	100.3	102.0	104.4	100.5
甘　　肃	100.0	109.5	100.6	101.0	102.9	100.1	104.0
青　　海	91.9	107.7	104.6	99.0	107.4	112.5	105.3
宁　　夏	97.1	103.3	98.4	103.9	100.1	100.3	100.6
新　　疆	97.3	108.5	99.3	100.3	99.6	99.7	99.9

8—2 续表 9

地　区	3.电子音像制品	十五、燃料	1.煤炭及制品	2.石油及制品	十六、建筑材料及五金电料	1.建筑装璜材料	2.五金电料
全国平均	**99.4**	**120.2**	**129.2**	**115.8**	**108.7**	**110.0**	**104.1**
北　京							
天　津							
河　北	98.6	126.9	137.7	118.2	108.7	109.3	105.7
山　西	100.1	121.9	133.2	115.5	115.0	115.8	112.0
内蒙古	100.0	122.8	130.3	117.2	105.5	106.8	102.2
辽　宁	98.7	118.1	122.1	116.1	104.7	105.0	104.1
吉　林	100.9	117.8	126.0	114.2	110.8	113.5	104.6
黑龙江	100.0	121.7	125.7	117.6	106.2	105.0	109.4
上　海							
江　苏	98.9	115.9	120.7	115.5	106.3	108.5	100.5
浙　江	100.7	116.1	126.8	114.4	110.1	110.6	107.9
安　徽	99.1	116.4	118.4	114.9	107.2	109.2	100.1
福　建	100.2	118.1	131.1	116.1	110.3	111.3	106.5
江　西	98.5	121.1	126.4	117.6	106.7	107.0	105.2
山　东	98.7	125.0	136.9	116.1	108.7	110.7	103.2
河　南	100.1	120.7	124.8	117.1	108.8	110.1	103.2
湖　北	98.5	117.5	123.3	115.3	109.1	110.9	102.6
湖　南	101.9	137.7	164.1	117.2	110.9	110.6	113.4
广　东	98.9	114.0	112.4	114.2	109.1	110.7	102.1
广　西	97.8	117.8	121.6	117.4	110.1	111.1	106.2
海　南	99.4	112.3	101.9	112.6	113.9	114.8	109.6
重　庆							
四　川	99.8	117.4	123.3	111.6	106.9	108.0	101.6
贵　州	99.2	131.5	150.1	115.9	115.0	114.3	120.7
云　南	96.7	117.2	120.4	114.9	106.5	107.6	102.8
西　藏	92.6	108.5	100.3	111.9	101.2	102.1	97.8
陕　西	99.3	121.1	132.6	116.8	109.0	109.1	108.8
甘　肃	105.2	120.4	125.1	115.8	109.5	110.9	106.4
青　海	100.9	126.4	136.9	117.5	126.0	129.7	110.1
宁　夏	97.0	143.6	162.6	116.7	117.0	117.2	116.5
新　疆	99.3	114.2	113.7	114.8	109.4	112.3	102.3

8—3 各地区农村居民消费价格分类指数

（以上年价格为100）

地　　区	居民消费价格指数	一、食品	1. 粮食	2. 淀粉	3. 干豆类及豆制品	4. 油脂
全国平均	**106.5**	**114.0**	**106.7**	**110.8**	**132.3**	**125.9**
北　　京						
天　　津						
河　　北	108.1	115.3	106.8	110.4	130.2	129.4
山　　西	107.7	115.9	108.6	107.1	132.1	129.5
内 蒙 古	106.3	114.7	107.0	116.3	127.2	133.6
辽　　宁	105.5	112.3	104.3	112.7	131.7	132.9
吉　　林	105.3	111.7	101.8	110.4	133.1	118.8
黑 龙 江	107.2	115.2	107.6	114.9	128.7	131.7
上　　海						
江　　苏	105.6	112.0	104.2	106.6	131.8	123.2
浙　　江	105.3	113.6	105.3	106.1	146.8	125.8
安　　徽	106.4	113.8	104.5	100.6	127.6	123.3
福　　建	104.6	112.0	103.7	107.7	130.6	119.0
江　　西	106.3	112.1	110.4	109.5	126.7	121.6
山　　东	106.2	113.3	104.8	111.5	132.1	126.5
河　　南	107.9	116.5	107.9	111.2	136.6	128.3
湖　　北	107.4	116.5	108.2	113.9	132.3	128.8
湖　　南	107.4	116.2	113.7	98.3	139.3	133.6
广　　东	105.8	112.4	107.9	115.6	119.9	120.4
广　　西	108.5	121.0	110.5	109.1	142.9	124.5
海　　南	108.8	116.3	110.9	110.8	126.7	121.8
重　　庆						
四　　川	105.5	111.3	106.4	103.2	116.7	117.4
贵　　州	108.8	118.1	107.1	109.5	131.5	127.0
云　　南	106.0	114.8	109.1	108.3	127.1	128.1
西　　藏	105.7	109.7	104.4	104.5	115.5	124.7
陕　　西	106.7	112.9	107.9	115.3	135.1	124.2
甘　　肃	108.7	114.7	108.0	119.0	117.8	140.9
青　　海	112.3	120.0	112.1	116.5	136.9	130.8
宁　　夏	109.9	119.2	110.8	118.0	139.2	136.2
新　　疆	109.5	119.6	114.9	108.4	138.7	128.8

8—3 续表 1

地 区	5. 肉禽及其制品	(1)食用畜肉及副产品	(2)禽	(3)加工肉禽	6. 蛋	7. 水产品
全国平均	**120.0**	**123.6**	**108.6**	**117.3**	**104.3**	**115.0**
北 京						
天 津						
河 北	122.1	125.3	116.1	118.0	107.0	117.7
山 西	124.4	125.1	115.5	123.3	99.7	117.8
内 蒙 古	124.0	127.2	106.3	112.6	100.5	113.5
辽 宁	120.6	125.0	102.2	118.9	103.1	110.0
吉 林	124.2	126.4	114.0	120.4	106.4	111.8
黑 龙 江	119.5	121.6	114.5	122.5	103.1	111.8
上 海						
江 苏	119.3	122.9	109.1	113.0	104.5	116.2
浙 江	118.2	122.7	104.7	117.2	105.0	112.7
安 徽	120.4	123.5	112.1	111.9	106.1	115.6
福 建	117.8	119.3	111.1	118.5	105.2	111.2
江 西	116.9	122.3	105.5	111.4	103.7	118.1
山 东	121.7	123.8	115.5	118.1	105.8	114.9
河 南	125.9	127.6	110.8	122.6	105.1	119.7
湖 北	121.5	127.6	108.9	118.4	104.1	125.5
湖 南	120.1	122.8	107.6	112.6	99.9	123.4
广 东	116.3	120.8	103.9	116.1	105.2	113.9
广 西	120.9	125.6	109.3	122.6	108.4	120.6
海 南	118.9	125.1	107.6	110.4	109.1	117.4
重 庆						
四 川	114.7	117.2	105.6	113.9	105.5	115.2
贵 州	120.9	133.5	106.4	116.1	102.4	112.3
云 南	124.2	130.5	104.9	120.5	105.0	112.4
西 藏	120.8	122.8	116.5	116.1	105.2	109.1
陕 西	120.6	131.1	105.9	114.7	103.3	117.7
甘 肃	124.9	131.2	108.2	125.7	100.6	117.1
青 海	125.5	123.5	140.5	128.6	104.2	118.7
宁 夏	129.8	132.2	112.5	131.4	98.6	118.5
新 疆	134.5	139.7	117.0	118.2	105.7	116.0

8—3续表2

地　区	(1)鱼	(2)其他水产品	8. 菜	9. 调味品	10. 糖	11. 茶及饮料
全国平均	**117.9**	**108.6**	**111.3**	**104.5**	**102.5**	**103.2**
北　京						
天　津						
河　北	119.7	108.7	108.5	103.4	104.6	103.6
山　西	119.1	112.4	114.0	108.8	102.0	103.1
内蒙古	114.4	109.7	112.2	103.9	99.8	103.5
辽　宁	111.7	103.3	102.6	104.0	103.2	102.4
吉　林	113.6	105.9	98.2	103.1	103.9	103.5
黑龙江	113.5	105.2	112.4	106.5	104.1	101.4
上　海						
江　苏	122.5	102.5	111.1	103.2	101.5	101.5
浙　江	114.1	111.1	114.5	103.0	103.7	105.6
安　徽	117.0	111.5	115.8	101.6	103.6	102.8
福　建	112.6	109.4	108.1	102.6	100.0	99.9
江　西	118.9	107.8	104.0	102.7	98.4	101.4
山　东	119.4	104.6	107.8	102.8	101.9	104.1
河　南	119.8	119.3	110.9	106.9	101.7	104.2
湖　北	127.0	119.8	110.5	105.2	105.6	106.6
湖　南	123.4	122.9	128.3	105.6	103.3	102.0
广　东	117.5	104.0	115.6	103.8	104.1	101.2
广　西	126.9	102.7	140.4	108.0	107.7	104.5
海　南	121.6	108.0	112.8	106.0	106.9	106.8
重　庆						
四　川	114.5	119.5	104.6	101.7	100.5	102.3
贵　州	110.9	116.9	107.8	110.9	102.1	101.8
云　南	112.1	114.2	104.7	112.4	104.3	102.0
西　藏	111.1	101.4	104.4	98.8	104.9	101.6
陕　西	121.8	101.1	107.5	102.3	99.6	102.3
甘　肃	120.1	104.7	102.1	110.3	125.4	110.1
青　海	118.9	117.4	124.3	103.1	101.0	120.8
宁　夏	120.7	108.7	109.9	106.3	104.8	104.5
新　疆	125.6	94.5	106.6	110.0	98.8	101.2

8—3 续表 3

地　　区	(1)茶叶	(2)饮料	12. 干鲜瓜果	13. 糕点饼干面包	14. 液体乳及乳制品	15. 在外用膳食品
全国平均	**102.1**	**103.8**	**110.7**	**107.9**	**113.3**	**111.9**
北　　京						
天　　津						
河　　北	102.7	103.9	108.5	109.7	117.4	119.1
山　　西	104.6	102.5	112.3	109.1	123.3	114.9
内 蒙 古	104.9	102.4	116.3	107.7	115.8	108.0
辽　　宁	100.3	103.2	106.3	110.3	113.7	110.4
吉　　林	108.4	99.2	111.8	103.6	111.4	116.1
黑 龙 江	102.7	100.6	117.6	110.3	122.5	113.1
上　　海						
江　　苏	101.1	101.7	108.1	107.5	113.3	109.5
浙　　江	97.1	107.2	108.6	107.6	112.1	109.4
安　　徽	103.6	102.2	107.1	107.5	113.9	111.2
福　　建	94.3	104.7	108.2	110.9	115.2	109.2
江　　西	100.2	101.8	105.8	103.5	111.1	106.0
山　　东	100.2	106.6	108.3	106.4	113.4	111.2
河　　南	103.1	104.3	116.8	106.6	113.2	113.8
湖　　北	110.8	104.5	114.0	111.0	113.8	115.7
湖　　南	101.0	102.6	113.1	110.1	104.7	105.8
广　　东	101.1	101.3	110.1	104.8	107.6	107.2
广　　西	103.9	104.7	116.4	117.1	117.8	115.1
海　　南	100.8	108.5	117.2	109.5	124.9	108.5
重　　庆						
四　　川	100.0	104.0	112.4	106.3	107.9	111.2
贵　　州	99.0	103.7	112.4	113.0	110.2	127.6
云　　南	101.2	102.6	106.9	110.7	111.8	119.3
西　　藏	102.3	100.9	106.8	101.2	110.5	108.8
陕　　西	103.3	101.6	109.6	107.3	115.5	113.7
甘　　肃	111.5	109.0	105.0	108.4	109.6	116.3
青　　海	121.9	107.9	122.5	116.8	121.1	117.6
宁　　夏	103.5	105.3	111.1	118.9	123.4	121.5
新　　疆	102.3	100.4	109.9	109.2	116.1	121.5

8—3续表4

地　　区	16.其他食品	二、烟酒及用品	1.烟草	2.酒	3.吸烟、饮酒用品	三、衣着
全国平均	**107.6**	**102.6**	**100.5**	**106.1**	**100.6**	**99.4**
北　　京						
天　　津						
河　　北	106.7	104.5	100.7	108.5	103.5	100.1
山　　西	111.5	101.6	100.6	103.3	107.0	100.8
内 蒙 古	106.3	102.0	100.5	102.8	112.3	101.3
辽　　宁	106.4	102.9	99.9	107.3	102.7	95.1
吉　　林	108.4	103.7	102.3	105.4	98.6	100.7
黑 龙 江	112.3	103.2	100.5	106.3	99.8	103.4
上　　海						
江　　苏	106.9	102.3	100.0	106.5	106.9	98.4
浙　　江	109.5	102.1	100.4	106.8	100.4	98.4
安　　徽	102.0	102.9	100.3	107.5	100.2	101.3
福　　建	105.4	102.1	100.2	105.4	99.5	95.0
江　　西	105.1	102.8	102.0	104.7	97.3	97.8
山　　东	108.2	104.3	100.9	107.3	100.3	96.6
河　　南	103.4	102.0	100.1	105.4	100.7	101.9
湖　　北	108.5	102.6	101.5	104.9	100.8	97.2
湖　　南	105.5	99.8	100.1	98.9	100.7	97.6
广　　东	110.2	102.2	100.9	104.9	99.8	100.0
广　　西	114.5	103.4	99.3	109.9	90.0	98.0
海　　南	106.6	100.3	96.7	105.7	103.2	102.6
重　　庆						
四　　川	106.3	102.0	100.4	104.6	105.0	99.5
贵　　州	110.9	106.5	99.5	113.7	100.2	101.0
云　　南	111.6	102.0	101.4	104.9	94.6	97.0
西　　藏	101.8	102.6	101.7	104.3	100.1	103.4
陕　　西	112.2	101.6	100.1	106.3	99.9	100.8
甘　　肃	106.4	103.8	102.4	106.7	101.1	103.6
青　　海	105.1	104.7	103.1	106.2	104.4	99.8
宁　　夏	114.9	102.5	101.5	105.5	99.8	104.0
新　　疆	103.4	100.9	98.3	103.6	100.1	101.1

8—3 续表 5

地　　区	1. 服装	(1)男式服装	(2)女式服装	(3)儿童服装	2. 衣着材料	3. 鞋袜帽
全国平均	**98.8**	**98.3**	**98.2**	**101.2**	**103.0**	**99.8**
北　　京						
天　　津						
河　　北	99.8	99.6	98.4	102.9	104.3	100.1
山　　西	100.6	101.8	99.8	100.5	100.7	101.2
内 蒙 古	100.9	100.1	99.9	104.8	104.6	100.7
辽　　宁	93.8	92.0	94.3	96.0	99.9	96.7
吉　　林	99.7	98.3	99.9	102.1	102.2	102.3
黑 龙 江	102.5	101.8	102.2	103.8	100.2	106.8
上　　海						
江　　苏	98.0	98.4	97.0	101.0	106.2	98.8
浙　　江	98.3	99.4	98.3	94.0	102.0	97.5
安　　徽	99.4	96.7	99.3	106.6	105.7	104.6
福　　建	95.3	98.3	94.4	89.0	101.6	92.9
江　　西	97.2	96.7	96.6	99.2	102.0	98.0
山　　东	96.0	94.8	96.2	97.9	101.5	95.8
河　　南	101.5	100.5	101.3	103.2	103.0	102.6
湖　　北	95.8	95.6	96.5	94.3	101.6	99.9
湖　　南	97.2	97.8	97.7	95.7	100.8	97.8
广　　东	99.3	99.0	99.3	99.9	108.1	100.0
广　　西	97.2	94.9	94.7	110.2	101.5	99.4
海　　南	102.7	100.1	101.6	107.9	104.5	101.6
重　　庆						
四　　川	99.5	99.6	99.7	99.1	101.4	99.2
贵　　州	100.7	97.2	88.3	120.8	100.1	101.6
云　　南	95.3	94.3	94.7	97.9	101.7	99.5
西　　藏	102.5	104.0	101.0	103.1	104.7	104.6
陕　　西	99.4	98.7	98.6	101.3	108.6	101.9
甘　　肃	103.5	103.1	102.4	105.2	101.3	104.9
青　　海	99.1	98.6	99.0	99.9	99.9	100.8
宁　　夏	103.1	103.3	102.5	105.0	108.7	105.0
新　　疆	101.2	100.8	100.7	102.9	101.6	100.0

8—3续表6

地　　区	(1)鞋	(2)袜子	(3)帽子	4.衣着加工服务	四、家庭设备用品及维修服务	1.耐　用消费品
全国平均	**99.7**	**100.3**	**99.9**	**103.0**	**102.4**	**101.1**
北　　京						
天　　津						
河　　北	99.1	104.8	101.8	103.0	102.9	101.2
山　　西	101.0	102.8	98.4	105.9	105.0	102.6
内 蒙 古	100.6	101.1	100.2	105.5	101.1	100.0
辽　　宁	95.9	101.3	97.3	101.2	102.0	100.9
吉　　林	102.7	101.0	98.8	102.5	101.6	100.9
黑 龙 江	108.9	100.0	100.0	100.7	102.0	100.6
上　　海						
江　　苏	98.4	100.3	101.3	101.0	101.8	100.8
浙　　江	97.1	101.3	99.4	101.4	102.5	101.3
安　　徽	105.2	100.1	98.9	114.3	102.7	101.6
福　　建	91.4	97.8	100.0	101.1	103.4	100.9
江　　西	97.8	99.2	100.3	103.6	103.4	100.1
山　　东	96.2	92.5	95.3	102.9	101.6	101.8
河　　南	103.1	100.0	101.6	108.2	103.0	101.0
湖　　北	100.0	98.5	101.6	103.4	102.7	101.2
湖　　南	97.5	99.6	100.0	100.2	100.0	98.5
广　　东	100.0	100.1	99.0	102.4	103.0	103.4
广　　西	99.5	98.1	103.5	106.6	105.5	99.1
海　　南	101.8	99.8	103.3	105.9	104.7	104.4
重　　庆						
四　　川	98.7	101.2	100.1	103.1	101.9	100.4
贵　　州	101.1	103.1	102.5	100.6	103.9	102.7
云　　南	98.2	105.3	100.1	95.2	100.3	98.8
西　　藏	106.4	105.0	97.4	103.7	101.6	100.2
陕　　西	102.4	100.0	102.5	104.0	103.4	102.2
甘　　肃	105.7	103.4	100.0	101.2	102.1	101.3
青　　海	101.1	101.4	98.4	105.1	103.7	102.3
宁　　夏	105.4	101.8	104.6	112.4	104.1	103.6
新　　疆	100.0	99.6	101.5	109.9	102.4	101.6

8—3 续表 7

地　区	(1)家具	(2)家庭设备	2. 室内装饰品	3. 床上用品	4. 家庭日用杂品	5. 家庭服务及加工维修服务费
全国平均	**102.0**	**100.6**	**100.8**	**100.1**	**104.2**	**106.7**
北　京						
天　津						
河　北	102.7	100.1	102.1	100.5	105.2	108.9
山　西	105.0	100.8	102.1	99.4	106.0	126.1
内蒙古	100.0	100.0	99.5	101.7	101.8	106.1
辽　宁	100.3	101.1	100.1	96.3	105.5	103.6
吉　林	100.8	100.9	100.2	101.0	102.9	101.6
黑龙江	100.8	100.5	100.1	100.0	104.7	104.2
上　海						
江　苏	101.1	100.7	100.4	98.8	103.5	104.1
浙　江	102.2	100.8	101.5	102.3	105.2	105.4
安　徽	103.0	101.0	100.5	99.9	104.0	109.3
福　建	103.8	99.7	101.3	100.3	105.5	113.7
江　西	100.4	100.0	104.6	100.0	106.6	112.6
山　东	104.1	100.0	100.0	95.5	103.1	103.7
河　南	100.3	101.6	99.9	100.9	105.1	110.1
湖　北	101.4	101.2	102.5	97.7	105.6	103.4
湖　南	96.7	99.8	100.3	99.8	100.8	104.5
广　东	105.6	101.7	102.2	101.8	103.7	101.5
广　西	101.0	97.9	107.5	117.7	111.7	104.6
海　南	105.8	101.9	98.3	104.9	104.1	122.5
重　庆						
四　川	100.5	100.3	101.2	99.9	102.8	108.8
贵　州	101.2	103.1	96.7	99.9	104.3	125.2
云　南	100.6	96.8	98.3	99.9	100.5	109.3
西　藏	102.8	97.1	103.4	100.1	102.3	114.3
陕　西	103.3	100.6	101.5	101.2	105.2	108.1
甘　肃	103.9	98.6	100.1	102.6	102.7	104.7
青　海	103.9	100.7	98.6	100.0	107.0	118.3
宁　夏	104.0	102.7	104.5	101.4	103.9	115.4
新　疆	101.8	101.4	102.1	101.6	103.9	105.9

8—3续表8

地　区	五、医疗保健和个人用品	1.医疗保健	(1)医疗器具及用品	(2)中药材及中成药	(3)西药	(4)保健器具及用品
全国平均	**103.2**	**102.5**	**98.9**	**107.5**	**101.2**	**102.6**
北　京						
天　津						
河　北	104.0	102.7	102.5	105.9	102.5	100.8
山　西	103.1	101.6	102.7	108.2	100.4	97.8
内蒙古	102.8	101.3	98.9	105.7	99.9	100.3
辽　宁	104.1	102.3	102.5	106.3	101.6	100.2
吉　林	102.2	101.9	100.2	105.1	101.9	99.5
黑龙江	103.9	103.3	94.3	103.2	102.1	99.6
上　海						
江　苏	102.1	100.7	99.3	105.8	99.7	100.1
浙　江	105.0	104.7	100.5	113.0	102.2	106.2
安　徽	101.8	101.1	92.8	102.5	100.5	100.6
福　建	102.7	101.4	97.0	104.7	101.1	99.5
江　西	104.5	103.5	101.8	108.8	101.9	101.2
山　东	102.4	101.9	96.8	108.7	99.6	99.7
河　南	105.1	104.4	101.3	110.6	100.8	100.8
湖　北	102.8	102.5	98.7	107.7	101.3	99.7
湖　南	101.6	101.6	99.4	104.4	101.2	101.2
广　东	102.5	102.1	97.0	108.1	98.9	99.3
广　西	104.8	103.6	100.1	104.6	103.3	113.9
海　南	102.4	102.0	100.2	106.0	101.1	103.3
重　庆						
四　川	102.7	102.5	98.2	105.7	103.6	103.2
贵　州	102.1	101.7	99.9	110.1	102.3	101.8
云　南	103.3	103.4	99.4	108.3	102.6	101.6
西　藏	103.7	103.2	108.7	99.0	98.3	101.3
陕　西	104.5	103.3	103.5	107.7	103.4	99.8
甘　肃	105.3	105.1	97.3	109.4	101.0	99.8
青　海	107.1	105.5	88.6	104.3	104.9	99.2
宁　夏	102.0	100.7	95.2	103.1	98.9	103.8
新　疆	104.1	101.6	98.2	106.2	100.0	100.4

8—3续表9

地　　区	(5)医疗保健服　　务	2.个人用品及服务	(1)化妆美容用品	(2)清洁化妆用品	(3)个人饰品	(4)个人服务
全国平均	**101.1**	**104.9**	**100.8**	**102.0**	**108.3**	**106.4**
北　　京						
天　　津						
河　　北	102.0	107.7	99.7	100.4	107.6	114.5
山　　西	100.0	106.4	99.8	101.1	110.7	107.9
内 蒙 古	100.4	105.9	100.3	102.0	109.9	109.6
辽　　宁	101.4	108.7	98.9	100.8	112.1	112.5
吉　　林	100.8	103.1	99.7	98.5	110.2	104.5
黑 龙 江	107.2	106.4	100.1	100.5	112.5	106.0
上　　海						
江　　苏	99.7	105.5	100.1	102.1	113.2	105.2
浙　　江	100.3	105.9	100.6	103.5	116.4	102.9
安　　徽	101.0	103.6	101.2	101.2	113.8	100.6
福　　建	100.1	105.3	100.9	102.1	107.7	108.2
江　　西	100.8	106.0	102.2	101.5	106.7	110.5
山　　东	100.8	103.6	101.3	101.3	105.7	105.4
河　　南	103.8	106.8	101.0	102.0	108.5	111.1
湖　　北	100.6	103.5	99.8	101.6	107.4	106.2
湖　　南	99.8	101.6	101.1	100.4	105.3	100.8
广　　东	101.0	103.2	102.2	103.7	105.0	102.7
广　　西	102.1	107.4	99.9	108.0	108.8	115.9
海　　南	101.4	103.5	101.3	101.5	106.0	103.0
重　　庆						
四　　川	100.5	103.0	100.5	101.1	103.5	104.2
贵　　州	99.4	102.5	99.3	98.1	100.8	110.1
云　　南	100.3	102.8	100.5	99.8	104.2	107.1
西　　藏	114.5	104.1	100.3	99.5	111.0	109.3
陕　　西	100.3	107.6	102.3	108.4	105.9	109.1
甘　　肃	108.4	105.6	105.7	108.6	101.9	106.8
青　　海	106.2	113.3	97.2	103.1	120.0	110.2
宁　　夏	101.3	106.2	102.3	103.7	113.7	106.5
新　　疆	101.3	108.3	99.7	102.1	109.9	121.0

8—3 续表 10

地　　区	六、交通和通信	1. 交通	(1)交通工具	(2)车用燃料及零配件	(3)车辆使用及维修	(4)市内公共交通费
全国平均	**100.7**	**104.3**	**101.0**	**113.3**	**101.2**	**103.7**
北　京						
天　津						
河　北	102.0	106.7	100.9	116.6	105.6	104.5
山　西	101.3	104.6	100.9	116.3	98.3	108.9
内蒙古	100.9	103.1	99.4	111.9	99.0	103.7
辽　宁	100.8	104.9	101.6	114.2	98.7	104.2
吉　林	96.4	100.6	102.2	110.9	99.7	93.6
黑龙江	100.9	102.9	103.0	109.2	100.6	104.3
上　海						
江　苏	100.6	103.6	100.3	113.8	102.3	102.1
浙　江	96.9	102.6	98.9	114.7	102.3	104.1
安　徽	100.6	104.3	101.0	114.0	101.8	104.7
福　建	99.5	105.1	102.2	114.4	101.5	105.1
江　西	103.0	108.1	101.3	111.5	122.3	105.2
山　东	101.7	106.1	103.0	113.1	99.9	101.2
河　南	101.7	106.6	101.6	114.2	105.1	105.8
湖　北	102.7	107.0	102.4	111.8	100.8	106.5
湖　南	99.6	101.3	99.6	111.6	99.7	101.7
广　东	99.7	102.8	101.6	113.2	95.9	100.3
广　西	100.9	102.0	99.3	112.3	95.8	101.7
海　南	101.4	104.6	102.5	112.6	100.1	101.2
重　庆						
四　川	102.2	103.5	101.0	111.1	103.3	101.8
贵　州	103.2	104.8	100.1	108.8	107.6	117.4
云　南	99.9	103.4	97.4	112.5	99.7	105.8
西　藏	103.9	105.9	97.3	108.6	111.4	105.4
陕　西	102.9	105.4	102.1	109.4	102.4	116.1
甘　肃	103.3	105.7	100.7	109.2	101.5	104.8
青　海	104.5	107.2	105.0	113.4	102.3	113.8
宁　夏	102.6	109.4	103.2	115.4	104.7	110.7
新　疆	102.9	104.8	104.4	113.1	102.0	102.1

8—3续表11

地　区	(5)城市间交通费	2.通信	(1)通信工具	(2)通信服务	七、娱乐教育文化用品及服务	1.文娱用耐用消费品及服务
全国平均	**106.5**	**95.6**	**85.2**	**98.7**	**99.9**	**95.1**
北　京						
天　津						
河　北	112.6	97.0	87.7	99.4	100.1	94.8
山　西	107.0	97.0	80.2	100.1	100.7	96.6
内蒙古	104.0	96.5	85.8	101.4	100.8	96.7
辽　宁	105.9	96.5	83.4	99.2	100.7	96.2
吉　林	101.0	92.5	84.3	96.3	98.6	93.7
黑龙江	99.9	97.8	93.5	99.5	101.1	98.0
上　海						
江　苏	104.9	96.2	84.3	99.9	99.6	91.9
浙　江	102.8	87.4	73.3	90.9	98.3	91.2
安　徽	106.0	96.8	86.4	100.0	100.9	96.3
福　建	104.1	93.3	85.3	95.0	95.8	95.3
江　西	111.0	96.0	82.9	99.6	100.8	97.2
山　东	115.5	96.0	87.1	99.6	101.2	97.6
河　南	112.7	95.8	83.4	99.1	101.0	96.2
湖　北	113.1	97.7	90.6	99.8	99.3	96.7
湖　南	100.3	96.1	87.5	100.0	100.8	93.8
广　东	103.2	95.8	81.3	100.0	99.8	96.5
广　西	101.6	99.6	79.1	106.0	97.9	83.8
海　南	102.5	96.1	85.7	99.8	101.4	97.2
重　庆						
四　川	103.8	98.2	93.8	99.7	101.0	97.3
贵　州	106.9	100.8	97.6	101.9	99.6	95.6
云　南	106.1	95.8	85.4	100.0	99.7	94.2
西　藏	104.1	100.2	101.7	99.4	99.7	96.4
陕　西	105.9	97.3	84.7	100.2	100.8	92.5
甘　肃	114.0	97.5	99.5	96.9	100.2	97.9
青　海	105.7	96.2	88.4	99.9	100.7	94.7
宁　夏	115.1	93.7	85.6	96.5	100.2	93.6
新　疆	103.4	99.1	93.1	100.4	100.4	97.8

8—3 续表 12

地　　区	2. 教育	(1)教材及参考书	(2)学　杂托幼费	3. 文化娱乐	(1)文　　化娱乐用品	(2)书报杂志
全国平均	**100.9**	**100.4**	**100.9**	**101.2**	**101.2**	**101.0**
北　　京						
天　　津						
河　　北	100.8	99.0	100.9	103.7	102.8	102.7
山　　西	101.6	97.4	101.7	100.2	100.1	100.4
内 蒙 古	102.3	99.7	102.7	99.5	100.4	100.0
辽　　宁	101.6	100.4	101.7	101.7	101.5	101.3
吉　　林	101.0	100.8	101.0	100.5	101.6	100.0
黑 龙 江	102.1	94.1	102.3	99.9	99.9	100.0
上　　海						
江　　苏	100.6	98.7	100.7	101.2	99.6	106.8
浙　　江	99.3	100.5	99.2	100.6	101.1	100.1
安　　徽	101.7	99.7	102.0	100.9	100.3	100.1
福　　建	93.9	108.8	92.3	101.0	100.7	101.7
江　　西	101.6	97.6	102.0	100.4	100.1	100.3
山　　东	102.2	100.1	102.7	100.6	100.6	100.7
河　　南	102.0	101.1	102.2	102.1	103.0	100.7
湖　　北	100.0	99.2	100.1	100.7	100.6	101.0
湖　　南	102.2	100.8	102.3	102.7	104.4	101.2
广　　东	101.0	102.4	100.1	102.4	101.2	100.3
广　　西	101.4	98.9	101.7	100.1	99.9	100.9
海　　南	103.1	100.5	103.3	99.5	99.0	100.0
重　　庆						
四　　川	101.8	97.9	102.3	101.9	102.7	101.2
贵　　州	100.1	98.5	100.2	100.9	97.7	103.2
云　　南	101.7	99.7	102.3	100.6	100.0	100.5
西　　藏	102.6	98.3	104.9	102.0	103.8	101.5
陕　　西	102.0	104.3	101.7	101.9	103.1	100.5
甘　　肃	100.3	102.9	98.8	103.2	103.8	105.6
青　　海	102.6	111.6	102.3	101.8	102.6	104.2
宁　　夏	102.0	99.3	102.2	100.1	98.5	100.9
新　　疆	100.8	99.7	100.9	100.6	100.4	99.9

8—3 续表 13

地　区	(3)文娱费	4.旅游	八、居住	1.建房及装修材料	2.租房	3.自有住房	4.水电燃料
全国平均	**101.4**	**100.4**	**108.2**	**107.6**	**103.8**	**104.0**	**110.8**
北　京							
天　津							
河　北	106.7	100.2	113.5	109.0	102.8	105.8	121.5
山　西	100.3	102.0	112.4	114.9	105.2	108.2	111.8
内蒙古	97.3	103.4	106.6	104.3	108.9	104.7	110.2
辽　宁	102.9	99.5	105.2	104.4	104.2	102.9	106.8
吉　林	98.9	98.1	108.4	110.8	108.5	100.9	109.0
黑龙江	100.0	99.0	105.1	103.7	109.1	100.5	111.9
上　海							
江　苏	100.0	100.8	107.1	108.6	105.3	102.8	107.1
浙　江	100.6	99.7	105.7	108.4	103.8	103.4	104.0
安　徽	102.5	102.9	105.7	104.3	105.3	104.1	107.6
福　建	100.9	100.4	106.9	106.0	104.9	107.1	107.7
江　西	100.8	101.0	106.2	104.4	105.2	104.8	109.7
山　东	100.3	102.4	110.1	108.9	103.6	109.8	112.2
河　南	101.6	101.3	109.4	108.1	107.3	104.5	112.6
湖　北	100.6	100.1	109.7	108.9	101.5	106.3	111.9
湖　南	100.7	100.3	109.1	104.3	100.0	100.5	117.8
广　东	104.8	98.7	105.5	107.6	100.1	102.0	105.8
广　西	99.7	102.9	106.7	108.0	102.2	102.6	109.7
海　南	100.0	99.7	108.9	112.5	105.2	101.8	104.5
重　庆							
四　川	101.4	98.9	106.0	106.9	101.2	102.4	106.3
贵　州	101.8	100.5	109.6	104.0	105.0	102.4	117.8
云　南	101.4	101.3	105.9	105.3	103.8	104.4	107.8
西　藏	99.8	96.5	108.4	102.7	105.7	115.6	110.7
陕　西	103.5	99.2	109.4	108.1	101.4	104.0	113.8
甘　肃	100.0	105.8	114.3	106.8	117.1	107.0	126.3
青　海	99.4	100.5	126.0	131.1	118.0	103.4	123.9
宁　夏	102.3	107.3	115.1	113.4	103.8	101.6	122.4
新　疆	101.1	100.3	109.7	112.9	105.4	105.8	106.4

8—4 各地区农业生产资料价格分类指数

（上年价格＝100）

地　区	农业生产资料价格指数	一、农用手工工具	二、饲料	三、产品畜	四、半机械化农具
全国平均	**120.3**	**112.5**	**115.8**	**131.5**	**107.9**
北　京					
天　津					
河　北	118.6	112.2	120.7	135.6	106.2
山　西	118.7	108.9	109.6	130.9	103.3
内蒙古	114.9	104.1	118.8	127.6	102.5
辽　宁	128.1	112.0	120.9	157.9	107.2
吉　林	127.3	101.2	111.0	154.0	105.2
黑龙江	122.7	119.5	125.0	130.5	123.2
上　海					
江　苏	117.3	106.0	110.8	125.3	104.0
浙　江	118.9	110.4	113.4	114.3	111.3
安　徽	123.9	120.1	122.8	126.5	126.2
福　建	123.6	111.2	116.0	124.9	102.3
江　西	119.9	109.8	121.6	117.0	111.9
山　东	119.3	114.6	115.3	126.4	108.1
河　南	120.9	118.1	113.2	126.4	105.6
湖　北	127.2	120.2	120.2	147.9	107.3
湖　南	126.5	104.3	120.6	136.4	111.3
广　东	114.5	110.6	112.6	105.2	105.6
广　西	124.0	122.5	112.4	108.0	100.1
海　南	114.8	111.2	111.6	103.8	113.3
重　庆					
四　川	116.6	109.8	111.8	133.3	103.9
贵　州	113.4	107.3	108.5	114.9	116.1
云　南	116.6	111.3	114.0	131.6	102.6
西　藏	103.2	101.2	108.7	104.9	99.3
陕　西	122.0	115.3	117.7	144.8	110.0
甘　肃	114.7	106.2	106.7	150.6	101.1
青　海	124.2	107.9	112.8	167.8	112.6
宁　夏	126.2	116.4	129.0	148.3	106.0
新　疆	112.3	102.9	116.7	150.9	100.7

8—4 续表 1

地　区	五、机械化农具	六、化学肥料	七、农药及农药械	1. 化学农药	2. 农药器械
全国平均	**109.0**	**131.7**	**108.0**	**108.4**	**105.0**
北　京					
天　津					
河　北	107.2	121.2	104.3	104.4	104.4
山　西	105.1	131.7	105.3	106.1	102.3
内蒙古	102.3	129.1	111.0	113.6	100.6
辽　宁	106.5	134.3	108.7	109.0	106.2
吉　林	107.3	145.8	106.4	106.5	106.2
黑龙江	117.7	130.5	102.3	100.6	115.4
上　海					
江　苏	104.3	131.1	106.6	106.9	102.6
浙　江	114.2	138.4	105.9	106.4	100.7
安　徽	121.9	136.4	108.2	108.6	103.9
福　建	107.7	140.9	117.3	117.8	111.9
江　西	107.9	137.4	108.7	109.6	104.7
山　东	108.1	131.1	108.8	109.2	105.9
河　南	107.3	138.5	108.4	109.0	105.8
湖　北	107.7	141.1	104.8	104.7	104.9
湖　南	113.7	131.7	117.0	117.2	111.2
广　东	106.5	125.9	102.7	102.2	106.3
广　西	117.9	143.0	106.4	106.8	104.4
海　南	117.3	130.4	106.0	107.0	100.0
重　庆					
四　川	105.7	120.5	105.5	105.3	106.7
贵　州	110.6	121.3	100.3	101.0	99.1
云　南	102.7	125.2	106.1	107.2	100.7
西　藏	100.3	101.1	100.0	100.1	99.5
陕　西	110.9	130.6	111.6	112.7	104.7
甘　肃	99.0	120.9	101.9	101.6	103.6
青　海	122.2	128.1	112.5	115.0	100.4
宁　夏	116.6	133.7	108.6	108.6	108.2
新　疆	101.6	111.5	103.9	104.2	102.6

8—4 续表 2

地　区	八、农用机油	九、其他农业生产资料	1. 农用种子	2. 其他	十、农业生产服务
全国平均	**113.1**	**108.1**	**108.3**	**107.6**	**110.3**
北　京					
天　津					
河　北	116.9	110.9	112.3	108.5	115.7
山　西	114.7	111.3	113.5	106.4	122.7
内蒙古	111.4	104.4	104.9	103.9	102.6
辽　宁	114.8	115.1	115.8	113.2	121.1
吉　林	111.9	115.9	116.4	106.1	103.4
黑龙江	111.3	112.0	116.1	107.5	102.2
上　海					
江　苏	110.5	104.3	103.1	106.7	106.4
浙　江	111.8	102.5	98.7	109.9	107.0
安　徽	109.4	113.0	116.4	108.8	108.3
福　建	114.8	107.6	104.8	112.4	114.7
江　西	116.7	104.9	102.8	108.0	113.0
山　东	112.1	107.5	107.8	107.2	112.8
河　南	115.4	105.1	104.8	105.8	106.0
湖　北	112.2	112.9	113.8	110.2	113.0
湖　南	118.9	101.9	100.8	104.1	126.2
广　东	110.9	103.5	102.3	105.5	111.7
广　西	117.1	118.7	122.2	113.8	110.5
海　南	114.9	106.9	108.5	102.9	101.9
重　庆					
四　川	112.6	104.4	103.3	106.1	114.5
贵　州	106.5	103.7	102.6	108.1	104.7
云　南	113.7	103.5	101.2	107.3	105.8
西　藏	108.5	101.7	103.1	100.2	100.0
陕　西	109.4	108.9	107.8	110.1	106.5
甘　肃	116.6	104.4	99.7	108.1	104.5
青　海	116.0	117.3	120.6	112.7	116.2
宁　夏	117.8	109.3	108.0	111.1	116.3
新　疆	112.9	108.0	108.9	107.3	107.0

8—5 农产品生产价格指数

（上年＝100）

指　　标	2005 年	2006 年	2007 年	2008 年
农产品生产价格总指数	**101.39**	**101.20**	**118.49**	**114.06**
种植业产品	101.55	104.50	109.82	108.43
谷物	99.23	102.14	108.95	107.07
小麦	96.41	100.07	105.50	108.67
稻谷	101.57	102.02	105.43	106.60
玉米	97.97	103.02	115.04	107.32
豆类	95.70	99.29	122.62	117.91
油料	91.33	104.83	133.44	128.00
棉花	111.82	97.06	109.60	90.58
糖料	111.57	121.13	100.00	98.44
蔬菜	107.22	109.29	106.85	104.73
水果	107.41	111.35	101.27	101.35
林业产品	104.79	112.78	104.37	108.47
牧业产品	100.52	94.33	131.36	123.94
猪(毛重)	97.65	90.59	145.85	130.84
牛(毛重)	101.66	100.58	117.46	123.60
羊(毛重)	101.70	101.77	121.01	118.76
家禽(毛重)	105.61	97.17	117.02	111.94
蛋类	106.38	95.98	115.89	112.23
奶类	99.62	102.90	106.23	125.54
渔业产品	104.67	103.93	108.05	111.24
海水鱼类	104.18	109.65	110.13	109.40
淡水鱼类	106.24	99.94	106.75	114.63

8—6 各地区农产品生产价格指数

（上年=100）

地区	总指数	一.种植业产品	二、林业产品	三、畜牧业产品	四、渔业产品
全国	**114.06**	**108.43**	**108.47**	**123.94**	**111.24**
北京	112.26	106.55	103.54	117.58	111.74
天津	107.05	105.47	106.02	106.51	118.74
河北	108.98	104.97	88.96	115.45	102.36
山西	109.19	103.95	100.73	117.80	
内蒙古	110.99	106.86	116.63	115.92	111.11
辽宁	109.81	103.62	108.95	122.31	102.41
吉林	104.50	102.02	121.15	115.27	106.33
黑龙江	117.02	114.76		126.58	127.98
上海	109.73	105.52	111.62	112.95	116.04
江苏	114.32	108.72	96.54	125.84	108.42
浙江	112.94	107.02	102.60	126.06	113.33
安徽	114.68	109.63	106.46	125.88	107.29
福建	110.68	106.66	115.18	119.57	108.97
江西	114.21	108.19	114.73	124.38	110.82
山东	112.46	107.55	109.57	121.60	111.91
河南	114.97	108.15	105.40	126.54	121.05
湖北	117.01	111.26	113.68	130.45	111.27
湖南	126.65	113.89	118.83	135.91	116.49
广东	113.85	109.18	103.13	120.05	115.89
广西	112.99	100.41	104.30	123.20	118.36
海南	112.45	113.91	102.96	118.41	109.17
重庆	120.19	108.94	112.88	125.79	110.41
四川	118.36	111.19	109.58	123.18	115.10
贵州	115.50	108.55	107.53	124.26	115.08
云南	115.54	107.59	105.55	130.74	111.43
西藏					
陕西	111.24	105.97	109.45	124.10	120.04
甘肃	113.95	107.93	115.91	125.81	113.82
青海	114.93	109.76		118.83	
宁夏	118.66	110.59		127.81	103.70
新疆	119.75	101.04	102.15	129.73	128.09

8—7 各地区主要农产品分品种生产价格指数

（上年＝100）

地区	一、种植业产品	谷物	小麦	稻谷	玉米	豆类
全国	**108.43**	**107.07**	**108.67**	**106.60**	**107.32**	**117.91**
北京	106.55	107.73	105.33	104.94	108.99	125.15
天津	105.47	107.25	105.40	98.50	109.23	99.50
河北	104.97	105.58	105.21	103.42	105.97	130.40
山西	103.95	105.79	104.10		106.00	113.38
内蒙古	106.86	108.36	109.75	98.78	108.57	105.45
辽宁	103.62	103.01		99.71	104.02	115.31
吉林	102.02	103.38		102.07	103.67	98.78
黑龙江	114.76	102.43		99.65	105.11	130.71
上海	105.52	106.32	108.69	106.16	100.00	
江苏	108.72	105.42	107.55	104.18	101.61	114.44
浙江	107.02	106.81	104.36	106.69	119.86	111.28
安徽	109.63	107.38	107.80	108.04	103.10	126.89
福建	106.66	109.72		111.19	109.27	123.28
江西	108.19	109.19		109.19	108.75	115.52
山东	107.55	105.63	105.86	104.14	105.75	128.12
河南	108.15	108.18	108.58	110.66	106.55	118.33
湖北	111.26	112.81	111.69	113.25	109.13	126.20
湖南	113.89	114.92		114.98	113.09	131.44
广东	109.18	110.65		110.47	113.86	133.33
广西	100.41	112.14		113.35	111.81	128.60
海南	113.91	114.49		114.77	109.06	112.99
重庆	108.94	108.41	105.97	109.03	106.36	111.47
四川	111.19	110.06	111.45	110.29	107.80	116.02
贵州	108.55	109.89	107.96	110.13	109.88	114.13
云南	107.59	114.25	117.77	110.59	118.38	107.32
西藏						
陕西	105.97	110.78	113.87	109.23	107.93	131.17
甘肃	107.93	107.76	109.64		108.17	123.46
青海	109.76	111.44	109.57			113.16
宁夏	110.59	107.74	113.16	104.09	105.41	115.65
新疆	101.04	109.95	110.48	112.93	103.38	116.12

8—7 续表 1

地区							
	大豆	薯类	油料	花生	油菜籽	棉花	糖料
全国	**119.72**	**108.21**	**128.00**	**114.94**	**135.69**	**90.58**	**98.44**
北京	127.55	108.62	122.66	122.66			
天津	99.50		106.67	106.67		101.31	
河北	130.40	86.83	105.47	105.20		98.63	
山西	116.25	106.56	136.25	102.89	160.99	96.06	113.33
内蒙古	110.79	100.47	114.66	109.29	111.27		111.14
辽宁	115.31	102.38	102.77	102.77			
吉林	102.93	95.72	102.11	91.15			125.56
黑龙江	130.71	104.04	86.39	112.50			100.53
上海			109.09		109.09		
江苏	106.55	109.37	140.75	88.83	185.39	79.88	100.00
浙江	114.06	109.52	117.26	110.98	131.89	98.90	
安徽	129.18	105.80	127.47	114.71	143.35	88.48	
福建	119.29	117.20	114.32	113.61	133.77		101.09
江西	115.52	105.97	117.86	116.13	124.84	95.28	108.81
山东	128.12	103.17	118.34	118.35	114.29	102.31	
河南	122.73	103.69	110.62	110.62	143.52	106.56	
湖北	125.72	115.33	141.41	112.56	150.16	90.21	87.46
湖南	131.99	111.93	129.69	120.12	185.73	103.24	109.08
广东	132.08	116.17	113.25	111.26			83.63
广西	128.67	108.40	109.20	109.20			97.50
海南	117.19	115.53	119.10	118.80			102.26
重庆	114.93	109.10	119.43	115.27	119.83		
四川	122.29	114.08	127.05	115.39	133.57		125.00
贵州	114.12	109.98	124.48	114.57	125.86		103.48
云南	117.55	126.50	138.05	108.99	141.37		99.90
西藏							
陕西	140.17	113.86	128.17	112.39	130.74	100.69	
甘肃	125.73	94.18	122.95		116.72	94.59	
青海	107.89	109.69	111.75		111.75		
宁夏	115.65	93.76	114.02				
新疆	120.65	107.24	88.04	94.18	106.18	88.63	99.64

8—7 续表 2

地　区	麻　类	烟　叶	蔬　菜	水　果	茶　叶
全　国	**83.12**	**119.89**	**104.73**	**101.35**	**83.66**
北　京			106.34	107.22	
天　津			103.69	114.84	
河　北			99.54	113.72	
山　西		125.00	102.84	99.22	
内蒙古		118.48	99.22		
辽　宁		115.03	98.37	106.48	
吉　林		107.28	97.71	87.78	
黑龙江		102.30	98.16		
上　海			109.46	92.62	
江　苏	100.00	100.00	103.81		107.99
浙　江			107.00	106.00	93.62
安　徽			110.05	99.25	104.11
福　建		114.18	105.77	100.27	97.81
江　西		111.47	109.62	70.22	114.00
山　东	100.00	114.34	107.00	101.93	
河　南		120.13	94.56		
湖　北		116.80	109.70	77.97	104.80
湖　南	99.55	125.88	111.93	101.33	122.84
广　东		117.04	110.87	104.52	101.06
广　西	64.48	124.38	109.81	103.05	103.72
海　南			116.59	119.59	
重　庆		107.69	106.76	107.97	120.00
四　川	85.01	122.37	110.32	102.71	96.55
贵　州		113.87	101.09	101.19	111.06
云　南	104.08	118.36	107.08	102.53	28.81
西　藏					
陕　西		125.16	106.09	101.46	138.83
甘　肃		123.66	104.97	110.94	
青　海			114.61		
宁　夏			113.58	88.05	
新　疆			93.87	108.81	

8—7续表3

地　　区	二、林产品	三、畜产品	#猪	#家禽	#蛋类	#奶类
全　　国	**108.47**	**123.94**	**130.84**	**111.94**	**112.23**	**125.54**
北　　京	103.54	117.58	117.95	111.59	104.88	137.95
天　　津	106.02	106.51	107.78	107.23	99.90	111.92
河　　北	88.96	115.45	120.89	105.54	104.05	117.93
山　　西	100.73	117.80	125.10	107.47	104.03	126.77
内 蒙 古	116.63	115.92	118.77	114.22	102.71	124.43
辽　　宁	108.95	122.31	134.37	113.39	99.50	133.99
吉　　林	121.15	115.27	116.60	108.08	109.40	138.66
黑 龙 江		126.58	125.48	121.66	124.19	133.79
上　　海	111.62	112.95	114.96	102.02	104.87	128.44
江　　苏	96.54	125.84		105.23	109.73	100.73
浙　　江	102.60	126.06	129.65	116.99	106.93	135.55
安　　徽	106.46	125.88	135.51	108.13	110.95	123.54
福　　建	115.18	119.57	121.11	115.91	108.80	112.32
江　　西	114.73	124.38	126.42	108.23	113.72	
山　　东	109.57	121.60	137.72	114.65	105.41	129.94
河　　南	105.40	126.54	126.44			
湖　　北	113.68	130.45	137.13	112.01	109.76	
湖　　南	118.83	135.91	138.24	117.03	118.73	
广　　东	103.13	120.05	122.41	106.90	115.24	102.60
广　　西	104.30	123.20	123.76	108.35	128.32	
海　　南	102.96	118.41	123.49	112.07	109.73	
重　　庆	112.88	125.79	127.01	111.75	112.09	
四　　川	109.58	123.18	132.58	113.15	112.19	101.86
贵　　州	107.53	124.26	127.61	109.96	109.59	113.64
云　　南	105.55	130.74	135.09	113.73	111.34	115.69
西　　藏						
陕　　西	109.45	124.10	140.01	126.30	114.70	128.49
甘　　肃	115.91	125.81	128.00	120.97	101.53	117.20
青　　海		118.83	136.42	112.67	98.87	118.70
宁　　夏		127.81	146.87	115.89	119.43	123.18
新　　疆	102.15	129.73	141.44	119.00	115.62	124.07

8—7 续表 4

地　区	四、渔业产品	海水水产品	#海水鱼类	内陆水域水产品	#淡水鱼类
全　国	**111.24**	**106.96**	**109.40**	**113.40**	**114.63**
北　京	111.74			111.74	114.23
天　津	118.74	108.93		120.53	124.51
河　北	102.36	94.55		117.64	117.64
山　西	158.68			158.68	158.68
内蒙古	111.11			111.11	111.11
辽　宁	102.41	102.55	103.36	102.14	102.14
吉　林	106.33			106.33	106.33
黑龙江	127.98			127.98	127.98
上　海	116.04	118.69	128.62	114.93	112.02
江　苏	108.42	109.01	105.99	107.44	109.46
浙　江	113.33	109.62	113.28	118.92	119.18
安　徽	107.29			107.29	108.28
福　建	108.97	109.91	110.21	105.71	106.87
江　西	110.82			110.82	111.54
山　东	111.91	109.92	104.67	120.77	120.77
河　南	121.05			121.05	121.05
湖　北	111.27			111.27	111.22
湖　南	116.49			116.49	116.95
广　东	115.89	107.83	111.55	118.85	119.57
广　西	118.36	112.03	117.14	120.28	120.28
海　南	109.17	109.11	109.25	109.65	110.14
重　庆	110.41			110.41	110.41
四　川	115.10			115.10	115.11
贵　州	115.08			115.08	115.08
云　南	111.43			111.43	111.43
西　藏					
陕　西	120.04			120.04	120.04
甘　肃	113.82			113.82	113.82
青　海					
宁　夏	103.70			103.70	103.70
新　疆	128.09			128.09	128.09

8—8 主要农产品集贸市场价格指数

（上年＝100）

指　　标	2001 年	2006 年	2007 年	2008 年
籼　　稻	104.70	100.50	111.25	112.13
优质籼稻	105.10	101.77	109.29	110.76
粳　　稻	102.89	102.92	104.82	104.45
小　　麦	107.09	97.73	108.68	110.88
玉　　米	122.78	104.56	115.61	109.62
大　　豆	96.36	97.00	117.16	134.78
棉花(籽棉)	106.65	108.47	116.03	86.44
花 生 仁		103.78	121.64	119.86
油 菜 籽		99.17	136.09	130.40
活　　猪	105.31	89.67	160.19	128.91
仔　　猪	106.81	72.35	188.49	156.92
猪　　肉	105.27	91.88	153.89	124.28
牛　　肉	102.62	104.65	121.61	140.31
羊　　肉	100.14	105.39	126.66	133.39
活　　鸡		94.95	128.24	109.54
鸡　　蛋	104.27	94.76	124.59	102.66
草　　鱼	99.83	97.23	104.77	121.60
鲤　　鱼	97.31	94.82	110.53	121.60
带　　鱼		101.55	104.40	113.74
大 白 菜		109.74	112.05	102.42
黄　　瓜		109.64	113.85	101.27
西 红 柿		113.82	111.55	104.58
红富士苹果		135.21	106.64	108.76
香　　蕉		110.04	101.02	113.23

9

农产品进出口

9—1 海关出口主要农产品数量

单位:万头、万吨

年 份	活 猪	大 米	棉花(原棉)	蔬 菜	水 果	水产品
1980	316	109	1.0	34	24.2	11.2
1981	318	59		47	19.9	11.6
1982	324	47		51	20.8	10.3
1983	321	58	6.0	54	19.6	10.5
1984	308	116	19.0	52	17.4	12.4
1985	296	101	35.0	51	21.4	12.0
1986	310	95	56.0	64	22.4	16.7
1987	302	102	75.0	64	24.4	21.8
1988	303	70	47.0	77	29.8	28.7
1989	297	32	27.0	82	25.2	29.4
1990	300	33	17.0	98	22.6	35.8
1991	285	69	20.0	104	16.0	37.8
1992	290	95	14.0	138	14.6	44.0
1993	272	143	15.0	137	32.0	48.0
1994	270	152	11.0	154	39.2	57.0
1995	253	5	2.0	158	39.8	61.0
1996	240	26	0.4	167	56.0	64.0
1997	227	94	0.1	167	68.0	72.0
1998	219	375	4.5	201	66.0	79.0
1999	196	271	23.6	225	73.0	109.0
2000	203	295	29.2	245	82.0	120.0
2001	196	186	5.2	298	81.0	154.0
2002	188	199	15.0	360	113.0	163.0
2003	188	262	11.2	432	146.0	158.0
2004	197	91	0.9	470	175.0	177.0
2005	176	69	0.5	520	200.0	176.0
2006	172	124	1.3	568	198.0	194.0
2007	161	134	2.1	622	240.0	183.0
2008	164	97	1.6	624	285.0	175.0

注:水果 1996 年及以后为干、鲜水果及坚果数据。

9—2 海关进口主要农产品数量

单位:万吨

年 份	小 麦	玉 米	大 豆	棉花(原棉)	食用植物油
1980	1057	163.8	56.5	88.5	9.2
1981	1300	67.6	56.8	80.1	4.4
1982	1380	156.9	36.2	47.3	5.6
1983	1111	211.0	…	23.0	3.5
1984	987	5.5	…	4.0	1.4
1985	541	9.1	0.1	…	3.5
1986	611	58.8	29.1	…	19.8
1987	1320	154.2	27.3	0.6	51.1
1988	1455	10.9	15.2	3.5	21.4
1989	1488	6.8	0.1	51.9	105.6
1990	1253	36.9	0.1	41.7	112.3
1991	1237	0.1	0.1	37.1	61.2
1992	1058	…	12.1	28.0	42.0
1993	642	…	9.9	1.0	24.0
1994	730	0.1	5.2	50.0	163.0
1995	1159	518.1	29.4	74.0	213.0
1996	825	44.1	111.4	65.0	263.1
1997	186	…	280.1	75.0	274.6
1998	149	25.1	319.7	20.0	205.5
1999	45	7.0	431.7	5.0	208.0
2000	88	…	1041.6	4.7	179.0
2001	69	…	1394.0	6.0	165.0
2002	63	1.0	1131.0	18.0	319.0
2003	45	…	2074.0	87.0	541.0
2004	726	…	2023.0	191.0	676.0
2005	354	…	2659.0	257.0	621.0
2006	61	7	2824.0	364.0	669.0
2007	10	4	3082.0	246.0	838.0
2008	4.3	5	3744.0	211.0	816.0

9—3 海关出口农副产品及加工品数量

指　　标	单位	1995 年	2000 年	2007 年	2008 年	2008 年为2007 年百分比(%)
活猪	万头	253	203	161	164	101.9
活家禽	万只	5263	4890	1635	1166	71.3
鲜、冻牛肉	万吨	2	2	3	2.3	76.7
鲜、冻猪肉	万吨	15	5	13	8.2	63.1
冻鸡	万吨	24.9	35.7	7.6	7.3	95.9
鲜、冻兔肉	吨	20187	22563	9204		
鲜蛋	百万个	358	757	1006	1216	120.9
水产品	万吨	61	120	183	175	95.6
谷物及谷物粉	万吨	64	1378	986	181	18.4
其中:大米	万吨	5	295	134	97	72.4
小麦	万吨	1159	88			
玉米	万吨	11	1047	492	27	5.5
棉花(原棉)	万吨	2.2	29.2	2.1	1.6	76.2
蔬菜	万吨	158	245	622	624	100.3
鲜、干水果及坚果	万吨	49	82	240	285	118.8
其中:橘、橙	万吨	13.2	19.1	47.3	74.8	158.3
鲜苹果	万吨	10.9	29.8	101.9	115.3	113.1
食糖	万吨	48	41.4	11.1	5.8	52.5
天然蜂蜜	万吨	8.7	10.3	6.4	8.5	132.1
茶叶	万吨	16.7	22.8	28.9	29.7	102.6
辣椒干	万吨	3.6	5.4	5.6	9.6	171.2
猪肉罐头	万吨	6.4	3.8	4.4	3.2	72.3
蘑菇罐头	万吨	19.0	20.4	39.6	42.2	106.5
烤烟	万吨	5.7	9.4	12.0	11.6	96.4
生丝	万吨	1.3	1.3	1.4	1.3	94.5
山羊绒	吨	1829	3123	3075	2421	78.7
兔毛	吨	4395	4990	2030		
猪鬃	吨	10511	12398			
肠衣	吨	44971	52316	68802	67642	98.3
填充用羽毛羽绒	吨	23345	36882	31199	29846	95.7
药材	万吨	13.7	17.6	41.7	18.8	45.0
食用油籽	万吨	121	76	91	88	96.7
其中:大豆	万吨	38	21	46	47	102.2
花生和花生仁	万吨	39	40	29	23	79.3
食用植物油	万吨	51	11.2	16.6	24.8	149.1

注:1995 年鲜、干水果及坚果仅包括鲜、干水果。

9—4 海关出口农副产品及加工品金额

单位:万美元

指　　标	1995 年	2000 年	2007 年	2008 年	2008 年为 2007 年百分比(%)
活猪	27771	23045	26133	38270	146.4
活家禽	12534	10411	3456	3399	98.4
鲜、冻牛肉	3391	2353	7932	9550	120.4
鲜、冻猪肉	24535	6862	28375	27565	97.1
冻鸡	55656	51302	13039	15666	120.1
鲜冻兔肉	4765	4581	2801		
鲜蛋	1667	1712	5838	8013	137.3
水产品	208728	226755	474820	517708	109.0
谷物及谷物粉		169417	218917	75857	34.7
其中:大米	1624	56105	48787	48326	99.1
玉米		105170	87533	7942	9.1
棉花(原棉)	4680	30579	3253	3410	104.8
蔬菜	157130	157691	421648	416654	98.8
鲜、干水果及坚果	18175	34836	137755	182199	132.3
# 橘、橙	5570	4537	20549	36227	176.3
鲜苹果	4530	9656	51260	69834	136.2
食糖	18710	8359	4835	2708	56.0
天然蜂蜜	8748	8412	9438	14711	155.9
茶叶	27475	34717	60714	68226	112.4
辣椒干	5872	3446	12514	17997	143.8
猪肉罐头	11853	5845	8504	8747	102.9
烤烟	7732	13206	30351	33430	110.1
生丝	30055	27159	33712	33379	99.0
山羊绒	13987	252266	24635	19621	79.6
兔毛	7109	6177	3625		
猪鬃	6541	8396			
肠衣		31508	57241	84141	147.0
填充用羽毛羽绒	28142	30710	33426	29618	88.6
药材	43610	20795	41745	45145	108.1
食用油籽	39460	39428	64197	91212	142.1
其中:大豆		6414	19650	35146	178.9
花生和花生仁	25687	23175	28123	30652	109.0
食用植物油	20935	6702	16928	40156	237.2

注:鲜、干水果及坚果 1995 年为水果数据。

9—5 海关进口农副产品及加工品数量

指　　标	单位	1990年	1995年	2000年	2007年	2008年	2008年为2007年百分比(%)
冻鱼	万吨			89	182	180	99.1
鲜、干水果及坚果	万吨				137	171	125.3
其中:香蕉	万吨			59	33	36	108.4
谷物及谷物粉	万吨			315	155	154	99.4
其中:玉米	万吨				4	5	141.1
小麦	万吨	1253	1159	88	10	4.3	43.0
#小麦粉	万吨				2	1	55.0
大麦	万吨	65	127	197	91	108	118.7
稻谷和大米	万吨			24	49	33	67.3
大豆	万吨	…	29	1042	3082	3744	121.5
食用植物油	万吨	112	213	179	838	816	97.4
#豆油	万吨				282	259	91.8
棕榈油	万吨				439	465	105.9
菜子油和芥子油	万吨				37	27	72.0
其他植物油	万吨	119	160	23	60	65	108.3
食糖	万吨	113	295	64	119	78	65.5
饲料用鱼粉	万吨				97	135	139.2
豆饼、豆粕	吨				104912	220296	210.0
配制的动物饲料	吨				102520		
纸烟	万条				1670	1752	104.9
天然橡胶(包括胶乳)	万吨				165	168	101.8
合成橡胶(包括胶乳)	万吨				141	120	84.9
原木	万立方米				3709	2957	79.7
锯材	万立方米				650	709	109.1
纸浆	万吨				847	952	112.4
羊毛(包括羊毛条)	万吨	3	28	30	31	29	93.3
棉花(原棉)	万吨	42	74	5	246	211	85.8
肥料	万吨	1626	1991	1189	1169	622	53.2
#化肥	万吨				1168	619	53.0
尿素	吨				540	67	12.4
氮磷钾复合肥料	万吨				135	64	47.4
磷酸氢二胺	万吨				54	10	18.5
氯化钾	万吨				941	514	54.6
硫酸钾	万吨				18	11	61.1
农药	吨				41260	44316	107.4

9—6 海关进口农副产品及加工品金额

单位:万美元

指　标	1990 年	1995 年	2000 年	2007 年	2008 年	2008 年为 2007 年百分比(%)
冻鱼			68437	263508.7	272945.2	103.6
鲜、干水果及坚果				83102.2	115171.9	138.6
其中:香蕉			16926	11095	13856.5	124.9
谷物及谷物粉	235297	358153	59375	53394.4	73178.9	137.1
其中:玉米				691.2	1304.5	188.7
小麦	215653	202639	14737	2871.1	1479.8	51.5
#小麦粉				806.1	746.9	92.7
大麦	10909	24054	31330	26682.5	48429.1	181.5
稻谷和大米			11271	22804.3	20840.7	91.4
大豆	32	7549	227024	1147217.2	2181265.4	190.1
食用植物油	52829	145482	62714	623606.1	897734.4	144.0
#豆油				214639.1	333382.4	155.3
棕榈油				319433.8	467257.3	146.3
菜子油和芥子油				30509.7	35526.9	116.4
其他植物油	41904	97673	12773	50360.3	61567.8	122.3
食糖	37880	89758	11533	37959.9	31850.1	83.9
饲料用鱼粉				101160.5	139746.5	138.1
豆饼、豆粕				3314.1	8996.2	271.5
配制的动物饲料				14444		
纸烟				6000.8	6657.1	110.9
天然橡胶(包括胶乳)				325741.3	430182.1	132.1
合成橡胶(包括胶乳)				284306	334031.1	117.5
原木				535061	518362.3	96.9
锯材				176627.1	202416.4	114.6
纸浆				554902.7	670556.3	120.8
羊毛(包括羊毛条)	14606	94414	103731	179288.3	169825.5	94.7
棉花(原棉)	71079	137782	7411	347916.3	349238.1	100.4
肥料	260313	374150	173006	290627.2	348121.1	119.8
化肥				290058.1	347489.6	119.8
尿素				27	9.7	35.9
氮磷钾复合肥料				38528.3	40255.6	104.5
磷酸氢二胺				14997	12610.4	84.1
氯化钾				228724.3	283105.4	123.8
硫酸钾				4655.6	4630.9	99.5
农药				23144.2	29538.3	127.6

9－7　各地区出口农产品数量

单位:吨

地　区	大米产品	小麦产品	玉米产品	大　豆	棉花(原棉)	食用植物油	食　糖
全国合计	**971,626**	**309,836**	**273,419**	**484,383**	**16,361**	**249,328**	**62,403**
北　京	77,457	2,330	1,100	26	0	324	5
天　津	26	3	3	994	1,148	140	374
河　北	200	5,397	7,081	6,258	0	7,761	0
山　西	0	0	0	21	0	0	0
内蒙古	707	780	0	3,876	0	13	7,126
辽　宁	66,703	1,363	11,531	65,891	627	56,254	52
吉　林	56,733	0	248,132	143,476	0	4,588	135
黑龙江	525,982	51	5,353	255,889	0	2,397	10
上　海	13,125	921	0	56	977	1,625	0
江　苏	647	104,276	0	1,799	1,096	17,480	1
浙　江	120	250	0	111	0	207	25
安　徽	5,800	24,433	20	77	0	4,260	1
福　建	593	0	0	16	0	96	10,532
江　西	171,847	0	0	0	0	1	7
山　东	0	23,589	100	1,632	2,369	71,071	8,598
河　南	23	9,118	0	303	330	579	0
湖　北	2,565	0	34	230	0	388	572
湖　南	2,864	0	2	0	0	0	0
广　东	10,806	135,646	0	3,271	0	34,395	32,814
广　西	1,826	120	0	6	0	45,464	1,358
海　南	0	0	0	0	0	0	0
重　庆	832	0	0	0	0	3	4
四　川	9,665	0	0	0	0	3	0
贵　州	0	0	0	0	0	0	0
云　南	10,343	66	52	434	0	0	91
西　藏	0	0	0	0	0	0	0
陕　西	200	60	0	20	0	109	100
甘　肃	0	0	12	0	0	0	0
青　海	0	0	0	0	0	0	0
宁　夏	0	0	0	0	0	0	0
新　疆	12,562	1,435	0	0	9,814	2,172	598

9—8 各地区进口农产品数量

单位:吨

地 区	大米产品	小麦产品	玉米产品	大 豆	棉花(原棉)	食用植物油	食 糖
全国总计	**329,698**	**43,059**	**50,024**	**37,435,602**	**2,110,412**	**8,171,140**	**779,887**
北 京	5,238	10,182	54	457,347	30,543	195,751	189,425
天 津	1,599	290	6	1,157,559	71,441	1,785,308	45,484
河 北	0	0	0	3,273,467	38,011	113,367	1,716
山 西	0	0	0	0	2,175	0	0
内蒙古	0	36	0	0	773	7,892	58
辽 宁	53	298	102	1,821,817	23,882	139,592	47,761
吉 林	40	0	10	128,017	3,468	10	181
黑龙江	18	254	21	69,825	2,072	74	0
上 海	1,025	640	3,234	163,110	229,221	261,069	6,265
江 苏	464	21	0	7,692,956	349,998	2,338,982	61,085
浙 江	3,893	239	583	1,609,195	117,941	218,350	6,570
安 徽	1	0	0	0	15,743	8,202	658
福 建	19,093	68	1,546	2,360,799	22,050	382,289	24,543
江 西	0	0	0	0	3,467	0	406
山 东	172	4,428	339	7,908,865	1,001,309	537,821	243,493
河 南	43	0	0	1,166,548	24,834	5,026	51,905
湖 北	0	0	0	0	47,911	1,736	39
湖 南	1,760	0	0	0	5,161	4,065	2,104
广 东	288,177	26,604	21	5,971,813	96,449	1,885,375	82,652
广 西	129	0	5	2,717,104	9,658	233,816	1,843
海 南	0	0	0	0	0	21,303	77
重 庆	0	0	0	597,829	953	3	0
四 川	0	0	0	185,839	3,731	14	0
贵 州	0	0	0	0	0	0	0
云 南	7,991	0	44,100	0	0	31,019	13,621
西 藏	0	0	0	0	0	0	2
陕 西	0	0	0	153,510	7,301	18	0
甘 肃	0	0	2	0	0	32	0
青 海	0	0	0	0	0	0	0
宁 夏	0	0	0	0	0	0	0
新 疆	0	0	0	0	2,321	27	0

10

农产品成本与收益

10－1 全国种植业产品成本与收益

指　　标	单位	三种粮食平均		稻　　谷	
		2007年	2008年	2007年	2008年
每亩					
主产品产量	千克	410.80	436.60	450.20	464.20
产值合计	元	666.24	748.81	784.29	900.72
主产品产值	元	647.60	729.49	767.25	883.03
副产品产值	元	18.64	19.32	17.04	17.69
总成本	元	481.06	562.42	555.16	665.10
生产成本	元	399.42	462.80	470.28	556.06
物质与服务费用	元	239.87	287.78	275.93	341.41
人工成本	元	159.55	175.02	194.35	214.65
家庭用工折价	元	145.67	158.33	168.30	181.87
雇工费用	元	13.88	16.69	26.05	32.78
土地成本	元	81.64	99.62	84.88	109.04
流转地租金	元	7.91	10.09	13.60	17.27
自营地折租	元	73.73	89.53	71.28	91.77
净利润	元	185.18	186.39	229.13	235.62
现金成本	元	261.66	314.56	315.58	391.46
现金收益	元	404.58	434.25	468.71	509.26
成本利润率	%	38.49	33.14	41.27	35.43
每50公斤主产品					
平均出售价格	元	78.82	83.54	85.21	95.11
总成本	元	56.91	62.75	60.32	70.23
生产成本	元	47.25	51.63	51.09	58.72
净利润	元	21.91	20.79	24.89	24.88
现金成本	元	30.96	35.09	34.29	41.34
现金收益	元	47.86	48.45	50.92	53.77
附：					
每亩用工数量	日	8.18	7.69	9.65	9.06
每亩主产品出售数量	千克	225.30	253.40	214.00	252.90
每亩主产品出售产值	元	348.46	414.40	359.64	474.37
商品率	%	67.50	70.80	59.70	64.60
每亩补贴收入	元	24.93	49.19	28.42	56.87
每亩成本外支出	元	1.42	1.30	2.41	1.55

10—1 续表 1

指　　标	单位	小　　麦		玉　　米	
		2007 年	2008 年	2007 年	2008 年
每亩					
主产品产量	千克	359.90	388.30	422.40	457.20
产值合计	元	563.91	663.06	650.52	682.67
主产品产值	元	543.99	642.70	631.55	662.75
副产品产值	元	19.92	20.36	18.97	19.92
总成本	元	438.61	498.55	449.70	523.45
生产成本	元	369.73	411.88	358.52	420.29
物质与服务费用	元	245.01	278.69	198.74	243.31
人工成本	元	124.72	133.19	159.78	176.98
家庭用工折价	元	120.99	130.03	147.92	162.86
雇工费用	元	3.73	3.16	11.86	14.12
土地成本	元	68.88	86.67	91.18	103.16
流转地租金	元	3.67	4.52	6.47	8.48
自营地折租	元	65.21	82.15	84.71	94.68
净利润	元	125.30	164.51	200.82	159.22
现金成本	元	252.41	286.37	217.07	265.91
现金收益	元	311.50	376.69	433.45	416.76
成本利润率	%	28.57	33.00	44.66	30.42
每 50 公斤主产品					
平均出售价格	元	75.58	82.76	74.76	72.48
总成本	元	58.79	62.23	51.68	55.58
生产成本	元	49.55	51.41	41.20	44.62
净利润	元	16.79	20.53	23.08	16.90
现金成本	元	33.83	35.74	24.95	28.23
现金收益	元	41.75	47.02	49.81	44.25
附：					
每亩用工数量	日	6.60	6.10	8.29	7.90
每亩主产品出售数量	千克	189.90	216.70	271.90	290.50
每亩主产品出售产值	元	283.55	350.65	402.19	418.17
商品率	%	58.60	63.10	84.10	84.80
每亩补贴收入	元	24.77	47.69	21.60	43.01
每亩成本外支出	元	1.44	1.72	0.42	0.63

10—1 续表 2

指　　标	单位	大　　豆		两种油料平均	
		2007 年	2008 年	2007 年	2008 年
每亩					
主产品产量	千克	110.10	139.70	175.50	177.70
产值合计	元	466.96	526.44	859.91	817.77
主产品产值	元	455.92	514.83	846.55	805.30
副产品产值	元	11.04	11.61	13.36	12.47
总成本	元	291.75	347.99	459.11	535.53
生产成本	元	204.44	242.03	389.65	450.92
物质与服务费用	元	116.74	153.71	201.50	239.73
人工成本	元	87.70	88.32	188.15	211.19
家庭用工折价	元	80.78	79.49	183.45	206.93
雇工费用	元	6.92	8.83	4.70	4.26
土地成本	元	87.31	105.96	69.46	84.61
流转地租金	元	9.73	13.55	3.39	4.01
自营地折租	元	77.58	92.41	66.07	80.60
净利润	元	175.21	178.45	400.80	282.24
现金成本	元	133.39	176.09	209.59	248.00
现金收益	元	333.57	350.35	650.32	569.77
成本利润率	%	60.05	51.28	87.30	52.70
每 50 公斤主产品					
平均出售价格	元	207.05	184.26	241.18	226.59
总成本	元	129.36	121.80	128.77	148.39
生产成本	元	90.65	84.71	109.29	124.94
净利润	元	77.69	62.46	112.41	78.20
现金成本	元	59.15	61.63	58.78	68.72
现金收益	元	147.90	122.63	182.40	157.87
附：					
每亩用工数量	日	4.53	3.89	9.96	9.69
每亩主产品出售数量	千克	93.60	115.90	119.40	112.20
每亩主产品出售产值	元	384.85	424.60	566.18	510.69
商品率	%	90.10	91.30	73.80	74.00
每亩补贴收入	元	23.11	46.12	7.66	25.20
每亩成本外支出	元	0.13	0.05	2.35	1.20

10—1 续表 3

指　　标	单位	花生		油菜籽	
		2007 年	2008 年	2007 年	2008 年
每亩					
主产品产量	千克	205.10	220.50	145.90	134.90
产值合计	元	1198.44	933.46	521.37	702.07
主产品产值	元	1180.84	918.08	512.26	692.52
副产品产值	元	17.60	15.38	9.11	9.55
总成本	元	578.43	677.07	339.45	393.61
生产成本	元	486.75	569.97	292.23	331.49
物质与服务费用	元	278.29	336.82	124.60	142.48
人工成本	元	208.46	233.15	167.63	189.01
家庭用工折价	元	202.33	228.10	164.37	185.54
雇工费用	元	6.13	5.05	3.26	3.47
土地成本	元	91.68	107.10	47.22	62.12
流转地租金	元	3.16	3.42	3.61	4.60
自营地折租	元	88.52	103.68	43.61	57.52
净利润	元	620.01	256.39	181.92	308.46
现金成本	元	287.58	345.29	131.47	150.55
现金收益	元	910.86	588.17	389.90	551.52
成本利润率	%	107.19	37.87	53.59	78.37
每 50 公斤主产品					
平均出售价格	元	287.87	208.18	175.55	256.68
总成本	元	138.94	151.00	114.30	143.91
生产成本	元	116.92	127.11	98.40	121.19
净利润	元	148.93	57.18	61.25	112.77
现金成本	元	69.08	77.01	44.27	55.04
现金收益	元	218.79	131.17	131.28	201.64
附：					
每亩用工数量	日	11.00	10.69	8.90	8.67
每亩主产品出售数量	千克	132.60	126.20	106.10	98.10
每亩主产品出售产值	元	763.20	518.76	369.15	502.61
商品率	%	71.50	71.00	76.10	77.00
每亩补贴收入	元	9.90	22.10	5.42	28.29
每亩成本外支出	元	1.03	0.33	3.67	2.06

10—1 续表 4

指　　标	单位	棉花		烤烟	
		2007 年	2008 年	2007 年	2008 年
每亩					
主产品产量	千克	82.20	83.30	134.70	147.90
产值合计	元	1353.48	1063.26	1490.87	2040.04
主产品产值	元	1077.17	870.54	1485.21	2031.94
副产品产值	元	276.31	192.72	5.66	8.10
总成本	元	965.56	1079.97	1454.39	1720.81
生产成本	元	836.89	930.47	1337.07	1578.56
物质与服务费用	元	346.19	403.39	606.84	759.70
人工成本	元	490.70	527.08	730.23	818.86
家庭用工折价	元	434.59	464.18	650.39	722.52
雇工费用	元	56.11	62.90	79.84	96.34
土地成本	元	128.67	149.50	117.32	142.25
流转地租金	元	6.58	9.86	13.48	16.85
自营地折租	元	122.09	139.64	103.84	125.40
净利润	元	387.92	—16.71	36.48	319.23
现金成本	元	408.88	476.15	700.16	872.89
现金收益	元	944.60	587.11	790.71	1167.15
成本利润率	%	40.18	—1.54	2.51	18.55
每 50 公斤主产品					
平均出售价格	元	655.21	522.53	551.30	686.93
总成本	元	467.42	530.74	537.81	579.44
生产成本	元	405.13	457.27	494.43	531.54
净利润	元	187.79	—8.21	13.49	107.49
现金成本	元	197.94	234.00	258.91	293.92
现金收益	元	457.27	288.53	292.39	393.01
附：					
每亩用工数量	日	24.85	23.09	37.33	35.83
每亩主产品出售数量	千克	76.60	68.50	133.70	146.90
每亩主产品出售产值	元	997.09	716.81	1471.69	2016.97
商品率	%	98.60	98.20	99.80	99.90
每亩补贴收入	元	11.51	21.78	188.71	222.30
每亩成本外支出	元	3.66	2.77	0.32	0.69

10—1 续表 5

指　　标	单位	甘蔗		甜菜	
		2007 年	2008 年	2007 年	2008 年
每亩					
主产品产量	千克	5292.50	4928.10	3091.80	3318.30
产值合计	元	1405.43	1307.31	885.46	1102.07
主产品产值	元	1386.04	1283.81	871.54	1087.78
副产品产值	元	19.39	23.50	13.92	14.29
总成本	元	1046.50	1111.49	634.51	738.89
生产成本	元	927.57	984.01	506.58	596.20
物质与服务费用	元	460.40	513.04	318.08	393.90
人工成本	元	467.17	470.97	188.50	202.30
家庭用工折价	元	232.25	240.62	116.88	147.31
雇工费用	元	234.92	230.35	71.62	54.99
土地成本	元	118.93	127.48	127.93	142.69
流转地租金	元	8.01	5.46	9.21	14.88
自营地折租	元	110.92	122.02	118.72	127.81
净利润	元	358.93	195.82	250.95	363.18
现金成本	元	703.33	748.85	398.91	463.77
现金收益	元	702.10	558.46	486.55	638.30
成本利润率	%	34.30	17.62	39.55	49.15
每 50 公斤主产品					
平均出售价格	元	13.09	13.03	14.09	16.39
总成本	元	9.75	11.08	10.10	10.99
生产成本	元	8.64	9.81	8.06	8.87
净利润	元	3.34	1.95	3.99	5.40
现金成本	元	6.55	7.46	6.35	6.90
现金收益	元	6.54	5.57	7.74	9.49
附：					
每亩用工数量	日	19.36	17.06	8.20	8.14
每亩主产品出售数量	千克	5244.00	4825.50	3090.20	3318.30
每亩主产品出售产值	元	1359.80	1257.97	870.76	1087.78
商品率	%	98.60	98.40	100.00	100.00
每亩补贴收入	元	6.71	20.18	19.32	31.86
每亩成本外支出	元	1.24	0.12	0.25	0.21

10—1 续表 6

指　　标	单位	桑蚕茧		苹果	
		2007 年	2008 年	2007 年	2008 年
每亩					
主产品产量	千克	109.20	105.60	1726.80	1966.10
产值合计	元	1968.90	1822.69	4837.00	4203.14
主产品产值	元	1930.09	1786.90	4830.10	4197.79
副产品产值	元	38.81	35.79	6.90	5.35
总成本	元	1549.22	1685.70	2394.43	2257.62
生产成本	元	1441.44	1570.80	2174.35	2053.04
物质与服务费用	元	479.30	494.92	1357.47	1051.54
人工成本	元	962.14	1075.88	816.88	1001.50
家庭用工折价	元	896.48	1001.59	463.76	675.65
雇工费用	元	65.66	74.29	353.12	325.85
土地成本	元	107.78	114.90	220.08	204.58
流转地租金	元	17.82	15.39	11.45	19.66
自营地折租	元	89.96	99.51	208.63	184.92
净利润	元	419.68	136.99	2442.57	1945.52
现金成本	元	562.78	584.60	1722.04	1397.05
现金收益	元	1406.12	1238.09	3114.96	2806.09
成本利润率	%	27.09	8.13	102.01	86.18
每 50 公斤主产品					
平均出售价格	元	883.74	846.07	139.86	106.75
总成本	元	695.37	782.48	69.23	57.34
生产成本	元	646.99	729.15	62.87	52.14
净利润	元	188.37	63.59	70.63	49.41
现金成本	元	252.60	271.36	49.79	35.48
现金收益	元	631.14	574.71	90.07	71.27
附：					
每亩用工数量	日	50.06	48.50	36.28	39.41
每亩主产品出售数量	千克	109.20	105.30	1615.40	1827.10
每亩主产品出售产值	元	1928.05	1784.62	4595.63	3962.33
商品率	%	100.00	99.80	97.00	96.30
每亩补贴收入	元	6.05	18.72	2.65	6.53
每亩成本外支出	元	2.37	2.39	2.15	0.00

10－2 全国饲养业产品成本与收益

指标	单位	生猪平均		规模养猪平均		农户散养生猪	
		2007年	2008年	2007年	2008年	2007年	2008年
每头(百只、亩)							
主产品产量	千克	106.70	110.50	104.50	108.80	108.80	112.10
产值合计	元	1424.14	1559.57	1374.61	1568.10	1473.66	1551.03
主产品产值	元	1406.59	1542.51	1360.56	1554.25	1452.62	1530.76
副产品产值	元	17.55	17.06	14.05	13.85	21.04	20.27
总成本	元	1029.57	1290.18	1000.48	1263.88	1058.57	1316.17
生产成本	元	1028.58	1289.04	998.53	1261.96	1058.54	1315.81
物质与服务费用	元	908.35	1160.45	934.60	1192.13	882.01	1128.68
人工成本	元	120.23	128.59	63.93	69.83	176.53	187.13
家庭用工折价	元	106.78	113.62	37.03	40.18	176.53	186.84
雇工费用	元	13.45	14.97	26.90	29.65	0.00	0.29
土地成本	元	0.99	1.14	1.95	1.92	0.03	0.36
净利润	元	394.57	269.39	374.13	304.22	415.09	234.86
成本利润率	%	38.32	20.88	37.40	24.07	39.21	17.84
耗粮数量	千克	192.40	200.10	192.30	203.00	192.40	197.20
每50公斤主产品							
平均出售价格	元	659.13	697.97	650.99	714.27	667.56	682.77
总成本	元	476.51	577.41	473.81	575.70	479.53	579.38
生产成本	元	476.05	576.90	472.89	574.82	479.51	579.23
净利润	元	182.62	120.56	177.18	138.57	188.03	103.39
耗粮数量	千克	90.14	90.54	92.00	93.30	88.42	87.95
附：							
每核算单位用工数量	日	6.15	5.68	2.86	2.68	9.44	8.66
平均饲养天数	日	156.00	154.00	139.00	139.00	173.00	169.00

注：2006、2007年的蛋鸡(肉鸡)平均指标该为规模养殖蛋鸡(肉鸡)平均。

10—2 续表 1

指　　标	单位	规模养殖蛋鸡平均		规模养殖肉鸡平均	
		2007 年	2008 年	2007 年	2008 年
每头(百只、亩)					
主产品产量	千克	1650.90	1670.40	221.30	211.70
产值合计	元	11553.02	11816.95	1986.42	2112.31
主产品产值	元	10096.72	10240.81	1965.05	2086.96
副产品产值	元	1456.30	1576.14	21.37	25.35
总成本	元	10050.60	10927.51	1714.52	1877.20
生产成本	元	10029.91	10905.63	1710.50	1872.91
物质与服务费用	元	9601.99	10430.88	1621.09	1770.65
人工成本	元	427.92	474.75	89.41	102.26
家庭用工折价	元	266.85	299.81	66.01	75.17
雇工费用	元	161.07	174.94	23.40	27.09
土地成本	元	20.69	21.88	4.02	4.29
净利润	元	1502.42	889.44	271.90	235.11
成本利润率	%	14.95	8.14	15.86	12.52
耗粮数量	千克	2769.30	2760.00	364.40	349.00
每 50 公斤主产品					
平均出售价格	元	305.79	306.54	443.98	492.91
总成本	元	266.02	283.47	383.21	438.05
生产成本	元	265.48	282.90	382.31	437.05
净利润	元	39.77	23.07	60.77	54.86
耗粮数量	千克	83.87	82.62	82.34	82.44
附：					
每核算单位用工数量	日	19.60	18.92	4.32	4.15
平均饲养天数	日	354.00	350.00	64.00	65.00

10—2 续表 2

指　　标	单位	奶牛平均		规模奶牛平均		农户散养奶牛	
		2007 年	2008 年	2007 年	2008 年	2007 年	2008 年
每头(百只、亩)							
主产品产量	千克	5338.10	5413.50	5709.20	5686.00	4967.00	5140.90
产值合计	元	12509.12	14638.08	13563.82	15690.83	11454.40	13585.33
主产品产值	元	11488.31	13507.38	12541.89	14532.97	10434.72	12481.79
副产品产值	元	1020.81	1130.70	1021.93	1157.86	1019.68	1103.54
总成本	元	10147.95	11413.84	11322.68	12539.85	8973.18	10287.52
生产成本	元	10112.96	11380.81	11286.43	12501.39	8939.45	10259.93
物质与服务费用	元	9005.36	10120.36	10151.85	11258.82	7858.82	8981.82
人工成本	元	1107.60	1260.45	1134.58	1242.57	1080.63	1278.11
家庭用工折价	元	656.18	745.85	256.19	236.95	1056.18	1254.53
雇工费用	元	451.42	514.60	878.39	1005.62	24.45	23.58
土地成本	元	34.99	33.03	36.25	38.46	33.73	27.59
净利润	元	2361.17	3224.24	2241.14	3150.98	2481.22	3297.81
成本利润率	%	23.27	28.25	19.79	25.13	27.65	32.06
耗粮数量	千克	2021.90	2020.00	2099.60	2103.10	1944.10	1936.80
每 50 公斤主产品							
平均出售价格	元	107.61	124.76	109.84	127.80	105.04	121.40
总成本	元	87.30	97.28	91.69	102.14	82.29	91.93
生产成本	元	87.00	97.00	91.40	101.82	81.98	91.68
净利润	元	20.31	27.48	18.15	25.66	22.75	29.47
耗粮数量	千克	18.94	18.66	18.39	18.49	19.57	18.84
附：							
每核算单位用工数量	日	47.90	47.23	38.64	35.88	57.15	58.57
平均饲养天数	日	365.00	365.00	365.00	364.00	365.00	365.00

11

农村居民收入与消费

11—1 农村居民纯收入

单位:元/人

年 份	纯收入合计	扣除价格因素实际比上年增长%	工资性收入	家庭经营纯收入	财产性收入	转移性收入
1949	43.8					
1952	57.0					
1954	64.1		2.4	56.4		5.3
1956	72.9		45.5	17.0		10.4
1957	73.0		43.4	21.5		8.1
1962	99.1		52.3	38.2		8.7
1963	101.3		54.6	35.7		11.1
1964	102.3		55.1	35.7		11.5
1965	107.2		63.2	33.3		10.7
1976	113.1		78.4	26.2		8.5
1977	117.1		76.1	32.8		8.2
1978	133.6		88.3	35.8		9.5
1979	160.2	19.2	100.7	44.0		15.5
1980	191.3	16.6	106.4	62.6		22.4
1981	223.4	15.4	113.8	84.5		25.1
1982	270.1	19.9	142.9	102.8		24.5
1983	309.8	14.2	57.5	227.7		24.6
1984	355.3	13.6	66.5	261.7		27.2
1985	397.6	7.8	72.2	296.0		29.5
1986	423.8	3.2	81.6	313.3		28.9
1987	462.6	5.2	95.5	345.5		21.6
1988	544.9	6.4	117.8	403.2		24.0
1989	601.5	—1.6	136.5	434.6		30.5
1990	686.3	1.8	138.8	518.6		29.0
1991	708.6	2.0	151.9	523.6		33.0
1992	784.0	5.9	184.4	561.6		38.0
1993	921.6	3.2	194.5	678.5	7.0	41.6
1994	1221.0	5.0	263.0	881.9	28.6	47.6
1995	1577.7	5.3	353.7	1125.8	41.0	57.3
1996	1926.1	9.0	450.8	1362.5	42.6	70.2
1997	2090.1	4.6	514.6	1472.7	23.6	79.3
1998	2162.0	4.3	573.6	1466.0	30.4	92.0
1999	2210.3	3.8	630.3	1448.4	31.6	100.2
2000	2253.4	2.1	702.3	1427.3	45.0	78.8
2001	2366.4	4.2	771.9	1459.6	47.0	87.9
2002	2475.6	4.8	840.2	1486.5	50.7	98.2
2003	2622.2	4.3	918.4	1541.3	65.8	96.8
2004	2936.4	6.8	998.5	1745.8	76.6	115.5
2005	3254.9	6.2	1174.5	1844.5	88.5	147.4
2006	3587.0	7.4	1374.8	1931.0	100.5	180.8
2007	4140.4	9.5	1596.2	2193.7	128.2	222.3
2008	4760.6	8.0	1853.7	2435.6	148.1	323.2

注:1992 年以前的转移性收入包括财产性收入。

11—2　农村居民生活消费支出

单位:元/人

年　份	生活消费支出	扣除价格因素实际比上年增长%	食品支出	衣着支出	居住支出	家庭设备用品及服务支出	交通和通讯支出	文教娱乐用品及服务支出	医疗保健支出	其他支出
1954	59.6		40.9	7.8	7.2					
1956	66.6		45.4	8.8	6.4					
1957	70.9		46.6	9.5	8.6					
1962	92.2		56.1	7.7	17.3					
1963	93.9		59.4	8.8	14.9					
1964	93.6		62.8	8.6	12.5					
1965	95.1		65.1	10.0	10.6					
1978	116.1		78.6	14.7	12.0					
1979	134.5	13.6	86.0	17.6	16.0					
1980	162.2	15.5	100.2	20.0	22.5	4.1	0.6	8.3	3.4	3.2
1981	190.8	15.2	114.1	23.8	31.6	4.2	0.6	10.1	4.2	2.2
1982	220.2	13.5	133.5	25.0	35.6	9.4	0.6	7.5	4.7	4.0
1983	248.3	11.4	147.6	28.0	42.0	14.0	3.6	5.7	4.4	3.0
1984	273.8	7.1	162.3	28.9	48.4	14.8	3.4	8.2	5.0	2.7
1985	317.4	7.7	183.4	30.8	57.9	16.2	5.6	12.4	7.7	3.6
1986	357.0	6.0	201.5	33.0	70.3	19.6	6.2	14.4	8.7	3.3
1987	398.3	5.1	222.1	34.2	79.8	21.5	8.2	18.5	10.7	3.4
1988	476.7	1.9	257.4	41.1	96.3	30.0	8.9	25.7	13.4	3.9
1989	535.4	−5.9	293.4	44.5	105.2	32.4	8.5	30.6	16.4	4.3
1990	584.6	4.5	343.8	45.4	101.4	30.9	8.4	31.4	19.0	4.3
1991	619.8	3.6	357.1	51.1	102.3	35.3	10.3	36.4	22.3	5.0
1992	659.0	1.6	379.3	52.5	104.9	36.7	12.2	43.8	24.2	5.5
1993	769.7	2.7	446.8	55.3	106.8	44.7	17.4	58.4	27.2	13.1
1994	1016.8	7.1	598.5	70.3	142.3	55.5	24.0	75.1	32.1	19.0
1995	1310.4	9.7	768.2	89.8	182.2	68.5	33.8	102.4	42.5	23.1
1996	1572.1	11.2	885.5	113.8	219.1	84.2	47.1	132.5	58.3	31.7
1997	1617.2	0.4	890.3	109.4	233.2	85.4	53.9	148.2	62.5	34.3
1998	1590.3	−0.7	849.6	98.1	239.6	81.9	60.7	159.4	68.1	32.9
1999	1577.4	0.7	829.0	92.0	232.7	82.3	68.7	168.3	70.0	34.3
2000	1670.1	6.0	820.5	96.0	258.3	75.5	93.1	186.7	87.6	52.5
2001	1741.1	3.4	830.7	98.7	279.1	77.0	110.0	192.6	96.6	56.4
2002	1834.3	5.8	848.4	105.0	300.2	80.4	128.5	210.3	103.9	57.7
2003	1943.3	4.3	886.0	110.3	308.4	81.7	162.5	235.7	115.8	43.0
2004	2184.7	7.3	1031.9	120.2	324.3	89.2	192.6	247.6	130.6	48.3
2005	2555.4	11.5	1162.2	148.6	370.2	111.4	245.0	295.5	168.1	54.5
2006	2829.0	9.1	1217.0	168.0	469.0	126.6	288.8	305.1	191.5	63.1
2007	3223.9	8.1	1389.0	193.4	573.8	149.1	328.4	305.7	210.2	74.2
2008	3660.7	6.6	1598.7	211.8	678.8	174.0	360.2	314.5	246.0	76.7

注:1979年以前生活消费支出中的各细项均为其中项。

11—3 农村居民主要食品消费量

单位:千克/人

年份	粮食合计	细粮	粗粮	蔬菜	食用油	植物油	动物油
1954	221.7	95.1	126.7	70.7	1.3	1.1	0.2
1956	246.5	126.0	120.5	91.0	1.5	1.3	0.3
1957	227.0	110.1	116.9	102.3	1.6	1.3	0.3
1962	189.3	91.7	97.6	199.7	1.0	0.8	0.2
1963	208.0	94.4	113.6	134.9	1.2	0.9	0.3
1964	212.7	106.0	106.7	126.4	1.3	0.9	0.4
1965	226.5	113.0	113.5	130.0	1.5	1.1	0.4
1977	234.7	113.4	121.3	134.0	1.8	1.2	0.7
1978	247.8	122.5	125.3	141.5	2.0	1.3	0.7
1979	256.7	139.4	117.3	131.2	2.4	1.5	0.9
1980	257.2	162.9	94.2	127.2	2.5	1.4	1.1
1981	256.1	172.4	83.7	124.0	3.1	1.9	1.2
1982	260.0	191.8	68.1	132.0	3.4	2.1	1.4
1983	259.9	196.3	63.6	131.0	3.5	2.2	1.3
1984	266.5	209.1	57.5	140.0	4.0	2.5	1.5
1985	257.5	208.8	48.6	131.1	4.0	2.6	1.4
1986	259.3	212.2	47.1	133.7	4.2	2.6	1.6
1987	259.4	211.4	48.0	130.4	4.7	3.1	1.6
1988	259.5	210.7	48.8	130.1	4.8	3.3	1.5
1989	262.3	213.5	48.8	133.4	4.8	3.3	1.5
1990	262.1	215.0	47.1	134.0	5.2	3.5	1.6
1991	255.6	213.8	41.8	127.0	5.7	3.9	1.8
1992	250.5	210.6	39.9	129.1	5.9	4.1	1.8
1993	251.8	221.0	30.8	107.4	5.7	4.1	1.6
1994	257.6	212.0	45.6	107.9	5.7	4.1	1.6
1995	256.1	210.7	45.3	104.6	5.8	4.3	1.6
1996	256.2	206.5	49.7	106.3	6.1	4.5	1.6
1997	250.7	208.9	41.8	107.2	6.2	4.7	1.4
1998	248.9	209.0	39.9	109.0	6.1	4.6	1.5
1999	247.5	206.2	41.3	108.9	6.2	4.6	1.6
2000	250.2	207.1	43.1	106.7	7.1	5.5	1.6
2001	238.6	199.7	38.9	109.3	7.0	5.5	1.5
2002	236.5	199.4	37.1	110.6	7.5	5.8	1.8
2003	222.4	192.5	29.9	107.4	6.3	5.3	1.0
2004	218.3	189.8	28.5	106.6	5.3	4.3	1.0
2005	208.9	181.8	27.1	102.3	6.0	4.9	1.1
2006	205.6	178.0	27.6	100.5	5.8	4.7	1.1
2007	199.5	173.8	25.7	99.0	6.0	5.1	0.9
2008	199.1	173.7	25.4	99.7	6.2	5.4	0.9

11—3 续表

单位:千克/人

年 份	猪牛羊肉	猪 肉	牛羊肉	家 禽	禽蛋及制品	水产品	食糖	酒
1954	4.6	3.7	0.9		0.8	1.4	0.4	0.8
1956	4.2	3.1	1.1		0.7	1.2	0.5	0.5
1957	4.5	3.5	1.1		0.8	1.1	0.5	0.5
1962	2.7	1.8	0.9		0.5	1.4	0.6	0.6
1963	4.2	3.0	1.2		0.8	1.4	0.4	0.5
1964	4.4	3.5	0.9		0.9	1.3	0.7	0.6
1965	4.8	3.8	1.0		0.9	1.3	0.7	0.6
1977	5.3	4.8	0.5	0.2	0.7	0.8	0.7	1.2
1978	5.8	5.2	0.6	0.3	0.8	0.8	0.7	1.2
1979	6.5	6.1	0.4	0.3	0.9	0.7	0.8	1.4
1980	7.7	7.3	0.5	0.7	1.2	1.1	1.1	1.9
1981	8.7	8.2	0.5	0.7	1.3	1.3	1.1	2.3
1982	9.1	8.4	0.7	0.8	1.4	1.3	1.2	2.7
1983	10.0	9.3	0.7	0.8	1.6	1.6	1.3	3.2
1984	10.6	9.9	0.7	0.9	1.8	1.7	1.3	3.5
1985	11.0	10.3	0.7	1.0	2.1	1.6	1.5	4.4
1986	11.8	11.1	0.7	1.1	2.1	1.9	1.6	5.0
1987	11.7	11.0	0.7	1.2	2.3	2.0	1.7	5.5
1988	10.7	10.1	0.7	1.3	2.3	1.9	1.4	5.9
1989	11.0	10.3	0.7	1.3	2.4	2.1	1.5	6.0
1990	11.3	10.5	0.8	1.3	2.4	2.1	1.5	6.1
1991	12.2	11.2	1.0	1.3	2.7	2.2	1.4	6.4
1992	11.8	10.9	1.0	1.5	2.9	2.3	1.5	6.6
1993	11.7	10.9	0.8	1.6	2.9	2.8	1.4	6.5
1994	11.0	10.2	0.8	1.6	3.0	3.0	1.3	6.0
1995	11.3	10.6	0.7	1.8	3.2	3.4	1.3	6.5
1996	12.9	11.9	1.1	1.9	3.4	3.7	1.4	7.1
1997	12.7	11.5	1.3	2.4	4.1	3.8	1.4	7.1
1998	13.2	11.9	1.3	2.3	4.1	3.7	1.4	7.0
1999	13.9	12.7	1.2	2.5	4.3	3.8	1.5	7.0
2000	14.4	13.3	1.1	2.8	4.8	3.9	1.3	7.0
2001	14.5	13.4	1.2	2.9	4.7	4.1	1.4	7.1
2002	14.9	13.7	1.2	2.9	4.7	4.4	1.6	7.5
2003	15.0	13.8	1.3	3.2	4.8	4.3	1.2	7.7
2004	14.8	13.5	1.3	3.1	4.6	4.5	1.1	7.8
2005	17.1	15.6	1.5	3.7	4.7	4.9	1.1	9.6
2006	17.0	15.5	1.6	3.5	5.0	5.0	1.1	10.0
2007	14.9	13.4	1.5	3.9	4.7	5.4	1.1	10.2
2008	13.9	12.6	1.3	4.4	5.4	5.2	1.1	9.7

11—4 农村居民家庭基本情况

指　　标	单位	1990年	1995年	2000年	2007年	2008年	2008年为下列各年%	
							1990年	2007年
调查户数	户	66960	67340	68116	68190	68190	101.8	100.0
调查户常住人口	人	321429	301878	286162	274764	273695	85.1	99.6
平均每户常住人口	人	4.80	4.48	4.20	4.03	4.01	83.6	99.6
平均每户劳动力	人	2.92	2.88	2.76	2.84	2.85	97.5	100.2
平均每人经营耕地面积	亩	2.10	2.17	1.98	2.16	2.18	103.8	100.9
平均每人经营山地面积	亩	0.42	0.44	0.28	0.32	0.33	78.6	103.1
平均每户生产性固定资产原值	元	1258.1	2774.3	4673.1	8389.8	9054.9	719.8	107.9
平均每人全年收入								
总收入	元	990.4	2337.9	3146.2	5791.1	6700.7	676.6	115.7
#工资性收入	元	138.8	353.7	702.3	1596.2	1853.7	1335.5	116.1
家庭经营收入	元	815.8	1877.4	2251.3	3776.7	4302.1	527.4	113.9
纯收入	元	686.3	1577.7	2253.4	4140.4	4760.6	693.7	115.0
#工资性收入	元	138.8	353.7	702.3	1596.2	1853.7	1335.5	116.1
家庭经营收入	元	518.6	1125.8	1427.3	2193.7	2435.6	469.7	111.0
现金收入	元	676.7	1595.6	2381.6	4958.4	5737.0	847.8	115.7
#工资性收入	元	136.4	352.9	700.4	1595.3	1850.6	1356.4	116.0
家庭经营收入	元	481.2	1116.7	1498.8	2978.3	3370.5	700.4	113.2
平均每人全年支出								
总支出	元	903.5	2138.3	2652.4	5137.7	5915.7	654.8	115.1
#家庭经营费用支出	元	241.1	621.7	654.3	1432.7	1704.5	707.0	119.0
税费支出	元	38.7	88.7	95.5	11.9	11.6	30.0	97.2
生活消费支出	元	584.6	1310.4	1670.1	3223.9	3660.7	626.2	113.5
财产性和转移性支出	元	18.8	55.3	168.6	322.0	377.3	2006.8	117.2
现金支出	元	639.1	1545.8	2140.4	4533.1	5257.9	822.8	116.0
#家庭经营费用现金支出	元	162.9	454.7	544.5	1287.2	1551.0	952.1	120.5
税费支出	元	33.4	77.0	89.8	11.7	11.6	34.6	99.1
生活消费现金支出	元	374.7	859.4	1284.7	2767.1	3159.4	843.1	114.2
财产性和转移性支出	元	47.6	92.4	157.4	320.0	374.4	786.6	117.0

11—5 农村居民总收入和纯收入

单位:元/人

指 标	1990 年	1995 年	2000 年	2007 年	2008 年	2008 年为下列各年%	
						1990 年	2007 年
一、总收入	990.4	2337.9	3146.2	5791.1	6700.7	676.6	115.7
工资性收入	138.8	353.7	702.3	1596.2	1853.7	1335.5	116.1
家庭经营收入	815.8	1877.4	2251.3	3776.7	4302.1	527.4	113.9
财产性收入		41.0	45.0	128.2	148.1		115.5
转移性收入	35.8	65.8	147.6	290.0	396.8	1108.7	136.8
二、纯收入	686.3	1577.7	2253.4	4140.4	4760.6	693.7	115.0
(一)工资性收入	138.8	353.7	702.3	1596.2	1853.7	1335.5	116.1
(二)家庭经营纯收入	518.6	1125.8	1427.3	2193.7	2435.6	469.7	111.0
1. 第一产业收入	456.0	956.5	1090.7	1745.1	1945.9	426.7	111.5
农业收入	344.6	799.4	833.9	1303.8	1427.0	414.1	109.4
林业收入	7.5	13.5	22.4	59.2	66.2	878.9	111.8
牧业收入	96.8	127.8	207.4	335.1	397.5	410.6	118.6
渔业收入	7.1	15.7	27.0	47.1	55.2	776.2	117.2
2. 第二产业收入	21.3	48.2	99.4	137.6	149.0	698.5	108.3
工业收入	9.2	13.6	52.7	76.9	81.6	891.7	106.1
建筑业收入	12.2	34.5	46.7	60.7	67.4	553.4	111.1
3. 第三产业收入	41.2	121.2	237.2	311.0	340.7	827.4	109.6
交通、运输和邮电业收入	13.5	27.8	63.6	94.5	103.8	771.9	109.9
批发零售贸易、餐饮业收入	12.7	34.3	78.5	128.8	142.1	1119.7	110.3
社会服务业收入	6.6	17.2	28.1	38.8	41.9	639.4	107.8
文教卫生业收入			6.9	14.3	16.9		117.8
其他家庭经营收入	8.5	42.0	60.1	34.5	36.0	424.5	104.4
(三)财产性和转移性收入	29.0	98.3	123.9	350.5	471.3	1627.5	134.5

11－6 各地区农村居民纯收入

单位:元/人

地区	1990年	1995年	2000年	2007年	2008年	2008年为下列各年%	
						1990年	2007年
全国合计	**686.3**	**1577.7**	**2253.4**	**4140.4**	**4760.6**	**693.7**	**115.0**
北京	1297.1	3223.7	4604.5	9439.6	10661.9	822.0	112.9
天津	1069.0	2406.4	3622.4	7010.1	7910.8	740.0	112.8
河北	621.7	1668.7	2478.9	4293.4	4795.5	771.4	111.7
山西	603.5	1208.3	1905.6	3665.7	4097.2	678.9	111.8
内蒙古	607.2	1208.4	2038.2	3953.1	4656.2	766.9	117.8
辽宁	836.2	1756.5	2355.6	4773.4	5576.5	666.9	116.8
吉林	803.5	1609.6	2022.5	4191.3	4932.7	613.9	117.7
黑龙江	759.9	1766.3	2148.2	4132.3	4855.6	639.0	117.5
上海	1907.3	4245.6	5596.4	10144.6	11440.3	599.8	112.8
江苏	959.1	2456.9	3595.1	6561.0	7356.5	767.1	112.1
浙江	1099.0	2966.2	4253.7	8265.1	9257.9	842.4	112.0
安徽	539.2	1302.8	1934.6	3556.3	4202.5	779.5	118.2
福建	764.4	2048.6	3230.5	5467.1	6196.1	810.6	113.3
江西	669.9	1537.4	2135.3	4044.7	4697.2	701.2	116.1
山东	680.2	1715.1	2659.2	4985.3	5641.4	829.4	113.2
河南	527.0	1232.0	1985.8	3851.6	4454.2	845.3	115.6
湖北	670.8	1511.2	2268.6	3997.5	4656.4	694.2	116.5
湖南	664.2	1425.2	2197.2	3904.2	4512.5	679.3	115.6
广东	1043.0	2699.2	3654.5	5624.0	6399.8	613.6	113.8
广西	639.5	1446.1	1864.5	3224.1	3690.3	577.1	114.5
海南	696.2	1519.7	2182.3	3791.4	4390.0	630.5	115.8
重庆			1892.5	3509.3	4126.2		117.6
四川	557.8	1158.3	1903.6	3546.7	4121.2	738.9	116.2
贵州	435.1	1086.6	1374.2	2374.0	2796.9	642.8	117.8
云南	540.9	1011.0	1478.6	2634.1	3102.6	573.6	117.8
西藏	649.7	1200.3	1330.8	2788.2	3175.8	488.8	113.9
陕西	530.8	962.9	1443.9	2644.7	3136.5	590.9	118.6
甘肃	431.0	880.3	1428.7	2328.9	2723.8	632.0	117.0
青海	559.8	1029.8	1490.5	2683.8	3061.2	546.9	114.1
宁夏	578.1	998.8	1724.3	3180.8	3681.4	636.8	115.7
新疆	683.5	1136.5	1618.1	3183.0	3502.9	512.5	110.1

11－7 各地区农村居民纯收入

（按收入来源分）

单位:元/人

地　　区	纯收入	工资性收入	家庭经营纯收入	财产性收入	转移性收入
全国合计	**4760.6**	**1853.7**	**2435.6**	**148.1**	**323.2**
北　　京	10661.9	6389.3	2058.6	1142.8	1071.3
天　　津	7910.8	4065.0	3097.1	463.4	285.3
河　　北	4795.5	1979.5	2416.2	118.6	281.1
山　　西	4097.2	1713.6	1986.4	153.1	244.3
内 蒙 古	4656.2	806.5	3218.0	114.9	516.8
辽　　宁	5576.5	2035.5	2931.3	201.3	408.4
吉　　林	4932.7	810.2	3344.7	183.2	594.7
黑 龙 江	4855.6	916.8	3163.7	243.6	531.6
上　　海	11440.3	8108.3	711.3	849.8	1770.9
江　　苏	7356.5	3895.5	2812.0	253.5	395.5
浙　　江	9257.9	4587.4	3762.9	437.5	470.0
安　　徽	4202.5	1737.8	2114.2	119.0	231.4
福　　建	6196.1	2421.5	3146.1	179.0	449.5
江　　西	4697.2	1842.4	2552.6	66.6	235.7
山　　东	5641.4	2263.5	2963.0	163.9	251.1
河　　南	4454.2	1499.9	2699.3	53.0	202.0
湖　　北	4656.4	1742.3	2690.8	40.8	182.4
湖　　南	4512.5	1990.5	2196.6	57.1	268.3
广　　东	6399.8	3684.5	2001.5	339.5	374.4
广　　西	3690.3	1283.4	2190.6	41.8	174.6
海　　南	4390.0	808.6	3235.1	53.6	292.7
重　　庆	4126.2	1764.6	2016.6	50.9	294.0
四　　川	4121.2	1620.4	2061.7	71.4	367.7
贵　　州	2796.9	1002.7	1512.5	63.9	217.9
云　　南	3102.6	617.5	2156.8	109.8	218.5
西　　藏	3175.8	759.7	1845.0	185.5	385.6
陕　　西	3136.5	1243.6	1475.0	86.0	331.9
甘　　肃	2723.8	868.0	1543.2	19.5	293.1
青　　海	3061.2	983.2	1602.7	148.6	326.8
宁　　夏	3681.4	1260.0	2032.0	65.7	323.6
新　　疆	3502.9	422.8	2779.7	121.2	179.2

11—8 农村居民生活消费支出及构成

指　　标	1990 年	1995 年	2000 年	2007 年	2008 年	2008 年为下列各年%	
						1990 年	2007 年
生活消费支出(元/人)	**584.6**	**1310.4**	**1670.1**	**3223.9**	**3660.7**	**626.2**	**113.5**
一、食品支出	343.8	768.2	820.5	1389.0	1598.8	465.1	115.1
二、衣着支出	45.4	89.8	96.0	193.5	211.8	466.1	109.5
三、居住支出	101.4	182.2	258.3	573.8	678.8	669.6	118.3
四、家庭设备用品及服务支出	30.9	68.5	75.5	149.1	174.0	563.0	116.7
五、交通和通讯支出	8.4	33.8	93.1	328.4	360.2	4277.7	109.7
六、文教娱乐用品及服务支出	31.4	102.4	186.7	305.7	314.5	1002.3	102.9
七、医疗保健支出	19.0	42.5	87.6	210.2	246.0	1293.2	117.0
八、其他商品及服务支出	4.3	23.1	52.5	74.2	76.7	1766.6	103.3
生活消费支出构成(%)	**100.0**	**100.0**	**100.0**	**100.0**	**100.0**		
一、食品支出	58.8	58.6	49.1	43.1	43.7		
二、衣着支出	7.8	6.9	5.7	6.0	5.8		
三、居住支出	17.3	13.9	15.5	17.8	18.5		
四、家庭设备用品及服务支出	5.3	5.2	4.5	4.6	4.8		
五、交通和通讯支出	1.4	2.6	5.6	10.2	9.8		
六、文教娱乐用品及服务支出	5.4	7.8	11.2	9.5	8.6		
七、医疗保健支出	3.3	3.2	5.2	6.5	6.7		
八、其他商品及服务支出	0.7	1.8	3.1	2.3	2.1		

11—9　农村居民生活消费现金支出及构成

指　　标	1990 年	1995 年	2000 年	2007 年	2008 年	2008 年为下列各年%	
						1990 年	2007 年
生活消费现金支出(元/人)	**374.7**	**859.4**	**1284.7**	**2767.1**	**3159.4**	**843.1**	**114.2**
一、食品支出	155.9	353.2	464.3	967.6	1135.2	728.4	117.3
二、衣着支出	44.0	88.7	95.2	192.6	211.1	479.3	109.6
三、居住支出	81.2	147.9	231.1	540.1	642.3	791.4	118.9
四、家庭设备用品及服务支出	30.7	68.1	74.4	148.7	173.6	564.6	116.7
五、交通和通讯支出	8.4	33.7	93.1	328.4	360.2	4282.8	109.7
六、文教娱乐用品及服务支出	31.3	102.4	186.7	305.7	314.5	1003.9	102.9
七、医疗保健支出	19.0	42.5	87.6	210.2	246.0	1295.9	117.0
八、其他商品及服务支出	4.3	23.1	52.5	73.9	76.7	1804.0	103.8
生活消费现金支出构成(%)	**100.0**	**100.0**	**100.0**	**100.0**	**100.0**		
一、食品支出	41.6	41.1	36.1	35.0	35.9		
二、衣着支出	11.7	10.3	7.4	7.0	6.7		
三、居住支出	21.7	17.2	18.0	19.5	20.3		
四、家庭设备用品及服务支出	8.2	7.9	5.8	5.4	5.5		
五、交通和通讯支出	2.2	3.9	7.2	11.9	11.4		
六、文教娱乐用品及服务支出	8.4	11.9	14.5	11.0	10.0		
七、医疗保健支出	5.1	4.9	6.8	7.6	7.8		
八、其他商品及服务支出	1.1	2.7	4.1	2.7	2.4		

11—10　各地区农村居民生活消费支出

单位:元/人

地　区	生活消费支出	服务性支出	1.食品支出	2.衣着支出	3.居住支出
全国合计	**3660.7**	**1042.4**	**1598.8**	**211.8**	**678.8**
北　京	7284.7	2634.9	2470.7	577.8	1163.0
天　津	3825.4	1201.6	1569.0	292.5	699.2
河　北	3125.6	804.5	1192.9	203.7	696.1
山　西	3097.5	919.1	1206.7	276.2	486.8
内蒙古	3618.1	1101.3	1483.6	240.0	569.6
辽　宁	3814.0	1036.7	1549.0	298.8	601.7
吉　林	3443.2	958.9	1362.4	254.1	530.7
黑龙江	3844.7	1028.2	1267.7	308.5	871.5
上　海	9119.7	3007.4	3731.3	467.3	1806.1
江　苏	5328.4	1811.0	2202.6	276.4	860.4
浙　江	7534.1	2315.1	2779.1	454.8	1659.9
安　徽	3284.1	941.6	1454.2	180.0	650.5
福　建	4661.9	1244.0	2162.3	263.6	777.5
江　西	3309.2	960.8	1633.1	157.8	559.4
山　东	4077.1	1218.2	1551.8	250.3	804.8
河　南	3044.2	847.8	1165.8	209.8	712.6
湖　北	3652.6	1000.4	1711.3	187.1	651.5
湖　南	3805.0	1206.5	1947.5	169.1	629.8
广　东	4872.5	1373.3	2388.9	177.7	964.5
广　西	2985.0	801.3	1594.7	91.2	535.5
海　南	2883.1	746.8	1537.6	89.9	391.0
重　庆	2884.9	812.1	1537.6	160.3	329.0
四　川	3127.9	814.5	1627.6	174.6	469.7
贵　州	2165.7	450.5	1119.6	112.5	427.4
云　南	2990.6	636.1	1483.2	119.6	626.1
西　藏	2199.6	242.2	1153.4	248.7	324.1
陕　西	2979.4	1005.0	1115.7	175.5	598.6
甘　肃	2401.0	612.6	1132.5	134.7	387.8
青　海	2896.6	612.8	1220.0	200.3	568.8
宁　夏	3094.9	744.0	1288.5	217.2	582.5
新　疆	2691.8	719.9	1146.7	218.6	492.8

11—10 续表 单位:元/人

地　区	家庭设备用品及服务支出	交通和通讯支出	文教娱乐用品及服务支出	医疗保健支出	其他支出
全国合计	**174.0**	**360.2**	**314.5**	**246.0**	**76.7**
北　京	402.6	950.5	883.4	709.4	127.3
天　津	153.6	402.9	324.5	301.1	82.8
河　北	151.9	346.7	250.1	219.3	64.7
山　西	138.3	328.7	380.7	210.3	69.9
内蒙古	128.8	406.7	399.4	320.6	69.4
辽　宁	158.9	426.5	388.0	283.4	107.8
吉　林	124.8	355.6	341.7	380.7	93.3
黑龙江	130.0	395.0	437.6	351.1	83.4
上　海	504.0	879.6	855.3	697.1	179.1
江　苏	250.1	614.2	713.2	290.9	120.6
浙　江	364.1	851.1	747.0	532.1	146.1
安　徽	165.5	280.6	294.8	199.4	58.9
福　建	222.9	534.7	390.2	197.9	113.0
江　西	155.0	301.7	236.0	205.7	60.6
山　东	240.9	452.6	417.3	280.5	79.0
河　南	169.6	290.8	214.4	215.0	66.3
湖　北	234.9	290.4	267.1	210.4	99.8
湖　南	171.1	286.0	278.7	244.2	78.7
广　东	189.0	483.7	272.9	259.0	136.8
广　西	124.0	261.9	172.7	154.3	50.8
海　南	104.1	261.6	288.5	123.8	86.7
重　庆	167.7	238.4	211.8	197.2	42.9
四　川	164.0	256.1	173.3	209.2	53.5
贵　州	94.4	159.6	122.1	96.4	33.8
云　南	119.0	248.3	168.6	182.0	44.0
西　藏	140.1	147.2	62.3	53.8	70.1
陕　西	155.1	270.6	352.0	251.2	60.7
甘　肃	95.6	234.7	219.9	164.7	31.1
青　海	110.4	316.8	148.9	270.1	61.5
宁　夏	123.9	299.3	192.6	318.8	72.2
新　疆	97.6	276.3	169.0	244.6	46.2

11—11 各地区农村居民生活消费支出构成

单位:%

地 区	生活消费支出	食品支出	衣着支出	居住支出	家庭设备用品及服务支出	交通和通讯支出	文教娱乐用品及服务支出	医疗保健支出	其他支出
全国合计	**100.0**	**43.7**	**5.8**	**18.5**	**4.8**	**9.8**	**8.6**	**6.7**	**2.1**
北 京	100.0	33.9	7.9	16.0	5.5	13.0	12.1	9.7	1.7
天 津	100.0	41.0	7.6	18.3	4.0	10.5	8.5	7.9	2.2
河 北	100.0	38.2	6.5	22.3	4.9	11.1	8.0	7.0	2.1
山 西	100.0	39.0	8.9	15.7	4.5	10.6	12.3	6.8	2.3
内蒙古	100.0	41.0	6.6	15.7	3.6	11.2	11.0	8.9	1.9
辽 宁	100.0	40.6	7.8	15.8	4.2	11.2	10.2	7.4	2.8
吉 林	100.0	39.6	7.4	15.4	3.6	10.3	9.9	11.1	2.7
黑龙江	100.0	33.0	8.0	22.7	3.4	10.3	11.4	9.1	2.2
上 海	100.0	40.9	5.1	19.8	5.5	9.6	9.4	7.6	2.0
江 苏	100.0	41.3	5.2	16.1	4.7	11.5	13.4	5.5	2.3
浙 江	100.0	36.9	6.0	22.0	4.8	11.3	9.9	7.1	1.9
安 徽	100.0	44.3	5.5	19.8	5.0	8.5	9.0	6.1	1.8
福 建	100.0	46.4	5.7	16.7	4.8	11.5	8.4	4.2	2.4
江 西	100.0	49.4	4.8	16.9	4.7	9.1	7.1	6.2	1.8
山 东	100.0	38.1	6.1	19.7	5.9	11.1	10.2	6.9	1.9
河 南	100.0	38.3	6.9	23.4	5.6	9.6	7.0	7.1	2.2
湖 北	100.0	46.9	5.1	17.8	6.4	8.0	7.3	5.8	2.7
湖 南	100.0	51.2	4.4	16.6	4.5	7.5	7.3	6.4	2.1
广 东	100.0	49.0	3.6	19.8	3.9	9.9	5.6	5.3	2.8
广 西	100.0	53.4	3.1	17.9	4.2	8.8	5.8	5.2	1.7
海 南	100.0	53.3	3.1	13.6	3.6	9.1	10.0	4.3	3.0
重 庆	100.0	53.3	5.6	11.4	5.8	8.3	7.3	6.8	1.5
四 川	100.0	52.0	5.6	15.0	5.2	8.2	5.5	6.7	1.7
贵 州	100.0	51.7	5.2	19.7	4.4	7.4	5.6	4.5	1.6
云 南	100.0	49.6	4.0	20.9	4.0	8.3	5.6	6.1	1.5
西 藏	100.0	52.4	11.3	14.7	6.4	6.7	2.8	2.4	3.2
陕 西	100.0	37.4	5.9	20.1	5.2	9.1	11.8	8.4	2.0
甘 肃	100.0	47.2	5.6	16.2	4.0	9.8	9.2	6.9	1.3
青 海	100.0	42.1	6.9	19.6	3.8	10.9	5.1	9.3	2.1
宁 夏	100.0	41.6	7.0	18.8	4.0	9.7	6.2	10.3	2.3
新 疆	100.0	42.6	8.1	18.3	3.6	10.3	6.3	9.1	1.7

11—12 各地区农村居民生活消费现金支出

单位:元/人

地　区	生活消费现金支出	服务性支出	1.食品支出	2.衣着支出	3.居住支出
全国合计	**3159.4**	**1042.4**	**1135.2**	**211.1**	**642.3**
北　京	7228.4	2634.9	2420.9	577.8	1156.6
天　津	3746.1	1201.6	1489.7	292.5	699.2
河　北	2838.5	804.5	934.6	203.5	667.7
山　西	2840.6	919.1	956.5	276.1	480.2
内蒙古	3057.3	1101.3	957.3	239.6	535.5
辽　宁	3396.8	1036.7	1168.5	298.8	565.0
吉　林	3101.7	958.9	1092.0	254.1	460.3
黑龙江	3493.0	1028.2	1097.9	308.5	689.6
上　海	8962.2	3007.4	3574.7	467.3	1805.3
江　苏	4855.3	1811.0	1751.9	276.4	838.0
浙　江	7294.7	2315.1	2558.0	453.2	1643.3
安　徽	2859.1	941.6	1044.0	179.8	636.2
福　建	4089.2	1244.0	1767.8	263.6	599.4
江　西	2709.0	960.8	1048.9	157.7	543.4
山　东	3760.7	1218.2	1240.2	248.4	802.1
河　南	2677.5	847.8	844.3	209.7	667.7
湖　北	2857.8	1000.4	962.3	183.6	610.9
湖　南	3088.9	1206.5	1244.7	169.0	616.9
广　东	4298.5	1373.3	1908.8	177.6	870.9
广　西	2300.0	801.3	968.9	91.2	476.2
海　南	2323.4	746.8	1004.4	89.9	364.5
重　庆	2145.2	812.1	841.3	160.3	285.6
四　川	2418.7	814.5	946.3	174.6	442.9
贵　州	1585.4	450.5	550.1	112.5	416.7
云　南	2209.2	636.1	734.7	119.6	593.2
西　藏	1629.3	242.2	615.5	226.6	315.4
陕　西	2712.1	1005.0	854.1	175.5	592.9
甘　肃	1816.3	612.6	555.1	134.6	380.8
青　海	2208.1	612.8	571.2	197.2	536.9
宁　夏	2559.7	744.0	768.4	217.2	567.3
新　疆	2224.3	719.9	708.7	215.1	470.2

11—12 续表

地　　区	家庭设备用品及服务支出	交通和通讯支出	文教娱乐用品及服务支出	医疗保健支出	其他支出
全国合计	**173.6**	**360.2**	**314.5**	**246.0**	**76.7**
北　京	402.6	950.5	883.4	709.4	127.3
天　津	153.5	402.9	324.5	301.1	82.8
河　北	151.9	346.7	250.1	219.3	64.7
山　西	138.2	328.7	380.7	210.3	69.9
内蒙古	128.7	406.7	399.4	320.6	69.4
辽　宁	158.9	426.5	388.0	283.4	107.8
吉　林	124.1	355.6	341.7	380.7	93.3
黑龙江	130.0	395.0	437.6	351.1	83.4
上　海	504.0	879.6	855.3	697.1	179.1
江　苏	250.1	614.2	713.2	290.9	120.6
浙　江	364.0	851.1	747.0	532.1	146.1
安　徽	165.3	280.6	294.8	199.4	58.9
福　建	222.9	534.7	390.2	197.9	112.9
江　西	155.0	301.7	236.0	205.7	60.6
山　东	240.8	452.6	417.3	280.5	79.0
河　南	169.5	290.8	214.4	215.0	66.3
湖　北	233.3	290.4	267.1	210.4	99.8
湖　南	170.7	286.0	278.7	244.2	78.7
广　东	188.8	483.7	272.9	259.0	136.8
广　西	124.0	261.9	172.7	154.3	50.8
海　南	104.1	261.6	288.5	123.8	86.7
重　庆	167.7	238.4	211.8	197.2	42.9
四　川	162.8	256.1	173.3	209.2	53.5
贵　州	94.3	159.6	122.1	96.4	33.8
云　南	118.9	248.3	168.6	182.0	44.0
西　藏	138.4	147.2	62.3	53.8	70.1
陕　西	155.1	270.6	352.0	251.2	60.7
甘　肃	95.5	234.7	219.9	164.7	31.1
青　海	105.5	316.8	148.9	270.1	61.5
宁　夏	123.9	299.3	192.6	318.8	72.2
新　疆	94.1	276.3	169.0	244.6	46.2

11—13 农村居民家庭年末主要耐用消费品拥有量

（平均每百户）

指　　标	单位	1990年	1995年	2000年	2007年	2008年	2008年为下列各年%	
							1990年	2007年
洗衣机	台	9.1	16.9	28.6	45.9	49.1	538.5	106.9
电冰箱	台	1.2	5.2	12.3	26.1	30.2	2474.6	115.6
空调机	台			1.3	8.5	9.8		115.0
抽油烟机	台		0.6	2.8	8.1	8.5		104.5
吸尘器	台		0.3	0.4	1.1	1.1		97.2
自行车	辆	118.3	147.0	120.5	97.7	97.6	82.5	99.8
摩托车	辆	0.9	4.9	21.9	48.5	52.5	5893.3	108.1
彩色电视机	台	4.7	16.9	48.7	94.4	99.2	2102.1	105.1
黑白电视机	台	39.7	63.8	53.0	12.1	9.9	24.9	81.4
固定电话	部			26.4	68.4	67.0		98.0
移动电话	部			4.3	77.8	96.1		123.5
照相机	部	0.7	1.4	3.1	4.3	4.4	632.9	103.0
家用计算机	台			0.5	3.7	5.4		145.7

11—14 农村居民家庭新建房屋和居住情况

指　　标	单位	1990年	1995年	2000年	2007年	2008年	2008年为下列各年%	
							1990年	2007年
一、年内新建房屋情况								
年内新建房屋面积	平方米/人	0.82	0.78	0.87	0.97	0.99	120.7	102.1
#砖木结构	平方米/人	0.47	0.37	0.36	0.29	0.28	59.6	96.6
钢筋混凝土结构	平方米/人	0.23	0.33	0.47	0.64	0.66	287.0	103.1
新建房屋造价	元/平方米	92.3	200.3	260.2	485.1	533.7	578.1	110.0
二、年末居住情况								
住房面积	平方米/人	17.8	21.0	24.8	31.6	32.4	181.8	102.5
#砖木结构	平方米/人	9.8	11.9	13.6	14.8	14.9	151.3	100.7
钢筋混凝土结构	平方米/人	1.2	3.1	6.2	12.6	13.4	1098.4	106.8
住房价值	元/平方米	44.6	101.6	187.4	313.6	332.8	746.3	106.1

11—15 各地区农村居民家庭年末主要耐用消费品拥有量

（平均每百户）

地　区	洗衣机（台）		电冰箱（台）		空调机（台）	
	2007 年	2008 年	2007 年	2008 年	2007 年	2008 年
全国合计	**45.9**	**49.1**	**26.1**	**30.2**	**8.5**	**9.8**
北　京	96.7	99.1	102.7	103.6	68.3	77.2
天　津	97.5	98.5	82.5	84.2	48.2	49.5
河　北	80.2	82.4	36.2	37.8	6.6	7.0
山　西	76.3	77.1	22.7	23.0	4.4	3.4
内蒙古	48.5	52.3	26.1	29.3	0.4	0.6
辽　宁	67.7	72.3	38.8	44.4	0.6	0.8
吉　林	68.5	72.4	23.8	29.1	0.1	0.7
黑龙江	73.2	75.6	25.8	35.2	0.5	0.6
上　海	90.8	93.3	95.8	100.5	120.3	128.7
江　苏	82.1	85.5	58.8	48.5	52.6	35.3
浙　江	58.0	60.8	78.3	83.4	59.1	67.0
安　徽	42.2	45.2	34.4	40.7	10.5	13.8
福　建	56.3	57.5	50.8	57.0	19.9	23.5
江　西	8.7	9.8	17.4	22.0	3.9	4.1
山　东	57.4	64.9	39.4	46.7	6.2	7.6
河　南	69.9	73.4	22.1	27.1	8.9	11.4
湖　北	34.7	37.1	26.2	30.5	7.6	9.9
湖　南	32.0	34.2	21.4	25.9	5.1	6.1
广　东	34.8	37.1	31.7	34.9	24.5	27.8
广　西	7.9	10.0	12.4	16.0	1.0	1.6
海　南	6.4	6.7	8.5	8.6	0.4	0.8
重　庆	32.8	36.2	28.5	32.7	5.2	6.7
四　川	50.5	56.0	21.4	29.2	3.6	4.2
贵　州	37.4	41.8	12.2	14.9	0.8	1.0
云　南	30.3	33.7	8.4	9.8	0.1	0.2
西　藏	7.1	8.1	10.4	11.7		
陕　西	61.3	63.9	12.6	15.3	2.6	2.9
甘　肃	47.6	52.1	10.3	10.9	0.3	0.2
青　海	56.7	63.2	27.8	32.0		0.3
宁　夏	56.7	63.2	14.7	18.7		0.3
新　疆	36.6	38.0	28.3	30.3	0.3	0.3

11—15 续表 1

地　　区	抽油烟机(台)		吸尘器(台)		自行车(辆)	
	2007 年	2008 年	2007 年	2008 年	2007 年	2008 年
全国合计	**8.1**	**8.5**	**1.1**	**1.1**	**97.7**	**97.6**
北　　京	49.2	53.6	5.3	5.2	182.8	185.1
天　　津	22.0	23.0	7.3	7.5	184.2	187.8
河　　北	5.1	5.7	0.7	0.8	179.7	184.8
山　　西	6.0	4.7	0.2	0.2	111.9	113.2
内 蒙 古	1.7	2.2	0.4	0.3	62.3	60.6
辽　　宁	7.8	8.4	1.1	1.3	103.1	102.5
吉　　林	2.1	2.2	0.4	0.4	66.6	68.6
黑 龙 江	6.0	6.3	0.4	0.4	70.5	74.0
上　　海	69.0	70.8	26.0	25.8	173.0	174.2
江　　苏	26.2	19.7	5.1	4.1	163.0	159.6
浙　　江	45.4	49.5	4.3	4.5	127.3	126.5
安　　徽	3.3	4.3	0.2	0.1	108.2	107.2
福　　建	15.1	16.5	1.3	1.2	60.3	55.4
江　　西	2.8	2.9	0.1	0.2	90.3	82.6
山　　东	8.6	10.2	0.9	1.0	170.4	172.8
河　　南	1.4	1.5	0.1	0.2	136.5	136.1
湖　　北	5.0	6.1	0.1	0.1	73.3	72.5
湖　　南	1.6	2.2	0.1	0.1	50.7	49.3
广　　东	19.6	21.6	0.9	1.3	105.7	106.6
广　　西	0.9	1.3	0.2	0.1	87.8	87.5
海　　南	0.3	0.8	0.1	0.1	41.0	39.0
重　　庆	0.6	0.9	0.1	0.1	13.4	13.8
四　　川	1.7	1.5	0.1		41.9	42.2
贵　　州	1.3	1.4	0.1	0.1	8.5	7.7
云　　南	1.4	1.7	0.3	0.3	28.5	27.7
西　　藏					34.6	36.3
陕　　西	1.5	1.5			112.7	114.0
甘　　肃	0.6	1.3	0.3	0.2	100.0	99.6
青　　海	0.3	1.3		0.2	37.7	37.5
宁　　夏	1.8	2.2		0.2	118.8	123.7
新　　疆	1.5	1.6	0.1	0.1	84.1	80.5

11—15 续表 2

地　　区	摩托车(辆)		黑白电视机(台)		彩色电视机(台)	
	2007 年	2008 年	2007 年	2008 年	2007 年	2008 年
全国合计	**48.5**	**52.5**	**12.1**	**9.9**	**94.4**	**99.2**
北　　京	34.1	33.2	0.8	0.7	134.0	134.5
天　　津	56.0	51.2	1.7	0.8	120.5	122.8
河　　北	61.2	62.8	8.9	7.3	110.4	114.3
山　　西	55.7	57.0	10.3	9.0	102.1	104.1
内 蒙 古	62.9	63.3	8.9	7.7	93.3	94.8
辽　　宁	54.6	56.5	4.5	2.6	106.0	109.8
吉　　林	54.6	59.8	4.9	3.3	105.8	106.3
黑 龙 江	40.7	45.5	4.0	2.9	105.0	106.2
上　　海	59.8	54.8	16.7	13.3	178.8	185.5
江　　苏	62.2	63.0	17.4	14.4	125.0	129.1
浙　　江	58.3	57.0	10.8	8.9	148.3	154.8
安　　徽	44.7	49.5	17.4	13.7	96.7	102.8
福　　建	84.7	87.5	4.6	3.4	115.0	119.0
江　　西	51.0	50.7	22.1	17.1	96.1	95.8
山　　东	72.1	69.6	8.9	8.0	103.5	106.6
河　　南	46.5	48.8	14.1	9.1	96.8	100.0
湖　　北	51.5	55.5	12.2	10.8	98.8	102.2
湖　　南	34.9	38.1	22.6	19.0	85.3	89.6
广　　东	94.3	97.8	4.0	2.3	111.7	114.2
广　　西	67.2	66.9	19.1	15.9	92.1	95.3
海　　南	84.3	86.0	1.8	1.5	89.9	90.0
重　　庆	17.6	19.5	13.4	10.7	89.3	94.3
四　　川	30.7	33.9	17.1	14.8	93.5	96.7
贵　　州	19.8	23.0	6.7	4.1	81.3	83.5
云　　南	27.3	33.3	7.6	6.8	84.1	89.0
西　　藏	29.6	33.5	1.5	1.7	54.0	60.2
陕　　西	42.4	46.1	16.6	12.8	97.2	100.2
甘　　肃	47.3	51.3	10.6	9.8	97.2	99.9
青　　海	65.5	71.5	9.7	7.5	90.5	94.0
宁　　夏	71.5	78.3	15.2	13.8	107.8	115.2
新　　疆	49.7	50.8	22.8	21.7	76.3	77.0

11—15 续表 3

地区	固定电话(部)		移动电话(部)		照相机(架)		家用计算机(台)	
	2007 年	2008 年	2007 年	2008 年	2007 年	2008 年	2007 年	2008 年
全国合计	**68.4**	**67.0**	**77.8**	**96.1**	**4.3**	**4.4**	**3.7**	**5.4**
北京	117.6	115.6	175.2	194.9	29.7	32.0	41.5	45.6
天津	88.5	88.7	109.3	118.7	10.5	10.7	10.2	11.0
河北	76.7	72.3	68.4	71.7	3.6	3.8	2.8	4.1
山西	76.3	77.2	66.8	78.8	4.6	4.5	3.4	3.5
内蒙古	43.8	41.2	84.7	96.3	3.0	2.4	0.8	1.0
辽宁	92.4	91.1	77.9	91.1	6.7	7.1	2.4	4.0
吉林	70.9	67.7	108.7	125.7	2.9	2.8	1.2	2.4
黑龙江	69.7	63.9	93.6	112.5	2.7	2.4	2.6	4.5
上海	124.0	98.8	147.3	156.2	20.7	21.0	43.3	46.8
江苏	93.4	93.2	137.0	131.4	9.6	10.1	16.9	6.6
浙江	94.3	93.3	154.1	164.3	10.0	10.6	20.6	25.7
安徽	80.8	80.4	79.5	101.3	2.9	3.3	2.0	3.3
福建	87.6	84.7	146.3	166.0	5.2	5.3	10.9	13.9
江西	65.6	59.9	93.0	107.0	1.8	1.7	1.6	1.9
山东	86.2	77.0	86.2	121.2	7.0	8.1	3.5	5.0
河南	47.7	43.9	100.2	114.1	2.0	2.2	2.2	2.7
湖北	58.4	59.3	104.7	117.9	1.8	2.1	2.0	3.0
湖南	61.4	61.8	75.6	88.5	2.2	1.6	1.2	1.8
广东	83.7	85.2	149.7	162.8	7.2	8.0	12.5	14.3
广西	64.1	62.1	86.8	101.3	3.9	2.6	1.0	1.4
海南	52.4	50.1	80.8	94.4	0.6	0.3	1.5	1.5
重庆	62.2	60.1	82.1	98.3	1.0	1.9	1.4	1.1
四川	61.6	62.7	87.2	103.5	2.6	2.6	1.6	2.2
贵州	43.5	43.5	48.8	65.1	1.1	0.6	1.1	1.1
云南	30.9	29.9	69.8	91.2	2.5	2.0	0.6	0.8
西藏	27.9	32.3	16.7	24.2	1.0	1.7	0.2	
陕西	63.8	62.9	104.0	122.3	1.7	1.8	1.5	2.5
甘肃	67.9	67.1	54.6	70.8	2.1	2.5	1.1	1.9
青海	60.5	67.0	76.3	98.5	3.3	1.7	0.2	1.0
宁夏	67.0	68.2	84.5	121.0	2.8	2.7	0.7	0.8
新疆	41.5	40.2	42.2	54.0	2.6	2.7	0.4	1.1

11—16 各地区农村居民年内新建(购)住房情况

地区	年内新建(购)住房价值(元/平方米)		新建(购)住房面积(平方米/人)					
			2007年	2008年	砖木结构		钢筋混凝土结构	
	2007年	2008年			2007年	2008年	2007年	2008年
全国合计	**485.1**	**533.7**	**0.97**	**0.99**	**0.29**	**0.28**	**0.64**	**0.66**
北京	1023.9	681.9	0.67	0.57	0.36	0.25	0.31	0.31
天津	617.9	803.7	0.37	0.28	0.32	0.12	0.05	0.15
河北	494.1	545.6	0.73	0.55	0.39	0.38	0.33	0.14
山西	432.7	494.6	0.66	0.42	0.34	0.17	0.32	0.25
内蒙古	419.5	516.1	0.55	0.42	0.49	0.30	0.06	0.12
辽宁	586.3	684.8	0.43	0.44	0.21	0.26	0.22	0.18
吉林	625.0	630.8	0.44	0.56	0.36	0.40	0.07	0.14
黑龙江	614.5	800.0	0.62	0.59	0.55	0.49	0.04	0.08
上海	2492.6	1967.5	0.35	0.45	0.04	0.07	0.31	0.38
江苏	749.3	853.3	0.93	1.02	0.24	0.20	0.68	0.81
浙江	857.4	896.4	1.70	1.21	0.16	0.09	1.49	1.12
安徽	545.6	507.2	0.99	1.57	0.11	0.20	0.87	1.37
福建	662.4	624.2	1.34	1.25	0.19	0.18	1.15	1.05
江西	311.3	363.1	1.33	1.14	0.02	0.03	1.28	1.10
山东	485.4	552.1	1.28	1.31	0.77	0.63	0.50	0.68
河南	403.4	449.0	1.99	1.79	0.45	0.44	1.53	1.34
湖北	376.0	402.3	0.80	1.48	0.15	0.31	0.64	1.15
湖南	350.5	413.9	1.07	0.75	0.44	0.28	0.63	0.47
广东	541.5	665.9	0.73	0.71	0.03	0.00	0.70	0.71
广西	361.1	423.5	1.09	1.08	0.02	0.07	1.06	1.02
海南	614.1	639.3	0.75	0.83	0.23	0.33	0.52	0.51
重庆	508.9	458.9	0.21	0.31	0.06	0.11	0.15	0.20
四川	461.8	427.1	0.52	1.00	0.11	0.24	0.41	0.58
贵州	354.7	440.3	0.88	0.78	0.38	0.36	0.50	0.37
云南	497.5	594.5	1.19	0.90	0.19	0.07	0.91	0.80
西藏	238.0	244.8	2.30	1.81	0.33	0.31		
陕西	435.1	554.0	1.20	1.37	0.21	0.12	0.95	1.21
甘肃	428.9	653.8	0.35	0.54	0.15	0.33	0.15	0.18
青海	353.3	379.2	0.88	0.97	0.61	0.65	0.24	0.19
宁夏	339.8	443.6	1.24	1.09	0.89	0.93	0.30	0.10
新疆	295.7	342.3	1.00	1.18	0.65	0.89	0.12	0.08

11—17 各地区农村居民居住情况

地区	年末住房价值(元/平方米)		年末住房面积(平方米/人)					
			2007年	2008年	砖木结构		钢筋混凝土结构	
	2007年	2008年			2007年	2008年	2007年	2008年
全国合计	**313.6**	**332.8**	**31.6**	**32.4**	**14.8**	**14.9**	**12.5**	**13.4**
北京	1081.7	1086.4	39.8	38.7	33.2	30.8	6.5	7.4
天津	920.4	991.2	28.3	28.3	23.9	23.2	3.8	4.6
河北	309.3	317.9	30.1	30.7	22.1	22.5	6.8	7.1
山西	289.3	293.9	25.8	26.5	17.3	17.6	5.6	6.1
内蒙古	209.9	216.3	21.0	21.5	13.3	13.7	0.2	0.4
辽宁	403.3	431.0	25.7	26.4	21.7	21.2	3.6	4.6
吉林	314.7	333.1	21.2	21.9	17.6	18.1	0.5	0.8
黑龙江	399.6	424.4	21.5	21.7	16.0	15.7	1.0	1.6
上海	1419.2	1496.3	61.2	62.3	22.3	26.2	38.8	36.0
江苏	435.8	464.5	42.9	44.0	17.5	18.8	25.2	25.0
浙江	478.4	498.5	58.8	60.5	17.1	17.5	38.6	41.9
安徽	286.0	312.1	28.9	29.9	14.2	13.9	14.3	15.5
福建	390.0	420.8	44.5	46.1	12.3	11.0	25.5	28.3
江西	212.9	219.2	36.8	37.6	11.1	11.2	23.1	24.3
山东	322.8	354.5	31.7	33.0	22.2	22.8	8.1	9.0
河南	256.0	269.1	30.2	31.7	15.5	16.4	13.8	14.4
湖北	209.0	232.8	38.0	39.0	15.2	14.2	20.0	22.2
湖南	192.5	200.7	40.2	40.7	22.1	22.4	15.7	15.9
广东	394.7	418.2	27.2	27.9	5.1	5.0	20.7	21.5
广西	221.8	237.7	30.5	31.7	6.6	6.7	20.1	21.3
海南	314.2	351.4	22.6	22.8	15.4	15.8	6.5	7.0
重庆	194.8	218.1	34.6	35.0	17.7	16.7	9.5	10.8
四川	200.5	215.7	35.2	34.9	16.8	15.9	11.0	11.8
贵州	170.8	191.2	24.5	25.3	11.8	11.6	8.2	8.9
云南	214.9	234.0	26.7	27.4	5.3	5.7	5.6	6.4
西藏	260.9	265.5	22.9	24.0	2.2	1.6	0.4	0.4
陕西	232.3	255.3	27.8	29.0	11.2	11.7	10.7	11.7
甘肃	189.7	207.1	19.5	19.9	6.4	7.1	1.5	1.7
青海	172.4	182.1	19.3	19.8	5.3	6.5	1.1	1.4
宁夏	187.5	208.6	23.0	23.1	13.4	13.4	0.8	0.9
新疆	187.3	207.1	22.4	22.8	8.6	9.2	1.2	1.3

11—18 农村居民主要食物消费量

指　标	单位	1990 年	1995 年	2000 年	2007 年	2008 年	2008 年为下列各年百分比(%)	
							1990 年	2007 年
粮食(原粮)	千克/人	262.1	256.1	250.2	199.5	199.1	76.0	99.8
#细粮	千克/人	215.0	210.7	207.1	173.8	173.7	80.8	100.0
食用油	千克/人	5.2	5.8	7.1	6.0	6.2	120.8	104.8
蔬菜及制品	千克/人	134.0	104.6	106.7	99.0	99.7	74.4	100.7
猪肉	千克/人	10.5	10.6	13.3	13.4	12.6	120.0	94.6
牛肉	千克/人	0.4	0.4	0.5	0.7	0.6	136.6	82.4
羊肉	千克/人	0.4	0.4	0.6	0.8	0.7	187.2	88.0
家禽	千克/人	1.3	1.8	2.8	3.9	4.4	348.8	113.0
蛋及蛋制品	千克/人	2.4	3.2	4.8	4.7	5.4	225.3	115.0
奶及奶制品	千克/人	1.1	0.6	1.1	3.5	3.4	317.6	97.4
水产品	千克/人	2.1	3.4	3.9	5.4	5.2	246.4	97.9
食糖	千克/人	1.5	1.3	1.3	1.1	1.1	74.0	103.7
卷烟	盒/人	28.0	24.6	23.9	24.4	24.1	86.3	98.8
酒	千克/人	6.1	6.53	7.02	10.2	9.7	157.5	95.0

11—19 各地区农村居民主要食品消费量

单位:千克/人

地区	粮食(原粮)		食用植物油		蔬菜及制品		猪肉	
	2007年	2008年	2007年	2008年	2007年	2008年	2007年	2008年
全国合计	**199.5**	**199.1**	**5.1**	**5.4**	**99.0**	**99.7**	**13.4**	**12.6**
北京	110.0	100.6	9.1	10.3	94.9	92.9	12.4	12.4
天津	139.8	138.7	9.8	10.6	70.0	59.3	8.3	8.6
河北	188.5	185.9	6.9	7.4	55.2	59.8	5.9	5.5
山西	195.7	188.6	6.3	6.7	74.1	73.7	5.0	4.7
内蒙古	198.3	195.7	2.9	3.5	77.7	79.3	17.5	16.3
辽宁	190.3	196.9	6.9	7.1	168.3	162.8	15.2	15.9
吉林	188.8	177.7	6.6	7.7	132.5	113.2	9.4	8.9
黑龙江	159.1	166.4	10.7	11.1	105.4	95.7	6.6	7.1
上海	157.5	139.8	8.8	9.1	71.6	65.6	16.2	15.6
江苏	213.0	201.8	5.2	5.9	114.5	113.6	10.8	10.8
浙江	178.1	183.0	5.5	5.6	82.4	80.8	13.8	13.3
安徽	194.7	190.5	5.4	5.9	76.4	109.6	8.6	8.2
福建	186.0	179.3	4.4	5.1	92.5	93.9	15.7	14.3
江西	243.1	238.7	6.3	5.7	137.7	142.4	13.0	11.7
山东	194.2	194.1	6.9	7.8	79.3	79.0	6.9	6.8
河南	205.3	245.0	4.5	5.1	102.1	121.7	5.5	4.5
湖北	207.4	192.8	3.2	3.6	143.6	132.6	17.8	17.5
湖南	223.2	227.8	4.3	4.4	131.5	138.9	16.3	15.5
广东	202.4	194.3	4.6	5.4	110.4	109.4	21.1	19.1
广西	185.9	191.6	2.7	2.6	102.8	100.4	12.7	11.1
海南	210.8	188.8	1.8	2.1	98.9	63.4	14.0	13.2
重庆	193.1	189.6	3.0	3.1	144.4	135.4	27.5	25.3
四川	203.1	182.6	3.1	2.8	132.3	115.1	26.5	24.7
贵州	181.3	183.8	1.6	1.7	130.6	133.4	26.0	25.0
云南	180.4	186.7	1.3	1.5	86.4	97.8	28.3	27.1
西藏	288.4	302.8	6.4	6.4	27.2	20.6	2.6	2.5
陕西	185.6	182.6	6.6	6.6	52.7	51.6	5.9	6.1
甘肃	255.0	246.1	3.6	3.9	38.9	42.4	12.5	11.6
青海	211.2	212.4	2.7	2.0	42.6	39.5	10.2	9.7
宁夏	202.4	209.4	6.1	7.8	76.5	74.8	7.8	7.4
新疆	221.9	237.2	10.8	9.9	70.8	69.3	0.6	0.6

11—19 续表 1 单位:千克/人

地区	牛、羊肉		家禽		蛋类及其制品		鱼虾贝蟹	
	2007 年	2008 年	2007 年	2008 年	2007 年	2008 年	2007 年	2008 年
全国合计	**1.5**	**1.3**	**3.9**	**4.4**	**4.7**	**5.4**	**5.0**	**4.9**
北京	4.2	3.5	2.9	3.4	9.2	10.1	4.9	4.7
天津	2.5	1.8	1.1	1.3	9.8	11.2	8.4	8.3
河北	0.9	0.6	0.7	1.1	6.3	7.6	2.5	2.5
山西	0.5	0.4	0.6	0.7	6.0	6.6	0.7	0.8
内蒙古	6.1	6.5	2.1	2.7	4.4	5.9	1.8	1.8
辽宁	0.8	0.8	2.6	2.7	8.9	11.0	5.3	5.0
吉林	1.1	0.8	3.9	3.7	7.5	9.2	4.2	4.0
黑龙江	0.8	0.8	3.3	3.8	5.6	6.9	4.1	4.1
上海	1.9	1.6	8.4	9.2	7.9	8.4	17.2	16.3
江苏	1.3	1.1	6.1	6.7	6.3	7.7	10.7	10.5
浙江	1.1	1.0	6.3	6.7	4.6	5.0	14.6	14.6
安徽	0.6	0.5	4.6	5.4	4.9	6.0	5.6	5.5
福建	0.8	0.6	6.2	7.0	3.4	3.8	12.1	12.5
江西	0.5	0.3	4.1	4.2	3.3	3.5	5.7	5.4
山东	0.7	0.6	2.8	3.2	10.2	11.4	4.3	4.5
河南	0.6	0.5	1.8	2.4	8.9	10.4	1.4	1.4
湖北	0.5	0.5	3.3	3.2	4.2	4.7	9.1	8.5
湖南	0.6	0.4	5.0	5.4	3.2	3.6	6.7	6.0
广东	0.7	0.5	11.0	11.9	2.7	2.9	13.1	12.5
广西	0.4	0.3	9.5	9.8	1.3	1.3	4.0	3.7
海南	1.0	0.8	10.0	12.2	1.5	2.6	14.5	16.7
重庆	0.1	0.1	3.5	4.2	5.8	6.2	3.0	2.8
四川	0.4	0.2	4.7	5.7	4.8	4.6	2.5	2.6
贵州	0.3	0.2	2.0	2.3	1.3	1.7	0.4	0.3
云南	0.9	0.9	3.2	4.9	1.9	2.4	1.5	1.7
西藏	14.5	13.9	0.1	0.1	0.8	0.8		
陕西	0.5	0.5	0.5	0.6	2.2	2.3	0.4	0.4
甘肃	1.1	1.0	0.8	1.2	1.7	2.2	0.3	0.3
青海	13.2	9.3	1.0	1.1	0.7	0.8	0.3	0.3
宁夏	4.5	4.7	3.5	4.5	2.3	3.2	0.7	0.7
新疆	11.9	10.2	1.6	1.9	1.1	1.4	0.5	0.4

11—19 续表 2

地　区	食　糖		卷烟(盒)		酒	
	2007 年	2008 年	2007 年	2008 年	2007 年	2008 年
全国合计	**1.1**	**1.1**	**24.4**	**24.1**	**10.2**	**9.7**
北　京	0.9	1.1	41.1	41.6	20.7	18.4
天　津	0.5	0.6	29.7	32.0	10.8	9.9
河　北	0.7	0.8	19.4	18.4	9.6	9.2
山　西	1.0	1.2	31.5	31.7	4.0	3.9
内蒙古	1.1	1.0	26.7	26.1	14.4	14.5
辽　宁	0.7	0.8	20.8	20.6	14.2	13.3
吉　林	0.6	0.7	22.2	23.1	17.0	17.0
黑龙江	0.8	0.9	21.6	22.6	19.1	18.3
上　海	1.8	1.8	48.7	48.3	18.6	16.5
江　苏	1.2	1.2	26.6	26.8	12.0	11.4
浙　江	1.6	2.1	37.8	36.0	26.8	24.7
安　徽	1.1	1.0	26.4	26.4	12.7	12.5
福　建	1.8	1.8	30.2	31.0	18.8	18.1
江　西	0.9	0.9	23.1	22.3	10.8	10.3
山　东	0.9	1.0	24.7	23.5	15.8	12.4
河　南	1.0	1.1	21.5	20.4	6.3	6.0
湖　北	0.8	0.8	29.1	28.9	12.4	11.8
湖　南	1.1	1.1	27.1	26.3	5.7	5.2
广　东	1.5	1.4	22.5	22.5	3.5	3.4
广　西	1.0	1.0	14.7	14.0	8.0	7.8
海　南	1.0	1.1	19.7	18.6	4.3	4.4
重　庆	2.0	2.0	33.3	32.9	12.5	12.8
四　川	1.3	1.3	24.1	23.7	9.2	9.1
贵　州	0.8	0.9	22.4	22.9	6.3	6.7
云　南	1.1	1.2	27.5	25.7	7.5	7.4
西　藏	2.9	3.0	14.9	14.4	2.9	3.0
陕　西	0.6	0.7	27.3	27.4	3.9	4.2
甘　肃	0.8	1.0	24.0	27.0	5.9	6.7
青　海	1.5	1.6	14.1	14.8	3.3	3.1
宁　夏	1.5	1.5	14.8	15.6	3.1	3.0
新　疆	0.4	0.4	3.2	3.3	1.2	1.2

11－20 各地区农村居民家庭纯收入构成

（按人均纯收入分组）

地 区	纯收入构成(%)				
	全年纯收入	一、工资性收入	二、家庭经营纯收入	三、财产性收入	四、转移性收入
全国合计	**100.0**	**38.9**	**51.2**	**3.1**	**6.8**
4000元以上地区					
上 海	100.0	70.9	6.2	7.4	15.5
北 京	100.0	59.9	19.3	10.7	10.0
浙 江	100.0	49.6	40.6	4.7	5.1
天 津	100.0	51.4	39.2	5.9	3.6
江 苏	100.0	53.0	38.2	3.4	5.4
广 东	100.0	57.6	31.3	5.3	5.8
福 建	100.0	39.1	50.8	2.9	7.3
山 东	100.0	40.1	52.5	2.9	4.5
辽 宁	100.0	36.5	52.6	3.6	7.3
吉 林	100.0	16.4	67.8	3.7	12.1
黑龙江	100.0	18.9	65.2	5.0	10.9
河 北	100.0	41.3	50.4	2.5	5.9
江 西	100.0	39.2	54.3	1.4	5.0
湖 北	100.0	37.4	57.8	0.9	3.9
内蒙古	100.0	17.3	69.1	2.5	11.1
湖 南	100.0	44.1	48.7	1.3	5.9
河 南	100.0	33.7	60.6	1.2	4.5
海 南	100.0	18.4	73.7	1.2	6.7
安 徽	100.0	41.4	50.3	2.8	5.5
重 庆	100.0	42.8	48.9	1.2	7.1
四 川	100.0	39.3	50.0	1.7	8.9
山 西	100.0	41.8	48.5	3.7	6.0
3000～4000元地区					
广 西	100.0	34.8	59.4	1.1	4.7
宁 夏	100.0	34.2	55.2	1.8	8.8
新 疆	100.0	12.1	79.4	3.5	5.1
西 藏	100.0	23.9	58.1	5.8	12.1
陕 西	100.0	39.6	47.0	2.7	10.6
云 南	100.0	19.9	69.5	3.5	7.0
青 海	100.0	32.1	52.4	4.9	10.7
2000～3000元地区					
贵 州	100.0	35.8	54.1	2.3	7.8
甘 肃	100.0	31.9	56.7	0.7	10.8

11－21　四大地区农村居民家庭基本情况

指　　标	单位	全国合计	东部地区	中部地区	西部地区	东北地区
一、常住人口	人/户	4.0	3.9	4.0	4.3	3.5
整、半劳动力	人/户	2.8	2.8	2.9	2.9	2.6
平均每个劳动力负担人口	人	1.4	1.4	1.4	1.5	1.3
整、半劳动力占常住人口比重	%	70.9	71.6	72.4	68.3	75.1
二、年末生产性固定资产原值	元/户	9054.9	9887.1	6322.9	9300.5	13967.4
三、年内新建(购)住房面积	平方米/人	0.99	0.92	1.26	0.92	0.53
#砖木结构	平方米/人	0.28	0.27	0.26	0.29	0.40
钢筋混凝土结构	平方米/人	0.66	0.64	1.00	0.51	0.13
楼房	平方米/人	0.64	0.59	1.03	0.50	0.02
年末住房面积	平方米/人	32.42	37.99	34.62	27.65	23.23
#砖木结构	平方米/人	14.89	17.78	16.18	10.60	18.07
钢筋混凝土结构	平方米/人	13.40	18.77	16.68	8.32	2.31
四、总收入	元/人	6700.7	8604.0	5988.1	5285.8	9133.7
纯收入	元/人	4760.6	6598.2	4453.4	3517.7	5101.2
现金收入	元/人	5737.0	7874.2	4955.3	4176.8	8141.6
五、总支出	元/人	5915.7	7123.1	5134.7	4890.6	8695.1
#家庭经营费用支出	元/人	1704.5	1728.8	1338.5	1570.1	3642.3
购置生产性固定资产支出	元/人	161.6	120.8	129.9	180.0	367.0
税费支出	元/人	11.6	18.4	11.3	6.8	6.6
生活消费支出	元/人	3660.7	4802.1	3375.6	2867.1	3720.3
现金支出	元/人	5257.9	6683.3	4512.9	4000.1	8085.6
六、主要食品消费量						
粮食	千克/人	199.1	185.5	216.7	201.0	179.1
蔬菜	千克/人	99.7	85.6	122.5	89.2	121.5
食用油	千克/人	6.2	7.1	6.2	4.9	9.3
肉禽及其制品	千克/人	20.2	21.2	15.8	23.6	16.1

11－22　按人均纯收入五等分分组的农村居民收入与消费

指　　标	单位	低收入户	中下收入户	中等收入户	中上收入户	高收入户
一、纯收入	元/人	1499.8	2935.0	4203.1	5928.6	11290.2
工资性收入	元/人	528.7	1095.2	1686.7	2494.8	4525.1
家庭经营收入	元/人	781.2	1580.1	2169.3	2945.4	5512.6
财产性收入	元/人	30.7	45.9	81.5	132.9	534.3
转移性收入	元/人	159.3	213.7	265.6	355.4	718.2
二、现金收入	元/人	2278.9	3329.7	4753.7	6857.0	13845.0
三、生活消费支出	元/人	2144.8	2652.8	3286.4	4191.2	6853.7
四、主要耐用消费品拥有量						
彩电	台/百户	91.9	98.4	103.1	107.5	124.7
冰箱	台/百户	18.8	23.3	29.9	38.8	61.3
洗衣机	台/百户	42.3	49.0	53.9	58.4	70.7

12

农村文化、教育、卫生及其他事业

12—1 农村普通中学、小学的学生与教师数

指　标	单位	1995 年	2000 年	2005 年	2006 年	2007 年	2008 年
一、高　中							
学校数	所	3112	2629	2180	2160	1912	1762
班数	万个	2.3	2.9	4.0	4.0	3.6	3.4
毕业生数	万人	33.1	39.2	65.7	67.6	66.7	66.9
招生数	万人	44.7	64.4	88.0	82.4	69.9	64.7
学生数	万人	113.2	157.8	233.7	232.1	209.3	192.1
专任教师	万人	9.4	10.4	12.4	12.7	12.2	11.9
二、初　中							
学校数	所	45626	39313	36405	35283	32865	31458
班数	万个	50.9	60.1	49.5	45.9	41.1	38.6
毕业生数	万人	684.6	903.8	975.1	940.2	830.6	748.0
招生数	万人	1017.3	1265.9	882.5	809.6	713.9	677.0
学生数	万人	2659.8	3428.5	2784.7	2563.7	2243.3	2064.2
专任教师	万人	149.9	168.2	153.4	149.9	139.5	134.4
三、小　学							
学校数	万所	55.9	44.0	31.7	29.5	27.2	25.3
班数	万个	309.4	274.6	222.6	211.0	197.9	187.2
毕业生数	万人	1328.7	1567.6	1331.0	1215.6	1110.8	1076.1
招生数	万人	1791.1	1253.7	1067.9	1081.4	1034.6	985.8
学生数	万人	9306.2	8503.7	6947.8	6676.1	6250.7	5824.9
教职工数	万人	419.9	398.3	383.3	377.7	364.1	356.9
其中:专任教师	万人	382.7	367.8	356.9	352.1	340.0	333.7

注:高中包括完全中学在内.

12—2 农民成人教育基本情况

指　　标	单位	1995 年	2000 年	2005 年	2006 年	2007 年	2008 年
一、农民高等学校							
学校数	所	4	3	3	2	2	2
毕业生数	人	203	400	26	1845	916	641
招生数	人	484	400	978	1116	1073	972
学生数	人	966	800	3086	2130	2209	2137
专任教师	人	146	100	130	130	129	129
二、农民中等专业学校							
学校数	所	453	381				
毕业生数	人	55670	69926				
招生数	人	87020	58742				
学生数	人	191769	164793				
专任教师	人	10055	11673				
三、农民技术培训学校							
学校数	万所	38.5	48.6	16.7	15.1	15.3	13.8
毕业生数	万人	7035.4	9047.1	4793.2	4520.6	4670.3	4358.2
招生数	万人	5437.3	7744.7				
在校学生	万人	4948.7	6209.6	3729.3	3842.4	3787.7	3694.8
专任教师	万人	13.6	14.6	10.9	10.3	10.3	10.1
四、农民中学							
学校数	所	3821	2622	2582	2071	2047	2154
毕业生数	万人	38.4	19.5	75.1	79.7	115.7	75.9
招生数	万人	34.1	18.6				
学生数	万人	40.7	25.2	53.7	53.3	67.0	56.0
专任教师	万人	0.9	0.8	0.8	0.6	0.6	0.9
五、农民小学							
学校数	万所	16.7	16.0	6.1	5.4	4.8	4.8
毕业生数	万人	754.0	493.5	297.7	273.3	226.2	234.9
招生数	万人	669.4	442.6				
学生数	万人	763.7	473.5	307.5	263.2	222.7	235.1
专任教师	万人	5.6	4.5	4.4	4.1	3.9	4.7

12—3 农村乡(镇)卫生院、床位和卫生人员

指　　标	单位	1995 年	2000 年	2005 年	2006 年	2007 年	2008 年
一、乡(镇)卫生院	个	51797	49229	40907	39975	39876	39080
中心卫生院	个	10098	9631	10025	10178	10396	10400
乡卫生院	个	41699	39598	30882	29797	29480	28680
二、床位	张	733064	734807	678240	696231	747156	846856
中心卫生院	张	289581	285638	281456	296189	317022	356601
乡卫生院	张	443483	449169	396784	400042	430134	490255
三、人员	人	1051752	1169826	1012006	1000112	1032921	1074900
中心卫生院	人	373601	422753	415474	421625	437323	455841
乡卫生院	人	678151	747073	596532	578487	595598	619059
卫生技术人员	人	918870	1026244	870500	859945	863662	903725

12—4 村卫生室及人员数

指　　标	1985 年	1990 年	1995 年	2000 年	2006 年	2007 年	2008 年
行政村数(万个)	94.1	74.3	73.7	73.5	62.5	61.4	60.4
设置卫生室的村数占行政村(%)	87.4	86.2	88.9	89.8	88.1	88.7	89.4
村卫生室数(万个)	77.8	80.4	80.4	70.9	60.9	61.4	61.3
村办	30.6	26.6	29.7	30.1	33.4	34.0	34.3
联营	8.9	8.7	9.1	9.0	3.7	3.4	3.2
乡卫生院设点	3.0	3.0	3.6	4.7	3.5	3.4	4.0
私人办	32.4	38.2	35.5	25.5	18.7	18.7	18.0
其他	3.0	3.9	2.3	1.6	1.7	1.9	1.8
乡村医生和卫生员数(万人)	129.3	123.2	133.1	131.9	95.7	93.2	93.8
其中:乡村医生	64.3	77.7	95.6	102.0	90.6	88.2	89.4
平均每村乡村医生和卫生员(人)	1.80	1.64	1.81	1.81	1.53	1.52	1.55
每千农业人口乡村医生和卫生员(人)	1.55	1.38	1.48	1.44	1.10	1.06	1.06
农村接生员(万人)	51.4	47.1	35.9	25.6	…	…	…

12—5 各地区乡(镇)卫生院、床位数和卫生人员数

地 区	卫生院(个)	床位(张)	卫生人员数(人)
全国总计	**39080**	**846856**	**1074900**
北 京	123	2848	7123
天 津	180	2964	4998
河 北	1958	48688	46244
山 西	1527	24884	28795
内蒙古	1324	14400	19264
辽 宁	1014	23161	24830
吉 林	790	14191	25229
黑龙江	919	14804	21867
上 海	0	0	
江 苏	1396	55538	78386
浙 江	1709	17748	46167
安 徽	1825	47368	57644
福 建	860	20131	21165
江 西	1529	25034	38813
山 东	1636	74186	88307
河 南	2085	69307	88264
湖 北	1155	38418	65878
湖 南	2319	51800	67693
广 东	1306	41622	74754
广 西	1242	33660	40148
海 南	309	5422	8659
重 庆	1014	23754	26792
四 川	4804	80489	76326
贵 州	1448	21201	19531
云 南	1394	28540	24029
西 藏	665	2759	2281
陕 西	1704	24044	29495
甘 肃	1326	18386	17536
青 海	404	2646	3020
宁 夏	239	2099	3397
新 疆	876	16764	18265

12—6 各地区农村村卫生室和人员情况

（2008年）

地　区	村卫生室（个）	设置卫生室的村占行政村数（%）	乡村医生和卫生员（人）	每千农业人口乡村医生和卫生员数（人）
全国总计	**613143**	**89.4**	**938313**	**1.06**
北　京	3123	79.0	3747	1.34
天　津	1653	43.1	3921	1.02
河　北	58852	100.0	69539	1.41
山　西	22081	78.5	30150	1.30
内蒙古	11556	100.0	13652	0.94
辽　宁	19973	100.0	24229	1.14
吉　林	8888	97.4	13238	0.89
黑龙江	12797	100.0	21772	1.10
上　海	1495	83.9	1776	1.02
江　苏	16586	99.4	50945	1.31
浙　江	14167	47.1	10797	0.33
安　徽	19335	100.0	49383	0.94
福　建	17470	100.0	29452	1.27
江　西	25772	100.0	38574	1.16
山　东	54189	67.8	111672	1.91
河　南	61899	100.0	110973	1.35
湖　北	21753	85.1	37084	0.99
湖　南	44390	100.0	38075	0.71
广　东	27138	100.0	32866	0.83
广　西	21209	100.0	33428	0.80
海　南	2297	89.9	2480	0.47
重　庆	9770	100.0	20762	0.88
四　川	50089	100.0	65655	0.98
贵　州	18356	100.0	25469	0.75
云　南	12893	100.0	33987	0.92
西　藏	3418	65.0	2220	0.96
陕　西	24138	88.1	32255	1.17
甘　肃	14742	91.3	16278	0.81
青　海	4212	100.0	5053	1.36
宁　夏	2512	100.0	3176	0.81
新　疆	6390	72.6	5705	0.48

注：北京、天津、浙江等地区部分村的基本医疗服务由社区卫生服务站和诊所提供。

12—7　农村文化机构

指　　标	单位	1995 年	2000 年	2005 年	2006 年	2007 年	2008 年
一、乡镇文化站	个	41633	39348	34593	32706	32976	33367
二、农村集镇文化中心	个	12484	22171	19866	21831	23995	21344
三、群众业余演出团(队)	个	35429	36151	68641	58409	67998	75021
四、文化专业户	万户	23	18	39	50	53	64
五、民间职业剧团	个	7191	2940	2773	4365	6094	6114

12—8　农村老年收养性福利机构情况

指　　标	单位	1995 年	2000 年	2005 年	2006 年	2007 年	2008 年
一、老年收养性福利机构个数	个	40387	26419	29958	31889	35075	30837
工作人员数	人	115315	78586	91411	105558	131875	138717
二、年末收养人数	人	602656	446316	687254	934633	1508385	1630567
#老人	人	563440	428187	666027	905109	1316719	1473868

注:1995 年数据未区分城乡

12—9　农村社会救济费和自然灾害救济费

指　　标	单位	1995 年	2000 年	2005 年	2006 年	2007 年	2008 年
一、农村社会救济费	万元	30425	87321	798604	1477733	1897915	3267531
二、自然灾害救济费	万元	234755	352024	625798	790086	798401	6098084
生活救济费	万元	170602	274826	375322	432829	452952	1524052
灾民抢救转移安置费	万元	18504	30560	49638	45508	43135	120664
救灾储备	万元	22676	9735	41057	27185	17141	250448
灾民倒房重建	万元			159781	284565	237556	4004235
三、占民政事业费支出总额比重							
农村社会救济费	%	2.9	4.0	11.1	16.1	15.6	15.2
自然灾害救济费	%	22.7	15.0	8.7	8.6	6.6	28.4

12—10 各地区农村文化机构

地　区	乡镇文化站(个)	集镇文化中心(个)	农村文化专业户(户)
全国总计	**33367**	**21344**	**640975**
北　京	182	98	15505
天　津	141	92	6543
河　北	1864	1063	50345
山　西	1184	873	19433
内蒙古	723	380	6025
辽　宁	1010	634	59001
吉　林	613	300	8671
黑龙江	896	689	9958
上　海	149	80	5150
江　苏	1049	1082	32890
浙　江	1191	1023	29287
安　徽	1301	446	7390
福　建	955	553	14025
江　西	1620	584	17185
山　东	1377	1340	88737
河　南	1903	2241	42576
湖　北	1023	892	19200
湖　南	2244	1223	33074
广　东	1204	805	16059
广　西	1127	646	12074
海　南	201	107	1198
重　庆	868	422	3080
四　川	3682	2033	59497
贵　州	1303	487	9689
云　南	1327	972	16334
西　藏	205	10	1273
陕　西	1513	893	16948
甘　肃	1078	536	14454
青　海	195	105	596
宁　夏	205	102	2388
新　疆	1034	633	22390

12—11 各地区农村五保供养情况

地　区	单位数（个）	年在院总人天数	年末在院人数（人）	女性	老人
全国总计	**30368**	**381626516**	**1605178**	**331693**	**1456191**
北　京	154	2756154	8945	3303	8233
天　津	116	813138	2362	493	2243
河　北	1080	14298696	59941	5839	55307
山　西	748	2864797	17019	1214	15357
内蒙古	587	4830175	25325	1806	19449
辽　宁	827	10782670	37785	8693	31621
吉　林	592	5115079	35385	7154	31552
黑龙江	512	12671070	33172	4760	29720
上　海	260	6467882	23411	13146	21738
江　苏	1353	32100909	113170	31158	110491
浙　江	1026	15537538	50395	11268	48976
安　徽	1865	17501276	73566	12619	66444
福　建	546	1404033	5321	1065	4642
江　西	1320	21667665	182334	35850	122016
山　东	1751	66510929	195535	53124	193518
河　南	2453	41694208	197274	30675	192162
湖　北	2026	39551059	142587	34300	141000
湖　南	1860	19286708	75748	16453	73528
广　东	1761	6987477	42743	11500	34478
广　西	982	4563020	17293	3093	13793
海　南	187	543449	1700	855	1610
重　庆	1973	10207920	45506	6835	41906
四　川	2940	28764888	138019	19793	131206
贵　州	805	2575961	8802	1607	8285
云　南	531	2433378	14015	3613	11939
西　藏	148	347331	1183	649	1160
陕　西	784	5121779	26900	4624	19594
甘　肃	544	1261720	8457	2039	7245
青　海	127	349950	2307	578	1613
宁　夏	86	591351	6102	889	5468
新　疆	424	2024306	12876	2698	9897

12—12　各地区农村社会救济费和自然灾害救济费

单位:万元

地　区	农村社会救济	农村最低生活保障线救济费	农村居民最低生活保障人数(人)	自然灾害生活救助
全国合计	**980298.1**	**2287233.3**	**43054799**	**6098083.7**
部本级				**212775.1**
北　京	6713.7	9295.7	78789	12847.7
天　津	6261.9	6314.4	52257	696.7
河　北	42175.6	89006.1	1715248	21703.4
山　西	28101.2	55994.5	1023161	18452.3
内蒙古	15864.3	79372.1	1138709	23399.1
辽　宁	33807.4	55424.5	897898	16825.8
吉　林	11,248.0	41,042.8	756,785	9,367.7
黑龙江	31629.9	60052.7	934808	17980.3
上　海	14469.2	11791.7	116859	36607.9
江　苏	80416.6	121570.7	1290119	13467.7
浙　江	66,413.2	79,451.2	561,121	15,523.6
安　徽	67057.5	102582.1	1862710	68202.0
福　建	21163.2	49644.2	684989	17623.0
江　西	49676.2	97038.8	1500066	52858.1
山　东	57996.6	107356.3	1875505	19478.2
河　南	67536.3	141986.0	2681774	22609.4
湖　北	37443.8	80645.9	1491524	84557.1
湖　南	52228.8	85018.8	2546982	73453.9
广　东	48,840.6	129,525.7	1,606,134	44,313.7
广　西	32060.8	72217.5	1806685	71150.1
海　南	5242.8	13348.8	199103	7276.3
重　庆	29886.1	51841.5	780002	31768.7
四　川	83679.9	131517.4	3480471	3908247.8
贵　州	11873.4	155291.2	3233344	53922.2
云　南	22790.3	149854.8	3079465	142702.6
西　藏	2,214.8	9,646.3	230,000	21,985.7
陕　西	22205.8	119919.5	2276626	290199.1
甘　肃	15483.7	86105.8	3235036	722350.8
青　海	3830.5	20391.2	345000	13487.2
宁　夏	2757.7	14291.2	274628	11558.1
新　疆	9228.3	59693.9	1299001	40692.4

13

国有农场

13－1 农垦系统国有农场基本情况

指　标	单位	2003 年	2007 年	2008 年	2007 年比 2006 年增加	
					绝对数	%
一、农场数	个	1967.0	1885.0	1893.0	8.0	0.4
二、职工人数	万人	353.7	330.1	334.5	4.3	1.3
三、耕地面积	千公顷	4690.1	5308.1	5498.9	190.8	3.6
四、农用机械总动力	亿瓦	129.9	168.2	0.2	－168.0	－99.9
大中型农用拖拉机	万台	7.0	10.4	11.7	1.4	13.1
小型及手扶拖拉机	万台	24.5	30.1	31.5	1.4	4.6
农用排灌动力机械	万台	17.7	21.7	22.0	0.3	1.6
联合收割机	万台	1.8	2.6	2.9	0.3	12.0
农用化肥施用量(折纯量)	万吨	143.9	194.23	204.6	10.4	5.3
农场用电量	亿千瓦小时	64.2	92.6	97.9	5.3	5.7
五、农业总产值						
按当年价格计算	亿元	846.3	1452.3	1667.7	215.3	14.8
六、主要农产品产量						
粮食总产量	万吨	1342.6	2162.3	2421.5	259.2	12.0
棉花总产量	万吨	103.4	157.6	163.6	6.0	3.8
油料总产量	万吨	71.9	60.4	78.4	18.0	29.7
肉类总产量	万吨	108.4	177.1	192.0	14.9	8.4

13—2 各地区农垦系统国有农场基本情况

地区	农场数(个)		职工人数(万人)		耕地面积(千公顷)	
	2007年	2008年	2007年	2008年	2007年	2008年
全国总计	**1885**	**1893**	**330.1**	**334.5**	**5308.1**	**5498.9**
北京	13	13	1.4	1.4	1.6	1.5
天津	15	15	0.6	0.6	3.1	3.1
河北	30	31	7.1	7.6	82.0	84.8
山西	25	25	0.5	0.5	6.5	6.4
内蒙古	104	104	13.0	13.8	607.1	617.0
辽宁	111	109	24.1	24.3	139.5	145.2
吉林	97	100	6.6	6.6	105.8	105.3
黑龙江	115	113	40.4	39.6	2391.3	2535.6
上海	16	17	4.9	5.1	21.5	22.2
江苏	19	19	7.2	7.1	65.3	73.9
浙江	63	63	0.3	0.3	4.6	4.6
安徽	21	21	3.4	3.2	34.0	34.4
福建	115	115	3.9	3.6	11.3	11.3
江西	154	155	33.4	33.8	53.4	51.8
山东	18	18	0.6	0.7	10.1	9.8
河南	96	96	3.9	4.0	25.4	25.7
湖北	53	53	39.8	39.8	139.6	136.7
湖南	73	73	13.3	16.8	67.3	67.3
广东	47	47	6.3	6.2	34.9	35.6
广西	48	47	4.1	4.0	28.9	30.9
海南	92	90	21.1	21.6	38.5	39.3
重庆	15	13	0.6	0.5	4.7	4.7
四川	47	44	0.6	0.5	1.6	2.2
贵州	45	44	0.5	0.6	2.1	2.1
云南	46	49	10.6	10.5	12.1	12.4
陕西	12	12	0.5	0.5	8.5	8.9
甘肃	16	17	2.5	2.1	44.1	48.7
青海	20	31	0.6	1.0	27.3	23.8
宁夏	15	15	2.3	2.3	39.7	40.2
新疆	344	344	75.8	75.9	1296.4	1313.7

13－2 续表 1

地 区	农业机械总动力(万千瓦)		大中型拖拉机(台)		农用载重汽车(辆)	
	2007 年	2008 年	2007 年	2008 年	2007 年	2008 年
全国总计	**1681.7**	**1810.9**	**103601**	**117191**	**69307**	**73500**
北 京	1.1	0.9	75	74	5	6
天 津	1.0	1.4	20	15	44	52
河 北	54.4	80.2	1247	1626	6013	11708
山 西	1.8	1.9	58	58	101	114
内 蒙 古	126.3	135.5	5974	7959	5040	4887
辽 宁	80.6	84.5	1882	1789	15403	13788
吉 林	55.4	63.3	2336	2366	2294	3122
黑 龙 江	519.6	564.3	38834	43757	3203	3029
上 海	7.8	8.4	768	813	19	19
江 苏	45.2	45.8	2814	3329	499	576
浙 江	3.4	3.5	78	87	50	48
安 徽	34.1	36.3	1891	2006	1123	1224
福 建	7.7	7.6	116	108	686	697
江 西	21.2	21.2	621	1158	802	708
山 东	5.6	5.6	206	207	159	162
河 南	20.5	21.3	753	828	372	438
湖 北	121.8	125.2	4450	5423	4209	3400
湖 南	61.3	60.8	1319	1310	1666	1678
广 东	14.6	17.4	491	453	486	546
广 西	16.5	17.5	966	1013	497	504
海 南	36.0	36.7	535	507	11	9
重 庆	0.1					
四 川	0.1	0.2	16	15		
贵 州	1.9	2.0	56	56	157	172
云 南	26.8	23.4	405	492	1434	1398
陕 西	3.6	3.9	124	126	395	395
甘 肃	18.1	19.8	1603	1989	2480	2885
青 海	4.2	5.8	224	350	244	197
宁 夏	18.2	19.1	1357	1506	1586	1707
新 疆	373.0	397.4	34382	37771	20329	20031

13－2 续表 2

地　区	化肥施用量(万吨)		现价农业总产值(万元)	
	2007 年	2008 年	2007 年	2008 年
全国总计	**194.2**	**204.6**	**14523165**	**16676527**
北　京		0.1	78971	114469
天　津	0.1	0.1	37790	47987
河　北	2.2	2.3	423135	485644
山　西	0.3	0.2	12594	14438
内蒙古	8.5	9.2	544031	644714
辽　宁	7.1	8.1	782760	920929
吉　林	4.9	5.4	144065	169532
黑龙江	37.9	39.5	3855619	4645350
上　海	1.0	1.1	118421	155345
江　苏	6.2	6.1	301692	341959
浙　江	0.7	0.7	72292	80593
安　徽	2.6	2.6	123951	137814
福　建	4.1	4.1	169882	183512
江　西	5.7	5.5	283458	327453
山　东	0.7	0.6	39371	41061
河　南	1.9	2.0	79233	97815
湖　北	14.1	14.5	906176	994272
湖　南	9.0	9.0	419760	438382
广　东	5.8	6.3	356996	343893
广　西	5.1	5.2	337820	412140
海　南	8.2	9.5	895891	1074597
重　庆	…		19778	26536
四　川	0.3	0.1	8957	9471
贵　州	0.3	0.4	10879	8038
云　南	6.7	8.2	353773	334248
陕　西	0.4	0.7	26803	31501
甘　肃	2.5	2.5	99519	97400
青　海	0.2	0.4	11410	18241
宁　夏	2.8	3.0	129346	144879
新　疆	54.6	57.5	3878791	4334314

13－3　农垦系统国有农场种植业生产情况

指　　标	单位	2000 年	2006 年	2007 年	2008 年	2008 年比 2007 年增加	
						绝对数	%
农作物总播种面积	千公顷	4755.8	5509.0	5633.4	5831.0	197.6	3.5
一、粮食播种面积	千公顷	3163.9	3677.3	3725.5	3948.8	223.4	6.0
每公顷产量	千克	4631.0	5590.0	5804.0	6132.0	328.0	5.7
总产量	万吨	1465.2	2055.6	2162.3	2421.5	259.2	12.0
1.谷物	万吨	1252.1	1843.4	1969.5	2176.6	207.1	10.5
其中：稻谷	万吨	818.6	1056.7	1180.9	1240.4	59.5	5.0
小　麦	万吨	255.0	267.1	234.8	258.4	23.6	10.1
玉　米	万吨	147.4	417.1	479.8	574.2	94.4	19.7
2. 豆类	万吨	200.6	188.0	154.7	196.0	41.3	26.7
其中：大豆	万吨	184.8	163.1	133.2	170.8	37.6	28.2
3.薯类	万吨	12.6	24.1	38.1	48.9	10.8	28.3
二、棉花播种面积	千公顷	527.3	674.0	803.8	756.0	－47.8	－5.9
每公顷产量	千克	1577.0	2102.0	1960.0	2164.0	204.0	10.4
总产量	吨	831595	1416886	1575568	1635659	60091.4	3.8
三、油料播种面积	千公顷	461.2	361.7	338.9	409.6	70.7	20.9
每公顷产量	千克	1545	1786	1784	1915	131.0	7.3
总产量	吨	712461	646086	604419	784293	179874.3	29.8
四、糖料播种面积	千公顷	103.6	116.5	121.2	117.6	－3.6	－2.9
每公顷产量	千克	56927.0	70441.0	71327.0	71929.0	602.0	0.8
总产量	吨	5894802	8208541	8643443	8460304	－183138.8	－2.1
五、麻类播种面积	千公顷	9.4	41.1	39.5	31.0	－8.5	－21.5
每公顷产量	千克	3175	5346	3485	3773	288.0	8.3
总产量	吨	29689	219907	137611	117024	－20587.0	－15.0

13—4　各地区农垦系统国有农场农作物主要产品产量

地　区	粮食（万吨）	棉花（吨）	油料（吨）	糖料（吨）	麻类（吨）
全国总计	**242.5**	**1635659**	**784293**	**8460304**	**117024**
北　京	0.6				
天　津	1.4	1683	138		
河　北	37.5	31579	3841	3317	
山　西	2.3	118	310	9734	
内蒙古	146.0	1400	212731	28352	1576
辽　宁	117.5	2	11121	5663	
吉　林	66.8		19179	890	
黑龙江	1420.6		103807	790566	86174
上　海	21.2				
江　苏	95.0	4560	3209		
浙　江	1.2	51	227	14	
安　徽	30.4	10515	4017	210	
福　建	7.1		4457	32012	
江　西	46.3	8404	17502	87169	8
山　东	3.8	5721	484		
河　南	21.3	3554.5	11452		48
湖　北	70.6	80812	90741	8472	188
湖　南	48.6	43984	23198	271318	11471
广　东	5.5		8365	2185568	
广　西	0.8		3470	2304181	
海　南	14.0		6550	506763	13
重　庆			6		
四　川	0.1		300		
贵　州	0.6		687		
云　南	4.0		235	523846	
陕　西	4.7	4003	959		
甘　肃	16.9	8329	7892		1355
青　海	1.6		19081		
宁　夏	34.7		5725	486	
新　疆	200.5	1430944	224609	1780196	16191

13—5　农垦系统国有农场茶、桑、果、林业生产情况

指　标	单位	2000 年	2006 年	2007 年	2008 年	2008 年比 2007 年增加	
						绝对数	%
一、年末实有茶园面积	千公顷	34.1	30.9	31.8	31.5	−0.3	−0.9
茶叶总产量	万吨	3.9	4.8	5.1	5.0	−0.1	−2.5
二、年末实有桑园面积	千公顷	3.9	1.9	2.0	1.9	−0.1	−7.0
三、年末实有果园面积	千公顷	193.6	263.6	270.6	296.7	26.1	9.6
水果总产量	万吨	118.6	209.6	239.6	250.6	11.0	4.6
其中:苹果	万吨	24.1	28.1	30.0	32.4	2.4	8.0
梨	万吨	27.1	33.0	35.2	41.6	6.4	18.2
柑桔	万吨	11.8	26.3	27.1	27.8	0.7	2.6
四、年末实有橡胶园面积	千公顷	382.3	446.1	465.8	471.8	6.0	1.3
当年橡胶平均开割面积	千公顷		317.3	320.6	315.3	−5.3	−1.7
每公顷产干胶	千克	1172.0	1020.7	1044.9	894.4	−150.5	−14.4
全年干胶总产量	万吨	34.7	32.4	33.5	28.2	−5.3	−15.8
五、当年造林面积	千公顷	75.8	62.9	55.0	63.7	8.7	15.8
用材林	千公顷	21.4	17.3	16.5	21.7	5.2	31.4
经济林	千公顷	6.1	10.1	11.7	11.9	0.2	2.1
防护林	千公顷	47.3	36.9	25.0	28.0	3.0	12.0
薪炭林	千公顷	0.3	0.8	0.6	0.4	−0.2	−35.5
特种用材林	千公顷	0.7	0.8	1.0	0.9	−0.1	−14.7

13－6 各地区农垦系统国有农场茶、果、干胶、林业生产情况

地 区	茶叶（吨）	水果（吨）	苹果（吨）	梨（吨）	干胶（吨）	造林面积（公顷）
全国总计	**49747**	**2506343**	**324117**	**415566**	**281667**	**63697**
北 京		3188	2616	34		
天 津		1783	348	275		16
河 北		19494	7067	4455		1853
山 西		960	494	171		
内蒙古		11013	2809	2983		7039
辽 宁		92422	51242	9901		3721
吉 林		13358	3374	7520		179
黑龙江		18360		687		6079
上 海	3	1673		28		101
江 苏	4	1664		886		976
浙 江	4509	22453		4026		1
安 徽	11762	20690		18292		414
福 建	5443	111778		1457		979
江 西	4181	55907	13	3436		7138.56
山 东		529	47			489
河 南	7	30458	11258	11695		119
湖 北	459	88732	301	26696		2821
湖 南	3018	54445	5	3978		5892
广 东	1708	302664			5682	151
广 西	2646	160573		454	212	1840
海 南	966	397448			155392	1275
重 庆	2	730		10		20
四 川	671	2741.25	1151	324		10
贵 州	4122	7184	82	92		32
云 南	10246	104029			120381	31
陕 西		12236	3433	2541		
甘 肃		21308	5433	7473		536
青 海						1413
宁 夏		36827	19406	1587		825
新 疆		911696	215039	306565		19746

13－7 农垦系统国有农场畜牧业、渔业生产情况

指　　标	单位	2000 年	2006 年	2007 年	2008 年	2008 年比 2007 年增加	
						绝对数	%
一、大牲畜年末头数	万头	214.6	319.4	300.0	306.9	6.9	2.3
#役畜	万头	55.0	31.4	25.5	25.1	－0.4	－1.6
牛	万头	173.1	283.8	268.8	275.8	7.0	2.6
#良种及改良奶牛	万头	51.0	110.3	112.5	119.7	7.2	6.4
马	万匹	25.8	21.1	20.3	19.7	－0.6	－3.0
驴	万头	9.8	9.0	6.0	6.9	0.9	15.0
骡	万头	1.8	1.9	1.6	1.3	－0.3	－18.8
骆驼	万头	4.1	3.7	3.4	3.2	－0.2	－5.9
二、猪年末头数	万头	478.1	786.9	878.2	968.7	90.5	10.3
三、羊年末只数	万只	1104.7	1625.1	1345.7	1452.3	106.6	7.9
山　羊	万只	216.3	362.0	361.9	426.0	64.1	17.7
绵　羊	万只	888.4	1263.1	983.8	1026.3	42.5	4.3
四、家禽年末只数	万只	4918.2	6201.2	8435.0	10780.6	2345.6	27.8
五、兔年末只数	万只	74.3	85.6	96.1	81.4	－14.7	－15.3
六、畜产品产量							
肉猪出栏头数	万头	643.5	1275.2	1370.8	1516.8	146.0	10.7
猪牛羊肉产量	万吨	68.3	139.6	145.1	157.1	12.0	8.3
其中：猪肉产量	万吨	51.1	102.8	109.3	120.6	11.3	10.3
牛奶产量	万吨	116.5	271.7	291.2	320.8	29.6	10.2
禽蛋产量	万吨	20.4	22.6	24.0	25.6	1.6	6.7
鹿茸产量	吨	41.5	90.4	93.9	97.5	3.6	3.8
羊毛产量	吨	20866	32158.0	29243.0	25056.0	－4187.0	－14.3
七、水产品产量	万吨	49.1	87.1	95.0	97.1	2.1	2.2

13－8 各地区农垦系统国有农场畜牧业、渔业生产情况

地　区	大牲畜年末头数（万头）	牛年末头数（万头）	其中:奶牛	猪年末头数（万头）	羊年末只数（万只）	家禽年末只数（万只）
全国总计	**306.9**	**275.8**	**119.7**	**968.7**	**1452.3**	**10780.6**
北　京	4.0	4.0	4.0	3.4		84.9
天　津	2.3	2.3	2.3	0.7		
河　北	11.7	11.5	11.1	22.3	6.0	197.1
山　西	1.3	1.2	1.1	0.4	2.0	6.3
内蒙古	35.4	31.5	18.2	17.1	203.2	177.8
辽　宁	11.1	8.5	3.4	65.9	13.5	1412.0
吉　林	3.5	2.9	0.9	10.8	11.4	521.0
黑龙江	86.2	85.8	33.0	218.2	173.4	1391.9
上　海	3.1	3.1	3.1	10.8		13.3
江　苏	0.4	0.4	0.3	6.5	1.2	366.0
浙　江	0.2	0.2	0.2	33.6		6.0
安　徽	0.8	0.8	0.6	2.5	0.5	58.8
福　建	1.5	1.5	0.5	28.5	0.9	192.1
江　西	3.1	3.1	0.2	48.7	1.2	2715.6
山　东	0.2	0.2	0.2	1.0	1.1	75.4
河　南	0.8	0.7	0.2	21.7	1.4	49.4
湖　北	7.4	7.4	2.1	94.2	3.3	743.0
湖　南	2.6	2.6		75.0	2.1	315.0
广　东	3.2	3.2	1.0	30.5	0.1	834.4
广　西	0.9	0.9	0.2	66.1	0.1	149.7
海　南	10.2	10.2		57.7	16.4	513.0
重　庆	1.4	1.4	1.4	4.6		35.2
四　川	11.6	11.0	0.2	0.7	2.9	0.5
贵　州	0.8	0.8	0.7	0.6	0.2	4.2
云　南	0.9	0.9	0.3	7.4	0.3	101.1
陕　西	0.3	0.3	0.2	0.8	1.9	2.8
甘　肃	1.4	1.2	0.3	1.3	15.7	27.7
青　海	5.1	4.9	4.9	19.3	226.7	115.0
宁　夏	2.9	2.9	2.6	3.8	7.5	32.0
新　疆	93.0	70.5	26.6	114.7	759.3	639.7

13—8 续表

地区	肉猪出栏头数（万头）	肉类总产量（吨）	奶产量（吨）	水产品产量（吨）
全国总计	**1516.8**	**1920233**	**3208060**	**971241**
北京	3.3	16132	190863	
天津		1016	100789	8480
河北	34.1	57764	355503	70500
山西	0.3	624	27605	5
内蒙古	18.5	68099	420412	4122
辽宁	88.2	155962	109903	238188
吉林	24.4	29497	20284	1395
黑龙江	400.1	467994	1018264	22609
上海	13.9	9294	124579	13414
江苏	21.2	62712	6993	32303
浙江	49.2	33294	5140	4961
安徽	3.5	7006	18064	4177
福建	44.7	37123	11745	31086
江西	75.9	60699	8593	34104
山东	1.7	11207	7918	4538
河南	26.3	19453	3059	5953
湖北	160.8	150004	74631	295411
湖南	189.0	198665	1215	82299
广东	49.9	52998	31197	24851
广西	85.6	68119	4781	13263
海南	58.3	85955	52	40604
重庆	5.5	8048	38770	161
四川	0.7	2297	6934	344
贵州	0.4	398	27314	32
云南	5.5	6752	40085	6231
陕西	0.9	1034	4152	49
甘肃	1.2	3273	1649	
青海	13.3	2215	9400	7
宁夏	4.4	5310	88973	7708
新疆	135.9	297289	449193	24447

14

区域农村经济

一、分类型区域农村经济情况

14—1—1　黄淮海地区农村经济情况

指　　标	单位	2000 年	2006 年	2007 年	2008 年
县个数	个	318	318	318	318
年末总人口	万人	21175	21739	22001	22216
行政区域土地面积	万平方公里				37
农业机械总动力	万千瓦	18924		26282	27635
农村用电量	亿千瓦时	519		913	942
第一产业增加值	亿元	3357	5306	5809	6651
农业	亿元	2275	3257	3621	4039
林业	亿元	87	120	140	161
牧业	亿元	755	1458	1512	1867
渔业	亿元	240	348	371	397
农作物总播种面积	千公顷	31671	32510	32490	32547
粮食作物播种面积	千公顷	22064	22309	22653	22875
粮食总产量	万吨	11037	13024	13364	14019
棉花播种面积	千公顷	1670	2303	2321	2223
棉花产量	万吨	179	266	263	263
油料播种面积	千公顷	3016	2539	2392	2403
油料产量	万吨	925	879	861	890
糖料播种面积	千公顷	6	4	4	4
糖料产量	万吨	36	22	20	22
肉类总产量	万吨	1400	1968	1668	1606
奶类产量	万吨	143	630	730	826
水产品产量	万吨	725	890	907	804
普通中学专任教师数	万人	82	86	85	84
小学专任教师数	万人	101	98	98	98
普通中学在校学生数	万人	1645	1560	1458	1359
小学在校学生数	万人	2095	1781	1782	1766
医院、卫生院数	所	8598	6921	7144	7145
医院、卫生院床位数	床	323488	378732	408925	451461
医院、卫生院技术人员数	人	427541	464959	489596	502778
地方财政一般预算收入	亿元	402	945	1196	1448
地方财政一般预算支出	亿元	616	2050	2661	3312
年末金融机构各项贷款余额	亿元	5974	10999	12594	13252

注：黄淮海地区包括北京市、天津市、河北省、江苏省、安徽省、山东省、河南省等 7 个省、市的 318 个县(市)。

14—1—2　长江中下游地区农村经济情况

指　　标	单位	2000 年	2006 年	2007 年	2008 年
县个数	个	446	446	446	446
年末总人口	万人	25948	26170	26355	26449
行政区域土地面积	万平方公里				86
农业机械总动力	万千瓦	9126		13668	15355
农村用电量	亿千瓦时	899		1733	1825
第一产业增加值	亿元	3976	5823	6609	7506
农业	亿元	2268	3180	3506	4057
林业	亿元	247	346	388	482
牧业	亿元	871	1339	1667	2164
渔业	亿元	589	848	944	1182
农作物总播种面积	千公顷	33839	33680	33425	32528
粮食作物播种面积	千公顷	20623	20447	20535	20255
粮食总产量	万吨	11417	12104	12307	12386
棉花播种面积	千公顷	895	1009	1096	1104
棉花产量	万吨	97	137	143	133
油料播种面积	千公顷	4713	4214	3889	4088
油料产量	万吨	846	880	847	865
糖料播种面积	千公顷	256	345	374	387
糖料产量	万吨	1483	2180	2610	2735
肉类总产量	万吨	1437	1873	1888	1795
奶类产量	万吨	15	60	69	67
水产品产量	万吨	1247	1543	1621	1579
普通中学专任教师数	万人	93	100	97	100
小学专任教师数	万人	107	101	100	101
普通中学在校学生数	万人	1759	1634	1555	1501
小学在校学生数	万人	2172	1896	1872	1845
医院、卫生院数	所	13081	12437	12015	11892
医院、卫生院床位数	床	425208	464063	488928	518635
医院、卫生院技术人员数	人	569043	599323	631374	660393
地方财政一般预算收入	亿元	639	1799	2352	2882
地方财政一般预算支出	亿元	916	3083	4067	5167
年末金融机构各项贷款余额	亿元	8190	20854	24959	29038

注：长江中下游地区包括上海市、江苏省、浙江省、安徽省、福建省、江西省、河南省、湖北省、湖南省、广东省、广西自治区等 11 个省、区、市的 446 个县(市)。

14—1—3 黄土高原地区农村经济情况

指　　标	单位	2000 年	2006 年	2007 年	2008 年
县个数	个	211	211	211	211
年末总人口	万人	6828	6961	6991	7055
行政区域土地面积	万平方公里				38
农业机械总动力	万千瓦	3242		4832	5037
农村用电量	亿千瓦时	125		145	159
第一产业增加值	亿元	510	925	1086	1283
农业	亿元	359	600	704	817
林业	亿元	27	41	49	58
牧业	亿元	120	250	293	352
渔业	亿元	4	7	9	10
农作物总播种面积	千公顷	9678	9500	9424	9555
粮食作物播种面积	千公顷	7863	7333	7331	7452
粮食总产量	万吨	2161	2645	2535	2792
棉花播种面积	千公顷	75	162	164	150
棉花产量	万吨	7	17	17	17
油料播种面积	千公顷	759	692	639	671
油料产量	万吨	92	103	98	114
糖料播种面积	千公顷	5	2	2	2
糖料产量	万吨	9	4	3	3
肉类总产量	万吨	175	268	224	210
奶类产量	万吨	63	194	211	234
水产品产量	万吨	8	15	15	13
普通中学专任教师数	万人	28	31	32	32
小学专任教师数	万人	38	38	37	38
普通中学在校学生数	万人	519	541	534	514
小学在校学生数	万人	806	696	670	640
医院、卫生院数	所	4625	4442	4428	4421
医院、卫生院床位数	床	128757	140056	148149	164792
医院、卫生院技术人员数	人	159792	162704	169293	175636
地方财政一般预算收入	亿元	110	344	415	522
地方财政一般预算支出	亿元	214	830	1082	1430
年末金融机构各项贷款余额	亿元	1745	3088	3454	3570

注：黄土高原地区包括河北省、山西省、河南省、陕西省、甘肃省、宁夏自治区等 6 个省、区、市的 211 个县(市)。

14—1—4　民族地区农村经济情况

指　　标	单位	2000年	2006年	2007年	2008年
县个数	个	634	634	634	634
年末总人口	万人	15089	15692	15913	16135
行政区域土地面积	万平方公里				579
农业机械总动力	万千瓦	5782		8790	9922
农村用电量	亿千瓦时	130		199	242
第一产业增加值	亿元	2035	3342	3981	4531
农业	亿元	1291	1907	2197	2446
林业	亿元	129	202	265	313
牧业	亿元	547	1055	1333	1528
渔业	亿元	69	97	112	131
农作物总播种面积	千公顷	25380	26536	27020	26474
粮食作物播种面积	千公顷	16709	16577	16600	16538
粮食总产量	万吨	6134	7040	7003	7578
棉花播种面积	千公顷	996	1024	1149	1297
棉花产量	万吨	153	190	211	234
油料播种面积	千公顷	2377	1964	1974	1966
油料产量	万吨	338	336	332	374
糖料播种面积	千公顷	790	1078	1196	1306
糖料产量	万吨	4280	7102	8424	9230
肉类总产量	万吨	880	1375	1392	1273
奶类产量	万吨	235	1004	1083	1185
水产品产量	万吨	156	236	243	216
普通中学专任教师数	万人	49	54	55	56
小学专任教师数	万人	80	79	80	81
普通中学在校学生数	万人	907	916	905	888
小学在校学生数	万人	1576	1474	1451	1425
医院、卫生院数	所	12480	11898	11372	11775
医院、卫生院床位数	床	284156	311417	328177	361181
医院、卫生院技术人员数	人	340488	349712	364652	381440
地方财政一般预算收入	亿元	277	631	798	1003
地方财政一般预算支出	亿元	643	2045	2720	3745
年末金融机构各项贷款余额	亿元	3678	6373	7494	8385

注：民族地区包括河北省、内蒙古自治区、辽宁省、吉林省、黑龙江省、浙江省、湖北省、湖南省、广东省、广西自治区、海南省、重庆市、四川省、贵州省、云南省、西藏自治区、甘肃省、青海省、宁夏回族自治区、新疆维吾尔自治区等20个省、区、市的634个县(市、旗)。

14－1－5 扶贫工作重点县农村经济情况

指　　标	单位	2000 年	2006 年	2007 年	2008 年
县个数	个	581	581	581	581
年末总人口	万人	21591	22511	22766	23051
行政区域土地面积	万平方公里				240
农业机械总动力	万千瓦	7095		11271	12649
农村用电量	亿千瓦时	165		255	282
第一产业增加值	亿元	2084	3472	4097	4805
农业	亿元	1261	1933	2237	2565
林业	亿元	151	226	275	326
牧业	亿元	596	1121	1349	1623
渔业	亿元	76	120	141	164
农作物总播种面积	千公顷	33645	34579	35121	34685
粮食作物播种面积	千公顷	24423	24221	24668	24466
粮食总产量	万吨	8117	9680	9779	10546
棉花播种面积	千公顷	562	610	624	639
棉花产量	万吨	59	77	79	82
油料播种面积	千公顷	3468	3178	3064	3072
油料产量	万吨	473	545	535	575
糖料播种面积	千公顷	318	366	395	431
糖料产量	万吨	1261	1818	2186	2531
肉类总产量	万吨	1041	1498	1453	1374
奶类产量	万吨	91	497	554	605
水产品产量	万吨	150	221	239	241
普通中学专任教师数	万人	67	77	78	80
小学专任教师数	万人	110	108	108	110
普通中学在校学生数	万人	1362	1433	1410	1384
小学在校学生数	万人	2450	2246	2217	2168
医院、卫生院数	所	14278	13068	12629	12926
医院、卫生院床位数	床	298429	319364	341310	389940
医院、卫生院技术人员数	人	390233	386655	398806	415604
地方财政一般预算收入	亿元	249	510	647	816
地方财政一般预算支出	亿元	658	2213	2960	4087
年末金融机构各项贷款余额	亿元	3816	5786	6676	7117

注:扶贫工作重点县包括河北省、山西省、内蒙古自治区、吉林省、黑龙江省、安徽省、江西省、河南省、湖北省、湖南省、广西自治区、海南省、重庆市、四川省、贵州省、云南省、陕西省、甘肃省、青海省、宁夏回族自治区、新疆维吾尔自治区等 21 个省、区、市的 581 个县(市、旗)。

14—1—6 丘陵地区农村经济情况

指 标	单位	2000 年	2006 年	2007 年	2008 年
县个数	个	531	531	531	531
年末总人口	万人	28004	28387	28701	28883
行政区域土地面积	万平方公里				203
农业机械总动力	万千瓦	11035		15536	18102
农村用电量	亿千瓦时	558		881	970
第一产业增加值	亿元	4050	6268	7362	8467
农业	亿元	2374	3334	3809	4336
林业	亿元	148	224	270	327
牧业	亿元	1028	1854	2355	2819
渔业	亿元	500	707	788	936
农作物总播种面积	千公顷	39720	42121	41582	40944
粮食作物播种面积	千公顷	28202	29925	29810	29813
粮食总产量	万吨	12654	14536	15045	15804
棉花播种面积	千公顷	360	310	325	340
棉花产量	万吨	36	41	40	39
油料播种面积	千公顷	4255	3897	3649	3715
油料产量	万吨	761	813	800	832
糖料播种面积	千公顷	508	676	734	821
糖料产量	万吨	2477	4395	5213	5761
肉类总产量	万吨	1778	2663	2657	2424
奶类产量	万吨	137	728	806	902
水产品产量	万吨	1316	1624	1676	1577
普通中学专任教师数	万人	99	105	104	106
小学专任教师数	万人	125	120	120	120
普通中学在校学生数	万人	1872	1792	1733	1682
小学在校学生数	万人	2546	2275	2224	2155
医院、卫生院数	所	14529	13326	13292	13422
医院、卫生院床位数	床	458790	499502	524252	580023
医院、卫生院技术人员数	人	592945	621597	644971	666755
地方财政一般预算收入	亿元	547	1311	1675	2093
地方财政一般预算支出	亿元	875	2975	3934	5271
年末金融机构各项贷款余额	亿元	7541	13395	15514	17314

注：丘陵地区包括北京市、天津市、河北省、山西省、内蒙古自治区、辽宁省、吉林省、黑龙江省、江苏省、浙江省、安徽省、福建省、江西省、山东省、河南省、湖北省、湖南省、广东省、广西自治区、海南省、重庆市、四川省、贵州省、云南省、西藏自治区、陕西省、甘肃省、新疆维吾尔自治区等 28 个省、区、市的 531 个县(市、旗)。

14—1—7　山区县农村经济情况

指　　标	单位	2000 年	2006 年	2007 年	2008 年
县个数	个	894	894	894	894
年末总人口	万人	29557	30440	30721	31026
行政区域土地面积	万平方公里				419
农业机械总动力	万千瓦	9194		13837	15634
农村用电量	亿千瓦时	369		605	657
第一产业增加值	亿元	3626	5564	6453	7382
农业	亿元	2154	3023	3465	3993
林业	亿元	342	501	592	693
牧业	亿元	898	1562	1898	2269
渔业	亿元	232	331	373	410
农作物总播种面积	千公顷	38071	38013	38230	37441
粮食作物播种面积	千公顷	26836	25454	25552	25022
粮食总产量	万吨	10599	10804	10928	11110
棉花播种面积	千公顷	81	90	97	101
棉花产量	万吨	7	11	12	12
油料播种面积	千公顷	3430	3389	3331	3328
油料产量	万吨	544	646	655	658
糖料播种面积	千公顷	406	464	514	537
糖料产量	万吨	2117	2769	3223	3421
肉类总产量	万吨	1521	2186	2158	2032
奶类产量	万吨	126	328	351	368
水产品产量	万吨	571	703	735	669
普通中学专任教师数	万人	100	110	111	113
小学专任教师数	万人	146	142	143	145
普通中学在校学生数	万人	1863	1864	1835	1809
小学在校学生数	万人	3013	2793	2741	2673
医院、卫生院数	所	21088	19541	18697	19261
医院、卫生院床位数	床	505307	552443	580468	639512
医院、卫生院技术人员数	人	629149	641623	665363	697468
地方财政一般预算收入	亿元	518	1188	1495	1842
地方财政一般预算支出	亿元	1122	3460	4530	6133
年末金融机构各项贷款余额	亿元	6845	12341	14574	16148

注:山区地区包括北京市、河北省、山西省、内蒙古自治区、辽宁省、吉林省、黑龙江省、浙江省、安徽省、福建省、江西省、山东省、河南省、湖北省、湖南省、广东省、广西自治区、海南省、重庆市、四川省、贵州省、云南省、西藏自治区、陕西省、甘肃省、青海省、宁夏回族自治区、新疆维吾尔自治区等 28 个省、区、市的 894 个县(市、旗)。

14—1—8 平原地区农村经济情况

指　标	单位	2000 年	2006 年	2007 年	2008 年
县个数	个	645	645	645	645
年末总人口	万人	36474	37285	37665	37976
行政区域土地面积	万平方公里				261
农业机械总动力	万千瓦	24039		33445	35866
农村用电量	亿千瓦时	1289		2271	2360
第一产业增加值	亿元	5819	9205	10311	11793
农业	亿元	3803	5479	6052	6863
林业	亿元	137	197	238	275
牧业	亿元	1295	2411	2799	3464
渔业	亿元	583	887	962	1129
农作物总播种面积	千公顷	57032	58435	58617	59274
粮食作物播种面积	千公顷	38126	39230	39596	40324
粮食总产量	万吨	19034	23386	23278	25492
棉花播种面积	千公顷	3308	4196	4410	4424
棉花产量	万吨	407	573	597	610
油料播种面积	千公顷	5956	4793	4550	4744
油料产量	万吨	1338	1240	1176	1286
糖料播种面积	千公顷	426	410	436	432
糖料产量	万吨	2081	2448	2700	2716
肉类总产量	万吨	2244	3242	3021	2953
奶类产量	万吨	338	1316	1508	1691
水产品产量	万吨	1263	1703	1766	1706
普通中学专任教师数	万人	133	143	143	144
小学专任教师数	万人	171	165	165	164
普通中学在校学生数	万人	2631	2574	2472	2361
小学在校学生数	万人	3571	3091	3043	2964
医院、卫生院数	所	17727	15621	15470	15202
医院、卫生院床位数	床	622399	707804	747796	798582
医院、卫生院技术人员数	人	812788	864385	903525	937998
地方财政一般预算收入	亿元	807	2233	2945	3628
地方财政一般预算支出	亿元	1221	4153	5514	7287
年末金融机构各项贷款余额	亿元	13868	28365	33159	36874

注：平原地区包括北京市、天津市、河北省、山西省、内蒙古自治区、辽宁省、吉林省、黑龙江省、上海市、江苏省、浙江省、安徽省、福建省、江西省、山东省、河南省、湖北省、湖南省、广东省、广西自治区、海南省、重庆市、四川省、贵州省、陕西省、甘肃省、宁夏回族自治区、新疆维吾尔自治区等28个省、区、市的645个县(市、旗)。

14—1—9 陆地边境县农村经济情况

指 标	单位	2000年	2006年	2007年	2008年
县个数	个	129	129	129	129
年末总人口	万人	1931	2014	2046	2059
行政区域土地面积	万平方公里				191
农业机械总动力	万千瓦	973		1424	1515
农村用电量	亿千瓦时	20		30	35
第一产业增加值	亿元	293	498	596	679
农业	亿元	170	260	306	348
林业	亿元	27	60	79	84
牧业	亿元	79	129	162	187
渔业	亿元	17	33	36	42
农作物总播种面积	千公顷	3992	4367	4488	4663
粮食作物播种面积	千公顷	2674	2998	3069	3267
粮食总产量	万吨	980	1182	1190	1305
棉花播种面积	千公顷	113	95	107	138
棉花产量	万吨	17	16	19	22
油料播种面积	千公顷	448	312	301	374
油料产量	万吨	68	51	50	80
糖料播种面积	千公顷	210	269	287	295
糖料产量	万吨	1095	1706	1959	2004
肉类总产量	万吨	102	148	157	159
奶类产量	万吨	52	133	145	155
水产品产量	万吨	41	69	71	74
普通中学专任教师数	万人	7	8	8	8
小学专任教师数	万人	13	12	12	12
普通中学在校学生数	万人	137	115	112	108
小学在校学生数	万人	185	170	168	166
医院、卫生院数	所	2131	1924	2115	1950
医院、卫生院床位数	床	52088	55717	56409	58035
医院、卫生院技术人员数	人	58470	60394	62295	63460
地方财政一般预算收入	亿元	45	102	137	176
地方财政一般预算支出	亿元	119	388	516	679
年末金融机构各项贷款余额	亿元	804	981	1123	1178

注：陆地边境县包括内蒙古自治区、辽宁省、吉林省、黑龙江省、广西自治区、云南省、西藏自治区、甘肃省、新疆维吾尔自治区等9个省、区129个县(市、旗)。

14—1—10 沿海开放县农村经济情况

指　　标	单位	2000 年	2006 年	2007 年	2008 年
县个数	个	198	198	198	198
年末总人口	万人	14261	14298	14470	14505
行政区域土地面积	万平方公里				32
农业机械总动力	万千瓦	7039		8556	9164
农村用电量	亿千瓦时	1097		2026	2144
第一产业增加值	亿元	2806	3894	4284	4872
农业	亿元	1558	1930	2120	2525
林业	亿元	97	114	156	192
牧业	亿元	449	711	837	1098
渔业	亿元	702	984	1054	1220
农作物总播种面积	千公顷	15028	14000	13555	13518
粮食作物播种面积	千公顷	9876	8735	8467	8528
粮食总产量	万吨	5313	5143	4994	5199
棉花播种面积	千公顷	232	352	379	337
棉花产量	万吨	27	41	45	41
油料播种面积	千公顷	1425	1254	1138	1166
油料产量	万吨	378	376	360	373
糖料播种面积	千公顷	199	209	227	229
糖料产量	万吨	1257	1487	1655	1669
肉类总产量	万吨	794	1062	991	953
奶类产量	万吨	77	258	268	307
水产品产量	万吨	1777	2197	2232	2072
普通中学专任教师数	万人	53	57	58	59
小学专任教师数	万人	61	59	60	59
普通中学在校学生数	万人	950	936	924	917
小学在校学生数	万人	1293	1203	1160	1096
医院、卫生院数	所	6135	5855	5596	5521
医院、卫生院床位数	床	277322	334808	346172	362676
医院、卫生院技术人员数	人	342197	406446	433250	445964
地方财政一般预算收入	亿元	529	1806	2359	2880
地方财政一般预算支出	亿元	685	2305	3004	3726
年末金融机构各项贷款余额	亿元	7805	20678	24785	28240

注：沿海开放县包括天津市、河北省、辽宁省、上海市、江苏省、浙江省、福建省、山东省、广东省、广西自治区、海南省等 11 个省、区、市的 198 个县(市)。

14—1—11 粮食生产大县农村经济情况

指　标	单位	2000年	2006年	2007年	2008年
县个数	个	453	453	453	453
年末总人口	万人	32281	32576	32886	33085
行政区域土地面积	万平方公里				117
农业机械总动力	万千瓦	16782		23598	25959
农村用电量	亿千瓦时	994		1616	1728
第一产业增加值	亿元	5101	7907	9082	10446
农业	亿元	3168	4501	5045	5829
林业	亿元	163	247	284	342
牧业	亿元	1286	2283	2805	3424
渔业	亿元	483	707	781	860
农作物总播种面积	千公顷	48820	51465	51517	51466
粮食作物播种面积	千公顷	34734	37540	37980	38286
粮食总产量	万吨	17454	21787	22115	24112
棉花播种面积	千公顷	597	693	721	695
棉花产量	万吨	61	82	85	81
油料播种面积	千公顷	5338	4779	4501	4589
油料产量	万吨	1067	1116	1069	1165
糖料播种面积	千公顷	380	334	356	381
糖料产量	万吨	1632	1912	2191	2306
肉类总产量	万吨	2255	3341	3259	3085
奶类产量	万吨	247	888	1006	1164
水产品产量	万吨	1057	1368	1436	1337
普通中学专任教师数	万人	116	121	120	121
小学专任教师数	万人	142	136	135	135
普通中学在校学生数	万人	2217	2134	2042	1977
小学在校学生数	万人	2948	2556	2509	2426
医院、卫生院数	所	15521	13656	13330	13185
医院、卫生院床位数	床	528567	593422	624312	666702
医院、卫生院技术人员数	人	695790	741719	773848	804577
地方财政一般预算收入	亿元	665	1724	2281	2832
地方财政一般预算支出	亿元	1009	3375	4447	5908
年末金融机构各项贷款余额	亿元	10949	21249	24590	27749

注：粮食生产大县包括除西藏自治区以外的30个省、区、市的453个县(市、旗)。

二、西部在开发12省(区、市)农村经济情况

14—2—1　西部大开发12省(区、市)农业机械拥有量

指　标	单位	1990年	1995年	1999年	2000年	2007年	2008年
农用机械总动力合计	万千瓦	5906.2	7534.3	10106.9	10706.6	16729.3	18430.1
大中型拖拉机	万混合台	20.3	16.3	19.1	19.4	56.0	103.0
	万千瓦	727.2	630.3	700.7	720.1	1568.2	2437.6
小型拖拉机	万台	152.3	192.8	233.4	234.5	275.9	275.7
	万千瓦	1469.4	1913.2	2415.0	2443.1	3099.1	3056.7
大中型拖拉机配套农具	万部	20.0	22.6	29.0	30.2	82.1	122.1
小型拖拉机配套农具	万部	108.9	165.2	238.2	253.0	387.3	361.0
农用排灌柴油机	万台	38.6	48.3	77.3	84.5	141.8	149.0
	万千瓦	306.6	345.6	513.9	542.4	879.7	953.6
农用排灌电动机	万台	44.6	54.7	84.5	89.8	161.6	175.5
	万千瓦	580.6	632.8	733.4	759.1	1009.2	1060.4
农用水泵	万台	78.0	97.9	139.5	164.9	301.5	327.8
节水灌溉机械	万套	2.4	2.8		7.1	11.0	13.3
联合收获机	万台	0.8	1.2	2.2	2.5	5.2	8.5
	万千瓦	38.0	53.8	89.8	98.9	206.7	249.9
机动收割机	万台	0.2	0.1	0.4	0.6	3.4	
	万千瓦	4.0	1.7	2.1	2.6	1.0	
机动脱粒机	万台	34.7	56.9	101.5	115.7	259.2	292.9
农用载重汽车	万辆	14.3	19.2	22.8	22.5		
	万千瓦	1102.2	1573.0	1889.8	1842.3		
农用运输车	万辆	5.3	13.9	30.3	39.1	177.9	209.6

14—2—2　西部大开发12省(区、市)农村电力和农田水利建设情况

指　标	单位	1990年	1995年	1999年	2000年	2007年	2008年
一、乡村办水电站	个	4897	15320	11045	10381	6285	13253
装机容量	万千瓦	102.5	161.7	177.1	179.5	264.8	2233.4
发电量	亿千瓦		48.4	61.9	63.5	94.2	815.0
二、农村用电量	亿千瓦小时	145.7	237.6	308.0	331.4	524.3	557.7
三、农田水利建设情况							
有效灌溉面积	千公顷	12685.9	13639.3	14824.5	15174.6	16344.2	17065.5
旱涝保收面积	千公顷	8865.1	9371.5	10072.3	10255.9	10950.0	11262.4
机电排灌面积	千公顷	3558.1	4503.6	5227.9	5348.2	6198.6	6986.9

注:2008年起乡村办水电站统计口径变更为农村水电。农村水电是指装机容量5万千瓦及以下水电站和配套电网。

14—2—3 西部大开发12省(区、市)农用化肥、农膜、柴油和农药使用量

指　　标	单位	1990年	1995年	1999年	2000年	2007年	2008年
一、化肥施用量							
(按折纯法计算)	万吨	570.8	825.4	983.4	1008.6	1341.2	1402.0
氮肥	万吨	371.1	472.4	539.0	541.0	647.8	669.7
磷肥	万吨	105.5	161.2	176.7	182.6	225.6	231.3
钾肥	万吨	28.8	54.3	74.4	79.6	129.6	134.7
复合肥	万吨	65.4	137.8	187.1	205.4	337.1	364.0
二、农用塑料薄膜使用量	吨		219243	375940	396198	562965	633793
#地膜使用量	吨		167323	292663	304539	410079	456562
地膜覆盖面积	千公顷		2573.7	4824.4	4983.7	641.8	655.2
三、农用柴油使用量	万吨		253.2	265.9	288.2	362.2	375.4
四、农药使用量	万吨		15.4	20.1	20.5	27.2	29.0

14—2—4 西部大开发12省(区、市)自然灾害情况

指　　标	单位	1990年	1995年	1999年	2000年	2007年	2008年
一、受灾面积	千公顷	11692.0	14531.0	17504.5	15773.0	15822.8	15490.9
旱灾	千公顷	7209.3	8552.0	10869.0	11225.0	9703.2	5521.5
水灾	千公顷	2174.0	3182.0	2871.5	2509.0	3301.1	1927.4
风雹灾	千公顷	1560.7	1487.0	1321.0	1104.0	1361.6	1733.6
霜冻灾	千公顷	748.0	964.0	2437.0	935.0	1418.1	5386.1
二、成灾面积	千公顷	5484.0	7680.0	9213.7	9358.0	8809.2	8475.7
旱灾	千公顷	3350.7	4573.0	5864.0	7032.0	5886.0	3312.6
水灾	千公顷	1080.0	1793.0	1534.1	1492.0	1545.4	1118.8
风雹灾	千公顷	652.0	755.0	734.0	536.0	777.2	865.9
霜冻灾	千公顷		496.0	1077.0	298.0	598.6	2842.9
三、成灾面积占受灾							
面积的比重	%	46.9	52.9	52.6	59.3	55.7	54.7

14—2—5 西部大开发12省(区、市)农作物播种面积及构成

(以农作物总播种面积为100) 单位:千公顷

指 标	1990年	1995年	1999年	2000年	2007年	2008年
农作物总播种面积	43507.7	45890.4	49540.6	49345.9	48981.0	50366.1
一、粮食作物	33668.5	33920.3	35891.3	34528.8	32061.8	32552.3
1.谷物		26225.8	27032.9	25756.1	23416.0	23698.9
稻谷	7823.5	7467.6	7430.3	7452.3	6830.8	6917.4
小麦	9302.8	9019.6	8834.5	7999.1	5883.8	5744.1
玉米	6458.5	6678.5	8185.6	7542.1	8687.8	9184.4
谷子	603.5	400.1	414.8	320.8	257.1	246.0
高粱	318.2	292.6	288.0	257.3	218.1	218.5
2.豆类		3407.1	3771.8	3617.6	3451.4	3393.3
#大豆	1333.0	1593.2	1922.0	1960.1	1672.4	1683.4
杂豆		1813.9	1849.7	1657.6	1779.0	1709.8
3.薯类	3743.9	4287.6	5086.6	5155.0	5194.3	5460.1
#马铃薯	1847.9	2181.3	2843.9	2920.0	3432.8	3574.8
二、油料作物	3300.3	3687.7	4059.9	4410.4	3329.0	4055.7
#花 生	415.1	496.3	576.9	652.0	497.2	569.9
油菜籽	1820.0	2132.3	2262.1	2520.9	2103.4	2449.1
芝 麻	39.9	38.6	47.5	61.7	38.7	46.8
胡麻籽	500.4	443.6	379.7	323.0	212.3	223.1
向日葵籽	312.5	404.1	609.6	609.2	408.9	685.2
三、棉花	682.8	981.1	1156.7	1154.3	1979.5	1901.2
四、麻类	102.1	85.0	53.9	55.2	88.1	80.5
#黄红麻	56.9	34.4	15.0	12.7	7.1	6.8
五、糖料	693.9	932.0	1056.0	945.4	1431.9	1568.4
甘蔗	492.6	673.5	887.5	818.8	1319.6	1443.6
甜菜	201.3	258.8	168.5	126.6	112.3	124.8
六、烟叶	761.7	942.8	790.7	814.4	750.7	827.7
#烤烟	631.1	856.6	703.6	719.6	686.2	767.9
七、药材	59.4	119.2	165.8	256.2	519.6	632.3
八、蔬菜、瓜类	1766.7	2538.1	3440.4	3929.9	5209.7	5536.8
九、其他农作物	2039.4	2684.5	2925.9	3252.5	3610.7	3211.2

14—2—5 续表　　（以农作物总播种面积为 100）　　单位：%

指　　标	1990 年	1995 年	1999 年	2000 年	2007 年	2008 年
农作物总播种面积	100	100	100	100	100.0	100.0
一、粮食作物	77.4	73.9	72.4	70.0	65.5	64.6
1.谷物		57.1	54.6	52.2	47.8	47.1
稻谷	18.0	16.3	15.0	15.1	13.9	13.7
小麦	21.4	19.7	17.8	16.2	12.0	11.4
玉米	14.8	14.6	16.5	15.3	17.7	18.2
谷子	1.4	0.9	0.8	0.7	0.5	0.5
高粱	0.7	0.6	0.6	0.5	0.4	0.4
2.豆类		7.4	7.6	7.3	7.0	6.7
#大豆	3.1	3.5	3.9	4.0	3.4	3.3
杂豆		4.0	3.7	3.4	3.6	3.4
3.薯类	8.6	9.3	10.3	10.4	10.6	10.8
#马铃薯	4.2	4.8	5.7	5.9	7.0	7.1
二、油料作物	7.6	8.0	8.2	8.9	6.8	8.1
#花生	1.0	1.1	1.2	1.3	1.0	1.1
油菜籽	4.2	4.6	4.6	5.1	4.3	4.9
芝麻	0.1	0.1	0.1	0.1	0.1	0.1
胡麻籽	1.2	1.0	0.8	0.7	0.4	0.4
向日葵籽	0.7	0.9	1.2	1.2	0.8	1.4
三、棉花	1.6	2.1	2.3	2.3	4.0	3.8
四、麻类	0.2	0.2	0.1	0.1	0.2	0.2
#黄红麻	0.1	0.1				
五、糖料	1.6	2.0	2.1	1.9	2.9	3.1
甘蔗	1.1	1.5	1.8	1.7	2.7	2.9
甜菜	0.5	0.6	0.3	0.3	0.2	0.2
六、烟叶	1.8	2.1	1.6	1.7	1.5	1.6
#烤烟	1.5	1.9	1.4	1.5	1.4	1.5
七、药材	0.1	0.3	0.3	0.5	1.1	1.3
八、蔬菜、瓜类	4.1	5.5	6.9	8.0	10.6	11.0
九、其他农作物	4.7	5.8	5.9	6.6	7.4	6.4

14－2－6　西部大开发12省(区、市)主要农作物产量

单位:万吨

指　　标	1990年	1995年	1999年	2000年	2007年	2008年
一、粮食作物	11168.3	11729.9	13375.9	12896.3	13166.4	13951.9
1.谷物		10135.3	11479.5	10920.3	11024.4	11639.5
稻谷	4506.9	4498.0	4783.2	4735.7	4323.6	4482.0
小麦	2512.2	2463.0	2516.0	2307.1	1915.3	1963.4
玉米	2372.9	2589.8	3661.3	3351.1	4331.9	4749.9
谷子	87.3	38.1	51.6	34.3	36.6	45.6
高粱	99.3	82.7	88.0	70.0	85.4	85.8
2.豆类		437.4	489.8	460.0	555.8	602.1
#大豆	166.6	187.2	242.8	250.4	277.0	305.4
杂豆		250.2	247.0	209.6	278.7	296.7
3.薯类	854.4	1157.3	1406.6	1516.0	1586.3	1710.3
#马铃薯	370.2	560.9	680.3	811.6	1015.5	1095.6
二、油料作物	433.3	508.6	598.5	671.3	589.3	754.1
#花　生	64.0	84.8	112.4	134.6	106.8	127.3
油菜籽	239.6	296.4	314.3	366.5	368.5	435.6
芝　麻	2.1	2.4	3.8	5.4	4.0	5.7
胡麻籽	41.3	28.1	33.8	27.7	21.2	24.8
向日葵籽	67.0	83.9	116.6	116.5	85.3	139.4
三、棉花	67.1	117.1	149.8	160.5	325.5	327.1
四、麻类	17.0	12.9	9.4	10.5	23.4	20.8
#黄红麻	10.9	5.7	2.8	2.3	1.4	1.4
五、糖料	3013.1	4528.1	5551.8	5047.5	10015.4	10943.3
甘蔗	2423.7	3818.4	4972.9	5600.9	9413.7	10313.8
甜菜	589.4	709.7	578.8	446.6	601.7	629.4
六、烟叶	117.7	143.3	136.0	142.8	147.8	170.5
#烤烟	99.9	131.5	121.4	126.6	134.7	158.4
七、茶叶	13.8	16.5	18.6	19.1	39.7	42.0
八、水果	462.9	1070.3	1602.6	1613.4	4516.4	5053.7

14—2—7　西部大开发12省(区、市)主要农作物单位面积产量

指　　标	1990年	1995年	1999年	2000年	2007年	2008年
一、粮食作物	3317.1	3458.1	3726.8	3734.9	4106.6	4286.0
1.谷物		3864.6	4246.5	4239.9	4708.0	4911.4
稻谷	5760.7	6023.4	6437.5	6354.7	6329.6	6479.3
小麦	2700.5	2730.7	2847.9	2884.2	3255.1	3418.0
玉米	3674.1	3877.8	4472.9	4443.2	4986.2	5171.7
谷子	1446.5	952.3	1244.7	1068.4	1422.9	1854.5
高粱	3120.7	2826.4	3056.0	2719.4	3915.7	3925.0
2.豆类		1283.8	1298.5	1271.7	1610.2	1774.3
#大豆	1249.8	1175.0	1263.3	1277.6	1656.3	1814.3
杂豆		1379.3	1335.1	1264.6	1566.9	1735.0
3.薯类	2282.1	2699.2	2765.4	2940.8	3053.8	3132.3
#马铃薯	2003.4	2571.4	2392.1	2779.4	2958.3	3064.9
二、油料作物	1313.0	1379.1	1474.1	1522.0	1770.2	1859.4
#花　生	1543.1	1709.2	1949.2	2063.7	2148.6	2233.7
油菜籽	1316.4	1389.9	1389.3	1454.0	1751.8	1778.8
芝　麻	538.0	615.4	806.0	886.3	1029.2	1215.9
胡麻籽	825.0	634.1	889.6	857.4	1001.0	1113.2
向日葵籽	2142.7	2076.9	1912.2	1912.8	2086.4	2034.7
三、棉花	982.6	1193.5	1294.9	1390.2	1644.6	1720.7
四、麻类	1669.7	1520.1	1752.8	1902.1	2656.5	2583.6
#黄红麻	1916.5	1654.3	1867.9	1840.0	2036.6	1995.9
五、糖料	43425.3	48584.8	52574.1	53392.3	69943.6	69774.2
甘蔗	49202.2	56695.1	56031.9	56192.8	71338.0	71446.3
甜菜	29286.2	27422.1	34358.3	35276.4	53563.7	50433.4
六、烟叶	1544.7	1520.0	1719.9	1753.4	1969.2	2059.8
#烤烟	1583.4	1535.1	1725.8	1759.4	1962.9	2062.4

14—2—8 西部大开发12省(区、市)林业生产情况

单位:千公顷、万株、吨

指　　标	1990年	1995年	2000年	2006年	2007年	2008年
一、营林情况						
1. 荒山荒(沙)地造林面积	2144.9	2183.7	2849.0	2088.7	2361.3	3175.0
按造林方式分:						
当年人工造林面积	1761.5	1894.0	2342.7	1093.3	1477.0	1941.0
当年飞机播种面积	383.4	289.7	506.3	184.0	80.1	97.4
无林地和疏林地新封				811.4	804.1	1136.6
按用途分:						
用材林	1262.0	785.9	540.3	171.0	269.0	297.7
经济林	278.3	710.1	711.5	242.9	352.4	666.3
防护林	500.5	623.8	1549.2	1668.4	1718.1	2196.4
薪炭林	88.5	60.1	40.6	5.9	5.4	3.2
特种用材林	15.7	4.1	7.4	0.5	16.4	11.5
2. 年末实有封山(沙)育林面积	8016.6	12243.0	15424.8	12146.7	11675.0	13001.0
3. 更新造林	160.5	173.4	422.4	97.5	94.5	115.2
4. 零星(四旁)植树	155269	124739	101350	73234	78638	79190
5. 育苗面积	55.1	49.8	79.8	63.6	69.2	82.3
6. 幼林抚育作业面积(千公顷次)	3634.1	3953.7	3370.0	7024.3	6585.8	6887.2
7. 成林抚育面积	1173.2	2281.6	2399.7	3288.3	3735.8	3914.5
二、主要林产品产量						
生　漆	2076	2332	3786	5249	4789	5921
油桐籽	248892	294051	298754	229984	210743	216052
油茶籽	73923	103202	137637	146766	156214	152497
乌桕籽	16729	14959	9698	8150	6962	10295
五倍籽	3989	7977	4854	6244	6491	6531
棕　片	21170	30428	29879	30074	25468	21707
松　脂	184434	286008	278360	516854	567575	554604
竹笋干	9402	19771	34752	100880	95969	109997
核　桃	94811	139110	179831	300229	370955	522318
板　栗	16919	38062	75498	146471	167066	189316
紫胶(原胶)	798	2031	759	3285	2387	3667
木材(万立方米)	1650.3	2104.2	887.4	1686.8	1926.9	2495.9
竹材(万根)	1943.6	12738.6	7419.0	50653.0	45545.5	38537.3

14—2—9　西部大开发12省(区、市)畜牧业生产情况

指　　标	单位	1999年	2000年	2004年	2006年	2007年	2008年
一、牲畜出栏量							
1.大牲畜出栏							
牛	万头	1071.1	1171.0	1579.8	1539.4	1605.1	1675.9
马	万头	67.6	74.4	81.8	87.1	86.2	82.6
驴	万头	65.6	68.1	86.0	93.9	96.8	94.6
骡	万头	14.4	16.5	19.7	20.6	22.7	21.6
骆驼	万头	6.7	6.7	6.6	7.3	7.4	8.1
2.猪	万头	15371.9	16111.1	17833.8	19011.8	17362.8	18513.6
3.羊	万只	7228.5	7890.7	11717.8	12756.9	13316.1	13614.3
4.家禽	万只	120781	136586	126901.79	164740.2	173367.6	187857.7
5.兔	万只	6845.0	8226.0	14717.6	18716.3	20834.9	18920.1
二、肉类总产量	**万吨**	**1639.2**	**1737.5**	**1991.6**	**2144.5**	**2050.8**	**2154.1**
#猪牛羊肉产量	万吨	1434.7	1504.0	1748.9	1835.0	1714.4	1799.6
1. 猪肉产量	万吨	1194.0	1239.4	1370.1	1430.3	1281.0	1371.2
2. 牛肉产量	万吨	123.0	135.7	184.2	187.1	206.8	208.8
3. 羊肉产量	万吨	117.7	128.8	194.5	217.5	226.6	219.6
4. 禽肉产量	万吨	183.3	207.0	197.1	256.2	279.4	303.5
5. 兔肉产量	万吨	9.2	11.1	20.5	25.9	29.5	26.0
三、其他畜产品产量	**万吨**						
奶类产量	万吨	320.1	356.7	988.8	1497.0	1598.2	1632.9
#牛奶产量	万吨	281.0	315.7	938.4	1439.5	1542.3	1501.1
山羊毛产量	吨	11718	12955	16999	21599	20413.3	22852.1
绵羊毛产量	吨	182044	183782	237855	256252	254685.6	246377.0
#细羊毛	吨	74101	74432	85510	94810	92042.1	87299.1
半细羊毛	吨	35706	38780	52876	56184	55028.4	47058.0
羊绒产量	吨	6984	7138	9825	11049	10970.7	11581.3
蜂蜜产量	万吨	5.0	5.1	6.8	7.8	8.4	7.9
禽蛋产量	万吨	244.4	264.9	359.7	336.2	349.9	371.1

14—2—10　西部大开发12省(区、市)牲畜年末存栏量

指　标	单位	1997年	2000年	2005年	2006年	2007年	2008年
一、大牲畜头数	万头	6814.4	7070.6	7751.0	6552.1	6610.2	6672.6
1. 牛	万头	5489.9	5770.4	6651.6	5347.5	5451.9	5539.0
黄牛*	万头	3716.9	3865.6	4158.1	3892.3	3952.2	
水牛*	万头	1161.2	1223.6	1218.5	849.5	851.8	
肉牛*							2843.7
奶牛*							645.3
2. 马	万头	595.1	583.7	541.5	542.9	541.7	525.2
3. 驴	万头	450.7	445.5	419.6	417.2	396.4	390.5
4. 骡	万头	237.5	238.5	219.2	217.6	196.1	194.0
5. 骆驼	万头	35.0	32.6	26.6	26.9	24.2	24.0
二、猪	万头	14788.5	16322.7	17730.1	15009.9	15278.5	15949.4
三、羊	万只	14797.0	15699.6	19778.1	17675.9	17784.9	17247.8
山羊	万只	5692.9	6081.2	7604.5	6480.3	6766.4	7251.5
绵羊	万只	9104.1	9618.4	12173.7	11195.5	11018.5	9996.3
四、家禽	万只	50701.6	63932.1	99470.5	105006.2	110675.8	111359.5

注:从2008年起牛的品种修正为肉牛和奶牛。

14—2—11　西部大开发12省(区、市)渔业生产情况

指　标	单位	1990年	1995年	2000年	2006年	2007年	2008年
一、水产品总产量	吨	716131	1730062	3587609	3907801	4185305	4305582
1. 按海水、内陆分							
海水产品产量	吨	202672	645706	1594505	1410937	1433236	1440596
内陆水产品产量	吨	513459	1084356	1993104	2496864	2752069	2864986
2. 按生产性质分							
捕捞产量	吨	283759	632198	1100582	907701	921029	918213
养殖产量	吨	432372	1097864	2487027	3000100	3264276	3387369
3. 按品种分							
鱼类	吨	673010	1459932	2509894	2861430	3081858	3218829
甲壳类	吨	30234	81959	197308	253640	290703	291758
贝类	吨	12286	178552	820903	704146	702263	684791
藻类	吨	7	110	15	219	219	0
其他类	吨	594	9509	59489	88366	110262	101498
二、水产养殖面积	千公顷	602.2	723.9	823.3	582.4	688.8	822.4
1. 海水养殖面积	千公顷	5.4	41.0	61.4	46.3	47.3	47.4
浅海养殖	千公顷		16.4	16.5	12.4	12.7	12.4
滩涂养殖	千公顷		20.6	41.5	12.7	13.5	20.8
其他养殖	千公顷		4.0	3.4	21.2	21.0	14.1
2. 内陆养殖面积	千公顷	596.8	682.9	761.9	536.2	641.5	775.1
池塘养殖	千公顷		226.2	262.2	150.8	227.1	289.4
湖泊养殖	千公顷		88.4	102.7	95.8	94.9	80.9
河沟养殖	千公顷		21.9	35.9	22.4	29.3	39.5
水库养殖	千公顷		340.2	354.1	256.1	274.8	361.8
其他养殖	千公顷		6.2	7.0	11.1	15.5	3.5
三、稻田养殖面积	千公顷		561.7	577.8	532.4	682.3	621.1

14—2—12 西部大开发12省(区、市)按人口平均的主要农产品产量

单位:千克/人

	1990年	1995年	1999年	2000年	2007年	2008年
一、粮食作物	348.0	342.1	374.8	363.0	363.4	383.2
(一)谷物		295.6	321.7	307.3	304.3	319.7
#稻谷	140.4	131.2	134.0	133.3	119.3	123.1
小麦	78.3	71.8	70.5	64.9	52.9	53.9
玉米	73.9	75.5	102.6	94.3	119.6	130.5
谷子	2.7	1.1	1.4	1.0	1.0	1.3
高粱	3.1	2.4	2.5	2.0	2.4	2.4
(二)豆类		12.8	13.7	12.9	15.3	16.5
#大豆	5.2	5.5	6.8	7.0	7.6	8.4
杂豆		7.3	6.9	5.9	7.7	8.1
(三)薯类	26.6	33.8	39.4	42.7	43.8	47.0
#马铃薯	11.5	16.4	19.1	22.8	28.0	30.1
二、油料作物	13.5	14.8	16.8	18.9	16.3	20.7
#花　生	2.0	2.5	3.2	3.8	2.9	3.5
油菜籽	7.5	8.6	8.8	10.3	10.2	12.0
芝　麻	0.1	0.1	0.1	0.2	0.1	0.2
胡麻籽	1.3	0.8	0.9	0.8	0.6	0.7
向日葵籽	2.1	2.4	3.3	3.3	2.4	3.8
三、棉花	2.1	3.4	4.2	4.5	9.0	9.0
四、麻类	0.5	0.4	0.3	0.3	0.6	0.6
#黄红麻	0.3	0.2	0.1	0.1		
五、糖料	93.9	132.1	155.6	142.1	276.5	300.6
(一)甘蔗	75.5	111.4	139.3	157.6	259.8	283.3
(二)甜菜	18.4	20.7	16.2	12.6	16.6	17.3
六、水果	14.4	31.2	44.9	45.4	124.7	138.8
七、烟叶	3.7	4.2	3.8	4.0	4.1	4.7
#烤烟	3.1	3.8	3.4	3.6	3.7	4.3

14—2—13 西部大开发12省(区、市)按人口平均的畜产品、水产品产量

单位:千克/人

指　　标	1990年	1995年	2000年	2006年	2007年	2008年
一、猪牛羊肉产量	37.3	39.2	41.5	50.9	47.3	
猪肉	31.4	32.8	34.6	39.7	35.4	
牛肉	3.1	3.3	3.6	5.2	5.7	
羊肉	2.8	3.1	3.4	6.0	6.3	
二、奶类产量	7.5	8.5	9.3	41.5	44.1	
#牛奶产量	6.5	7.4	8.1	39.9	42.6	
三、禽蛋产量	6.3	6.4	7.1	9.3	9.7	
四、水产品产量	8	9.0	10.4	10.8	11.6	11.8
鱼类	5.7	6.3	7.3	7.9	8.5	8.8
虾蟹类	0.4	0.5	0.6	0.7	0.8	0.8

14—2—14　西部大开发12省(区、市)农林牧渔业总产值及构成

(按当年价格计算)

指　　标	1995年	2000年	2001年	2006年	2007年	2008年
一、绝对数(亿元)						
农林牧渔业总产值合计	4691	5753	5971	10380	12566	14860
#农业	2891	3479	3525	5487	6440	7465
林业	177	243	239	460	545	643
牧业	1516	1849	2013	3865	4823	5886
渔业	106	183	194	326	345	406
二、构成(%)						
(以农林牧渔业合计为100)	100.0	100.0	100.0	100.0	100.0	100.0
#农业	61.6	60.5	59.0	52.9	51.3	50.2
林业	3.8	4.2	4.0	4.4	4.3	4.3
牧业	32.3	32.1	33.7	37.2	38.4	39.6
渔业	2.3	3.2	3.2	3.1	2.7	2.7
三、占全国的比重(%)						
农林牧渔业总产值合计	23.1	23.1	23.2	24.5	25.7	25.6
#农业	24.3	25.1	24.6	25.5	26.1	26.6
林业	24.1	25.9	26.0	28.7	29.3	29.9
牧业	24.7	25.0	25.9	28.3	29.9	28.6
渔业	6.2	6.7	6.9	7.3	7.7	7.8

注:自2003年起农林牧渔业总产值执行新国民经济行业分类标准,包括农林牧渔服务业产值。

14—2—15 西部大开发12省(区、市)农林牧渔业中间消耗及构成

(按当年价格计算)

指　　标	1995年	2000年	2005年	2006年	2007年	2008年
一、绝对数(亿元)						
农林牧渔业合计	1728.4	2081.3	3610.9	3987.5	4883.6	5852.1
1. 农业	937.2	1148.8	1640.1	1817.6	2140.0	2495.2
2. 林业	44.2	64.6	112.5	133.2	157.2	197.8
3. 牧业	716.4	813.7	1661.0	1818.1	2270.2	2771.4
4. 渔业	30.6	54.3	92.1	102.5	104.4	132.1
二、构成(%)						
(以农林牧渔业合计为100)	100.00	100.00	100.00	100.00	100.00	100.00
1. 农业	54.22	55.20	62.62	45.58	43.82	42.64
2. 林业	2.56	3.10	4.29	3.34	3.22	3.38
3. 牧业	41.45	39.10	63.42	45.59	46.49	47.36
4. 渔业	1.77	2.60	3.52	2.57	2.14	2.26

14—2—16 西部大开发12省(区、市)农林牧渔业增加值及构成

(按当年价格计算)

指　　标	1995年	2000年	2001年	2006年	2007年	2008年
一、绝对数(亿元)						
农林牧渔业合计	2962	3672	3798	6393	7682	9008
#农业	1954	2330	2353	3670	4300	4970
林业	133	178	175	327	388	445
牧业	800	1035	1134	2047	2553	3115
渔业	75	128	136	223	241	274
二、构成(%)						
(以农林牧渔业合计为100)	100.0	100.0	100.0	100.0	100.0	100.0
#农业	66.0	63.5	62.0	57.4	56.0	55.2
林业	4.5	4.9	4.6	5.1	5.0	4.9
牧业	27.0	28.2	29.8	32.0	33.2	34.6
渔业	2.5	3.5	3.6	3.5	3.1	3.0

14—2—17　西部大开发12省(区、市)农村住户基本情况

指　　标	单位	1990年	1995年	2000年	2007年	2008年
调查户常住人口	人/户	5.1	4.8	4.5	4.3	4.3
#整、半劳动力人数	人/户	3.0	3.0	2.8	2.9	2.9
劳动力负担人口	人/劳动力	1.7	1.6	1.6	1.5	1.5
劳动力文化状况						
不识字或识字很少	人/百劳动力	28.6	20.2	14.0	9.9	9.7
小学程度	人/百劳动力	39.7	39.4	37.6	32.2	31.7
初中程度	人/百劳动力	26.3	33.2	39.7	46.8	46.9
高中程度	人/百劳动力	5.0	6.5	7.1	8.3	8.7
中专程度	人/百劳动力	0.3	0.6	1.4	2.0	2.0
大专及大专以上	人/百劳动力	0.04	0.1	0.3	0.8	1.0
年内新建房屋面积	平方米/人	0.6	0.7	0.8	0.9	0.9
年内新建房屋造价	元/平方米	57.4	158.6	208.8	392.3	459.9
年末住房面积	平方米/人	15.4	18.3	21.6	27.1	27.7
#砖木结构面积	平方米/人	4.3	6.1	8.3	10.6	10.6
年末住房价值	元/平方米	25.3	57.1	130.5	204.5	222.0
经营耕地面积	亩/人	2.4	2.5	2.2	2.4	2.4
经营山地面积	亩/人	0.5	0.6	0.4	0.4	0.4
农产品出售量						
粮食	千克/人	107.8	107.1	158.1	219.7	233.0
棉花	千克/人	2.2	4.6	8.1	24.7	23.4
油料	千克/人	16.4	11.9	18.1	17.9	16.0
糖料	千克/人	101.0	105.8	172.3	273.3	280.9
蔬菜及制品	千克/人	57.7	61.4	97.8	135.9	135.4
水果	千克/人	11.1	21.2	38.3	62.5	55.5
猪肉	千克/人	15.2	24.2	27.1	26.6	23.1
牛羊肉	千克/人	2.3	2.1	7.2	11.3	10.0
奶及奶制品	千克/人	2.2	3.1	5.0	23.4	24.7
家禽	千克/人	1.9	2.1	2.4	3.2	3.2
禽蛋	千克/人	1.4	1.6	3.3	3.9	4.3

14—2—18　西部大开发12省(区、市)农村居民收入及构成

指　　标	1990年	1995年	2000年	2007年	2008年
一、总收入(元/人)	810.9	1789.3	2496.4	4544.9	5285.8
工资性收入	70.5	149.4	390.9	944.3	1098.6
家庭经营收入	709.0	1554.2	1976.0	3305.1	3768.0
财产性收入		29.6	31.2	69.6	80.1
转移性收入	31.4	56.2	98.3	225.9	339.2
二、纯收入(元/人)	552.7	1116.8	1661.0	3028.4	3517.7
工资性收入	70.5	149.4	390.9	944.3	1098.6
家庭经营收入	457.5	889.6	1182.4	1831.7	2045.7
财产性收入		29.6	31.2	69.6	80.1
转移性收入	24.7	48.3	56.4	182.7	293.5
三、现金收入(元/人)	494.7	1147.5	1722.5	3606.4	4176.8
工资性收入	70.2	149.1	390.3	943.7	1096.0
家庭经营收入	373.4	891.8	1210.6	2387.3	2680.0
财产性收入		35.0	26.2	54.0	68.2
转移性收入	51.1	71.6	95.4	221.3	332.6
一、总收入构成(%)	100.0	100.0	100.0	100.0	100.0
工资性收入	8.7	8.3	15.7	20.8	20.8
家庭经营收入	87.4	86.9	79.2	72.7	71.3
财产性收入		1.7	1.3	1.5	1.5
转移性收入	3.9	3.1	3.9	5.0	6.4
二、纯收入构成(%)	100.0	100.0	100.0	100.0	100.0
工资性收入	12.8	13.4	23.5	31.2	31.2
家庭经营收入	82.7	79.7	71.2	60.5	58.2
财产性收入		2.6	1.9	2.3	2.3
转移性收入	4.5	4.3	3.4	6.0	8.3
三、现金收入构成(%)	100.0	100.0	100.0	100.0	100.0
工资性收入	14.2	13.0	22.7	26.2	26.2
家庭经营收入	75.5	77.7	70.3	66.2	64.2
财产性收入		3.1	1.5	1.5	1.6
转移性收入	10.3	6.2	5.5	6.1	8.0

14—2—19　西部大开发12省(区、市)农村居民支出及构成

指　标	1990年	1995年	2000年	2007年	2008年
一、总支出(元/人)	742.3	1745.5	2211.4	4282.6	4890.6
家庭经营费用支出	210.4	564.3	643.6	1332.6	1570.1
购置生产性固定资产支出	20.6	62.6	63.6	173.4	177.8
建造生产性固定资产雇工支出				4.7	2.2
税费支出	23.0	59.0	79.5	7.9	6.8
生活消费支出	475.2	1023.0	1325.9	2526.9	2867.1
财产性和转移性支出	13.2	36.6	98.8	237.1	266.6
二、现金支出(元/人)	461.9	1144.4	1621.3	3469.9	4000.1
家庭经营费用支出	126.7	386.0	483.5	1064.9	1289.5
购买生产性固定资产支出	20.7	62.6	63.6	173.4	177.8
建造生产性固定资产雇工支出				4.7	2.2
税费支出	20.7	52.5	74.4	7.8	6.8
生活消费现金支出	263.1	586.9	907.0	1983.0	2259.6
财产性和转移性支出	30.7	56.5	92.8	236.1	264.2
一、总支出构成(%)	100.0	100.0	100.0	100.0	100.0
家庭经营费用支出	28.3	32.3	29.1	31.1	32.1
购置生产性固定资产支出	2.8	3.6	2.9	4.0	3.6
建造生产性固定资产雇工支出				0.1	
税费支出	3.1	3.4	3.6	0.2	0.1
生活消费支出	64.0	58.6	60.0	59.0	58.6
财产性和转移性支出	1.8	2.1	4.4	5.5	5.5
二、现金支出构成(%)	100.0	100.0	100.0	100.0	100.0
家庭经营费用支出	27.4	33.7	29.8	30.7	32.2
购买生产性固定资产支出	4.5	5.5	3.9	5.0	4.4
建造生产性固定资产雇工支出				0.1	0.1
税费支出	4.5	4.6	4.6	0.2	0.2
生活消费现金支出	57.0	51.3	55.9	57.1	56.5
财产性和转移性支出	6.6	4.9	5.7	6.8	6.6

14—2—20 西部大开发12省(区、市)农村居民生活消费支出

指　标	1990年	1995年	2000年	2007年	2008年
生活消费支出(元/人)	475.2	1023.0	1325.9	2526.9	2867.1
一、食品支出	300.4	649.4	710.0	1178.0	1367.5
二、衣着支出	37.6	67.8	73.9	148.0	161.0
三、居住支出	68.2	120.8	186.0	427.9	497.3
四、家庭设备用品及服务支出	21.4	48.2	53.7	111.5	129.0
五、交通和通讯支出	6.5	20.5	53.5	234.1	257.3
六、文教娱乐用品及服务支出	23.7	70.3	144.8	205.3	205.8
七、医疗保健支出	14.1	32.4	67.8	174.1	199.2
八、其他商品及服务支出	3.2	13.8	36.2	47.9	50.1
生活消费支出构成(%)	100.0	100.0	100.0	100.0	100.0
一、食品支出	63.2	63.5	53.5	46.6	47.7
二、衣着支出	7.9	6.6	5.6	5.9	5.6
三、居住支出	14.3	11.8	14.0	16.9	17.3
四、家庭设备用品及服务支出	4.5	4.7	4.0	4.4	4.5
五、交通和通讯支出	1.4	2.0	4.0	9.3	9.0
六、文教娱乐用品及服务支出	5.0	6.9	10.9	8.1	7.2
七、医疗保健支出	3.0	3.2	5.1	6.9	6.9
八、其他商品及服务支出	0.7	1.3	2.7	1.9	1.7

14—2—21 西部大开发12省(区、市)农村居民生活消费现金支出

单位:元/人

指　标	1990年	1995年	2000年	2007年	2008年
生活消费现金支出	263.1	586.9	907.0	1983.0	2259.6
一、食品支出	106.2	239.7	314.2	664.5	788.1
二、衣着支出	37.6	67.1	73.6	146.6	159.8
三、居住支出	50.5	95.2	163.4	400.1	471.0
四、家庭设备用品及服务支出	21.2	48.0	53.6	110.6	128.3
五、交通和通讯支出	6.5	20.5	53.5	234.1	257.3
六、文教娱乐用品及服务支出	23.7	70.3	144.8	205.3	205.8
七、医疗保健支出	14.1	32.4	67.8	174.1	199.2
八、其他商品及服务支出	3.2	13.8	36.2	47.6	50.1

14—2—22　西部大开发12省(区、市)农村居民主要食品消费量

单位:千克/人

指　　标	1990年	1995年	2000年	2007年	2008年
粮食	244.1	254.5	240.8	202.4	201.0
蔬菜	122.8	95.9	103.0	91.5	89.2
食用油	4.5	5.1	6.2	4.9	4.9
#植物油	2.5	3.3	4.4	3.8	3.8
水果	6.0	9.6	14.8	11.3	10.8
猪肉	12.3	12.4	15.8	17.3	16.3
牛羊肉	1.5	1.3	2.1	2.8	2.5
奶及制品	3.1	1.6	2.3	4.1	4.0
家禽	1.0	1.3	2.0	3.2	3.8
蛋及制品	1.4	1.6	2.2	2.6	2.9
水产品	0.4	0.7	1.1	1.6	1.6
卷烟	21.0	20.9	21.1	21.9	21.8
食糖	1.5	1.1	1.2	1.1	1.1
酒	6.3	4.2	4.7	7.2	7.3
相当于全国平均水平(%)					
粮食	93.1	99.4	96.2	101.5	101.0
蔬菜	91.6	91.7	96.5	92.5	89.4
食用油	87.8	87.8	87.5	82.3	79.0
#植物油	70.3	76.5	80.0	75.8	71.2
水果	101.5	73.9	80.8	86.4	84.3
猪肉	116.9	117.2	118.9	129.5	128.6
牛羊肉	188.8	178.9	171.3	184.8	192.2
奶及制品	288.0	242.2	217.0	116.8	117.0
家禽	76.2	68.3	70.5	83.1	87.2
蛋及制品	58.9	49.1	47.0	54.8	53.7
水产品	18.3	20.5	27.3	30.6	30.6
卷烟	75.0	85.1	88.6	89.7	90.4
食糖	74.0	81.5	93.8	104.3	102.7
酒	102.1	64.1	67.2	71.0	75.7

14—2—23　西部大开发12省(区、市)农村居民耐用消费品拥有量

(平均每百户)

指　　标	1990年	1995年	2000年	2007年	2008年
自行车(辆)	79.8	131.7	77.2	58.1	57.8
摩托车(辆)	0.6	2.2	12.3	40.9	43.8
洗衣机(台)	5.1	9.5	18.5	40.1	43.9
电冰箱(台)	0.1	0.9	4.6	17.6	21.1
空调机(台)			0.1	1.6	2.0
黑白电视机(台)	26.9	55.0	50.9	13.4	11.3
彩色电视机(台)	2.7	10.6	36.6	89.7	92.9
固定电话(部)			10.4	53.8	53.3
移动电话(部)			1.1	74.7	91.3
照相机(架)	0.4	0.6	1.8	2.3	2.1

14—2—24　西部大开发12省(区、市)扶贫工作重点县基本情况及占全部扶贫工作重点县的比重

指　　标	单位	2000年	2006年	2007年	2008年
县个数	个	365	365	365	365
年末总人口	万人	11554	12055	12170	12339
行政区域土地面积	万平方公里				187
农业机械总动力	万千瓦	2935		4544	5391
农村用电量	亿千瓦时	73		107	119
第一产业增加值	亿元	1025	1695	2047	2371
农业	亿元	638	935	1094	1243
林业	亿元	71	115	137	161
牧业	亿元	302	586	744	871
渔业	亿元	14	23	27	35
农作物总播种面积	千公顷	18312	18678	18633	18684
粮食作物播种面积	千公顷	13675	13064	12989	13059
粮食总产量	万吨	4050	4451	4465	4811
棉花播种面积	千公顷	204	196	199	217
棉花产量	万吨	24	30	31	34
油料播种面积	千公顷	1399	1399	1314	1358
油料产量	万吨	154	198	194	214
糖料播种面积	千公顷	257	309	342	380
糖料产量	万吨	1115	1633	2001	2330
肉类总产量	万吨	529	824	830	763
奶类产量	万吨	64	321	352	370
水产品产量	万吨	23	50	48	53
普通中学专任教师数	万人	33	39	41	42
小学专任教师数	万人	60	60	61	62
普通中学在校学生数	万人	672	743	750	748
小学在校学生数	万人	1381	1304	1272	1238
医院、卫生院数	所	8650	8238	7720	8109
医院、卫生院床位数	床	157370	171589	178948	207233
医院、卫生院技术人员数	人	191407	188660	193415	204859
地方财政一般预算收入	亿元	125	294	369	464
地方财政一般预算支出	亿元	385	1278	1728	2514
年末金融机构各项贷款余额	亿元	1770	2909	3518	3903

14—2—24 续表 单位:%

指　　标	2000 年	2006 年	2007 年	2008 年
县个数	62.8	62.8	62.8	62.8
年末总人口	53.5	53.6	53.5	53.5
行政区域土地面积				77.7
农业机械总动力	41.4		40.3	42.6
农村用电量	44.6		42.1	42.2
第一产业增加值	49.2	48.8	50.0	49.3
农业	50.6	48.4	48.9	48.4
林业	46.8	51.0	49.6	49.4
牧业	50.7	52.2	55.2	53.7
渔业	18.4	19.5	19.5	21.3
农作物总播种面积	54.4	54.0	53.1	53.9
粮食作物播种面积	56.0	53.9	52.7	53.4
粮食总产量	49.9	46.0	45.7	45.6
棉花播种面积	36.3	32.2	32.0	34.0
棉花产量	40.7	38.7	39.8	41.9
油料播种面积	40.3	44.0	42.9	44.2
油料产量	32.5	36.3	36.2	37.3
糖料播种面积	80.7	84.4	86.7	88.1
糖料产量	88.4	89.8	91.5	92.1
肉类总产量	50.8	55.0	57.1	55.5
奶类产量	70.4	64.7	63.5	61.1
水产品产量	15.4	22.4	20.0	22.1
普通中学专任教师数	49.5	51.3	52.4	52.4
小学专任教师数	54.6	55.9	56.1	56.2
普通中学在校学生数	49.3	51.8	53.2	54.0
小学在校学生数	56.4	58.1	57.4	57.1
医院、卫生院数	60.6	63.0	61.1	62.7
医院、卫生院床位数	52.7	53.7	52.4	53.1
医院、卫生院技术人员数	49.0	48.8	48.5	49.3
地方财政一般预算收入	50.0	57.6	56.9	56.9
地方财政一般预算支出	58.5	57.8	58.4	61.5
年末金融机构各项贷款余额	46.4	50.3	52.7	54.8

14—2—25 西部大开发12省(区、市)牧区、半牧区县基本情况及占全部牧区、半牧区县的比重

指　　标	单位	2000年	2006年	2007年	2008年
县个数	个	228	228	228	228
年末总人口	万人	2828	2931	2965	3036
行政区域土地面积	万平方公里				368
农业机械总动力	万千瓦	1607		2394	2855
农村用电量	亿千瓦时	31		48	55
第一产业增加值	亿元	438	772	931	1106
农业	亿元	238	394	464	554
林业	亿元	19	27	35	40
牧业	亿元	178	324	404	480
渔业	亿元	4	5	6	8
农作物总播种面积	千公顷	6669	7193	7430	7666
粮食作物播种面积	千公顷	4678	4910	5068	5435
粮食总产量	万吨	1326	1869	1948	2279
棉花播种面积	千公顷	183	209	240	276
棉花产量	万吨	29	38	44	48
油料播种面积	千公顷	902	611	636	716
油料产量	万吨	110	99	103	149
糖料播种面积	千公顷	69	60	54	55
糖料产量	万吨	282	302	278	268
肉类总产量	万吨	206	338	337	334
奶类产量	万吨	129	371	403	429
水产品产量	万吨	6	9	8	9
普通中学专任教师数	万人	10	11	11	11
小学专任教师数	万人	18	17	17	17
普通中学在校学生数	万人	171	163	168	164
小学在校学生数	万人	283	277	275	269
医院、卫生院数	所	4364	4244	3746	4176
医院、卫生院床位数	床	62745	66967	63924	72887
医院、卫生院技术人员数	人	79285	80074	78275	84190
地方财政一般预算收入	亿元	60	188	239	313
地方财政一般预算支出	亿元	165	621	822	1165
年末金融机构各项贷款余额	亿元	850	1527	1817	2105

14—2—25 续表

单位:%

指　　　标	2000 年	2006 年	2007 年	2008 年
县个数	86.4	86.4	86.4	86.4
年末总人口	66.6	66.8	66.8	67.2
行政区域土地面积				95.7
农业机械总动力	67.0		62.0	63.8
农村用电量	64.1		59.0	59.5
第一产业增加值	70.8	65.7	66.1	65.6
农业	70.5	62.8	65.1	63.2
林业	75.8	69.3	71.2	73.0
牧业	73.0	69.6	67.4	68.0
渔业	31.3	34.4	36.8	46.7
农作物总播种面积	61.7	60.9	61.0	61.5
粮食作物播种面积	59.6	57.2	57.2	58.6
粮食总产量	60.8	48.2	52.0	46.8
棉花播种面积	98.9	99.1	98.7	99.0
棉花产量	99.7	99.2	99.4	98.9
油料播种面积	65.6	57.3	57.7	62.8
油料产量	73.3	58.3	64.9	63.2
糖料播种面积	50.9	60.6	59.3	57.4
糖料产量	75.7	72.5	75.0	67.2
肉类总产量	67.8	62.5	60.4	60.8
奶类产量	66.4	61.6	59.6	57.5
水产品产量	23.9	32.4	29.9	33.6
普通中学专任教师数	65.4	67.8	69.5	69.5
小学专任教师数	69.9	70.5	70.6	71.0
普通中学在校学生数	65.5	67.2	68.3	68.5
小学在校学生数	72.8	75.7	76.1	76.5
医院、卫生院数	82.5	83.2	81.8	83.3
医院、卫生院床位数	70.2	69.8	67.6	70.2
医院、卫生院技术人员数	67.8	68.1	68.2	69.2
地方财政一般预算收入	76.9	81.2	80.9	80.6
地方财政一般预算支出	76.5	78.5	78.5	79.9
年末金融机构各项贷款余额	56.9	68.7	70.7	72.5

14—2—26 西部大开发12省(区、市)民族县基本情况及占全部民族县的比重

指 标	单位	2000年	2006年	2007年	2008年
县个数	个	572	572	572	572
年末总人口	万人	13049	13611	13785	13988
行政区域土地面积	万平方公里				559
农业机械总动力	万千瓦	5150		7736	8725
农村用电量	亿千瓦时	105		158	194
第一产业增加值	亿元	1764	2903	3443	3890
农业	亿元	1136	1660	1911	2105
林业	亿元	101	163	207	243
牧业	亿元	473	933	1176	1340
渔业	亿元	55	72	84	99
农作物总播种面积	千公顷	22313	23386	23505	23316
粮食作物播种面积	千公顷	14530	14397	14204	14418
粮食总产量	万吨	5373	5987	5994	6419
棉花播种面积	千公顷	992	1022	1147	1295
棉花产量	万吨	153	190	211	234
油料播种面积	千公顷	2089	1720	1684	1683
油料产量	万吨	299	294	290	319
糖料播种面积	千公顷	769	1061	1175	1283
糖料产量	万吨	4198	7015	8302	9089
肉类总产量	万吨	754	1189	1203	1096
奶类产量	万吨	223	952	1024	1123
水产品产量	万吨	131	193	197	174
普通中学专任教师数	万人	41	46	47	48
小学专任教师数	万人	69	69	70	71
普通中学在校学生数	万人	780	802	791	777
小学在校学生数	万人	1384	1317	1296	1278
医院、卫生院数	所	10622	10478	9880	10305
医院、卫生院床位数	床	239990	265714	276235	306038
医院、卫生院技术人员数	人	281345	294704	304559	318474
地方财政一般预算收入	亿元	242	553	701	882
地方财政一般预算支出	亿元	552	1771	2364	3274
年末金融机构各项贷款余额	亿元	3012	5477	6494	7343

14—2—26 续表

单位:%

指　　标	2000 年	2006 年	2007 年	2008 年
县个数	90.2	90.2	90.2	90.2
年末总人口	86.5	86.7	86.6	86.7
行政区域土地面积				96.5
农业机械总动力	89.1		88.0	87.9
农村用电量	80.8		79.5	80.3
第一产业增加值	86.7	86.9	86.5	85.9
农业	88.0	87.1	87.0	86.0
林业	78.3	80.8	78.0	77.6
牧业	86.5	88.5	88.2	87.7
渔业	79.3	74.1	75.1	75.1
农作物总播种面积	87.9	88.1	87.0	88.1
粮食作物播种面积	87.0	86.8	85.6	87.2
粮食总产量	87.6	85.0	85.6	84.7
棉花播种面积	99.6	99.8	99.9	99.9
棉花产量	99.9	99.9	99.9	99.9
油料播种面积	87.9	87.6	85.3	85.6
油料产量	88.4	87.5	87.4	85.4
糖料播种面积	97.3	98.4	98.2	98.3
糖料产量	98.1	98.8	98.6	98.5
肉类总产量	85.7	86.5	86.4	86.1
奶类产量	95.0	94.9	94.6	94.8
水产品产量	83.9	81.8	81.1	80.4
普通中学专任教师数	84.6	85.8	86.8	86.5
小学专任教师数	86.3	87.5	87.5	87.7
普通中学在校学生数	86.0	87.5	87.4	87.5
小学在校学生数	87.8	89.3	89.3	89.7
医院、卫生院数	85.1	88.1	86.9	87.5
医院、卫生院床位数	84.5	85.3	84.2	84.7
医院、卫生院技术人员数	82.6	84.3	83.5	83.5
地方财政一般预算收入	87.5	87.5	87.8	87.9
地方财政一般预算支出	85.8	86.6	86.9	87.4
年末金融机构各项贷款余额	81.9	85.9	86.7	87.6

14—2—27　西部大开发12省(区、市)陆地边境县基本情况及占全部陆地边境县的比重

指　标	单位	2000年	2006年	2007年	2008年
县个数	个	102	102	102	102
年末总人口	万人	1424	1513	1542	1558
行政区域土地面积	万平方公里				174
农业机械总动力	万千瓦	708		955	1028
农村用电量	亿千瓦时	10		16	20
第一产业增加值	亿元	212	349	413	475
农业	亿元	117	181	207	234
林业	亿元	20	37	54	56
牧业	亿元	68	107	133	158
渔业	亿元	6	9	11	14
农作物总播种面积	千公顷	2999	2948	3010	3143
粮食作物播种面积	千公顷	1830	1721	1728	1888
粮食总产量	万吨	651	721	702	764
棉花播种面积	千公顷	113	95	107	138
棉花产量	万吨	17	16	19	22
油料播种面积	千公顷	404	269	265	339
油料产量	万吨	63	46	46	75
糖料播种面积	千公顷	206	268	286	293
糖料产量	万吨	1086	1702	1956	1999
肉类总产量	万吨	84	117	124	129
奶类产量	万吨	48	122	132	142
水产品产量	万吨	18	24	25	23
普通中学专任教师数	万人	5	6	6	6
小学专任教师数	万人	10	9	9	9
普通中学在校学生数	万人	104	86	83	82
小学在校学生数	万人	148	138	136	135
医院、卫生院数	所	1644	1475	1682	1511
医院、卫生院床位数	床	35440	40147	40680	41646
医院、卫生院技术人员数	人	38852	41844	43556	44619
地方财政一般预算收入	亿元	30	76	101	131
地方财政一般预算支出	亿元	88	283	380	506
年末金融机构各项贷款余额	亿元	402	576	686	728

14—2—27 续表　　　　单位:%

指　　标	2000 年	2006 年	2007 年	2008 年
县个数	79.1	79.1	79.1	79.1
年末总人口	73.7	75.1	75.4	75.6
行政区域土地面积				90.9
农业机械总动力	72.8		67.1	67.9
农村用电量	53.5		53.8	57.0
第一产业增加值	72.3	70.1	69.3	70.0
农业	68.9	69.6	67.6	67.3
林业	75.0	62.8	67.8	66.7
牧业	86.3	83.2	81.8	84.4
渔业	38.0	28.1	29.0	32.5
农作物总播种面积	75.1	67.5	67.1	67.4
粮食作物播种面积	68.5	57.4	56.3	57.8
粮食总产量	66.4	60.9	59.0	58.5
棉花播种面积	100.0	100.0	100.0	100.0
棉花产量	100.0	100.0	100.0	100.0
油料播种面积	90.1	86.3	88.1	90.8
油料产量	93.3	90.3	90.6	93.7
糖料播种面积	98.2	99.3	99.5	99.3
糖料产量	99.1	99.7	99.8	99.7
肉类总产量	82.3	78.8	78.9	80.9
奶类产量	92.6	91.6	91.6	92.0
水产品产量	42.7	34.7	35.6	31.6
普通中学专任教师数	69.7	72.9	73.5	73.3
小学专任教师数	76.3	77.9	77.8	78.2
普通中学在校学生数	76.0	75.2	74.3	75.3
小学在校学生数	79.7	81.2	80.7	81.4
医院、卫生院数	77.1	76.7	79.5	77.5
医院、卫生院床位数	68.0	72.1	72.1	71.8
医院、卫生院技术人员数	66.4	69.3	69.9	70.3
地方财政一般预算收入	67.7	74.5	73.9	74.7
地方财政一般预算支出	74.0	73.0	73.8	74.5
年末金融机构各项贷款余额	50.0	58.7	61.1	61.8

14—2—28 西部大开发12省(区、市)粮棉生产大县基本情况及占全部粮棉生产大县的比重

指　　标	单位	2000年	2006年	2007年	2008年
县个数	个	105	105	105	105
年末总人口	万人	7154	7137	7198	7274
行政区域土地面积	万平方公里				54
农业机械总动力	万千瓦	2324		2778	3670
农村用电量	亿千瓦时	90		99	112
第一产业增加值	亿元	944	1466	1791	2075
农业	亿元	665	873	1035	1158
林业	亿元	23	42	54	63
牧业	亿元	227	478	619	754
渔业	亿元	29	43	52	54
农作物总播种面积	千公顷	10867	11094	11054	11205
粮食作物播种面积	千公顷	7519	7585	7444	7590
粮食总产量	万吨	3556	3635	3794	4108
棉花播种面积	千公顷	621	479	489	563
棉花产量	万吨	94	79	82	88
油料播种面积	千公顷	1077	993	987	1017
油料产量	万吨	210	213	220	250
糖料播种面积	千公顷	124	125	144	157
糖料产量	万吨	640	808	1008	1097
肉类总产量	万吨	445	692	710	621
奶类产量	万吨	64	240	262	288
水产品产量	万吨	54	84	88	81
普通中学专任教师数	万人	24	25	25	25
小学专任教师数	万人	30	29	29	29
普通中学在校学生数	万人	472	462	453	443
小学在校学生数	万人	689	591	567	533
医院、卫生院数	所	4212	3589	3455	3497
医院、卫生院床位数	床	112028	121712	129536	145618
医院、卫生院技术人员数	人	137983	136000	145151	150759
地方财政一般预算收入	亿元	104	176	247	314
地方财政一般预算支出	亿元	180	593	805	1317
年末金融机构各项贷款余额	亿元	1662	2322	2658	3156

14—2—28 续表 单位:%

指　　标	2000 年	2006 年	2007 年	2008 年
县个数	18.0	18.0	18.0	18.0
年末总人口	16.7	16.5	16.5	16.6
行政区域土地面积				34.7
农业机械总动力	9.9		8.3	10.1
农村用电量	7.2		4.6	4.9
第一产业增加值	13.9	13.9	14.9	15.1
农业	15.3	14.2	15.1	14.8
林业	11.9	14.2	15.6	15.3
牧业	14.0	16.5	17.7	17.6
渔业	4.5	4.5	4.9	4.6
农作物总播种面积	16.5	16.1	16.0	16.2
粮食作物播种面积	16.9	15.8	15.4	15.5
粮食总产量	15.6	13.0	13.3	13.4
棉花播种面积	22.9	15.9	15.8	18.4
棉花产量	29.1	20.2	20.6	22.7
油料播种面积	14.4	15.1	16.0	15.9
油料产量	12.8	13.1	14.0	14.8
糖料播种面积	30.5	35.8	39.0	40.1
糖料产量	36.3	40.5	44.4	46.5
肉类总产量	15.5	16.6	17.5	16.1
奶类产量	23.7	24.3	23.3	22.4
水产品产量	3.9	4.6	4.5	4.4
普通中学专任教师数	15.6	15.7	15.9	15.7
小学专任教师数	15.8	16.2	16.1	16.2
普通中学在校学生数	15.9	16.2	16.6	16.8
小学在校学生数	17.5	17.4	17.0	16.5
医院、卫生院数	21.7	20.9	20.5	20.9
医院、卫生院床位数	16.3	15.9	16.1	16.8
医院、卫生院技术人员数	15.2	14.1	14.5	14.5
地方财政一般预算收入	12.0	8.0	8.5	8.7
地方财政一般预算支出	13.9	13.7	14.1	17.3
年末金融机构各项贷款余额	12.0	8.6	8.5	9.0

14—2—29　西部大开发12省(区、市)黄土高原县基本情况及占全部黄土高原县的比重

指　　标	单位	2000年	2006年	2007年	2008年
县个数	个	112	112	112	112
年末总人口	万人	3575	3644	3630	3665
行政区域土地面积	万平方公里				23
农业机械总动力	万千瓦	1307		1963	2086
农村用电量	亿千瓦时	50		46	53
第一产业增加值	亿元	261	474	578	697
农业	亿元	188	322	387	465
林业	亿元	11	13	16	18
牧业	亿元	60	122	156	184
渔业	亿元	1	2	3	2
农作物总播种面积	千公顷	5679	5530	5463	5570
粮食作物播种面积	千公顷	4596	4130	4090	4164
粮食总产量	万吨	1120	1346	1232	1450
棉花播种面积	千公顷	22	66	70	66
棉花产量	万吨	2	6	7	8
油料播种面积	千公顷	450	485	437	476
油料产量	万吨	49	68	63	80
糖料播种面积	千公顷	4	2	2	2
糖料产量	万吨	6	3	3	3
肉类总产量	万吨	82	131	103	100
奶类产量	万吨	49	132	141	149
水产品产量	万吨	3	5	5	3
普通中学专任教师数	万人	14	16	16	17
小学专任教师数	万人	20	20	20	20
普通中学在校学生数	万人	271	296	289	285
小学在校学生数	万人	446	381	359	338
医院、卫生院数	所	2503	2358	2368	2318
医院、卫生院床位数	床	58752	64080	67927	74727
医院、卫生院技术人员数	人	74807	71488	75781	76814
地方财政一般预算收入	亿元	45	91	111	134
地方财政一般预算支出	亿元	107	355	492	696
年末金融机构各项贷款余额	亿元	756	1189	1323	1365

14—2—29 续表

单位:%

指　　标	2000 年	2006 年	2007 年	2008 年
县个数	53.1	53.1	53.1	53.1
年末总人口	52.4	52.3	51.9	52.0
行政区域土地面积				61.4
农业机械总动力	40.3		40.6	41.4
农村用电量	39.8		32.0	33.2
第一产业增加值	51.2	51.3	53.2	54.3
农业	52.4	53.7	55.0	56.9
林业	39.3	32.2	31.8	31.2
牧业	50.5	48.9	53.3	52.3
渔业	37.9	30.6	29.6	24.6
农作物总播种面积	58.7	58.2	58.0	58.3
粮食作物播种面积	58.4	56.3	55.8	55.9
粮食总产量	51.8	50.9	48.6	51.9
棉花播种面积	29.6	40.8	42.5	44.2
棉花产量	28.7	36.3	39.2	44.2
油料播种面积	59.2	70.0	68.4	70.9
油料产量	53.6	66.2	64.5	69.8
糖料播种面积	78.6	98.2	98.7	98.7
糖料产量	66.7	96.6	96.6	95.4
肉类总产量	46.6	49.0	46.0	47.7
奶类产量	77.8	68.0	66.8	63.7
水产品产量	42.3	30.7	30.1	21.4
普通中学专任教师数	49.6	51.4	50.6	51.7
小学专任教师数	53.4	53.1	52.5	52.4
普通中学在校学生数	52.2	54.7	54.1	55.4
小学在校学生数	55.3	54.8	53.6	52.9
医院、卫生院数	54.1	53.1	53.5	52.4
医院、卫生院床位数	45.6	45.8	45.9	45.3
医院、卫生院技术人员数	46.8	43.9	44.8	43.7
地方财政一般预算收入	40.5	26.6	26.7	25.6
地方财政一般预算支出	50.1	42.8	45.5	48.6
年末金融机构各项贷款余额	43.3	38.5	38.3	38.2

14—2—30　西部大开发12省(区、市)平原县基本情况及占全部平原县的比重

指　　标	单位	2000年	2006年	2007年	2008年
县个数	个	179	179	179	179
年末总人口	万人	5472	5679	5710	5787
行政区域土地面积	万平方公里				190
农业机械总动力	万千瓦	2798		3627	4187
农村用电量	亿千瓦时	105		125	134
第一产业增加值	亿元	809	1392	1659	1914
农业	亿元	593	897	1051	1177
林业	亿元	21	34	44	48
牧业	亿元	177	390	487	585
渔业	亿元	19	26	32	38
农作物总播种面积	千公顷	9045	8963	8977	9551
粮食作物播种面积	千公顷	5460	5244	4982	5397
粮食总产量	万吨	2708	3013	2841	3216
棉花播种面积	千公顷	1008	1119	1248	1374
棉花产量	万吨	155	201	222	245
油料播种面积	千公顷	969	611	650	740
油料产量	万吨	192	150	145	190
糖料播种面积	千公顷	149	157	166	160
糖料产量	万吨	790	961	1064	1060
肉类总产量	万吨	298	478	455	427
奶类产量	万吨	138	549	586	648
水产品产量	万吨	61	81	87	73
普通中学专任教师数	万人	22	25	25	25
小学专任教师数	万人	29	29	29	29
普通中学在校学生数	万人	414	408	398	385
小学在校学生数	万人	560	488	468	447
医院、卫生院数	所	4284	3960	4025	3828
医院、卫生院床位数	床	128147	151136	158362	167029
医院、卫生院技术人员数	人	151844	161702	172269	177370
地方财政一般预算收入	亿元	120	265	371	459
地方财政一般预算支出	亿元	208	687	924	1500
年末金融机构各项贷款余额	亿元	2048	3195	3748	4312

14—2—30 续表

单位:%

指　　标	2000 年	2006 年	2007 年	2008 年
县个数	27.8	27.8	27.8	27.8
年末总人口	15.0	15.2	15.2	15.2
行政区域土地面积				72.7
农业机械总动力	11.6		10.8	11.7
农村用电量	8.1		5.5	5.7
第一产业增加值	13.9	15.1	16.1	16.2
农业	15.6	16.4	17.4	17.2
林业	15.0	17.3	18.4	17.3
牧业	13.7	16.2	17.4	16.9
渔业	3.2	2.9	3.3	3.4
农作物总播种面积	15.9	15.3	15.3	16.1
粮食作物播种面积	14.3	13.4	12.6	13.4
粮食总产量	14.2	12.9	12.2	12.6
棉花播种面积	30.5	26.7	28.3	31.1
棉花产量	38.1	35.1	37.2	40.1
油料播种面积	16.3	12.7	14.3	15.6
油料产量	14.3	12.1	12.3	14.8
糖料播种面积	34.9	38.3	38.1	36.9
糖料产量	38.0	39.3	39.4	39.0
肉类总产量	13.3	14.7	15.1	14.5
奶类产量	41.0	41.7	38.9	38.3
水产品产量	4.9	4.7	4.9	4.3
普通中学专任教师数	16.5	17.2	17.2	17.4
小学专任教师数	17.1	17.7	17.5	17.5
普通中学在校学生数	15.7	15.8	16.1	16.3
小学在校学生数	15.7	15.8	15.4	15.1
医院、卫生院数	24.2	25.4	26.0	25.2
医院、卫生院床位数	20.6	21.4	21.2	20.9
医院、卫生院技术人员数	18.7	18.7	19.1	18.9
地方财政一般预算收入	14.9	11.9	12.6	12.7
地方财政一般预算支出	17.0	16.5	16.8	20.6
年末金融机构各项贷款余额	14.8	11.3	11.3	11.7

14—2—31 西部大开发12省(区、市)丘陵县基本情况及占全部丘陵县的比重

指　　标	单位	2000年	2006年	2007年	2008年
县个数	个	224	224	224	224
年末总人口	万人	10325	10569	10692	10775
行政区域土地面积	万平方公里				139
农业机械总动力	万千瓦	2996		3664	5138
农村用电量	亿千瓦时	89		119	137
第一产业增加值	亿元	1315	2137	2585	2937
农业	亿元	833	1171	1364	1504
林业	亿元	54	88	106	130
牧业	亿元	377	765	990	1138
渔业	亿元	51	77	91	102
农作物总播种面积	千公顷	15765	16872	16454	15927
粮食作物播种面积	千公顷	11390	11485	11187	11114
粮食总产量	万吨	4491	4547	4737	4951
棉花播种面积	千公顷	92	55	54	65
棉花产量	万吨	10	7	8	9
油料播种面积	千公顷	1464	1433	1369	1342
油料产量	万吨	211	245	248	256
糖料播种面积	千公顷	378	590	651	731
糖料产量	万吨	2041	4042	4855	5387
肉类总产量	万吨	699	1082	1105	931
奶类产量	万吨	58	411	451	483
水产品产量	万吨	101	162	171	159
普通中学专任教师数	万人	32	34	34	34
小学专任教师数	万人	43	43	42	42
普通中学在校学生数	万人	638	638	622	606
小学在校学生数	万人	981	877	839	796
医院、卫生院数	所	6455	5639	5485	5510
医院、卫生院床位数	床	151576	160633	170619	198598
医院、卫生院技术人员数	人	188271	184540	193307	200317
地方财政一般预算收入	亿元	155	329	428	548
地方财政一般预算支出	亿元	292	1033	1396	2036
年末金融机构各项贷款余额	亿元	1910	3160	3716	4303

14—2—31 续表 单位:%

指　　标	2000 年	2006 年	2007 年	2008 年
县个数	42.2	42.2	42.2	42.2
年末总人口	36.9	37.2	37.3	37.3
行政区域土地面积				68.5
农业机械总动力	27.1		23.6	28.4
农村用电量	16.0		13.4	14.1
第一产业增加值	32.5	34.1	35.1	34.7
农业	35.1	35.1	35.8	34.7
林业	36.6	39.4	39.2	39.9
牧业	36.6	41.2	42.0	40.4
渔业	10.2	10.9	11.6	10.9
农作物总播种面积	39.7	40.1	39.6	38.9
粮食作物播种面积	40.4	38.4	37.5	37.3
粮食总产量	35.5	31.3	31.5	31.3
棉花播种面积	25.7	17.6	16.8	19.0
棉花产量	28.4	18.4	21.4	22.2
油料播种面积	34.4	36.8	37.5	36.1
油料产量	27.8	30.2	31.0	30.8
糖料播种面积	74.5	87.4	88.7	89.0
糖料产量	82.4	92.0	93.1	93.5
肉类总产量	39.3	40.6	41.6	38.4
奶类产量	42.2	56.4	55.9	53.6
水产品产量	7.7	9.9	10.2	10.1
普通中学专任教师数	32.4	32.3	32.9	32.5
小学专任教师数	34.8	35.5	35.4	35.2
普通中学在校学生数	34.1	35.6	35.9	36.0
小学在校学生数	38.5	38.5	37.7	36.9
医院、卫生院数	44.4	42.3	41.3	41.1
医院、卫生院床位数	33.0	32.2	32.5	34.2
医院、卫生院技术人员数	31.8	29.7	30.0	30.0
地方财政一般预算收入	28.3	25.1	25.5	26.2
地方财政一般预算支出	33.4	34.7	35.5	38.6
年末金融机构各项贷款余额	25.3	23.6	24.0	24.9

14—2—32 西部大开发12省(区、市)山区县基本情况及占全部山区县的比重

指　　标	单位	2000年	2006年	2007年	2008年
县个数	个	501	501	501	501
年末总人口	万人	13039	13579	13718	13888
行政区域土地面积	万平方公里				315
农业机械总动力	万千瓦	3433		5060	6017
农村用电量	亿千瓦时	87		134	162
第一产业增加值	亿元	1265	2015	2433	2736
农业	亿元	790	1091	1269	1411
林业	亿元	90	142	176	206
牧业	亿元	366	693	894	1008
渔业	亿元	20	33	39	47
农作物总播种面积	千公顷	18965	19190	19383	19339
粮食作物播种面积	千公顷	13734	12967	13041	12959
粮食总产量	万吨	4575	4589	4777	4923
棉花播种面积	千公顷	11	8	8	8
棉花产量	万吨	1	1	1	1
油料播种面积	千公顷	1544	1624	1569	1542
油料产量	万吨	194	252	254	246
糖料播种面积	千公顷	338	411	466	497
糖料产量	万吨	1790	2477	2952	3179
肉类总产量	万吨	650	1010	1065	953
奶类产量	万吨	83	167	174	189
水产品产量	万吨	33	67	68	76
普通中学专任教师数	万人	37	43	45	46
小学专任教师数	万人	67	67	68	70
普通中学在校学生数	万人	725	804	817	829
小学在校学生数	万人	1529	1491	1459	1429
医院、卫生院数	所	10736	10217	9470	10162
医院、卫生院床位数	床	207463	226585	233574	264366
医院、卫生院技术人员数	人	232687	231847	232357	250526
地方财政一般预算收入	亿元	180	375	472	589
地方财政一般预算支出	亿元	488	1476	1999	2954
年末金融机构各项贷款余额	亿元	2460	4292	5155	5813

14—2—32 续表 单位:%

指　　标	2000 年	2006 年	2007 年	2008 年
县个数	56.0	56.0	56.0	56.0
年末总人口	44.1	44.6	44.7	44.8
行政区域土地面积				75.2
农业机械总动力	37.3		36.6	38.5
农村用电量	23.6		22.1	24.6
第一产业增加值	34.9	36.2	37.7	37.1
农业	36.7	36.1	36.6	35.3
林业	26.3	28.4	29.7	29.7
牧业	40.8	44.4	47.1	44.4
渔业	8.6	10.1	10.6	11.5
农作物总播种面积	49.8	50.5	50.7	51.7
粮食作物播种面积	51.2	50.9	51.0	51.8
粮食总产量	43.2	42.5	43.7	44.3
棉花播种面积	13.7	8.6	8.1	7.7
棉花产量	10.7	6.6	6.8	7.2
油料播种面积	45.0	47.9	47.1	46.3
油料产量	35.7	39.0	38.8	37.4
糖料播种面积	83.2	88.5	90.7	92.6
糖料产量	84.6	89.5	91.6	92.9
肉类总产量	42.7	46.2	49.3	46.9
奶类产量	65.4	51.0	49.4	51.2
水产品产量	5.8	9.5	9.3	11.4
普通中学专任教师数	36.6	39.0	40.3	40.6
小学专任教师数	45.8	47.3	47.8	48.2
普通中学在校学生数	38.9	43.1	44.5	45.8
小学在校学生数	50.7	53.4	53.2	53.5
医院、卫生院数	50.9	52.3	50.6	52.8
医院、卫生院床位数	41.1	41.0	40.2	41.3
医院、卫生院技术人员数	37.0	36.1	34.9	35.9
地方财政一般预算收入	34.7	31.5	31.6	32.0
地方财政一般预算支出	43.5	42.7	44.1	48.2
年末金融机构各项贷款余额	35.9	34.8	35.4	36.0

15

各地区主要农村经济指标排序

15—1 粮食总产量与人均占有量

地 区	粮食总产量(万吨)		平均每人占有量(千克/人)	
	指标值	位 次	指标值	位 次
全国总计	**52870.9**		**399.1**	
北 京	125.5	28	75.4	30
天 津	148.9	27	130.0	29
河 北	2905.8	7	417.1	12
山 西	1028.0	20	302.2	21
内蒙古	2131.3	11	884.6	3
辽 宁	1860.3	13	432.0	11
吉 林	2840.0	8	1039.5	2
黑龙江	4225.0	3	1104.7	1
上 海	115.7	29	61.7	31
江 苏	3175.5	4	415.0	13
浙 江	775.6	23	152.4	27
安 徽	3023.3	6	493.5	6
福 建	652.3	24	181.6	26
江 西	1958.1	12	446.6	8
山 东	4260.5	2	453.6	7
河 南	5365.5	1	571.1	4
湖 北	2227.2	10	390.4	15
湖 南	2805.0	9	440.5	9
广 东	1243.4	16	130.9	28
广 西	1394.7	15	291.0	23
海 南	183.5	26	216.0	24
重 庆	1153.2	18	407.9	14
四 川	3140.0	5	386.1	16
贵 州	1158.0	17	306.6	20
云 南	1518.6	14	335.3	18
西 藏	95.0	31	332.9	19
陕 西	1111.0	19	295.9	22
甘 肃	888.5	22	338.8	17
青 海	101.8	30	184.0	25
宁 夏	329.2	25	536.4	5
新 疆	930.5	21	440.4	10

15—2 棉花总产量与人均占有量

地区	棉花总产量(吨)		平均每人占有量(千克/人)	
	指标值	位次	指标值	位次
全国总计	**7491881**		**5.66**	
北京	1357	21	0.08	19
天津	82928	13	7.24	5
河北	737334	3	10.58	3
山西	106735	11	3.14	11
内蒙古	2860	18	0.12	18
辽宁	2401	19	0.06	20
吉林	5243	16	0.19	15
黑龙江		26		26
上海	3183	17	0.17	17
江苏	325950	7	4.26	9
浙江	28171	14	0.55	14
安徽	363496	6	5.93	7
福建	395	23	0.01	23
江西	111915	10	2.55	13
山东	1040597	2	11.08	2
河南	650844	4	6.93	6
湖北	513400	5	9.00	4
湖南	246600	8	3.87	10
广东		26		26
广西	2020	20	0.04	21
海南		26		26
重庆	98	25		25
四川	15527	15	0.19	16
贵州	897	22	0.02	22
云南	358	24	0.01	24
西藏		26		26
陕西	100691	12	2.68	12
甘肃	123181	9	4.70	8
青海		26		26
宁夏		26		26
新疆	3025700	1	143.20	1

15—3 油料总产量与人均占有量

地区	油料总产量(吨)		平均每人占有量(千克/人)	
	指标值	位次	指标值	位次
全国总计	**29528200**		**22**	
北京	21703	30	1	30
天津	4800	31		31
河北	1525905	6	22	10
山西	191185	25	6	28
内蒙古	1175354	9	49	4
辽宁	485027	17	11	20
吉林	518418	15	19	16
黑龙江	284767	23	7	25
上海	36028	29	2	29
江苏	1502927	7	20	15
浙江	412686	18	8	23
安徽	2280332	5	37	5
福建	253977	24	7	26
江西	911919	10	21	12
山东	3406341	2	36	6
河南	5053354	1	54	2
湖北	2857352	3	51	3
湖南	1337972	8	20	14
广东	815353	11	9	22
广西	375455	19	8	24
海南	86905	27	10	21
重庆	356767	20	13	19
四川	2499402	4	31	7
贵州	683909	12	18	17
云南	303774	22	7	27
西藏	60306	28	21	11
陕西	494634	16	13	18
甘肃	535388	14	20	13
青海	352224	21	64	1
宁夏	135569	26	22	9
新疆	568467	13	27	8

15—4 糖料总产量与人均占有量

地　区	糖料总产量(吨)		平均每人占有量(千克/人)	
	指标值	位　次	指标值	位　次
全国总计	**134196202**		**101.3**	
北　京				
天　津				
河　北	593763	14	8.5	15
山　西	234395	18	6.9	17
内蒙古	1700361	7	70.6	6
辽　宁	74952	23	1.7	22
吉　林	242667	17	8.9	14
黑龙江	2600000	6	68.0	7
上　海	9975	24	0.5	24
江　苏	87526	22	1.1	23
浙　江	854536	9	16.8	10
安　徽	295152	15	4.8	18
福　建	709048	12	19.7	8
江　西	642066	13	14.6	11
山　东	576	26		
河　南	207395	19	2.2	21
湖　北	264708	16	4.6	19
湖　南	770354	10	12.1	13
广　东	11988387	3	126.2	5
广　西	82155820	1	1714.4	1
海　南	5188168	4	610.7	2
重　庆	111844	21	4.0	20
四　川	1164625	8	14.3	12
贵　州	717906	11	19.0	9
云　南	18988779	2	419.3	3
西　藏				
陕　西	2957	25	0.1	26
甘　肃	200890	20	7.7	16
青　海				
宁　夏	534	27	0.1	25
新　疆	4388818	5	207.7	4

15—5　肉类总产量与人均占有量

地　区	肉类总产量(万吨)		平均每人占有量(千克/人)	
	指标值	位　次	指标值	位　次
全国总计	**7278.7**		**54.9**	
北　京	45.1	26	27.1	28
天　津	37.1	27	32.4	26
河　北	421.1	5	60.5	13
山　西	63.3	24	18.6	30
内蒙古	218.0	14	90.5	1
辽　宁	373.3	7	86.7	2
吉　林	216.8	15	79.4	4
黑龙江	169.5	18	44.3	20
上　海	26.5	28	14.1	31
江　苏	323.6	11	42.3	23
浙　江	170.1	17	33.4	25
安　徽	343.9	9	56.1	16
福　建	169.4	19	47.2	18
江　西	260.3	13	59.4	15
山　东	660.3	1	70.3	8
河　南	584.8	3	62.3	12
湖　北	340.0	10	59.6	14
湖　南	446.4	4	70.1	9
广　东	412.0	6	43.4	21
广　西	350.8	8	73.2	5
海　南	61.1	25	72.0	7
重　庆	177.4	16	62.7	11
四　川	591.5	2	72.7	6
贵　州	161.5	20	42.7	22
云　南	288.3	12	63.7	10
西　藏	23.8	30	83.3	3
陕　西	99.4	22	26.5	29
甘　肃	79.1	23	30.2	27
青　海	25.5	29	46.1	19
宁　夏	23.6	31	38.4	24
新　疆	115.3	21	54.6	17

15—6 水产品总产量与人均占有量

地 区	水产品总产量(吨)		平均每人占有量(千克/人)	
	指标值	位 次	指标值	位 次
全国总计	**48955986**		**37.0**	
北 京	60761	26	3.7	25
天 津	322500	18	28.2	11
河 北	966400	13	13.9	15
山 西	30700	28	0.9	28
内蒙古	98212	22	4.1	24
辽 宁	3776505	6	87.7	3
吉 林	155000	21	5.7	20
黑龙江	355800	16	9.3	18
上 海	323400	17	17.3	14
江 苏	4250005	4	55.5	7
浙 江	4187900	5	82.3	4
安 徽	1722849	11	28.1	12
福 建	5420000	3	150.9	2
江 西	1903862	9	43.4	10
山 东	7303005	1	77.8	5
河 南	505760	15	5.4	22
湖 北	3133937	7	54.9	8
湖 南	1785899	10	28.0	13
广 东	6804121	2	71.6	6
广 西	2499838	8	52.2	9
海 南	1394000	12	164.1	1
重 庆	190600	20	6.7	19
四 川	952046	14	11.7	17
贵 州	78000	24	2.1	26
云 南	254629	19	5.6	21
西 藏	500	31	0.2	31
陕 西	52200	27	1.4	27
甘 肃	11770	29	0.4	29
青 海	1450	30	0.3	30
宁 夏	75137	25	12.2	16
新 疆	91200	23	4.3	23

注:水产品总产量包括中农发集团产量。

15－7 水果总产量与人均占有量

地 区	水果总产量(吨)		平均每人占有量(千克/人)	
	指标值	位 次	指标值	位 次
全国总计	**19220.2**		**145.1**	
北 京	118.8	26	71.4	24
天 津	62.3	29	54.4	28
河 北	1532.9	3	220.1	7
山 西	410.6	18	120.7	13
内蒙古	238.2	23	98.8	20
辽 宁	591.7	15	137.4	12
吉 林	273.9	22	100.2	19
黑龙江	367.5	19	96.1	21
上 海	111.1	28	59.3	27
江 苏	682.9	11	89.2	22
浙 江	747.9	8	146.9	11
安 徽	691.9	9	112.9	16
福 建	632.5	14	176.0	9
江 西	444.5	16	101.4	18
山 东	2612.6	1	278.2	5
河 南	2129.6	2	226.7	6
湖 北	686.2	10	120.3	14
湖 南	663.1	12	104.1	17
广 东	1081.3	5	113.9	15
广 西	855.8	6	178.6	8
海 南	325.2	20	382.8	2
重 庆	193.3	24	68.4	26
四 川	635.1	13	78.1	23
贵 州	114.3	27	30.3	29
云 南	313.4	21	69.2	25
西 藏	1.1	31	3.7	31
陕 西	1247.0	4	332.1	3
甘 肃	411.6	17	157.0	10
青 海	3.3	30	5.9	30
宁 夏	185.8	25	302.6	4
新 疆	855.0	7	404.7	1

注:2003年后水果包括种植业的瓜果类。

15－8 奶类总产量与人均占有量

地　区	奶类总产量(万吨)		平均每人占有量(千克/人)	
	指标值	位　次	指标值	位　次
全国总计	**3781.5**		**28.5**	
北　京	66.5	14	40.0	10
天　津	70.1	11	61.2	7
河　北	515.3	2	74.0	5
山　西	70.0	12	20.6	15
内蒙古	921.2	1	382.4	1
辽　宁	107.3	8	24.9	13
吉　林	39.7	17	14.5	16
黑龙江	512.8	3	134.1	4
上　海	23.3	21	12.4	18
江　苏	61.1	15	8.0	20
浙　江	22.5	22	4.4	22
安　徽	18.1	23	3.0	24
福　建	14.9	25	4.1	23
江　西	11.2	27	2.6	26
山　东	254.9	5	27.1	12
河　南	298.6	4	31.8	11
湖　北	33.2	19	5.8	21
湖　南	15.2	24	2.4	27
广　东	13.3	26	1.4	29
广　西	7.5	29	1.6	28
海　南	0.5	31	0.6	31
重　庆	7.8	28	2.8	25
四　川	66.6	13	8.2	19
贵　州	4.3	30	1.1	30
云　南	97.3	9	21.5	14
西　藏	52.4	16	183.7	2
陕　西	182.3	6	48.5	9
甘　肃	34.7	18	13.2	17
青　海	27.2	20	49.2	8
宁　夏	89.2	10	145.3	3
新　疆	142.3	7	67.4	6

15—9 各地区农村居民人均纯收入位次

单位:元/人

地区	1995年		2000年		2007年		2008年	
	实际数	位次	实际数	位次	实际数	位次	实际数	位次
全国总计	**1577.7**		**2253.4**		**4140.4**		**4760.6**	
北京	3223.7	2	4604.6	2	9439.6	2	10661.9	2
天津	2406.4	6	3622.4	5	7010.1	4	7910.8	4
河北	1668.7	11	2478.9	9	4293.4	10	4795.5	12
山西	1208.3	22	1905.6	20	3665.7	19	4097.2	22
内蒙古	1208.4	21	2038.2	16	3953.1	15	4656.2	15
辽宁	1756.5	9	2355.6	10	4773.4	9	5576.5	9
吉林	1609.6	12	2022.5	17	4191.3	11	4932.7	10
黑龙江	1766.3	8	2148.2	14	4132.3	12	4855.6	11
上海	4245.6	1	5596.4	1	10144.6	1	11440.3	1
江苏	2456.9	5	3595.1	6	6561.0	5	7356.5	5
浙江	2966.2	3	4253.7	3	8265.1	3	9257.9	3
安徽	1302.8	18	1934.6	19	3556.3	20	4202.5	19
福建	2048.6	7	3230.5	7	5467.1	7	6196.1	7
江西	1537.4	13	2135.3	15	4044.7	13	4697.2	13
山东	1715.1	10	2659.2	8	4985.3	8	5641.4	8
河南	1232.0	20	1985.8	18	3851.6	17	4454.2	17
湖北	1511.2	15	2268.6	11	3997.5	14	4656.4	14
湖南	1425.2	17	2197.2	12	3904.2	16	4512.5	16
广东	2699.2	4	3654.5	4	5624.0	6	6399.8	6
广西	1446.1	16	1864.5	23	3224.1	23	3690.3	23
海南	1519.7	14	2182.3	13	3791.4	18	4390.0	18
重庆	1270.4	19	1892.4	22	3509.3	22	4126.2	20
四川	1158.3	24	1903.6	21	3546.7	21	4121.2	21
贵州	1086.6	26	1374.2	30	2374.0	30	2796.9	30
云南	1011.0	28	1478.6	27	2634.1	29	3102.6	28
西藏	1200.3	23	1330.8	31	2788.2	26	3175.8	26
陕西	962.9	30	1443.9	28	2644.7	28	3136.5	27
甘肃	880.3	31	1428.7	29	2328.9	31	2723.8	31
青海	1029.8	27	1490.5	26	2683.8	27	3061.2	29
宁夏	998.8	29	1724.3	24	3180.8	25	3681.4	24
新疆	1136.5	25	1618.1	25	3183.0	24	3502.9	25

16

国外主要农业指标

16—1 总人口与农业人口

国家或地区	总人口(万人)			农业人口(万人)			农业人口占总人口的比重(%)		
	2000年	2005年	2006年	2000年	2005年	2006年	2000年	2005年	2006年
世　界	**612412**	**651475**	**659290**	**258306**	**261331**	**261778**	**42.2**	**40.1**	**39.7**
孟加拉国	13943	15328	15599	7764	7780	7765	55.7	50.8	49.8
印　度	104624	113440	115175	56140	58181	58518	53.7	51.3	50.8
印度尼西亚	21169	22606	22886	9338	9223	9188	44.1	40.8	40.1
伊　朗	6613	6942	7027	1750	1675	1665	26.5	24.1	23.7
以色列	608	669	681	16	15	14	2.7	2.2	2.1
日　本	12703	12790	12795	492	367	346	3.9	2.9	2.7
哈萨克斯坦	1495	1521	1531	292	267	263	19.5	17.5	17.2
朝　鲜	2295	2362	2371	691	627	614	30.1	26.6	25.9
韩　国	4678	4787	4805	411	305	286	8.8	6.4	6.0
马来西亚	2327	2565	2611	412	370	361	17.7	14.4	13.8
蒙　古	247	258	261	60	54	53	24.3	20.9	20.3
缅　甸	4588	4797	4838	3222	3292	3304	70.2	68.6	68.3
巴基斯坦	14436	15808	16094	7342	7628	7681	50.9	48.3	47.7
菲律宾	7621	8457	8626	2999	3074	3085	39.4	36.4	35.8
斯里兰卡	1871	1912	1921	867	857	855	46.3	44.8	44.5
泰　国	6067	6300	6344	2971	2835	2805	49.0	45.0	44.2
越　南	7909	8503	8621	5326	5550	5591	67.3	65.3	64.9
埃　及	6653	7285	7417	2448	2419	2410	36.8	33.2	32.5
尼日利亚	12477	14136	14472	4158	4088	4065	33.3	28.9	28.1
南　非	4540	4794	4828	646	578	563	14.2	12.0	11.7
加拿大	3069	3227	3258	78	70	68	2.6	2.2	2.1
墨西哥	9974	10427	10534	2353	2144	2107	23.6	20.6	20.0
美　国	28486	29985	30284	629	570	559	2.2	1.9	1.8
阿根廷	3690	3875	3913	373	348	343	10.1	9.0	8.8
巴　西	17416	18683	18932	2867	2583	2526	16.5	13.8	13.3
委内瑞拉	2440	2673	2719	232	209	204	9.5	7.8	7.5
白俄罗斯	1005	980	974	132	106	101	13.2	10.8	10.4
捷克共和国	1022	1019	1019	84	72	70	8.2	7.0	6.8
法　国	5919	6099	6133	198	159	152	3.3	2.6	2.5
德　国	8231	8265	8264	207	165	157	2.5	2.0	1.9
意大利	5769	5865	5878	307	244	233	5.3	4.2	4.0
荷　兰	1592	1633	1638	54	47	46	3.4	2.9	2.8
波　兰	3843	3820	3814	728	638	621	18.9	16.7	16.3
罗马尼亚	2214	2163	2153	307	234	222	13.9	10.8	10.3
俄罗斯	14742	14395	14322	1541	1317	1276	10.5	9.2	8.9
西班牙	4023	4340	4389	294	248	239	7.3	5.7	5.4
土耳其	6816	7297	7392	2096	2022	2006	30.8	27.7	27.1
乌克兰	4885	4692	4656	775	634	609	15.9	13.5	13.1
英　国	5909	6047	6074	104	97	96	1.8	1.6	1.6
澳大利亚	1914	2031	2053	88	86	85	4.6	4.2	4.1
新西兰	385	410	414	34	34	34	8.8	8.2	8.1

资料来源：联合国粮农组织。

16－2 农业生产指数

（1999－2001年＝100）

国家或地区	2000	2004	2005	2006	2007
世　　界	**100**	**110**	**112**	**113**	**115**
孟加拉国	102	104	116	118	125
印　　度	98	103	108	114	121
印度尼西亚	100	122	126	131	136
伊　　朗	96	117	125	127	123
以 色 列	102	116	114	113	98
日　　本	100	96	97	95	98
哈萨克斯坦	93	110	118	127	139
朝　　鲜	96	113	115	114	110
韩　　国	100	95	96	96	96
马来西亚	99	120	126	132	132
蒙　　古	106	78	74	78	79
缅　　甸	99	129	135	147	156
巴基斯坦	101	112	115	117	122
菲 律 宾	99	117	118	123	127
斯里兰卡	101	98	107	109	108
泰　　国	100	110	109	113	119
越　　南	100	120	123	126	128
埃　　及	102	113	115	119	115
尼日利亚	100	116	123	132	119
南　　非	105	106	111	108	107
加 拿 大	101	105	110	108	107
墨 西 哥	98	110	109	115	117
美　　国	101	107	105	103	107
阿 根 廷	99	105	116	116	127
巴　　西	99	125	128	125	132
委内瑞拉	100	94	105	104	107
白俄罗斯	101	120	119	125	129
捷克共和国	97	103	95	88	91
法　　国	100	101	97	93	92
德　　国	100	101	97	95	96
意 大 利	99	101	99	95	94
荷　　兰	101	95	93	91	94
波　　兰	99	101	95	91	96
罗马尼亚	89	125	109	110	87
俄 罗 斯	99	111	112	115	118
土 耳 其	104	105	110	110	100
乌 克 兰	99	118	118	118	110
英　　国	101	98	98	96	94
澳大利亚	98	89	98	78	75
新 西 兰	100	116	113	116	119

资料来源：联合国粮农组织。

16－3 谷物收获总产量、面积与单产

国家或地区	总产量(万吨)			收获面积(千公顷)			单产(千克/公顷)		
	2000 年	2006 年	2007 年	2000 年	2006 年	2007 年	2000 年	2006 年	2007 年
世 界	**206000**	**223924**	**235140**	**672764**	**684551**	**695599**	**3062**	**3271**	**3380**
孟加拉国	3950	4205	4471	11672	11183	11303	3384	3760	3956
印 度	23487	24360	26048	102402	99199	99472	2294	2456	2619
印度尼西亚	6158	6606	7044	15293	15132	15778	4026	4366	4465
伊 朗	1287	2241	1760	7022	8701	6596	1833	2575	2668
日 本	1280	1174	1203	2045	2006	1984	6257	5853	6061
哈萨克斯坦	1154	1645	2006	12240	14066	15128	943	1169	1326
韩 国	750	665	631	1165	1038	1033	6436	6401	6110
朝 鲜	295	468	437	1206	1267	1274	2443	3692	3432
马来西亚	221	227	228	726	670	686	3040	3384	3325
蒙 古	14	14	11	183	126	122	775	1098	943
缅 甸	2197	3187	3372	6884	8808	8862	3191	3619	3805
巴基斯坦	3046	3304	3577	12650	12932	13051	2408	2555	2741
菲 律 宾	1690	2141	2298	6548	6731	6921	2581	3181	3320
斯里兰卡	290	340	319	868	938	836	3338	3619	3822
泰 国	3052	3355	3596	11225	11323	11816	2719	2963	3044
越 南	3454	3971	3998	8398	8360	8271	4112	4750	4834
埃 及	2011	2247	2155	2762	2980	2850	7280	7541	7562
尼日利亚	2137	2886	2717	18242	19147	19410	1171	1507	1400
南 非	1453	945	951	5266	3011	3415	2759	3140	2786
加 拿 大	5109	4858	4811	18210	15946	16218	2806	3046	2967
墨 西 哥	2799	3215	3431	10137	10005	10231	2761	3214	3354
美 国	34281	33861	41517	58562	52862	61931	5854	6405	6704
巴 西	4590	5915	6944	17250	18424	19544	2661	3211	3553
阿 根 廷	3876	3420	4419	11221	9239	10152	3454	3702	4352
委内瑞拉	295	404	401	909	1185	1116	3244	3414	3592
白俄罗斯	457	568	701	2339	2225	2429	1952	2555	2888
捷克共和国	646	639	716	1653	1536	1584	3908	4163	4522
法 国	6570	6173	5954	9075	9075	9096	7240	6802	6546
德 国	4527	4347	4063	7016	6702	6572	6453	6487	6183
意 大 利	2066	2021	2050	4137	3801	3900	4994	5316	5256
荷 兰	173	175	151	219	213	217	7906	8192	6940
波 兰	2234	2178	2714	8814	8381	8353	2535	2598	3250
罗马尼亚	1050	1576	782	5644	5080	4757	1860	3102	1643
俄 罗 斯	6433	7687	8050	41145	40574	40352	1563	1894	1995
土 耳 其	3225	3464	2925	13954	13012	12283	2311	2662	2381
乌 克 兰	2381	3351	2894	12204	13803	13112	1951	2428	2207
英 国	2399	2083	1913	3348	2863	2883	7165	7277	6634
澳大利亚	3445	1937	2200	17554	18369	18768	1962	1054	1172
新 西 兰	85	80	93	136	115	117	6273	7020	7916

资料来源:联合国粮农组织。

16－4 小麦收获总产量、面积与单产

国家或地区	总产量(万吨)			收获面积(千公顷)			单产(千克/公顷)		
	2000 年	2006 年	2007 年	2000 年	2006 年	2007 年	2000 年	2006 年	2007 年
世　界	**58587**	**60508**	**60599**	**215479**	**211965**	**214208**	**2719**	**2855**	**2829**
孟加拉国	184	74	74	832	479	399	2210	1534	1847
印　度	7637	6935	7580	27486	26484	28035	2778	2619	2704
伊　朗	809	1466	950	5101	6200	4045	1586	2365	2349
日　本	69	84	91	183	218	210	3761	3835	4340
哈萨克斯坦	907	1346	1647	10050	11861	12683	903	1135	1298
朝　鲜	5	20	20	59	80	80	847	2488	2438
韩　国	…	1	1	1	2	2	2545	3343	3954
蒙　古	14	13	11	179	118	117	777	1083	939
缅　甸	9	15	14	80	120	120	1167	1233	1192
巴基斯坦	2108	2128	2329	8463	8448	8578	2491	2519	2716
以色列	9	13	16	64	85	86	1465	1545	1850
泰　国	…	…	…	1	1	1	667	1000	1000
埃　及	656	827	738	1035	1287	1139	6342	6429	6478
尼日利亚	7	7	4	52	63	26	1404	1127	1692
南　非	243	211	191	934	765	632	2600	2752	3014
加拿大	2654	2527	2005	10855	9682	8636	2445	2610	2322
墨西哥	349	338	352	708	646	692	4936	5227	5082
美　国	6076	4949	5582	21502	18940	20640	2826	2613	2705
巴　西	166	248	411	1066	1560	1853	1559	1593	2220
阿根廷	1615	1466	1649	6476	5589	5832	2493	2623	2827
白俄罗斯	97	108	140	452	381	426	2137	2819	3277
捷克共和国	408	351	394	970	782	811	4209	4486	4857
法　国	3735	3537	3277	5248	5247	5238	7117	6741	6256
德　国	2162	2243	2083	2969	3115	2992	7283	7201	6961
意大利	746	718	726	2323	1926	2035	3213	3730	3568
荷　兰	114	118	99	137	141	140	8359	8394	7071
波　兰	850	706	832	2635	2176	2112	3227	3245	3938
罗马尼亚	446	553	304	1928	1992	1891	2311	2774	1610
俄罗斯	3446	4501	4939	21346	23049	23501	1614	1953	2102
西班牙	729	552	635	2353	1920	1830	3100	2875	3470
土耳其	2101	2001	1723	9400	8481	8098	2235	2359	2128
乌克兰	1020	1395	1394	5162	5511	5951	1976	2531	2342
英　国	1670	1475	1322	2086	1835	1830	8008	8037	7225
澳大利亚	2211	1082	1304	12141	11798	12345	1821	917	1056
新西兰	33	26	34	53	38	41	6210	6896	8497

资料来源：联合国粮农组织。

16—5　稻谷收获总产量、面积与单产

国家或地区	总产量(万吨)			收获面积(千公顷)			单产(千克/公顷)		
	2000年	2006年	2007年	2000年	2006年	2007年	2000年	2006年	2007年
世　界	**59882**	**64164**	**65959**	**154063**	**155792**	**155812**	**3887**	**4119**	**4233**
孟加拉国	3763	4077	4306	10801	10579	10732	3484	3854	4012
印　度	12740	13996	14457	44712	43810	43770	2849	3195	3303
印度尼西亚	5190	5445	5716	11793	11786	12148	4401	4620	4705
伊　朗	197	261	350	534	631	630	3690	4143	5556
日　本	1186	1070	1089	1770	1688	1673	6702	6336	6511
哈萨克斯坦	21	29	29	72	88	87	2972	3297	3368
朝　鲜	169	248	235	535	584	575	3159	4249	4087
韩　国	720	641	604	1072	955	950	6711	6711	6354
马来西亚	214	219	220	699	645	660	3064	3391	3330
缅　甸	2132	3060	3261	6302	8140	8200	3383	3759	3977
巴基斯坦	720	817	830	2377	2581	2515	3031	3164	3301
菲律宾	1239	1533	1624	4038	4160	4273	3068	3684	3801
斯里兰卡	286	334	313	832	900	796	3437	3713	3935
泰　国	2584	2964	3210	9891	10165	10669	2613	2916	3009
越　南	3253	3585	3587	7666	7325	7201	4243	4894	4981
埃　及	600	676	688	659	671	668	9102	10070	10288
尼日利亚	330	404	319	2199	2725	2451	1500	1483	1300
南　非	…	…	…	1	1	1	2308	2286	2286
墨西哥	35	34	29	84	70	71	4180	4786	4154
美　国	866	883	900	1230	1142	1112	7037	7732	8092
阿根廷	90	119	108	189	169	165	4780	7061	6560
巴　西	1109	1153	1106	3655	2971	2891	3034	3880	3826
委内瑞拉	68	112	105	138	227	209	4897	4950	5051
法　国	12	9	9	20	17	17	5836	5533	5069
意大利	123	142	149	220	226	233	5581	6277	6422
罗马尼亚	…	2	3	1	6	8	2571	3299	3402
俄罗斯	59	69	71	168	156	157	3495	4394	4514
西班牙	83	72	74	117	107	102	7066	6799	7224
土耳其	35	70	65	58	99	94	6034	7027	6908
乌克兰	9	10	11	25	22	20	3560	4606	5400
澳大利亚	110	97	16	133	99	20	8257	9828	8150

资料来源：联合国粮农组织。

16－6 玉米收获总产量、面积与单产

国家或地区	总产量(万吨)			收获面积(千公顷)			单产(千克/公顷)		
	2000年	2006年	2007年	2000年	2006年	2007年	2000年	2006年	2007年
世　界	**59248**	**70619**	**79179**	**136999**	**148069**	**158034**	**4325**	**4769**	**5010**
孟加拉国	1	52	90	5	98	151	2060	5300	5981
印　度	1204	1510	1896	6611	7856	7770	1822	1922	2440
印度尼西亚	968	1161	1329	3500	3346	3630	2765	3470	3660
伊　朗	112	217	159	182	292	210	6166	7422	7562
哈萨克斯坦	25	41	42	75	89	92	3335	4632	4564
日　本	…	…	…	…	…	…	2466	2500	2583
朝　鲜	104	175	159	496	479	496	2099	3653	3200
韩　国	6	6	8	16	14	17	4062	4730	4918
马来西亚	7	8	8	27	25	26	2407	3200	3192
缅　甸	36	95	79	210	275	273	1733	3455	2890
巴基斯坦	164	309	361	944	1017	1052	1741	3036	3427
菲律宾	451	608	674	2510	2571	2648	1797	2366	2544
斯里兰卡	3	5	6	29	32	34	1084	1485	1651
泰　国	447	372	366	1215	939	928	3676	3956	3948
越　南	201	385	411	730	1033	1068	2747	3731	3846
埃　及	647	637	624	843	761	776	7680	8374	8050
尼日利亚	411	710	672	3159	3905	3944	1300	1818	1705
南　非	1143	694	713	4012	2032	2552	2849	3412	2792
加拿大	695	899	1165	1107	1061	1369	6284	8474	8511
墨西哥	1756	2189	2351	7131	7295	7333	2462	3001	3206
美　国	25185	26750	33118	29316	28587	35015	8591	9357	9458
阿根廷	1678	1445	2176	3089	2447	2838	5433	5903	7666
巴　西	3188	4266	5211	11615	12613	13767	2745	3382	3785
委内瑞拉	169	234	257	483	701	740	3500	3334	3472
白俄罗斯	3	15	54	13	39	107	2308	3939	5065
捷克共和国	30	61	76	47	90	112	6428	6753	6795
法　国	1602	1290	1453	1765	1503	1531	9077	8586	9491
德　国	332	322	381	361	401	403	9212	8031	9447
意大利	1014	967	989	1064	1108	1082	9528	8729	9144
荷　兰	22	25	22	20	20	24	11000	12786	9042
波　兰	92	126	172	152	303	262	6064	4161	6574
俄罗斯	153	367	395	721	1011	1346	2123	3629	2938
罗马尼亚	490	898	385	3049	2513	2263	1606	3575	1703
土耳其	230	381	354	555	528	517	4144	7214	6838
乌克兰	385	643	742	1279	1720	1903	3009	3735	3900
澳大利亚	41	38	24	82	76	49	4936	5000	4898
新西兰	18	23	19	18	20	17	10226	11534	10900

资料来源：联合国粮农组织。

16—7 大豆收获总产量、面积与单产

国家或地区	总产量(吨)			收获面积(公顷)			单产(千克/公顷)		
	2000年	2006年	2007年	2000年	2006年	2007年	2000年	2006年	2007年
世　　界	**161291464**	**218232719**	**220532612**	**74367896**	**94937821**	**90199626**	**2169**	**2299**	**2445**
印　　度	5275800	8857000	10968000	6416600	8334000	8880000	822	1063	1235
印度尼西亚	1017634	747611	592634	825000	580534	459116	1233	1288	1291
伊　　朗	142000	184967	260000	90000	81775	110000	1578	2262	2364
日　　本	235000	229200	226700	122500	142100	138300	1918	1613	1639
哈萨克斯坦	3970	76920	83270	3500	46400	49400	1134	1658	1686
朝　　鲜	350000	345000	345000	310000	300000	300000	1129	1150	1150
韩　　国	113196	156404	114245	86176	90248	76267	1314	1733	1498
缅　　甸	98952	120000	122000	107838	122000	123000	918	984	992
巴基斯坦	10000	421	32	8000	373	55	1250	1129	582
菲 律 宾	953	1050	969	774	788	625	1231	1332	1550
斯里兰卡	640	5180	4800	690	3070	2860	928	1687	1678
泰　　国	312432	214773	203973	215014	137640	128872	1453	1560	1583
越　　南	149300	258100	275500	124100	185600	190100	1203	1391	1449
埃　　及	10518	23020	54500	3867	7470	16500	2720	3082	3303
尼日利亚	429000	605000	604000	517000	630000	638000	830	960	947
南　　非	153472	424000	205000	93787	240570	183000	1636	1762	1120
加 拿 大	2703000	3465500	2695700	1060700	1201200	1171500	2548	2885	2301
墨 西 哥	102314	81113	88371	69969	54211	62580	1462	1496	1412
美　　国	75055288	83510000	72860400	29302790	30190680	25960000	2561	2766	2807
阿 根 廷	20135800	40537364	47482784	8637503	15130038	15981264	2331	2679	2971
巴　　西	32734958	52464640	57857200	13640026	22047349	20565300	2400	2380	2813
委内瑞拉	4495	23871	60181	1691	13347	37060	2658	1788	1624
捷克共和国	2348	17847	13175	1884	9640	7523	1246	1851	1751
法　　国	201033	122995	102000	77695	45263	37000	2587	2717	2757
德　　国	1000	1000	1000	500	1000	1000	2000	1000	1000
意 大 利	903490	551292	442151	252647	177909	132604	3576	3099	3334
罗马尼亚	69500	344909	136094	117000	177481	109314	594	1943	1245
俄 罗 斯	341920	806570	651840	337260	810130	709900	1014	996	918
土 耳 其	44500	47300	30666	15000	11918	8674	2967	3969	3535
乌 克 兰	64400	889600	722600	60600	714800	583100	1063	1245	1239
澳大利亚	104800	55000	32000	56000	23889	13131	1871	2302	2437

资料来源：联合国粮农组织。

16－8　薯类作物收获总产量、面积与单产

国家或地区	总产量(万吨)			收获面积(千公顷)			单产(千克/公顷)		
	2000 年	2006 年	2007 年	2000 年	2006 年	2007 年	2000 年	2006 年	2007 年
世　　界	**70023**	**69825**	**69762**	**53220**	**51962**	**52699**	**13157**	**13438**	**13238**
孟加拉国	331	447	547	284	335	379	11655	13336	14451
印　　度	3184	3248	3148	1678	1751	1843	18979	18554	17082
印度尼西亚	1924	2320	2323	1617	1529	1507	11901	15172	15416
伊　　朗	366	422	524	169	164	210	21663	25747	24952
日　　本	448	406	423	170	155	160	26292	26179	26496
哈萨克斯坦	169	236	241	159	154	155	10639	15385	15579
朝　　鲜	216	236	227	211	218	218	10237	10851	10437
韩　　国	105	92	93	46	41	42	23034	22571	22322
马来西亚	45	50	50	48	53	53	9271	9526	9526
蒙　　古	6	11	11	8	11	11	7473	10172	9989
缅　　甸	37	76	78	40	60	60	9245	12824	13076
巴基斯坦	230	205	308	136	147	163	16883	13894	18939
菲 律 宾	252	261	278	370	368	375	6821	7082	7410
斯里兰卡	35	35	35	41	36	34	8429	9749	10066
泰　　国	1927	2284	2718	1148	1091	1194	16783	20946	22761
越　　南	391	961	981	520	691	710	7527	13904	13827
埃　　及	207	273	320	87	107	123	23840	25486	25974
尼日利亚	6516	9221	7364	7569	8844	9137	8609	10427	8059
南　　非	177	191	202	69	71	74	25655	26899	27524
加 拿 大	457	509	497	159	158	159	28682	32182	31278
墨 西 哥	178	169	191	75	69	72	23572	24526	26492
美　　国	2393	2046	2121	584	487	495	40962	42024	42871
阿 根 廷	266	245	247	114	108	110	23311	22603	22511
巴　　西	2661	3055	3087	1941	2108	2113	13710	14494	14610
委内瑞拉	110	118	110	84	89	81	13089	13171	13500
白俄罗斯	872	833	874	661	434	413	13189	19196	21195
捷克共和国	148	69	82	69	30	32	21330	23052	25715
法　　国	643	662	746	163	166	167	39559	39906	44726
德　　国	1369	1003	1164	304	274	275	44991	36568	42347
意 大 利	207	180	186	83	74	73	24862	24412	25322
荷　　兰	823	624	720	180	156	161	45655	40049	44720
波　　兰	2423	898	1179	1251	597	570	19376	15039	20701
罗马尼亚	347	402	371	283	283	273	12274	14186	13621
俄 罗 斯	3398	3857	3678	3229	2962	2852	10523	13021	12899
土 耳 其	537	440	425	205	159	154	26186	27606	27641
乌 克 兰	1984	1947	1910	1631	1462	1453	12163	13320	13144
英　　国	664	586	564	166	141	140	39976	41589	40193
澳大利亚	121	125	122	43	36	34	28360	35273	35367
新 西 兰	52	52	52	13	13	11	39725	39567	46270

资料来源:联合国粮农组织。

16－9 油菜籽收获总产量、面积与单产

国家或地区	总产量(吨)			收获面积(公顷)			单产(千克/公顷)		
	2000 年	2006 年	2007 年	2000 年	2006 年	2007 年	2000 年	2006 年	2008 年
世　界	**39517581**	**48940254**	**50577880**	**25835280**	**28029026**	**30805326**	**1530**	**1746**	**1642**
孟加拉国	249000	183465	188880	328609	216814	210545	758	846	897
印　度	5788400	8131200	7438000	6026800	7276500	6790000	960	1117	1095
日　本	650	1000	1100	319	800	825	2038	1250	1333
哈萨克斯坦	2940	63300	118310	7500	111700	160700	392	567	736
韩　国	2737	739	719	1787	669	622	1532	1105	1156
巴基斯坦	297300	350000	368000	327300	365000	399000	908	959	922
加拿大	7205300	9000300	9528500	4859200	5238200	6277000	1483	1718	1518
墨西哥	14000	8000	9000	10000	5000	6000	1400	1600	1500
美　国	909030	632960	660334	607810	413590	471059	1496	1530	1402
阿根廷	6015	9140	11230	3725	6160	8986	1615	1484	1250
巴　西	41000	77000	135000	24000	45000	80000	1708	1711	1688
白俄罗斯	73000	115042	240085	110000	107117	197437	664	1074	1216
捷克共和国	844428	880172	1031920	323842	292247	337571	2608	3012	3057
法　国	3476819	4144485	4554000	1186255	1405603	1577000	2931	2949	2888
德　国	3585661	5336500	5320518	1078010	1429000	1548177	3326	3734	3437
意大利	41016	5961	14962	36294	3535	7200	1130	1686	2078
荷　兰	2900	11600	13000	800	3400	4000	3625	3412	3250
波　兰	958145	1651525	2129873	436768	623853	796751	2194	2647	2673
罗马尼亚	76100	175050	361500	68400	102532	306771	1113	1707	1178
俄罗斯	148200	522180	631850	172000	447930	533700	862	1166	1184
西班牙	49600	7926	32500	31400	5481	16800	1580	1446	1935
土耳其	187	12615	28727	82	5014	10403	2280	2516	2761
乌克兰	131800	605700	1047400	156700	386800	799900	841	1566	1309
英　国	1157000	1890000	2108000	402000	575000	681000	2878	3287	3095
澳大利亚	1775000	573000	1065000	1459000	1052000	1061000	1217	545	1004
新西兰	4000	4000	2000	2000	2000	2000	2000	2000	1000

资料来源：联合国粮农组织。

16—10 花生收获总产量、面积与单产

国家或地区	总产量(万吨)			收获面积(千公顷)			单产(千克/公顷)		
	2000年	2006年	2007年	2000年	2006年	2007年	2000年	2006年	2007年
世界	**3469**	**3480**	**3714**	**23257**	**22123**	**23105**	**1492**	**1573**	**1608**
印度	648	486	918	6559	5642	6410	988	862	1433
尼日利亚	290	383	384	1934	2224	2230	1500	1720	1720
美国	148	158	170	541	489	484	2740	3221	3509
缅甸	63	91	100	560	650	665	1132	1400	1504
印度尼西亚	129	147	79	684	707	660	1890	2080	1195
阿根廷	42	35	60	219	164	215	1914	2122	2790
苏丹	95	56	56	1463	595	598	647	933	943
越南	36	46	51	245	247	254	1451	1875	1986
加纳	21	52	44	218	480	470	959	1083	936
刚果(金)	38	37	37	491	474	475	778	778	778
塞内加尔	106	46	33	1095	594	607	969	775	545
马里	19	27	32	200	335	331	967	793	981
几内亚	20	29	30	153	207	218	1301	1424	1398
巴西	18	25	26	103	111	114	1793	2256	2315
马拉维	12	20	26	169	245	258	723	830	1014
布基纳法索	17	22	24	237	311	415	714	694	590
乍得	36	45	22	438	480	350	819	938	635
埃及	19	18	22	60	56	65	3102	3312	3335
乌干达	14	15	17	199	230	235	698	670	702
喀麦隆	20	16	16	204	308	300	963	532	533
中非	10	15	16	100	125	135	1045	1169	1170
尼日尔	11	15	15	360	330	375	314	462	393
津巴布韦	19	8	13	268	176	275	712	472	454
塞拉利昂	1	12	12	19	150	150	773	768	767
贝宁	12	10	11	139	101	121	874	985	943
泰国	13	12	11	83	66	65	1593	1773	1754
尼加拉瓜	7	10	11	22	26	28	3041	3917	3901
莫桑比克	12	9	10	269	295	295	461	291	349
土耳其	8	8	9	28	22	26	2756	3444	3331
墨西哥	14	7	8	92	45	52	1550	1521	1585
冈比亚	14	11	7	118	110	118	1169	1041	617
巴基斯坦	9	6	7	82	81	103	1121	727	692
科特迪瓦	7	8	7	80	132	75	899	621	928
马达加斯加	4	6	6	47	55	55	742	1120	1118
安哥拉	1	6	6	39	170	180	331	335	333
南非	14	7	6	83	49	41	1648	1524	1423
埃塞俄比亚	1	3	5	14	28	37	880	1228	1376
摩洛哥	4	4	5	18	15	20	2133	2566	2518
孟加拉国	3	4	5	29	29	34	1098	1292	1364
赞比亚	5	8	4	132	96	88	393	871	455
巴拉圭	2	4	4	29	37	38	752	973	974
多哥	3	4	4	54	52	56	482	755	641
老挝	1	3	4	13	18	16	1031	1501	2197
菲律宾	3	3	3	27	28	28	997	1055	1102
柬埔寨	1	2	3	10	14	21	729	1751	1398
以色列	2	3	3	4	4	4	6443	6400	6412
叙利亚	3	2	3	10	6	8	2739	2828	3188
刚果(布)	2	3	3	39	42	42	600	595	595
几内亚比绍	2	2	2	16	20	23	1188	1100	1064
利比亚	2	2	2	12	12	12	1667	1833	1917

资料来源:联合国粮农组织。

16—11 籽棉收获总产量、面积与单产

国家或地区	总产量(万吨)			收获面积(千公顷)			单产(千克/公顷)		
	2000 年	2006 年	2007 年	2000 年	2006 年	2007 年	2000 年	2006 年	2007 年
世　界	**5289**	**7117**	**7355**	**31822**	**34198**	**33058**	**1662**	**2081**	**2225**
印　度	492	1154	1320	8577	9142	9430	574	1263	1400
美　国	958	1165	1037	5282	5153	4245	1814	2262	2443
巴基斯坦	548	656	595	2928	3075	3054	1871	2134	1947
巴　西	201	290	411	802	899	1126	2508	3224	3651
乌兹别克斯坦	300	360	372	1445	1448	1449	2078	2486	2565
土耳其	226	256	228	654	590	530	3456	4333	4294
希　腊	130	104	100	412	374	300	3148	2783	3333
土库曼斯坦	103	70	95	575	600	642	1793	1167	1474
澳大利亚	179	146	72	464	327	163	3848	4474	4408
叙利亚	108	69	71	270	216	193	4003	3180	3691
埃　及	55	56	56	218	235	240	2543	2383	2333
阿根廷	42	42	55	332	304	393	1258	1372	1388
尼日利亚	40	56	45	538	678	434	742	830	1039
哈萨克斯坦	29	44	44	152	196	206	1892	2217	2146
塔吉克斯坦	34	44	42	239	258	252	1406	1700	1664
墨西哥	22	45	38	77	117	109	2898	3854	3485
布基纳法索	21	76	38	209	570	379	1016	1333	997
伊　朗	50	28	30	246	117	120	2020	2434	2500
贝　宁	34	25	27	319	231	234	1064	1082	1146
马　里	24	43	25	228	480	284	1066	900	872
苏　丹	15	26	24	171	174	181	858	1464	1346
津巴布韦	33	21	24	370	266	398	884	781	590
喀麦隆	20	27	23	199	214	203	1027	1262	1108
秘　鲁	15	21	22	89	92	89	1723	2325	2409
莫桑比克	4	17	21	106	330	360	360	500	583
缅　甸	18	18	19	322	285	122	545	639	1557
巴拉圭	25	18	19	195	245	250	1266	735	740
赞比亚	6	12	16	55	112	125	1129	1056	1280
哥伦比亚	11	9	13	48	56	54	2304	1699	2304
西班牙	29	15	12	92	63	64	3214	2320	1882
阿塞拜疆	9	13	10	101	100	75	905	1296	1339
乍　得	18	13	10	280	175	180	643	714	556
吉尔吉斯斯坦	9	12	10	34	46	35	2603	2569	2735
玻利维亚	5	8	8	90	80	80	500	1000	1000
埃塞俄比亚	5	7	7	43	83	85	1058	783	765
马拉维	4	6	6	40	62	61	905	941	1043
乌干达	7	8	6	250	105	85	268	750	733
阿富汗	6	6	6	50	50	50	1110	1110	1110
多　哥	12	4	5	141	75	75	831	533	651
以色列	4	6	5	11	13	11	3935	4285	4327
塞内加尔	2	5	5	22	44	43	917	1189	1046
几内亚	7	4	4	53	36	36	1251	1155	1167
肯尼亚	2	3	4	40	78	87	500	440	440
朝　鲜	4	4	4	19	19	19	1842	1895	1895
越　南	2	3	3	19	21	23	1011	1263	1350
刚果(金)	3	3	3	68	70	70	400	429	429
印度尼西亚	3	3	3	22	22	22	1273	1364	1364
南　非	7	4	3	51	18	11	1368	2168	2661
孟加拉国	4	4	3	16	17	12	2502	2265	2125
也　门	3	2	2	27	18	20	1044	1233	1199

资料来源:联合国粮农组织。

16－12 麻类收获总产量、面积与单产

国家或地区	总产量(吨)			收获面积(公顷)			单产(千克/公顷)		
	2000年	2006年	2007年	2000年	2006年	2007年	2000年	2006年	2007年
世 界	**3052286**	**3255758**	**3240098**	**1680720**	**1568084**	**1619602**	**1816**	**2076**	**2001**
印 度	1880424	2013618	2012080	1016600	928900	952000	1850	2168	2114
孟加拉国	824000	889000	843682	450335	422000	443492	1830	2107	1902
泰 国	33600	57000	57000	19220	37400	37400	1748	1524	1524
俄罗斯	45000	51000	51000	21000	23000	23000	2143	2217	2217
越 南	11300	10600	31000	5500	6300	11700	2055	1683	2650
缅 甸	33410	30040	30040	36640	32050	32050	912	937	937
巴 西	7283	25951	25658	4876	16861	16916	1494	1539	1517
乌兹别克斯坦	20000	20000	20000	2000	2000	2000	10000	10000	10000
尼泊尔	15175	17100	16815	14535	11975	11726	1044	1428	1434
智 利	10000	12000	12000	10000	12000	12000	1000	1000	1000
古 巴	10000	10000	10000	10000	10000	10000	1000	1000	1000
刚果(金)	5749	6000	6000	7600	7800	7800	756	769	769
印度尼西亚	7500	4053	4053	6000	3068	3068	1250	1321	1321
莫桑比克	3300	3300	3300	6000	6000	6000	550	550	550
苏 丹	3300	3300	3300						
萨尔瓦多	2800	3341	2795	3700	3500	3220	757	955	868
埃 及	2200	2200	2200	950	950	950	2316	2316	2316
津巴布韦	2100	1500	1500	3150	2300	2300	667	652	652
马 里	1300	1300	1300	2000	2000	2000	650	650	650
南 非	1100	1100	1100	1100	1100	1100	1000	1000	1000
巴基斯坦	2163	1120	1020	3106	1820	1820	696	615	560
安哥拉	1000	1000	1000	1000	1000	1000	1000	1000	1000
尼日利亚	900	900	900	1000	1000	1000	900	900	900
柬埔寨	180	830	850	208	520	520	865	1596	1635
埃塞俄比亚	750	750	750	1500	1500	1500	500	500	500
马达加斯加	600	600	600	760	760	760	789	789	789
危地马拉	390	400	400	390	400	400	1000	1000	1000
不 丹	350	350	350	90	90	90	3889	3889	3889
秘 鲁	357	215	215	210	130	130	1700	1654	1654
喀麦隆	100	100	100	190	190	190	526	526	526
中 非	86	90	90	460	470	470	187	191	191

资料来源：联合国粮农组织。

16－13 甜菜收获总产量、面积与单产

国家或地区	总产量（万吨）			收获面积（千公顷）			单产（千克/公顷）		
	2000年	2006年	2007年	2000年	2006年	2007年	2000年	2006年	2007年
世　　界	**24708**	**25355**	**24671**	**6022**	**5457**	**5173**	**41032**	**46467**	**47696**
法　　国	3112	2988	3321	410	379	394	75905	78819	84403
美　　国	2952	3063	3191	556	528	505	53129	58040	63242
俄 罗 斯	1405	3086	2896	747	949	992	18825	32536	29196
德　　国	2787	2065	2514	452	358	403	61660	57737	62427
乌 克 兰	1320	2242	1698	746	788	577	17684	28467	29424
波　　兰	1313	1147	1268	333	262	247	39427	43789	51253
土 耳 其	1882	1445	1241	410	324	299	45902	44645	41539
英　　国	908	715	650	173	131	122	52480	54580	53279
比 利 时	615	567	573	91	83	83	67679	68345	69292
荷　　兰	680	541	551	111	83	82	61243	65403	67132
埃　　及	289	390	546	57	78	104	50722	49878	52337
西 班 牙	793	583	531	125	86	74	63308	68140	71920
伊　　朗	433	671	530	163	186	160	26621	36092	33125
意 大 利	1237	477	463	268	91	86	46241	52281	54088
日　　本	367	392	430	69	67	67	53078	58205	64520
白俄罗斯	147	398	363	52	106	94	28338	37618	38725
捷克共和国	281	314	289	61	61	54	45826	51483	53249
奥 地 利	256	249	266	43	39	42	59224	63275	62839
摩 洛 哥	288	255	248	54	49	50	53298	51758	49482
丹　　麦	334	231	226	59	41	39	56530	55899	57241
瑞　　典	260	219	210	55	44	41	46900	49547	51488
匈 牙 利	198	245	169	57	47	41	34389	52409	41087
克罗地亚	48	156	158	21	32	34	22979	48924	46119
瑞　　士	141	124	157	18	19	21	79439	66236	74338
智　　利	309	220	152	49	28	20	63413	79501	77771
叙 利 亚	118	144	115	27	33	27	42780	44107	43396
希　　腊	303	192	85	48	33	16	63193	58669	53921
斯洛伐克	96	137	85	32	28	19	30374	49457	44890
立 陶 宛	88	72	80	28	19	17	31827	38762	47331
加 拿 大	82	87	76	17	15	14	49458	58060	55217
罗马尼亚	67	115	75	48	39	28	13779	29431	26328
芬　　兰	105	95	67	32	24	16	32484	40000	42069
摩尔多瓦	94	118	61	63	42	35	15058	27775	17301
葡 萄 牙	46	32	32	8	4	4	58514	79060	74419
哈萨克斯坦	27	34	31	18	14	12	15407	24565	24952
斯洛文尼亚	35	26	26	8	7	7	43009	39109	37143
土库曼斯坦	23	24	23	22	20	21	10455	11750	11038
吉尔吉斯斯坦	45	23	16	24	13	9	19134	16760	18034
阿塞拜疆	5	17	14	2	8	6	21036	21198	22251
巴基斯坦	16	9	8	6	3	2	26283	30102	41800
阿尔巴尼亚	4	5	4	1	2	2	30000	25000	20000
黎 巴 嫩	34	8	4	7	12	1	48627	7336	52857
亚美尼亚	…	2	2	…	1	2	16000	15500	14667
委内瑞拉	2	2	2	1	1	1	19364	17857	18700
伊 拉 克	1	2	2	…	2	2	22727	10857	10857
保加利亚	2	3	2	2	1	1	10434	19755	12680
乌兹别克斯坦	10	1	1	15	2	2	6775	7778	7778
阿 富 汗	…	…	1	…	1	3	5000	3000	5175
拉脱维亚	41	47	1	13	13	…	32102	37315	36000
厄瓜多尔	…	…	…	…	1	1	6649	6389	6417

资料来源：联合国粮农组织。

16—14 甘蔗总产量、收获面积与单产

国家或地区	总产量(万吨)			收获面积(千公顷)			单产(千克/公顷)		
	2000 年	2006 年	2007 年	2000 年	2006 年	2007 年	2000 年	2006 年	2007 年
世　　界	**125255**	**140945**	**159070**	**19516**	**20825**	**22725**	**64179**	**67679**	**69998**
巴　　西	32770	47741	54971	4846	6355	7081	67624	75118	77632
印　　度	29923	28117	35552	4220	4201	4900	70913	66928	72555
泰　　国	5405	4766	6437	914	965	1010	59161	49370	63710
巴基斯坦	4633	4467	5474	1010	907	1029	45883	49229	53199
墨 西 哥	4410	5068	5209	618	680	690	71327	74530	75444
澳大利亚	3816	3713	3640	419	415	420	91085	89465	86660
哥伦比亚	3340	3100	3200	408	405	425	81853	76565	75279
美　　国	3276	2703	2775	418	368	358	78423	73504	77616
危地马拉	1655	1872	2544	182	233	287	90947	80234	88630
印度尼西亚	2390	2920	2530	366	396	405	65307	73655	62523
菲 律 宾	2449	3150	2224	395	392	383	62013	80300	58062
南　　非	2388	2028	2030	429	420	420	55655	48275	48333
阿 根 廷	1840	1900	1920	280	285	290	65714	66667	66207
越　　南	1504	1672	1738	302	288	291	49766	58034	59761
埃　　及	1571	1632	1620	134	137	136	117216	118879	119557
古　　巴	3640	1110	1190	1041	397	330	34970	27953	36115
委内瑞拉	883	932	969	129	123	128	68672	75508	75524
厄瓜多尔	540	700	836	77	91	97	69821	76676	86348
秘　　鲁	754	725	823	64	66	68	118074	110123	121095
苏　　丹	498	750	750	64	72	72	78406	104167	104167
缅　　甸	589	730	745	133	140	140	44385	52143	53214
玻利维亚	360	620	642	84	116	120	42961	53522	53494
洪都拉斯	397	557	596	47	76	82	84668	73289	73018
孟加拉国	691	551	577	170	152	150	40558	36162	38451
伊　　朗	237	496	570	26	67	65	92697	74490	87692
肯 尼 亚	394	493	520	57	55	59	68856	90310	87908
斯威士兰	388	500	500	37	52	53	106427	95749	94340
萨尔瓦多	514	488	496	69	61	63	74932	79981	78472
多米尼加	451	471	482	119	83	85	37889	56543	56428
尼加拉瓜	352	451	448	51	51	54	69081	88983	83331
毛里求斯	511	475	424	73	67	65	69940	71165	64908
哥斯达黎加	380	415	356	47	53	53	80508	77914	67836
巴 拉 圭	224	320	340	59	75	80	37761	42667	42500
圭 亚 那	271	298	310	44	42	40	61305	70165	78065
津巴布韦	423	310	300	43	40	36	98314	77500	83333
马达加斯加	219	269	270	67	82	83	32508	32816	32530
尼 泊 尔	210	246	260	58	62	64	36187	39682	40610
斐　　济	360	319	251	63	58	54	57111	55034	46537
马 拉 维	210	245	250	20	23	23	105000	108889	108696
赞 比 亚	160	250	250	15	24	24	106667	104167	104167
莫桑比克	40	206	206	27	160	160	14714	12877	12879
乌 干 达	148	195	200	20	20	20	73811	100000	100000
牙 买 加	203	175	197	39	30	31	51409	58177	63896
巴 拿 马	179	177	180	34	33	34	51916	53173	53003
科特迪瓦	167	145	164	26	23	26	63239	63240	63240
刚果(金)	167	149	155	36	38	40	46361	39410	38750
尼日利亚	70	99	151	24	47	63	28958	21000	23905
日　　本	140	131	150	23	22	22	60390	60369	67873
喀 麦 隆	135	145	145	135	145	145	10000	10000	10000
伯 利 兹	111	117	120	23	24	25	47703	48895	48002

资料来源:联合国粮农组织。

16—15 烟叶收获总产量、面积与单产

国家或地区	总产量(吨)			收获面积(公顷)			单产(千克/公顷)		
	2000 年	2006 年	2007 年	2000 年	2006 年	2007 年	2000 年	2006 年	2007 年
世 界	**6691906**	**6642977**	**6202127**	**4169891**	**3850735**	**3675420**	**1605**	**1725**	**1687**
巴 西	578451	900381	908679	309989	495706	459481	1866	1816	1978
印 度	520000	552200	520000	433400	372800	370000	1200	1481	1405
美 国	477632	329918	353177	191178	137188	144068	2498	2405	2451
阿根廷	114509	165000	170000	59612	90000	92000	1921	1833	1848
印度尼西亚	146100	146265	164851	168300	168692	194517	868	867	847
马拉维	98675	121600	118000	118752	136527	118551	831	891	995
巴基斯坦	107700	112600	103000	56400	56400	51000	1910	1996	2020
意大利	129937	110000	100000	38788	36000	35000	3350	3056	2857
津巴布韦	227726	44451	79000	90769	38865	51800	2509	1144	1525
土耳其	200280	98137	74584	236569	146166	144904	847	671	515
泰 国	74200	70000	70000	43300	40000	40000	1714	1750	1750
朝 鲜	63000	65000	63000	44000	46000	45000	1432	1413	1400
加拿大	53010	43000	44000	23800	16000	16500	2227	2688	2667
老 挝	39926	24800	41535	6700	5660	4700	5959	4382	8837
保加利亚	32296	41956	41100	28523	27369	29900	1132	1533	1375
日 本	60803	38000	40000	23991	18000	19000	2534	2111	2105
波 兰	29545	40512	39482	14057	16819	17570	2102	2409	2247
孟加拉国	35000	42710	39180	31161	31721	30699	1123	1346	1276
缅 甸	50900	35000	36000	33185	19500	20000	1534	1795	1800
韩 国	68198	34000	35500	24300	14000	15000	2807	2429	2367
菲律宾	49479	38368	34289	41051	26323	23863	1205	1458	1437
莫桑比克	9470	94552	34132	7000	38000	29000	1353	2488	1177
乌干达	22837	32000	33000	13500	18000	18000	1692	1778	1833
越 南	27100	41900	31900	24400	26700	19200	1111	1569	1661
希 腊	136593	37386	30783	61000	23381	18500	2239	1599	1664
西班牙	42908	32563	30000	14078	10123	9331	3048	3217	3215
古 巴	32237	29700	25600	45323	27033	22858	711	1099	1120
叙利亚	26112	24900	24066	18100	15870	14227	1443	1569	1692
危地马拉	18630	21500	21500	8374	9500	9500	2225	2263	2253
也 门	11613	20200	20200	5347	9299	9300	2172	2172	2172
南 非	29700	17500	20000	15600	6000	9000	1904	2917	2222
乌兹别克斯坦	19000	20000	19400	6700	6500	6600	2836	3077	2939
哥伦比亚	27767	20557	18109	14692	10680	10817	1890	1925	1674
法 国	25252	18880	18000	9282	7347	7000	2721	2570	2571
伊 朗	20980	15479	16000	19685	11874	12000	1066	1304	1333
巴拉圭	4486	15000	15500	3235	8000	8200	1387	1875	1890
吉尔吉斯斯坦	34613	13361	14429	14465	5576	5848	2393	2396	2467
柬埔寨	7665	14231	14300	9669	8768	8500	793	1623	1682
马来西亚	7172	14000	14000	9129	13000	13000	786	1077	1077
墨西哥	45164	19381	13008	22674	9780	6894	1992	1982	1887
克罗地亚	9714	10851	12639	5678	4940	6005	1711	2197	2105
多米尼加	17229	12000	12000	13250	9000	9000	1300	1333	1333
肯尼亚	17960	17605	11153	14160	12179	13379	1268	1446	834
哈萨克斯坦	16160	14060	11030	8900	6800	5000	1816	2068	2206
德 国	10985	11000	11000	4576	4500	4500	2401	2444	2444
科特迪瓦	10200	10200	10000	20000	20000	20000	510	510	500
黎巴嫩	10800	8600	9400	8726	8640	8500	1238	995	1106
匈牙利	10485	9145	9200	5764	5904	6000	1819	1549	1533
尼日利亚	22000	14000	9000	37000	23000	19000	595	609	474
智 利	10521	8349	8470	3508	2770	2737	2999	3014	3095

资料来源:联合国粮农组织。

16—16 茶叶收获总产量、面积与单产

国家或地区	总产量(吨)			收获面积(公顷)			单产(千克/公顷)		
	2000年	2006年	2007年	2000年	2006年	2007年	2000年	2006年	2007年
世界	**2963588**	**3646452**	**3887308**	**2384046**	**2708366**	**2805502**	**1243**	**1346**	**1386**
印度	826000	928000	949220	490000	523000	558000	1686	1774	1701
肯尼亚	236286	310580	369600	120390	147080	149190	1963	2112	2477
斯里兰卡	305840	310800	305220	188970	212720	212720	1618	1461	1435
土耳其	138770	201866	206160	76750	76136	76000	1808	2651	2713
越南	69900	151000	164000	70300	102100	106500	994	1479	1540
印度尼西亚	162586	146858	150224	121200	111055	110524	1341	1322	1359
日本	85000	91800	94100	50400	48500	48200	1687	1893	1952
阿根廷	74256	72129	72000	38620	38000	38000	1923	1898	1895
伊朗	49874	59180	60000	32107	34080	34000	1553	1737	1765
孟加拉国	46000	58000	58500	48600	52609	57580	947	1102	1016
马拉维	42400	45009	46000	18162	19000	19000	2335	2369	2421
乌干达	29236	34334	35000	15701	19100	20000	1862	1798	1750
缅甸	19000	26500	27000	66908	72500	72500	284	366	372
津巴布韦	22000	22000	22300	6500	6000	6100	3385	3667	3656
卢旺达	14481	16000	19000	12300	12700	15300	1177	1260	1242
莫桑比克	10466	16256	16256	5631	8400	8400	1859	1935	1935
尼泊尔	5085	13043	15168	8700	16012	16420	584	815	924
巴布亚新几内亚	9500	9000	9000	7400	7000	7000	1284	1286	1286
布隆迪	7134	7500	7700	8500	8900	9000	839	843	856
格鲁吉亚	24000	6600	7500	24000	6500	6500	1000	1015	1154
泰国	5500	6000	6000	18500	20000	20000	297	300	300
埃塞俄比亚	3776	4800	4800	4000	5000	5000	944	960	960
南非	12514	3328	4200	6700	1900	2000	1868	1752	2100
喀麦隆	4004	4000	4000	1546	1550	1550	2590	2581	2581
秘鲁	6259	4820	3597	2541	2195	2108	2463	2196	1706
马来西亚	5642	2850	2850	3003	3500	3500	1879	814	814
厄瓜多尔	1211	1870	1925	815	880	900	1486	2125	2139
刚果(金)	1879	1760	1760	2723	4757	5351	690	370	329
毛里求斯	1312	1567	1563	670	688	709	1958	2278	2205
韩国	1434	1500	1550	1179	1400	1400	1216	1071	1107
巴西	8400	4052	1083	3911	2505	315	2148	1618	3438
玻利维亚	840	872	889	415	378	381	2024	2307	2333
赞比亚	850	750	750	650	500	500	1308	1500	1500
俄罗斯	1520	1150	630	1500	1400	1400	1013	821	450
马达加斯加	490	560	550	241	450	470	2033	1244	1170
阿塞拜疆	1082	655	484	5391	1796	1717	201	365	282
危地马拉	450	450	480	450	450	480	1000	1000	1000
老挝	307	300	300	560	825	900	548	364	333
塞舌尔	246	189	222	450	390	460	547	485	483
哥伦比亚	100	118	150	50	60	75	2000	1967	2000
巴拿马	135	141	145	180	190	195	750	742	744
马里	60	135	135	90	90	90	667	1500	1500
葡萄牙	120	115	125	40	40	45	3000	2875	2778

资料来源：联合国粮农组织。

16－17 水果收获总产量、面积与单产

（不包括瓜类）

国家或地区	总产量(万吨)			收获面积(千公顷)			单产(千克/公顷)		
	2000 年	2006 年	2007 年	2000 年	2006 年	2007 年	2000 年	2006 年	2007 年
世　界	**47320**	**54743**	**55479**	**49115**	**53184**	**54182**	**9635**	**10293**	**10240**
印　度	4190	5486	5747	3797	5179	5422	11036	10594	10599
巴　西	3701	3801	3919	2430	2413	2447	15233	15752	16019
美　国	3280	2603	2582	1303	1139	1181	25174	22853	21857
意大利	1799	1797	1799	1371	1286	1265	13118	13969	14221
印度尼西亚	841	1586	1665	692	1010	1037	12157	15702	16063
墨西哥	1332	1589	1586	1078	1191	1216	12348	13348	13047
西班牙	1611	1744	1492	1831	1782	1846	8800	9790	8080
菲律宾	1075	1356	1457	906	1085	1110	11863	12504	13130
伊　朗	1229	1382	1368	1123	1351	1352	10937	10228	10116
土耳其	1086	1218	1213	1006	1048	997	10791	11620	12163
乌干达	1009	972	990	1741	1820	1821	5797	5343	5437
尼日利亚	898	967	980	1664	1713	1713	5395	5645	5722
法　国	1127	1014	934	1030	985	963	10941	10299	9702
泰　国	785	883	894	802	860	853	9784	10271	10480
埃　及	697	920	829	415	441	419	16794	20880	19817
阿根廷	717	801	810	433	484	493	16561	16555	16452
厄瓜多尔	767	737	727	443	414	401	17320	17821	18134
哥伦比亚	765	649	642	645	667	630	11851	9724	10195
巴基斯坦	519	634	636	617	690	699	8399	9187	9098
南　非	511	586	599	300	282	289	17037	20786	20707
越　南	436	572	572	450	483	484	9707	11827	11813
智　利	388	521	535	289	333	344	13417	15643	15543
哥斯达黎加	385	442	494	132	144	158	29134	30802	31277
俄罗斯	340	319	437	821	766	750	4141	4167	5825
秘　鲁	319	409	409	282	326	332	11283	12557	12321
加　纳	239	359	363	319	397	402	7480	9036	9029
孟加拉国	136	321	349	178	275	322	7626	11666	10823
日　本	382	322	348	232	212	209	16459	15186	16632
希　腊	414	349	336	301	240	229	13771	14542	14666
澳大利亚	308	369	326	234	280	292	13163	13189	11179
肯尼亚	215	300	307	146	210	204	14687	14318	15039
韩　国	263	272	297	181	160	162	14525	17007	18341
德　国	570	266	296	395	178	175	14436	14968	16895
危地马拉	179	287	293	69	120	126	26166	24000	23349
摩洛哥	269	289	286	284	304	308	9450	9499	9286
卢旺达	228	273	268	371	378	372	6148	7226	7205
喀麦隆	199	248	248	311	379	379	6418	6548	6548
刚果(金)	243	318	246	409	416	616	5928	7642	3990
古　巴	238	213	234	241	224	227	9849	9508	10315
委内瑞拉	319	222	229	212	181	176	15038	12256	13049
科特迪瓦	235	229	225	558	525	523	4209	4363	4311
乌兹别克斯坦	142	207	215	238	279	285	5950	7435	7545
阿尔及利亚	143	256	214	296	447	462	4821	5729	4618
叙利亚	188	208	201	192	155	157	9818	13388	12742
罗马尼亚	260	243	198	448	354	351	5793	6861	5657
巴布亚新几内亚	167	184	184	150	168	168	11125	10915	10915
缅　甸	142	178	178	306	350	350	4623	5071	5086
乌克兰	192	136	176	463	315	300	4144	4319	5867
洪都拉斯	99	171	174	66	81	81	14966	21216	21393
波　兰	225	325	173	391	380	404	5749	8561	4288

资料来源：联合国粮农组织。

16—18　牲畜存栏数

（2007 年）

单位：万头、万只

国家或地区	牛	水牛	山羊	绵羊	猪
世　　界	**135718**	**17725**	**83039**	**108688**	**91828**
巴　　西	19975	113	945	1624	3595
印　　度	17659	9870	12546	6427	1400
美　　国	9700		293	617	6186
阿 根 廷	5075		425	1245	227
埃塞俄比亚	4300		2171	2612	3
苏　　丹	4140		4299	5094	
墨 西 哥	3195		890	750	1550
巴基斯坦	3067	2817	5524	2679	
澳大利亚	2804	…	52	8571	261
哥伦比亚	2670		120	340	191
孟加拉国	2530	121	5250	156	
俄 罗 斯	2151	2	217	1751	1592
法　　国	1936		125	850	1474
委内瑞拉	1678		143	56	297
尼日利亚	1615		5249	3308	664
加 拿 大	1416		3	88	1491
南　　非	1391		627	2508	165
肯 尼 亚	1290		1397	943	30
德　　国	1269		18	254	2713
缅　　甸	1263	284	238	50	701
乌 拉 圭	1237		2	1032	25
印度尼西亚	1151	209	1447	986	671
土 耳 其	1087	10	629	2546	…
英　　国	1030		10	3395	483
巴拉圭	1000		16	50	160
新 西 兰	965		11	3846	37
马达加斯加	960		125	72	135
布基纳法索	876		1143	732	276
尼日尔	824		1216	985	4
马　　里	784		967	887	7
玻利维亚	773		177	915	364
伊　　朗	761	62	2553	5380	…
乌 干 达	718		828	170	212
尼泊尔	704	437	785	81	99
乌兹别克斯坦	704		197	1045	9
乍　　得	682		610	298	3
越　　南	672	300	178		2656
爱 尔 兰	670		1	552	159
西 班 牙	658		289	2219	2606
泰　　国	648	174	31	5	838.1
乌 克 兰	618		69	92	805.5
意 大 利	612	23	96	823	928
喀麦隆	600		440	380	135
波　　兰	570		14	33	1813
哈萨克斯坦	566	1	254	1281	130
秘　　鲁	542		193	1458	312
津巴布韦	540		300	61	63
索 马 里	535		1270	1310	…
厄瓜多尔	473		17	85	132
埃　　及	455	398	398	1	3

资料来源：联合国粮农组织。

16—19 肉类产量

（2007 年）

单位：万吨

国家或地区	肉类总产量	#猪 肉	#羊 肉	#牛 肉	#禽 肉
世 界	**26914.9**	**9921.2**	**1313.2**	**6317.4**	**8758.5**
美 国	4202.0	995.3	10.5	1204.4	1969.2
巴 西	1889.8	248.0	12.0	704.9	922.5
德 国	741.2	498.5	2.6	118.6	112.0
印 度	650.8	49.7	77.7	278.1	231.3
俄罗斯	575.5	187.3	16.3	169.0	191.8
法 国	566.4	228.1	10.2	153.2	149.2
西班牙	561.7	354.4	21.4	62.0	115.1
墨西哥	554.8	115.2	9.1	163.5	258.5
阿根廷	443.9	23.0	6.2	283.0	120.4
加拿大	442.1	189.4	1.8	127.9	120.7
澳大利亚	418.9	38.4	70.1	222.6	85.2
意大利	409.8	160.3	6.1	112.3	102.9
波 兰	346.9	215.1	0.2	38.0	90.9
英 国	341.4	73.9	32.5	88.2	145.9
越 南	334.2	255.3	1.1	31.6	44.3
日 本	313.1	125.1	…	50.4	136.6
菲律宾	264.7	161.7	4.8	27.5	69.4
印度尼西亚	244.1	59.7	12.0	38.1	134.0
荷 兰	236.9	129.0	1.7	38.6	67.7
伊 朗	232.9	…	49.6	37.5	144.4
巴基斯坦	232.6		40.7	134.4	55.9
泰 国	220.4	88.0	0.1	25.1	107.2
丹 麦	211.3	180.2	0.2	13.0	17.5
南 非	211.0	15.0	15.5	80.5	98.1
乌克兰	191.2	63.5	1.5	54.6	68.9
委内瑞拉	191.2	15.3	0.7	49.4	77.7
哥伦比亚	188.2	15.8	1.4	79.0	91.0
韩 国	184.1	104.3	0.2	2.2	57.0
土耳其	183.6	…	31.7	43.4	108.3
比利时	179.4	106.3	0.1	27.3	
新西兰	144.4	5.1	57.5	63.2	14.9
埃 及	143.7	0.2	6.1	59.0	66.6
缅 甸	140.0	41.1	2.7	15.9	80.3
智 利	134.6	49.9	1.6	24.2	58.1
尼日利亚	127.6	20.9	41.5	28.7	24.3
马来西亚	126.2	19.2	0.1	2.7	104.2
秘 鲁	112.5	11.5	4.1	16.3	77.0
罗马尼亚	100.7	47.0	5.5	16.5	31.2
爱尔兰	99.3	20.5	6.6	58.1	13.9
匈牙利	92.6	49.9	0.1	3.5	37.7
奥地利	89.1	53.6	0.6	21.8	
哈萨克斯坦	83.9	19.4	12.4	38.6	6.4
白俄罗斯	81.7	37.2	0.1	27.4	
苏 丹	79.4		33.4	34.0	2.5
摩洛哥	77.9	0.1	14.2	16.9	42.0
厄瓜多尔	75.7	16.5	1.3	23.3	33.6
葡萄牙	74.5	36.4	2.4	10.6	24.6
沙特阿拉伯	72.3		9.9	2.4	56.0
捷克共和国	69.9	36.0	0.2	7.9	21.7
埃塞俄比亚	68.8	0.2	12.4	35.0	4.8

资料来源：联合国粮农组织。

16—20 鸡蛋产量

单位：万吨

国家或地区	2000 年	2003 年	2004 年	2005 年	2006 年	2007 年
世　　界	**5119**	**5442**	**5538**	**5657**	**5760**	**5896**
美　　国	500	518	529	533	536	531
印　　度	202	222	249	254	260	267
日　　本	254	253	248	248	250	253
墨 西 哥	179	187	200	202	229	229
俄 罗 斯	189	203	199	205	210	210
巴　　西	151	157	162	167	176	178
印度尼西亚	64	79	93	86	101	117
法　　国	104	100	95	93	91	88
乌 克 兰	50	65	68	75	82	81
土 耳 其	81	79	69	75	73	80
德　　国	90	83	81	80	79	79
伊　　朗	58	63	66	76	68	71
西 班 牙	66	77	85	71	71	71
意 大 利	69	72	73	72	69	70
荷　　兰	67	46	61	61	61	62
英　　国	57	59	62	61	59	58
尼日利亚	40	46	48	50	53	55
波　　兰	42	51	51	54	54	55
韩　　国	48	54	51	51	56	55
泰　　国	51	55	39	47	51	54
菲 律 宾	45	50	47	52	52	53
哥伦比亚	32	45	45	49	53	49
阿 根 廷	33	30	30	31	48	48
巴基斯坦	34	38	38	40	46	48
马来西亚	39	42	43	44	45	47
南　　非	32	34	36	37	41	44
加 拿 大	37	39	38	40	40	40
罗马尼亚	26	33	34	36	36	31
秘　　鲁	16	18	18	18	25	26
越　　南	19	24	20	20	23	25
埃　　及	18	24	24	24	24	24
缅　　甸	11	13	16	19	21	23
摩 洛 哥	24	23	19	20	17	20
阿尔及利亚	10	17	18	18	18	19
孟加拉国	13	16	16	19	18	18
白俄罗斯	18	16	16	17	19	18
比 利 时	19	19	21	18	19	17
沙特阿拉伯	13	14	15	17	17	17
叙 利 亚	13	17	20	16	19	17
澳大利亚	14	13	13	14	18	17
匈 牙 利	18	19	18	16	16	16
委内瑞拉	17	15	15	17	16	15
哈萨克斯坦	9	13	13	14	14	15
朝　　鲜	11	14	14	14	14	14
智　　利	11	12	12	13	12	14
乌兹别克斯坦	7	9	10	11	12	12
葡 萄 牙	12	13	13	12	12	12
古　　巴	8	8	8	9	10	10
瑞　　典	10	9	10	10	10	10
巴拉圭	7	10	10	10	10	10

资料来源：联合国粮农组织。

16—21 禽蛋产量

单位:万吨

国家或地区	2000年	2003年	2004年	2005年	2006年	2007年
世界	**5525**	**5880**	**5981**	**6114**	**6215**	**6341**
美国	500	518	529	533	536	531
印度	202	222	249	254	260	267
日本	254	253	248	248	250	253
墨西哥	179	187	200	202	229	229
俄罗斯	190	204	201	207	212	212
巴西	157	163	168	175	183	186
印度尼西亚	78	97	111	105	120	138
法国	104	100	95	93	91	88
乌克兰	51	66	68	76	83	81
土耳其	81	79	69	75	73	80
德国	90	83	81	80	79	79
伊朗	58	63	66	76	68	71
西班牙	66	77	86	71	71	71
意大利	69	72	73	72	69	70
荷兰	67	46	61	61	61	62
菲律宾	52	57	54	59	59	60
英国	58	60	64	63	61	59
韩国	50	56	53	54	58	57
泰国	81	86	70	78	82	57
尼日利亚	40	46	48	50	53	55
波兰	42	51	51	54	54	55
哥伦比亚	32	45	45	49	53	49
巴基斯坦	35	38	39	41	46	49
阿根廷	33	30	30	31	48	48
马来西亚	40	43	44	45	46	48
南非	32	34	36	37	41	44
加拿大	37	39	38	40	40	40
罗马尼亚	29	36	37	37	37	33
秘鲁	16	18	18	18	25	26
孟加拉国	18	22	22	26	25	26
越南	19	24	20	20	23	25
缅甸	12	15	17	20	23	25
埃及	18	24	24	24	24	24
摩洛哥	24	23	19	20	17	20
阿尔及利亚	10	17	18	18	18	19
白俄罗斯	18	16	17	17	19	18
比利时	19	19	21	18	19	17
沙特阿拉伯	13	14	15	17	17	17
叙利亚	13	17	20	16	19	17
澳大利亚	14	13	13	14	18	17
匈牙利	18	19	19	17	17	16
委内瑞拉	17	15	15	17	16	15
哈萨克斯坦	9	13	13	14	14	15
朝鲜	11	14	14	14	14	14
智利	11	12	12	13	12	14
乌兹别克斯坦	7	9	10	11	12	12
葡萄牙	12	13	13	12	12	12
古巴	8	8	8	9	10	10
瑞典	10	9	10	10	10	10
巴拉圭	7	10	10	10	10	10

资料来源:联合国粮农组织。

16—22 牛奶产量①

单位:万吨

国家或地区	2000 年	2003 年	2004 年	2005 年	2006 年	2007 年
世　界	**57929**	**61575**	**62844**	**64779**	**66528**	**67921**
印　度	7966	8666	9106	9562	10090	10610
美　国	7602	7729	7754	8025	8246	8419
巴基斯坦	2557	2781	2862	2944	3121	3222
俄罗斯	3228	3337	3217	3115	3144	3218
德　国	2835	2856	2828	2849	2803	2844
巴　西	2053	2308	2434	2552	2632	2708
法　国	2574	2542	2527	2571	2504	2522
新西兰	1224	1435	1503	1464	1533	1584
英　国	1449	1501	1456	1447	1432	1402
土耳其	979	1061	1068	1111	1195	1233
乌克兰	1266	1366	1371	1371	1329	1226
波　兰	1189	1193	1185	1195	1200	1212
意大利	1330	1234	1163	1186	1187	1187
荷　兰	1116	1108	1091	1085	1050	1075
墨西哥	944	994	1003	1003	1025	1051
阿根廷	1012	820	810	991	1049	1050
澳大利亚	1118	1008	1013	1009	958	922
加拿大	816	773	791	781	804	815
日　本	850	840	833	829	813	802
伊　朗	589	587	697	700	749	764
苏　丹	579	743	745	759	731	736
西班牙	694	759	749	747	732	700
罗马尼亚	462	522	550	555	666	629
白俄罗斯	449	468	515	568	590	590
爱尔兰	516	530	532	538	540	520
乌兹别克斯坦	361	409	428	455	486	510
哈萨克斯坦	373	432	456	475	493	507
厄瓜多尔	202	433	480	458	519	477
埃　及	378	526	450	451	456	461
丹　麦	472	468	457	458	463	460
肯尼亚	240	298	302	284	367	440
哥伦比亚	615	665	670	677	550	423
瑞　士	391	391	394	396	396	401
瑞　典	335	325	328	321	318	320
奥地利	336	325	316	314	317	318
比利时	369	340	306	303	301	300
南　非	254	264	270	287	297	300
孟加拉国	214	237	249	262	275	290
捷克共和国	281	266	269	283	277	276
叙利亚	167	188	213	235	253	268
智　利	200	214	226	231	241	246
芬　兰	245	247	245	243	241	236
韩　国	226	237	226	223	219	219
索马里	211	217	218	221	217	217
葡萄牙	214	202	208	212	198	205
阿尔及利亚	151	153	170	169	200	205
希　腊	201	207	204	205	208	202
立陶宛	172	180	185	186	189	194
埃塞俄比亚	151	173	175	183	193	193
匈牙利	216	204	190	194	185	185

注:①包括奶牛奶和水牛奶。

资料来源:联合国粮农组织。

16—23 羊毛产量

单位:吨

国家或地区	2000年	2003年	2004年	2005年	2006年	2007年
世　界	**2318945**	**2189657**	**2168413**	**2223812**	**2183670**	**2173370**
澳大利亚	671000	551107	509473	519660	486726	464736
新西兰	257200	229600	217700	215500	224700	217900
伊　朗	75000	73000	73000	73000	75000	75000
英　国	64000	60000	60000	60000	60000	62000
阿根廷	58000	72000	60000	60000	60000	60000
俄罗斯	39241	44586	47111	48033	49297	50620
苏　丹	45500	46000	46000	46000	46000	46000
土耳其	43139	46457	45972	46176	46000	46000
印　度	48400	48500	44600	44900	45200	45900
乌拉圭	57218	34922	37271	42009	46709	45570
南　非	52671	44156	44156	45000	45000	45000
巴基斯坦	38900	39700	39900	40000	40100	40600
摩洛哥	40000	40000	40000	40000	40000	40000
哈萨克斯坦	22924	26782	28499	30444	32389	34200
叙利亚	32000	32200	41150	44000	34000	34000
西班牙	32104	30341	21709	30888	30387	30000
印度尼西亚	22280	23432	24225	24981	24400	24400
阿尔及利亚	17709	19908	20000	25296	20357	23360
乌兹别克斯坦	15834	17395	18618	20081	21437	22386
法　国	22000	22000	22000	22000	22000	22000
土库曼斯坦	20000	20000	20000	20000	20000	20200
罗马尼亚	17997	16879	17505	17600	17600	17700
美　国	21070	17372	17065	16888	17000	17500
蒙　古	21700	15200	15300	15000	16000	16500
德　国	15000	15000	15000	15000	15000	15000
阿塞拜疆	10916	12086	12301	13134	13580	14223
爱尔兰	12000	12000	12000	12000	12000	13000
埃塞俄比亚	12000	12000	12000	12000	12000	12000
伊拉克	13000	13000	13000	13000	12000	12000
巴　西	13301	11312	11172	10777	10876	11160
秘　鲁	12729	11658	11237	10882	10374	10895
沙特阿拉伯	10000	10800	11800	12500	10800	10800
吉尔吉斯斯坦	11250	10898	10188	9980	10033	10073
智　利	17000	13000	13000	10300	10300	9934
阿富汗	18000	10600	12200	12900	11400	9700
意大利	11000	10526	9304	9049	9053	9000
利比亚	8625	8625	9487	9500	8900	9000
突尼斯	8800	8800	8800	8800	8800	8800
希　腊	9645	8993	9076	9082	8866	8755
玻利维亚	8751	8415	8623	8816	8550	8550
葡萄牙	8731	7807	7624	7829	8000	7900
埃　及	7373	7550	7550	7550	7550	7600
也　门	4391	6240	6365	6496	6756	7000
保加利亚	6976	6500	6500	6500	6500	6500
塔吉克斯坦	2059	3597	3942	4353	4754	5063
匈牙利	3369	4100	4703	5027	4689	4603
墨西哥	4176	4469	4282	4234	4312	4519
挪　威	4957	5095	5185	5064	4901	4490
乌克兰	3400	3416	3009	3216	3300	3450
阿尔巴尼亚	3400	3100	3255	3400	3200	3200

资料来源:联合国粮农组织。

16－24 鱼类产量

单位：万吨

国家或地区	鱼类总计		海域		内陆水域	
	2005 年	2006 年	2005 年	2006 年	2005 年	2006 年
秘　鲁	903.8	652.7	899.2	648.3	4.7	4.4
印　度	596.0	632.4	240.9	256.9	355.1	375.5
印度尼西亚	519.3	530.4	401.2	407.7	118.1	122.7
智　利	451.5	445.4	450.5	444.3	1.0	1.1
美　国	422.9	414.1	389.1	382.3	33.8	31.8
日　本	368.2	376.5	360.2	369.8	8.0	6.7
俄罗斯	317.5	323.8	284.5	292.6	33.0	31.2
挪　威	299.3	290.9	299.3	290.8	0.1	0.1
泰　国	299.3	277.1	229.2	206.4	70.0	70.7
越　南	245.9	269.0	136.8	139.7	109.2	129.3
菲律宾	253.6	264.7	202.9	208.0	50.8	56.7
缅　甸	214.6	250.2	120.6	134.5	94.0	115.7
孟加拉国	208.9	219.5	43.0	43.2	165.9	176.3
冰　岛	165.9	132.9	165.8	132.8	0.1	0.1
韩　国	126.4	128.7	124.2	126.4	2.1	2.2
马来西亚	114.9	119.9	108.3	113.3	6.6	6.6
墨西哥	111.6	111.8	97.5	97.5	14.2	14.4
埃　及	86.5	94.7	9.5	10.6	77.0	84.1
西班牙	84.1	93.9	80.6	90.5	3.4	3.4
巴　西	85.0	89.4	43.3	45.8	41.7	43.6
丹　麦	86.1	83.1	83.1	80.3	2.9	2.8
摩洛哥	94.9	79.7	94.7	79.5	0.2	0.2
阿根廷	73.8	76.6	70.1	72.0	3.8	4.6
加拿大	77.6	74.0	72.6	69.4	5.0	4.6
法罗群岛	57.7	63.2	57.7	63.2	…	…
英　国	69.8	63.0	68.5	61.6	1.3	1.3
南　非	80.4	61.0	80.2	60.7	0.2	0.2
尼日利亚	54.3	59.7	24.8	28.9	29.4	30.8
巴基斯坦	48.5	58.2	31.0	32.0	17.5	26.2
土耳其	49.5	57.8	40.4	48.1	9.1	9.8
法　国	52.8	52.2	48.4	47.9	4.4	4.3
纳米比亚	55.1	50.6	54.8	50.4	0.3	0.3
柬埔寨	38.6	49.2	3.7	3.7	34.9	45.5
厄瓜多尔	42.5	46.2	40.4	44.1	2.0	2.1
荷　兰	53.8	42.6	52.7	41.3	1.1	1.3
新西兰	45.3	40.5	45.3	40.4	0.1	0.1
乌干达	42.8	39.9	…	…	42.8	39.9
塞内加尔	39.4	36.3	34.4	31.3	5.0	5.0
加　纳	38.6	36.1	31.0	28.5	7.6	7.6
德　国	29.7	31.0	24.1	25.7	5.6	5.3
巴布亚新几内亚	28.8	27.9	27.5	26.5	1.3	1.3
意大利	25.6	27.2	21.8	23.5	3.7	3.7
瑞　典	25.8	27.1	25.3	26.5	0.5	0.6
斯里兰卡	18.8	26.9	15.4	23.0	3.4	3.8
安哥拉	19.9	22.2	18.9	21.2	1.0	1.1
巴拿马	21.4	22.0	21.1	21.6	0.4	0.4
葡萄牙	19.3	21.4	19.2	21.3	0.1	0.1
乌克兰	25.1	21.3	21.7	20.3	3.4	1.1
也　门	21.2	21.1	21.2	21.1	…	…
爱尔兰	26.2	20.0	26.1	19.8	0.1	0.1

资料来源：联合国粮农组织。

16—25 土地利用情况

（2006 年）

单位：千公顷

国家或地区	国土面积	陆地面积	农业用地	耕地与多年生作物	耕地面积	多年生作物	永久性草场
世 界	**13442482**	**13009151.5**	**4937784**	**1553693**	**1411717**	**141976**	**3384091**
孟加拉国	14400	13017	9050	8450	7970	480	600
印 度	328726	297319	179900	169500	158800	10700	10400
印度尼西亚	190457	181157	48500	37500	22000	15500	11000
伊 朗①	174515	162855	47852	18328	16701	1627	29524
以色列②	2207	2164	500	375	305	70	125
日 本③	37792	36450	4671	4671	4343	328	
哈萨克斯坦	272490	269970	207898	22800	22700	100	185098
朝 鲜	12054	12041	3050	3000	2800	200	50
韩 国	9968	9688	1858	1800	1619	181	58
马来西亚	32974	32855	7870	7585	1800	5785	285
蒙 古	156412	155356	116040	820	818	2	115220
缅 甸	67659	65347	11597	11290	10336	954	307
巴基斯坦	79610	77088	27050	22050	21252	798	5000
菲 律 宾	30000	29817	11500	10000	5100	4900	1500
斯里兰卡	6561	6463	2390	1950	1000	950	440
泰 国	51312	51089	19700	18900	15200	3700	800
越 南	33121	31007	10078	9436	6348	3088	642
埃 及	100145	99545	3533	3533	3013	520	
尼日利亚	92377	91077	78000	39000	36000	3000	39000
南 非	121909	121447	99378	15450	14500	950	83928
加 拿 大	998467	909351	67587	52146	45113	7033	15441
墨 西 哥	196438	194395	106800	26900	24500	2400	79900
美 国	963203	916192	411060	173260	170530	2730	237800
阿 根 廷	278040	273669	132350	32500	31500	1000	99850
巴 西	851488	845942	264000	67000	59500	7500	197000
委内瑞拉	91205	88205	21350	3350	2650	700	18000
白俄罗斯	20760	20290	8958	5661	5540	121	3297
捷克共和国	7887	7725	4255	3279	3040	239	976
法 国	54919	54766	29503	19597	18482	1115	9906
德 国	35712	34877	16946	12064	11866	198	4882
意 大 利	30134	29414	14203	9921	7376	2545	4282
荷 兰	4153	3376	1920	1103	1070	33	817
波 兰④	31268	30427	15957	12741	12368	373	3216
罗马尼亚	23839	22998	14039	9408	8939	469	4631
俄 罗 斯⑤	1709824	1637774	215488	123371	121574	1797	92117
西 班 牙	50537	49898	28613	17578	12720	4858	11035
土 耳 其	78356	76963	40496	25879	22984	2895	14617
乌 克 兰⑥	60355	57936	41284	33345	32446	899	7939
英 国	24361	24193	17838	6139	6094	45	11699
澳大利亚	774122	768230	434925	48065	47715	350	386860
新 西 兰	26771	26771	12236	975	915	60	11261

注：①永久性草场的数据指的是条件好及条件一般的牧场，不包括条件差的牧场。②国土面积和陆地面积均包括戈兰高地。③永久性草场归属于临时性草场，因此被包括在耕地中。④农业用地仅包括被农业相关物品占用土地。⑤国土面积不包括白海和亚速海面下土地。⑥国土面积不包括亚速海面下土地。

资料来源：联合国粮农组织。

16—26 农业机械拥有量

（2006年）

单位：台

国家或地区	农用拖拉机	挤奶机	联合收割机
世　界	**28500453**		**4077942**
孟加拉国	3000		2
印　度	2835000		4500
印度尼西亚	5000		350000
伊　朗	265000		9230
以色列			
日　本	1887500	160000	958000
哈萨克斯坦	45000	580	19700
韩　国	236707		86492
朝　鲜	64200		
马来西亚			
蒙　古	3900		600
缅　甸	11000		18900
巴基斯坦	439741		1556
菲律宾	63000		1360
斯里兰卡	22500		10
泰　国	379000	620	210000
越　南	163000		232000
埃　及	99300		2800
尼日利亚	30000		
南　非	63000		10500
加拿大	733182		83859
墨西哥	324890		22500
美　国	4760000		409000
阿根廷	244000	8200	50000
巴　西	788053		54000
委内瑞拉	49000		5800
白俄罗斯	52613	12742	13338
捷克共和国	87000	6900	11600
法　国	1151542	200000	78000
德　国	944000	250000	135000
意大利	1900000	150000	54400
荷　兰	149500	37500	5600
波　兰	1437200	294000	124000
罗马尼亚	174563		25727
俄罗斯	440000	44000	118000
土耳其	1037383	155812	12359
乌克兰	344263	14708	59174
英　国	500000	157000	47000
澳大利亚	315000	200000	56500
新西兰	76278	13800	3100

资料来源：联合国粮农组织。

16－27 化肥施用量

（2007 年） 单位：万吨养分

国家或地区	化肥施用总量	氮　肥	磷　肥	钾　肥
世　界	**19883**	**11102**	**4169**	**4612**
孟加拉国	152	113	26	14
印　度	2257	1442	552	264
印度尼西亚	373	246	44	84
伊　朗	144	88	44	12
以色列	16	6	1	9
日　本	149	54	38	57
哈萨克斯坦	12	6	5	1
韩　国	73	32	20	21
马来西亚	146	36	16	95
巴基斯坦	357	271	82	4
菲律宾	72	53	12	6
泰　国	178	123	48	7
越　南	270	164	83	23
埃　及	258	185	53	20
南　非	64	44	8	11
加拿大	475	364	68	43
墨西哥	160	92	44	24
美　国	2918	1674	541	703
阿根廷	179	98	77	5
巴　西	1131	295	405	431
委内瑞拉	51	33	9	9
白俄罗斯	121	45	19	57
捷克共和国	49	36	7	7
法　国	383	240	63	80
德　国	231	160	26	44
意大利	132	78	27	27
荷　兰	130	122	8	
波　兰	266	149	58	59
罗马尼亚	39	27	10	2
俄罗斯	171	103	40	28
土耳其	219	160	44	15
乌克兰	106	73	22	11
英　国	155	101	22	32
澳大利亚	182	79	82	21
新西兰	99	28	70	1

资料来源：联合国粮农组织。

16－28 主要林产品产量

（2007 年）

单位:吨

国家或地区	栗子	榛子	天然橡胶	核桃
世界	**1262101**	**815755**	**10287941**	**1723464**
阿塞拜疆	1887	27462	9693	9693
孟加拉国			5300	
格鲁吉亚		21200	11800	11800
印度			819000	33000
印度尼西亚			2755172	
伊朗		18000	170000	170000
日本	22100			
朝鲜	9000			
韩国	77524		990	990
马来西亚			1199600	
蒙古		300		
缅甸			45000	
巴基斯坦			15000	15000
菲律宾			404072	
斯里兰卡			117550	
泰国			3024207	
越南			601700	
埃及			27000	27000
科特迪瓦			188532	
利比里亚			105500	
尼日利亚			143000	
墨西哥			27709	79162
美国		32660	290300	290300
阿根廷			10000	10000
巴西			113297	2225
智利			23000	23000
危地马拉			50500	
白俄罗斯		1800		12000
捷克共和国				9563
法国	9449	5984		34228
德国				16900
希腊	10200	2500		22115
意大利	55000	130743		16000
波兰	50	3470		6372
葡萄牙	22000	400		4100
罗马尼亚	9	3		25516
俄罗斯	2200	800		1800
塞尔维亚				
西班牙	15000	18000		10000
土耳其	55100	530000		172572
乌克兰		10		82320
澳大利亚				22

资料来源:联合国粮农组织。

16—29 农业集约化经营程度

（2006 年）

国家或地区	农业经济活动人口（万人）	耕地面积（千公顷）	人均耕地面积（公顷/人）	每千公顷耕地使用农用拖拉机（台/千公顷）	每千公顷耕地使用联合收割机（台/千公顷）	每千公顷耕地化肥施用量（吨/千公顷）
世　界	**137828**	**1411717**	**1.02**	**20**	**3**	**1207**
孟加拉国	4124	7970	0.19	…	…	1910
印　度	28957	158800	0.55	18	…	1364
印度尼西亚	5156	22000	0.43	…	16	1795
伊　朗	682	16701	2.45	16	1	1139
日　本	195	4343	2.23	435	221	3697
朝　鲜	317	2800	0.88	23		
韩　国	174	1619	0.93	146	53	3510
马来西亚	173	1800	1.04			8944
蒙　古	30	818	2.76	5	1	80
缅　甸	1911	10336	0.54	1	2	42
巴基斯坦	2863	21252	0.74	21	…	1794
菲律宾	1322	5100	0.39	12	…	1343
泰　国	2008	15200	0.76	25	14	1182
越　南	3010	6348	0.21	26	37	4003
埃　及	854	3013	0.35	33	1	4519
尼日利亚	1623	36000	2.22	1		63
南　非	159	14500	9.11	4	1	476
加拿大	34	45113	131.14	16	2	796
墨西哥	824	24500	2.97	13	1	627
美　国	273	170530	62.44	28	2	1478
阿根廷	143	31500	22.03	8	2	458
巴　西	1175	59500	5.07	13	1	1451
委内瑞拉	75	2650	3.52	18	2	1406
白俄罗斯	56	5540	9.84	9	2	2320
捷克共和国	39	3040	7.79	29	4	1592
法　国	69	18482	26.63	62	4	1889
德　国	78	11866	15.19	80	11	2094
意大利	104	7376	7.12	258	7	1471
荷　兰	21	1070	5.12	140	5	4659
波　兰	380	12368	3.26	116	10	1942
罗马尼亚	118	8939	7.60	20	3	406
俄罗斯	709	121574	17.14	4	1	125
土耳其	1515	22984	1.52	45	1	1145
英　国	49	6094	12.44	82	8	2565
澳大利亚	44	47715	108.94	7	1	399
新西兰	18	915	5.23	83	3	10880

资料来源：联合国粮农组织。

16—30 中国农业主要指标占世界的比重

单位：%

指　　标	1978	1980	1990	2000	2005	2006	2007
农业人口			33.98	32.91	32.20	32.05	
耕地面积	7.20	7.17	8.81	9.53	9.61	9.82	9.97
森林面积			3.85	4.44	4.99	5.10	5.22
谷物产量	17.26	18.08	20.72	19.77	18.94	20.22	19.45
小麦产量	12.13	12.54	16.58	17.00	15.55	17.46	18.10
稻谷产量	36.35	36.00	36.95	31.69	28.81	28.59	28.70
玉米产量	14.24	15.81	20.11	17.92	19.49	20.82	19.36
大豆产量	10.09	9.83	10.15	9.55	7.63	6.97	7.22
油菜籽产量	17.71	22.18	28.48	28.80	26.26	24.93	20.51
花生产量	13.37	21.82	27.86	41.84	37.67	42.35	35.18
籽棉产量	16.80	19.72	25.05	25.05	24.61	28.43	31.10
甘蔗产量	3.80	4.35	6.02	5.53	6.64	7.13	6.69
茶叶产量	16.27	17.35	22.28	23.74	26.47	28.72	30.45
水果产量①	2.82	2.77	5.93	13.63	17.10	17.60	18.46
肉类产量②	8.70	10.81	16.88	26.48	27.09	27.45	26.18
牛奶产量	0.62	0.63	1.30	2.14	4.94	5.48	5.86
羊毛产量	5.19	6.30	7.15	12.61	17.68	17.80	18.17

注：①不包括瓜类。②1990 年以前为猪、牛、羊肉产量的比重。

资料来源：联合国粮农组织。

16—31 中国农业主要指标居世界的位次

指　　标	1978	1980	1990	2000	2005	2006	2007
农业人口			1	1	1	1	1
耕地面积	4	4	4	3	3	3	3
谷物产量	2	1	1	1	1	1	1
小麦产量	2	2	1	1	1	1	1
稻谷产量	1	1	1	1	1	1	1
玉米产量	3	4	2	4	2	2	2
大豆产量	3	3	3	4	4	4	4
油菜籽产量	2	2	1	1	1	1	1
花生产量	2	2	2	1	1	1	1
籽棉产量	2	2	1	1	1	1	1
甘蔗产量	7	9	4	3	3	3	3
茶叶产量	2	2	2	2	1	1	1
水果产量①	9	10	4	1	1	1	1
肉类产量②	3	3	1	1	1	1	1
牛奶产量	30	30	16	11	3	3	3
羊毛产量	5	4	4	2	2	2	2

注：①不包括瓜类。②1990 年以前为猪、牛、羊肉产量的位次。

资料来源：联合国粮农组织。

17

如何使用《中国农村统计年鉴》

如何使用《中国农村统计年鉴》

为了使广大读者更好地使用《中国农村统计年鉴》，我们编写了《如何使用农村统计年鉴》一章，主要对农村统计改革和发展进行了概述，对各章资料的来源进行说明，对主要统计指标的统计含义和口径作了诠注。

一、农村统计制度方法改革概述

改革开放以来，我国农村统计适应农村经济改革的要求，取得了长足的发展和进步，农村统计范围由农业统计向农村统计转变；农村统计制度方法由以全面统计为主向以普查为基础、抽样调查为主体、辅之以全面报表、重点调查、科学核算等多种方法综合运用的方法体系转变。

1. 抽样调查得到恢复和全面发展。1978 年以后，中国进入改革开放的新时期，国家统计局和地方统计局陆续恢复。从农村开始的中国经济体制改革，带来了两方面的巨大变化。一是在经济结构上，由过去单一的农业经济向农业、工业、商业、建筑业、运输业、服务业等全面发展，农业统计面临向农村统计的转变。二是在经营体制上，由三级所有、队为基础的“一大二公”式的集体经营向以家庭联产承包责任制为主要形式的双层经营体制转变，农村统计的对象由 600 多万个生产队变为 2 亿多农户。面对大量分散的、小规模经营的农户，继续实行全面统计的方法，依靠层层报表的形式搜集数据，越来越困难。1983 年，国务院办公厅转发了国家统计局《关于加强农村统计工作等问题的报告》。提出“根据农村多种经营的新情况，农村统计首先要认真搞准粮食产量和经济作物产量；同时还要调查农村工业、交通运输业、商业等情况，调查农村的人口、教育、文化、卫生等社会情况。今后，除了改进全面报表制度外，一定要大力推行抽样调查”。随后，全国农村抽样调查队在原有 1600 人的基础上扩大到 6100 人，正式成为国家统计局直属的事业单位，并于 1985 年底完成了全国 857 个抽样调查县的建队工作。在进行组织建设的同时，业务建设也加快了步伐。一是农村住户调查由以前的收支调查扩展为全面反映农民社会经济活动，增加了农户生产经营情况、主要生活消费品实物消费量，以及农民家庭基本情况等方面的内容。二是农产量抽样调查增加了“农作物种植意向调查”，“播种面积调查”和“夏收、早稻、秋粮预测和实测产量调查”等，到 1988 年由粮食产量调查发展为种植业调查，全面调查反映粮、棉、油、麻、糖、烟、蔬菜和瓜果的生产情况。三是增加了农村社会经济抽样调查，内容包括农村劳动力、固定资产投资等生产要素和农村社区状况等。

抽样调查网点的抽选也逐步实现了科学化。1979 年采用多阶段、半距起点、等距抽样方法，住户调查抽样框按各单位人均从集体分配的收入排队，参加分配的人口作辅助资料进行编制。农产量调查抽样框按平均亩产排队，以平均播种面积作为辅助资料进行编制。1984 年开始启用多阶段、随机起点、对称等距抽样方法。为了克服样本老化的问题，从 1990 年开始在县以下实施样本轮换制度，每四年轮换一次样本。

2. 全面统计不断完善并发挥了独特的作用。由于全面统计在满足我国政府分层决策和分层管理方面具有优势，所以对于行政记录比较健全、起报单位较高或一时还不具备实施抽样调查条件的统计项目，如农村基层组织状况，农业自然资源、人力资源和机械、电力、化学肥料等物质、技术装备情况，农田水利建设和农业灾害情况等，继续采用全面统计的方法取得数据。此外，还有一部分综合性内容，如农村社会总产值、农业总产值、农业增加值、农业商品产值、经济收益分配等，主要是由县以上综合统计部门根据相关基础资料，按照全国统一方案测算的。

全面统计的源头数据按照村、乡(镇)、县(市)、省(区、市)、国家的顺序层层汇总并逐级上报，它的基础是乡镇统计网络。

3. 第二次全国农业普查取得了圆满成功。根据国务院决定，我国开展了第二次全国农业普查。这次普查的标准时点为 2006 年 12 月 31 日，时期资料为2006年度。普查对象为我国境内的农村住户、城镇农业生产经营户、农业生产经营单位、村民委员会和乡镇人民政府。本次普查共调查了40656个乡级行政单位，656026个村级组织，22592万个住户。普查主要内容包括：农业生产条件、农业生产经营活动、农业土地利用、农村劳动力及就业、农村基础设施、农村社会服务、农村居民生活，以及乡镇、村民委员会和社区环境等方面的情况。农业普查采用全面调查的方法，对所有普查对象由普查员进行逐个查点和填报。全国共组织动员了普查员、普查指导员和各级普查机构的工作人员近700万人，填报普查表近5亿张。通过普查获得了大量数据，掌握了我国有关农业、农村、农民的基本情况，填补了反映我国基本国情国力数据的缺陷和空白，矫正了常规统计数据因各种原因引起的系统性偏差。它不仅为党和政府的决策提供了科学依据，而且为农村统计改革与发展打下了很好的基础。第二次全国农业普查的成功，标志着我国农村统计事业进入了新的发展阶段。

二、资料来源

《中国农村统计年鉴》资料绝大部分是由国家统计局农村司根据《农林牧渔业综合统计报表制度》、《乡村社会经济调查方案》、《农产量抽样调查制度》、《农村住户调查方案》和《县(市)社会经济调查卡片》的有关资料整理提供。

部分章节资料来自于部门统计。农业生态与环境资料主要来源于国家环保总局、水利部和国家林业局统计报表；农村市场与价格资料主要是根据国家工商行政管理局统计报表和国家统计局城市司的价格统计资料整理而成；农产品生产成本资料主要是根据国家发改委农产品成本调查报表整理而成；农产品进出口主要依据海关总署有关资料加工整理的；农村文化、教育、卫生资料是国家统计局社会科技统计司根据文化部、教育部、卫生部有关资料加工整理而成的；国外农业统计资料是国家统计局国际统计中心根据联合国粮农组织提供的资料加工整理而成的。

三、主要统计指标解释

国内生产总值(GDP)：指一个国家(或地区)所有常住单位在一定时期内生产活动的最终成果。国内生产总值有三种表现形态，即价值形态、收入形态和产品形态。从价值形态看，它是所有常住单位在一定时期内生产的全部货物和服务价值超过同期中间投入的全部非固定资产货物和服务价值的差额，即所有常住单位的增加值之和；从收入形态看，它是所有常住单位在一定时期内创造并分配给常住单位和非常住单位的初次收入分配之和；从产品形态看，它是所有常住单位在一定时期内最终使用的货物和服务价值与货物和服务净出口价值之和。在实际核算中，国内生产总值有三种计算方法，即生产法(总产出减中间投入)、收入法(由劳动者报酬、生产税净额、固定资产折旧、营业盈余组成)和支出法(由最终消费、资本形成总额、货物和服务净出口组成)。三种方法分别从不同的方面反映国内生产总值及其构成。

劳动者报酬：指劳动者因从事生产活动所获得的全部报酬。包括劳动者获得的工资、奖金和津贴，既包括货币形式的，也包括实物形式的；还包括劳动者所享受的公费医疗和医药卫生费、上下班交通补贴和单位支付的社会保险费等。对于个体经济来说，其所有者所获得的劳动报酬和经营利润不易区分，这两部分统一作为劳动者报酬处理。

生产税净额：指生产税减生产补贴后的余额。生产税指政府对生产单位生产、销售和从事经营活动以及因从事生产活动使用某些生产要素(如固定资产、土地、劳动力)所征收的各种税、附加费和规费。生产补贴与生产税相反，指政府对生产单位的单方面收入转移，因此视为负生产税，包括政策亏损补贴、粮食系统价格补贴、外贸企业出口退税收入等。

固定资产折旧：指为弥补固定资产损耗按照核定的固定资产折旧率提取的固定资产折旧，或按国民经济核算统一规定的折旧率虚拟计算的固定资产折旧。各类企业和企业化管理的事业单位的固定资产折旧是指实际计提并计入成本费中的折旧费；不计提折旧的政府机关、非企业化管理的事业单位和居民住房的固定资产折旧是按照统一规定的折旧率和固定资产原值计算其虚拟折旧。原则上，固定资产折旧应按固定资产的重置价值计算，但是目前我国尚不具备对全社会固定资产进行重新估价的基础，所以暂时只能采用上述办法。

营业盈余：指常住单位创造的增加值扣除劳动者报酬、生产税净额和固定资产折旧后的余额。它相当于企业的营业利润加上生产补贴，但要扣除从利润中开支的工资和福利等。

支出法国内生产总值：指一个国家(或地区)所

有常住单位在一定时期内用于最终消费、资本形成总额，以及货物和服务的净出口总额，它反映本期生产的国内生产总值的使用及构成。

最终消费：指常住单位在一定时期内对于货物和服务的全部最终消费支出，也就是常住单位为满足物质、文化和精神生活的需要，从本国经济领土和国外购买的货物和服务的支出；不包括非常住单位在本国经济领土内的消费支出。最终消费分为居民消费和政府消费。

资本形成总额：指常住单位在一定时期内获得的减去处置的固定资产加存货的变动，包括固定资本形成总额和存货增加。

货物和服务净出口：指货物和服务出口减货物和服务进口的差额。出口包括常住单位向非常住单位出售或无偿转让的各种货物和服务的价值；进口包括常住单位从非常住单位购买或无偿得到的各种货物和服务的价值。由于服务活动的提供与使用同时发生，因此服务的进出口业务并不发生出入境现象，一般把常住单位从国外得到的服务作为进口，非常住单位从本国得到的服务作为出口。货物的出口和进口都按离岸价格计算。

三次产业：指根据社会生产活动历史发展的顺序对产业结构的划分，产品直接取自自然界的部门称为第一产业，对初级产品进行再加工的部门称为第二产业，为生产和消费提供各种服务的部门称为第三产业。我国的三次产业划分是：第一产业为农业(包括种植业、林业、牧业和渔业)，第二产业为工业(包括采掘业，制造业，电力、煤气及水的生产和供应业)和建筑业，第三产业为除第一、第二产业以外的其他各业。

当年价格：也称现行价格，指报告期内的实际市场价格。按现行价格计算的各种综合指标可以反映当年国民经济发展水平及比例关系，但因其变化受实物数量增减和价格升降因素的影响，在不同时期之间缺乏可比性。

可比价格：指计算各种总量指标所采用的扣除了价格变动因素的价格，可进行不同时期总量指标的对比。按可比价格计算总量指标有两种方法：一种是直接用产品产量乘某一年的不变价格计算；另一种是用价格指数进行缩减。

不变价格：指以同类产品某年的平均价格作为固定价格，用于计算各年的产品价值。按不变价格计算的产品价值消除了价格变动因素，不同时期对比可以反映生产的发展速度。新中国成立后，随着工农业产品价格水平的变化，国家统计局先后五次制定了全国统一的工业产品不变价格和农业产品不变价格。从1952年到1957年使用1952年工(农)业产品不变价格，从1957年到1970年使用1957年不变价格，从1971年到1980年使用1970年不变价格，从1981年到1990年使用1980年不变价格，从1991年开始使用1990年不变价格。从2003年起使用可比价计算产值，取消不变价产值。

人口数：指一定时点、一定地区范围内有生命的个人总和。年度统计的年末人口数指每年12月31日24时的人口数。年度统计的全国人口总数内未包括台湾省和港澳同胞以及海外华侨人数。

从业人员：指从事一定社会劳动并取得劳动报酬或经营收入的人员，包括全部职工、再就业的离退休人员、私营业主、个体户主、私营和个体从业人员、乡镇企业从业人员、农村从业人员和其他从业人员(包括民办教师、宗教职业者、现役军人等)。

固定资产投资额：指以货币表现的建造和购置固定资产活动的工作量，分为基本建设投资、更新改造投资、房地产开发投资和其他固定资产投资四个部分。

财政收入：指国家财政参与社会产品分配所取得的收入，是实现国家职能的财力保证。财政收入所包括的内容几经变化，目前主要包括各项税收、专项收入、其他收入(如基本建设贷款归还收入、基本建设收入、捐赠收入等)和国有企业计划亏损补贴。

财政收入按财政体制划分为中央本级收入和地方本级收入。1994年分税制财政体制以后，属于中央财政的收入包括关税、海关代征消费税和增值税，消费税，中央企业所得税，地方银行和外资银行及非银行金融企业所得税，铁道、银行总行、保险总公司等集中缴纳的营业税、所得税、利润和城市维护建设税，增值税的75%部分，证券交易税(印花税)50%部分和海洋石油资源税。属于地方财政的收入包括营业税，地方企业所得税，个人所得税，城镇土地使用税，固定资产投资方向调节税，城镇维护建设税，房产税，车船使用税，印花税，屠宰税，农业特产税，耕地占用税，契税，增值税25%部分，证券交易税(印花税)50%部分和除海洋石油资源税以外的其他资源税。

财政支出：国家财政将筹集起来的资金进行分配使用，以满足经济建设和各项事业的需要，主要包括基本建设支出、企业挖潜改造资金、地质勘探费用、科技三项费用、支援农村生产支出、农林水利气象等部门的事业费用、工业交通商业等部门的事业费、文教科学卫生事业费、抚恤和社会福利救济费、国防支出、行政管理费和价格补贴支出。

财政支出按照政府在经济和社会活动中的不同职权，划分为中央财政支出和地方财政支出。中央财政支出包括国防支出，武装警察部队支出，中央级行政管理费和各项事业费，重点建设支出以及中央政府调整国民经济结构、协调地区发展、实施宏观调控的支出。地方财政支出主要包括地方行政管理和各项事业费，地方统筹的基本建设、技术改造支出，支援农村生产支出，城市维护和建设经费，价格补贴支出等。

城镇居民家庭可支配收入：指被调查的城镇居民家庭在支付个人所得税、财产税及其他经常性转移支出后所余下的实际收入。

社会消费品零售总额：指国民经济各行业直接售给城乡居民和社会集团的消费品总额。社会消费品零售总额包括售给城乡居民作为生活用的商品和修建房屋用的建筑材料；售给社会集团的各种办公用品和公用消费品；售给机关、团体、学校、部队、企业、事业单位的职工食堂和旅店（招待所）附设专门供本店旅客食用，不对外营业的食堂的各种食品、燃料；企业、单位和国营农场直接售给本单位职工和职工食堂的自己生产的产品；售给部队干部、战士生活用的粮食、副食品、衣着品、日用品、燃料；售给来华的外国人、华侨、港澳台同胞的消费品；居民自费购买的中、西药品，中药材及医疗用品；报社、出版社直接售给居民和社会集团的报纸、图书、杂志，集邮公司出售的新、旧纪念邮票、特种邮票、首日封、集邮册、集邮工具等；旧货寄售商店自购、自销部分的商品；煤气公司、液化石油气站售给居民和社会集团的煤气灶具和罐装液化石油气；农民售给非农业居民和社会集团的商品。

海关进出口总额：指实际进出我国国境的货物总金额。包括对外贸易实际进出口货物，来料加工装配进出口货物，国家间、联合国及国际组织无偿援助物资和赠送品，华侨、港澳台同胞和外籍华人捐赠品，租赁期满归承租人所有的租赁货物，进料加工进出口货物，边境地方贸易及边境地区小额贸易进出口货物（边民互市贸易除外），中外合资、中外合作、外商独资经营企业进出口货物和公用物品，到、离岸价格在规定限额以上的进出口货样和广告品（无商业价值、无使用价值和免费提供出口的除外），从保税仓库提取在中国境内销售的进口货物，以及其他进出口货物。我国规定出口货物按离岸价格统计，进口货物按到岸价格统计。

农业机械总动力：指用于农、林、牧、渔业生产的各种动力机械的动力之和，包括耕作机械、农用排灌机械、收获机械、植保机械、林业机械、渔业机械、农产品加工机械、农用运输机械、其他农用机械。按能源又分为柴油、汽油、电力和其他动力。总动力按法定计量单位千瓦计算。（注：1 马力＝735.5 瓦特＝0.735 千瓦）

农用大中型拖拉机：指发动机额定功率为 14.7 千瓦及以上的专门用于农作物田间作业和以农作物田间作业为主进行综合利用的拖拉机，包括轮式和履带式两种。不包括用于森工、基建、营林等方面的拖拉机。

小型拖拉机：指专门或主要用于农作物田间作业的不足 14.7 千瓦的拖拉机。包括四轮拖拉机和手扶拖拉机。

农用载重汽车：指主要用于农林牧渔业生产运输的载重汽车。

有效灌溉面积：指具有一定的水源，地块比较平整，灌溉工程或设备已经配套，在一般年景下当年能够进行正常灌溉的耕地面积。在一般情况下，有效灌溉面积应等于灌溉工程或设备已经配备，能够进行正常灌溉的水田和水浇地面积之和。

（1）灌溉工程或设备已经配套，可以灌溉，但由于雨水及时或所种作物不需要灌溉等原因，当年没有进行灌溉的，应统计为有效灌溉面积。

（2）灌溉工程或设备不配套（如只有深水井，没有安装机器）、渠系不健全（如只有水库，没有修渠）、地块不平整，当年不能发挥灌溉效益的灌溉面积，不应统计为有效灌溉面积。

（3）北方地区没有灌溉工程或设备的引洪淤灌的耕地面积，不应统计为有效灌溉面积。

（4）南方地区没有灌溉工程或设备，完全靠雨蓄水的“冬水田”、“屯水田”、“望天田”、“雷响田”等水田面积，不应统计为有效灌溉面积。

（5）没有灌溉工程或设备，遇到旱年临时抗旱点种的耕地面积，不应统计为有效灌溉面积。

（6）原有的灌溉工程或设备，由于受到破坏等原因不能起灌溉作用，这部分耕地面积不应统计为有效灌溉面积。

旱涝保收面积：指在有效灌溉面积中，灌溉设施齐全，抗灾能力较强，土地肥力较高，遇到较大的旱涝灾害能保证遇旱能灌、遇涝能排的耕地面积。灌溉设施的抗旱能力和排涝能力，全国各地根据当地的气候执行不同的标准。一般抗旱能力：南方在50—100天，北方在30—50天；排涝能力达到5年至10年一遇的标准，防洪一般达到20年一遇的标准。旱涝保收面积应小于或等于有效灌溉面积。

化肥施用量：指本年度内实际用于农业生产的化学肥料数量，包括氮肥、磷肥、钾肥和复合肥。施用量要求按折纯量计算数量，即各类化学肥料的实际施用数量按其含氮、含五氧化二磷、含氧化钾的比例折成百分之百计算。

农村用电量：指本年度内，扣除在农村中的国有工业、交通、基建等单位的用电量以后的农村生产和生活的全年用电总量。包括国家电网供电和农村自办电站供电量。

农作物总播种面积：指本日历年度内收获农产品的作物播种面积之和，包括实际播种或移植有农作物面积。凡是实际种植有作物面积，不论种植在耕地上还是种植在非耕地上，均包括在农作物播种面积中。在播种季节基本结束后，因遭受灾害而重新改种和补种的农作物面积也包括在内。

农作物包括范围

(1)谷物　包括稻谷、小麦、玉米、谷子、高粱和其他谷物，不包括豆类和薯类。谷类作物一律按脱粒后的原粮计算。

(2)豆类作物　是以食用种籽及其制成品的豆科植物，包括大豆和杂豆。大豆包括黄豆、黑豆、青豆三类。产量按去荚后的干豆计算。

(3)薯类作物　包括甘薯和马铃薯。不包括芋头、木薯等。芋头一般应作为"蔬菜"计算，木薯作为其他作物计算。城市郊区以蔬菜种植为主把马铃薯产量统计在蔬菜内。

(4)油料作物　是以榨取油脂为主要用途的一类作物。种子含油率约达20—60%。包括花生、油菜籽、芝麻、胡麻籽、向日葵籽等。不包括木本油料和野生油料。花生以带壳干花生计算。

(5)棉花不包括木棉，按去籽后的皮棉计算，3公斤籽棉折1公斤皮棉。棉花产量从1999年起在主产区实行抽样调查（河北、江苏、安徽、山东、河南、湖北、湖南、新疆），非主产区仍按全面统计。

(6)糖料　包括甘蔗和甜菜。甘蔗以蔗杆计算，甜菜以块根计算。

(7)药材　指人工栽培的各种药材作物，不包括野生药材。

(8)蔬菜　包括菜用瓜、茭白、芋头、生姜等在内。

(9)瓜类作物　指果用瓜，如西瓜、甜瓜（香瓜）、白兰瓜、哈密瓜、脆瓜等，但不包括菜用瓜。

(10)其他作物　包括饲料作物、苇子、莲子、席草等。

(11)饲料作物　指人工栽培的主要用于喂养牲畜的作物，如苜蓿等。有些地方在饲料地上种植粮食作物，除了种植目的就是作为青饲料用的可作为饲料作物统计以外，收获主产品以后，副产品不管是否作为饲料的，仍应分别列入谷物，豆类作物，薯类等项下统计产量，不得列入饲料作物内。

粮食总产量：指全社会的产量。包括国营农场等国有经济的、集体统一经营的和农民家庭经营的产量，还包括工矿企业办的农场和其他生产单位的产量。粮食除包括稻谷、小麦、玉米、高粱、谷子、其他杂粮外，还包括薯类和大豆。其产量计算方法，豆类按去豆荚后的干豆计算，薯类（包括甘薯和马铃薯，不包括芋头和木薯）1963年以前按每4千克鲜薯折1千克粮食计算，从1964年以后按5千克鲜薯折1千克粮食计算。其他粮食一律按脱粒后的原粮计算。

粮食比国际上通行的谷物口径大，相当于谷物＋薯类＋大豆。

茶叶产量：指本年度内生产的全部茶叶产量。包括从成片茶园和零星种植的茶树以及荒芜未垦复的茶树上所采摘的全部产量。不论自食的或出售的，都应统计在内。茶叶的产量按经过初步加工的干毛茶的重量计算。由于加工毛茶的方法不同，以分为红毛茶、绿毛茶、乌龙茶、紧压茶、其他茶。紧压茶是指作紧压茶原料的茶叶产量。其他茶是上述四种毛茶之外的毛茶。

水果产量：指本年度内从果树上收获的全部水果产量。不论自食的或出售的，都应计算在内。但不包括果用瓜（如西瓜、甜瓜、白兰瓜、哈密瓜、脆瓜等）和主要作蔬菜食用的藕、西红柿等。不包括采集的野生水果。水果的产量按鲜果计算，干枣、葡萄干、柿饼、桔饼等应统一折成鲜果计算。香蕉不包括大蕉、龙牙蕉、粉蕉、西贡蕉等。

林产品产量　指从人工栽培的竹木上，不经砍伐竹木的根而取得的各种林产品数量。包括生漆、棕片、五倍子、松脂、笋干、油桐籽、油茶籽、乌柏籽、核桃、板栗等各种林木果实以及修剪竹木所获得的枝叶（如荆条、柳条、蒲葵叶）等。不包括桑叶、茶叶、水果，也不包括野生的林产品。如果某些林产品人工栽培和野生的混在一起，不易划分，则应根据它的主要来源决定其应计入林产品产量统计中还是其他农业内采集野生植物果实产量统计中，但不要两方面都算，以免重复。

林产品产量的计算方法为：

(1)油茶籽、油桐籽、乌桕籽、核桃、文冠果按去掉果皮、外壳的干籽计算产量。

(2)五倍子以干籽计算产量。

(3)生漆、松脂按从树上割下来的生漆、松脂计算产量。

(4)棕片和竹笋按干片和笋干计算产量。

(5)板栗按除去毛荚的果实计算产量。

(6)油橄榄按果实计算产量。

(7)紫胶(虫胶)按原胶计算产量。

畜牧业生产

猪、牛、羊、禽等主要畜禽的存栏、出栏及产品产量。1999 年畜牧调查和数据采集方式发生变化。非农户生产经营单位按全面统计的组织方式逐级上报；农户(含规模饲养农户)采取抽样调查，全部调查工作在国家调查(行政)村进行。抽中村中规模饲养农户(制定的规模养殖参照标准)要进行逐个调查。非规模饲养农户，应按随机原则，抽选 10 个有代表性的农户进行入户调查访问。同时，在调查村要建立畜牧业统计台账，并按要求定期填报有关资料。根据 1996 年农业普查结果，国家统计局农调总队对猪、牛、羊等主要畜产品存栏、出栏及肉产量等指标常规年报数据与农业普查数据进行衔接。2000 年以后的生猪存栏、出栏和肉产量均为抽样调查数据。

当年出栏的畜禽数：指当年(报告期内)乡村各种合作经济和农民、国有农场、机关、团体、学校、工矿企业、部队等单位及城镇居民饲养的，已屠宰或出售的全部畜禽数，包括交售给国家，集市上出售和农民自食的部分。不包括个别地区习惯吃的“烤小猪”或出口的“乳猪”。

期初(末)畜禽存栏头(只数)：指本期(报告期)期初(末)，农村与城市的全部畜禽存栏头(只)数。除科学研究单位专门用于试验研究的牲畜和军马以外，农村各种合作经济组织和国营农场、农民个人、机关、团体、学校、工矿企业、部队等单位以及城镇居民饲养的各种畜禽，不分大小、公母、品种、用途一律包括在内。专业运输组织的运输用牲畜也应包括在内。但商业部门库存的和运输途中的活牲畜不进行统计。

肉类总产量：指当年出栏并已屠宰的畜禽肉产量，即屠宰后除去头蹄下水后带骨肉的重量，也叫酮体重。

牛奶产量、羊奶产量：指全社会产量。包括出售给国家、农贸市场交易和农牧民自食部分。无论是纯种牛、杂种牛、黄牛或兼用牛产的奶；无论是奶山羊、绵羊或其他改良羊所产的奶都要计算为产量。牛犊、羊羔直接吮食部分，不统计产量。

细羊毛：指细毛及其改良羊所产的羊毛量。

半细羊毛：指半细毛羊及其改良羊所产的羊毛产量。

禽蛋产量：指鸡、鸭、鹅三种家禽的禽蛋产量，包括出卖和农民自食以及种蛋。

蚕茧产量：指本年度内生产的全部蚕茧产量，无论自用的或出售的，都应计算在内。在计算产量时，要把土茧、改良茧和种茧包括在内，桑蚕茧、柞蚕茧均按鲜茧计算，木薯蚕茧和蓖麻蚕茧等的产量均按茧壳的重量计算。

渔业生产

水产品产量：指当年捕捞的水产品(包括人工养殖并捕捞的水产品和捕捞天然生长的水产品)产量。

海水产品产量：指从海洋和海水养殖水域中捕捞的海水产品产量。包括海水中的鱼类、虾蟹类、贝类、藻类。

内陆水域水产品产量：指淡(咸)水湖泊、水库、河沟和池塘以及其他内陆水域内捕捞的水产品产量。包括鱼类、虾蟹类、贝类，不包括淡水水生植物。

养殖产量：指从海水养殖面积和内陆水域养殖面积中捕捞的产量。

捕捞产量：指捕捞天然生长的水产品产量。

农林牧渔业总产值：指以货币表现的农、林、牧、渔业全部产品和对农林牧渔业生产活动进行的各种支持性服务活动的价值总量，它反映一定时期内农业生产总规模和总成果。1957 年以前的农业总产值中包括了厩肥和农民自给性手工业(如农民自制衣服、鞋、袜，自己从事粮食初步加工等)。1958 年及以后的农业总产值，林业中增加了村及村以下竹木采伐产值；牧业中取消了厩肥产值；副业中取消了农民自给性手工业产值，增加了村及村以下办的工业产值；渔业中增加了海洋捕捞水产品产值。1980 年及以后，在副业中增加了农民家庭兼营工业商品部分产值。从1984年起村及村以下工业产值划归工业。从1993年起取消副业,将野生动物的捕猎划入牧业、野生植物采集和农民家庭兼营商品性工业划归农业。从2003年起,执行新的国民经济行业分类标准,农林牧渔业总产值中包括了农林牧渔服务业产值。林业中增加了森林采运业产值。农业中取消了家庭兼营商品性工业产值,将野生林产品的采集划归林业。第一次农业普查以后,由于畜牧业产品年报数据与普查数据之间存在一定的差距,国家统计局农村司对畜牧业年报数据与普查数据进行衔接,相应的畜牧业产值进行调整。

农林牧渔业总产值的计算方法通常是按农、林、牧、渔业产品及其副产品的产量分别乘以各自单位产品价格求得;少数生产周期较长,当年没有产品或产品产量不易统计的,则采用间接方法匡算其产值;然后将四业产品产值相加即为农林牧渔业总产值。

农林牧渔业增加值:用生产法计算的一定时期内农业生产活动的最终成果。其计算方法是用现价计算的农林牧渔业产值扣除各项中间投入。

1996年第一次农业普查以后,由于畜牧业产品产量年报数据与普查数据之间存在一定的差距,国家统计局农村司对畜牧业年报数据与普查数据进行衔接,相应的畜牧业产值、增加值进行调整。

农村固定资产:是指使用年限在一年以上,单位价值在规定的标准以上,并在使用过程中保持原来物质形态的资产。企事业单位所有的使用期限在一年以上、单位价值在200元以上的房屋建筑物、机器设备、器具、工具等资产应作为固定资产统计;不属于生产经营的物品,单位价值在200元以上,并且使用期限超过两年的也应作为固定资产统计。农户所有的使用年限在一年以上、单位价值在50元以上的房屋建筑物、机器设备、器具等资产应作为固定资产统计。

农村固定资产统计调查方式由全面统计改为抽样调查。九十年代初,农村固定资产投资统计进行了初步改革,即集体部分的投资由统计部门中负责投资统计的单位通过全面统计的方式,逐级汇总、层层上报取得数据;农户部分则以抽样调查方式取得数据。由于全面统计数据存在行政干扰,农户抽样调查不太规范等原因,从1999年年报开始,农村固定资产投资全面实行抽样调查。根据农村固定资产投资调查的现实情况,本着“不重不漏、方便调查”的原则,界定了调查范围,即城关镇以下(不包括城关镇,但包括城关镇所辖的行政村)属于农村固定资产投资调查的范围。但为了保持工作的衔接,在此范围内的大中型工矿企业、县级以上直属单位所属的企业和单位的投资活动不列入农村固定资产投资调查的范围。统计原则由按所属统计改革为按所在地原则调查。具体划分为三个层次:一是乡政府所在地或镇区所在地范围内的非农户投资单位;二是行政村范围内的非农户投资单位;三是农户投资。

除涝

(1)易涝耕地面积:是指抗涝能力标准低的低洼涝耕地面积。即经过治理的“除涝面积”和尚未经过治理的或虽经过治理,但抗涝标准尚未达到三年一遇的“现有易涝面积”之和。

(2)除涝面积:指由于兴修治涝工程或安装排涝机械等水利设施(或进行改种),使易涝耕地免除淹涝,除涝标准达到三年一遇以上者。易涝面积虽经过治理,但标准尚未达到三年一遇标准的,不做为除涝面积统计。

易涝面积=除涝面积+现有易涝面积(即尚未治理面积+虽经过治理,标准尚未达到三年一遇的标准)

除涝面积=三年至五年治理面积+五年至十年治理面积+十年以上治理面积

除涝面积=上年除涝面积(上年基数)+本年新增除涝面积-本年减少面积

治碱

(1)盐碱耕地面积:是指土壤中含有盐碱,影响农作物生长,成苗率(促苗率)不足70%的耕地面积。盐碱耕地面积包括未改良的老盐碱耕地以及未改良的次生盐碱耕地和盐碱耕地改良面积之和。

(2)盐碱耕地改良面积:是指在老盐碱地、次生盐碱地上进行水利、农业、土壤改良等措施,在正常年景使作物成苗率(促苗率)达到70%以上的盐碱耕地面积。在同一块耕地上,除涝、治碱并举,应分别统计除涝面积和盐碱耕地改良面积。

(3)本年新增改良面积:是指在报告期当年(日历年度),对尚未经过治理的盐碱耕地,采取水利、农业、化学等改碱措施,使其脱盐(碱),达到盐碱地改良标准的面积。不包括在已改良过(已被统计除涝面积)的面积上,采取治碱措施,而被改善、提高的面积。

(4)本年减少改良面积;是指已被改良的盐碱

地面积中由于建设占地、退耕养殖、工程老化失修或不合理的人为措施重又退化积盐，沦为严重影响农作物生长的盐碱耕地的面积。

盐碱耕地改良面积＝上年盐碱耕地改良面积（上年基数）＋本年新增改良面积－本年减少改良面积

水土保持

（1）水土流失面积是指自然因素和人为因素，使山丘地区地表土壤及母质受到各种破坏和移动，造成水土流失的面积。水土流失面积应为解放初期实有的水土流失面积和解放后发展的水土流失面积之和。

（2）水土流失治理面积（又称水土保持面积）是指在山丘地区水土流失面积上，按照综合治理的原则，采取各种治理措施，如：水平梯田、淤地坝、谷坊、造林种草、封山育林育草（指有造林、种草补植任务的）等，以及按小流域综合治理措施所治理的水土流失面积总和。

（3）小流域治理面积是以小流域为单元，根据流域内的自然条件，按照土壤侵蚀的类型特点和农业区划，在全面规划的基础上，合理安排农、林、牧各业用地，布置水土保持农业技术措施，林草措施与工程措施，相互协调、相互促进形成综合的水土流失防治体系。凡列入县级以上治理规划，并进行重点治理的，流域面积在5平方公里以上的小流域治理面积均进行统计。

（4）本年新增治理面积（也称本年新增水土保持面积）是指在山丘水土流失区，由于采取各种水土措施，或进行小流域综合治理，在报告期年度，新增加的水土流失治理面积。不包括已治理的水土流失面积，以往年度已经统计，而在本年度内又增建或更新改造水保措施，而得到提高改善的面积。

（5）本年减少的治理面积是指在报告期内，由于各种原因，如基建占地、人为破坏、自然灾害、各类生产活动、工程老化失修等，使原已治理的水土流失面积重又产生水土流失的面积。

水土流失治理面积＝上年累计达到治理面积＋本年新增治理面积－本年减少治理面积

水库

（1）已建成水库是指主、副坝、溢洪道、输水洞和专门建筑物，如电站、过船过水建筑物等，已全部建成或基本建成，无重大遗留问题达到设计蓄水能力，经过验收鉴定合格，正式交付使用的水库。

（2）总库容：即校核水位以下的库容。包括死库容、兴利库容、防洪库容（减掉和兴利库容重复部分）之总和，称总库容，它是水库兴建的总规模。

大、中、小型水库的划分标准

大型水库总库容在一亿立方米及以上；

中型水库总库容在一千（含一千）万立方米至一亿立方米；

小型水库库容在十万立方米至一千万立方米。

堤防总长度 指建成或基本建成的河堤、江堤、海堤、湖堤、围堤，包括防洪墙等各类防洪，防潮堤防之总和，包括建国前建成或需要加固加高培厚的老堤防。但不包括单纯除涝河道的堤防和弃土形成的堤防，也不包括子埝和生产堤。所谓基本建成，是指按设计标准已经完成，已能发挥设计效益，但还留有少量尾工的工程。

农场个数：指报告期末实有农场个数。包括农垦系统内全民所有制、集体所有制和合资经营的农、林、牧、渔场个数，不包括家庭农场个数。农场应具备三个条件：进行农林牧渔业生产；设有场部组织结构；实行独立核算。

农村居民家庭基本情况

常住人口：是指全年经常在家或在家居住六个月以上，而且经济生活和本户连成一体的人口。在外劳动的合同工、临时工和其他副业工，他们在外劳动虽然超过六个月，但其收入主要带回家中，仍要计算在内。在家居住，生活和本户连成一体的国家职工、退休人员也要计算在内。但是参军、在外居住的职工等，则不应计入。

常住人口中整半劳动力：整劳动力是指男子18周岁到50周岁，女子18周岁到45周岁；半劳动力是指男子16周岁到17周岁，51周岁到60周岁；女子16周岁到17周岁，46周岁到55周岁，同时具有劳动能力的人。虽然在劳动年龄之内，但已丧失劳动能力的人，不应算为劳动力；在劳动年龄以外，但能经常参加劳动，能顶上一个整劳动力或半劳动力的人，应计入劳动力数内。常住人口中的职工，若这些职工为劳动力，就包括在本户的整半劳动力中。

总支出：指农村住户用于生产、生活和再分配的全部支出。包括家庭经营费用支出、购置生产性固定资产支出、生产性固定资产折旧、税费支出、生活消费支出、财产性支出和转移性支出。

家庭经营费用支出：指农村住户以家庭为基本生产经营单位从事生产经营活动而消费的商品和服务、自产自用产品。所消费的未计算为住户收入的自产自用产品，不计算为费用支出。库存的化肥、农药也不应该计算费用支出。

现金收入：指农村居民家庭年内所有家庭成员的全部现金收入。包括基本收入（即以工资形式支付的劳动报酬收入和家庭经营现金收入）、财产性收入、转移性收入和储蓄借贷现金收入。

现金支出：指农村居民家庭年内全部现金支出。包括用于承包经营生产的家庭经营费用支出的各项现金，向国家缴纳的各种税金，按承包合同上交的集体提留或承包任务的现金，购买生产用固定资产支付的现金，用于生活消费支出，转移性支出和储蓄借贷支出的现金等。

农村居民家庭平均每人总收入和纯收入

总收入：是指调查期内农村住户和住户成员从各种来源渠道得到的收入总和。按收入的性质划分为工资性收入、家庭经营收入、转移性收入和财产性收入。

(1)工资性收入：指农村住户成员受雇于单位或个人，靠出卖劳动而获得的收入。

(2)家庭经营收入：指农村住户以家庭为生产经营单位进行生产筹划和管理而获得的收入。农村住户家庭经营活动按行业划分为农业、林业、牧业、渔业、工业、建筑业、交通运输邮电业、批发和零售贸易餐饮业、社会服务业、文教卫生业和其他家庭经营。

家庭经营产品的计价：凡是出售部分，按实际出售价格计算；非出售部分（包括自用的和结存的）按出售该产品的综合平均价计算。

转移性收入：指农村住户和住户成员无需付出任何对应物而获得的货物、服务、资金或资产所有权等，不包括无偿提供的用于固定资本形成的资金。一般情况下，指农村住户在二次分配中的所有收入。

财产性收入：指金融资产或有形非生产性资产的所有者向其他机构单位提供资金或将有形非生产性资产供其支配，作为回报而从中获得的收入。

纯收入：是农村住户当年从各个来源得到的总收入相应地扣除所发生的费用后的收入总和。纯收入主要用于再生产投入和当年生活消费支出，也可用于储蓄和各种非义务性支出。“农民人均纯收入”按人口平均的纯收入水平，反映的是一个地区或一个农户农村居民的平均收入水平，反映的是一个地区或一个农户农村居民的平均收入水平。计算方法为：

纯收入＝总收入－家庭经营费用支出－税费支出－生产性固定资产折旧－赠送农村亲友支出。

农村居民家庭平均每人生活消费支出

生活消费支出：指农村住户用于物质生活和精神生活方面的支出。生活消费支出包括：食品，衣着，居住，家庭设备、用品及服务，医疗保健，交通和通讯，文化教育娱乐用品及服务，其他商品和服务等消费支出。各消费类别的具体内容如下：

(1)食品消费支出：指农村居民年内消费各类食品支出。包括主食、副食、其他食品、在外饮食支出和食品加工费支出。其中的主食：是指各种粮食和粮食复制品的消费量折价。粮食复制品：指利用原粮加工而成的食品，如挂面、年糕等。但不包括用粮食加工成豆油、豆腐、粉条、酒。副食：包括蔬菜、豆制品、油脂类、食糖、肉、禽及其制品、蛋类、水产品、调味品等。其他食品：包括烟草类、酒类、饮料类、干鲜果品、糖果糕点、奶和奶制品、罐头类等。在外饮食：包括在外面饭馆、小吃部、小卖部、茶馆、饮食摊内吃饭、喝茶、吃冷饮时消费的各种食品。开会和住院的伙食费也应包括在内。食品加工费：指加工食品所需的费用，包括把原粮加工成副食品和其他食品的费用。

(2)衣着：指农村住户各种穿着用品及加工穿用品的各种材料等支出。包括棉花、丝棉、化纤棉、驼毛、棉布、各种化纤布、绸、缎、呢绒、各类成衣、棉、毛、丝、麻纺织品，背心、汗衫、棉毛衫裤、卫生衫裤、袜子等针织品，毛线、毛线织品、各种鞋、帽等消费品及衣着的加工修理费。但不包括用各种布料做的床上用品，室内装饰品。

(3)居住：指农村住户与居住有关的所有支出，包括新建（购）房屋、房屋维修、居住服务、租赁服务、租赁住户所付的租金、生活用水、生活用电、用于生活的燃料等支出。

(4)家庭设备、用品及服务：指农村住户消费的各种家庭设备、用品及设备、用品的加工修理费用。包括耐用消费品、室内装饰品、床上用品、家庭日用杂品等。

(5)医疗保健：指农村住户用于医疗和保健的药品、医疗器械和服务费用。包括医药卫生保健用品、医疗保健服务费和医疗卫生设备、用品加工修理费等。

(6)交通和通讯：指农村住户用于交通和通讯的工具、各种服务费、维修费用支出。

(7)文化教育娱乐用品及服务:指农村住户用于文化、教育、娱乐方面的支出。包括文化教育娱乐用品支出和文化教育娱乐服务支出。

(8)其他商品和服务:是指上述各类支出以外的商品的服务支出。其中商品性支出:包括化装品、金银珠宝饰品和其他商品。服务支出:指生活消费的服务。包括旅店住宿费、洗澡费、照相费、殡殓费等。

农村居民家庭房屋使用情况

房屋:是指有顶有墙,能遮风避雨,可用于住人放物从事生产等用的房屋。包括住房、仓库、牧区的蒙古包、帐棚,但不包括船屋。它是反映农村住户生活水平的重要标志。

新建房屋:是指全年从无到有"平地起家"的新建筑房屋。包括新址上新建和旧址上新建的房屋。在原来的房屋基础上按原有规模对房屋进行翻修或一般维修的不包括在内。新建房屋仅包括年内建成的新建房屋,未完工的在建房屋不要统计在内。

房屋面积:是指室内面积,从房屋的内墙线算起的面积,不包括房屋结构(如墙、柱)占用的面积。多层建筑,按各层面积总和计算。其中:砖(石)木结构:是指房屋的梁、柱、承重墙等主要部分是用砖、石、木料建造的,如木房架、砖、石墙、木柱、砖柱建造的房屋。钢筋混泥土结构:是指房屋的梁、柱、承重墙等主要部分是用钢筋混泥土建造的。

房屋的价值:购买房屋按购买价格计算。新建房屋价值,可按实际消耗的建筑材料和人工的报酬计算,有的地方,人工不要报酬,只管吃喝,可将吃喝的费用,当作报酬,计入房价内。原有房屋,按房屋质量和新旧程度,根据当地实际情况进行估价。对原有房屋进行大翻修的,也应考虑在内。

生活用房屋面积:指实际住人或可以用来住人的房屋面积。与住房连成一体的起居室或放置灶具的地方、专用厨房,均应包括在内。但不包括专用仓库等生产用房面积。其中的楼房面积:是指二层和二层以上的多层建筑的房屋面积,楼房面积按各层面积总和计算。

农村居民家庭平均每户生产性固定资产原值

生产性固定资产:是指在生产过程中使用年限较长、单位价值较高,并在使用过程中保持原有物质形态的资产,包括厂房、机器设备等。农村家庭使用的固定资产,需同时具备两个条件,即使用年限在两年以上,单位价值在50元以上。在乡村企业及其他部门中,规定单位价值在200元以上,使用年限在一年以上。如果企业的主要设备虽低于200元,但使用年限在一年以上,也划为固定资产。

生产用固定资产原值:是以购入该项固定资产的原始价值量,反映农村住户拥有的生产规模和能力。各类固定资产的原值,也可按开始占有这项固定资产的重新估计的价值计算。

农村居民家庭平均每人经营耕地情况

经营耕地面积:是指农村住户年末经营的全部耕地面积,包括承包集体生产的耕地面积和家庭自营地面积(自留地、饲料地和零星开荒地),经营耕地面积中,应包括因各种原因休闲和抛荒的耕地面积、改种植为养殖的耕地面积。还包括经营他人的转包耕地面积,但不包括代为他人临时耕种的承包地面积。

经营山地面积:是指农村住户年末经营的全部山地面积,包括承包集体的山地面积和家庭自留山面积。还包括经营他人的转包山地面积,但不包括代为他人临时经营承包的山地面积。

经营山地面积中植树造林面积:是按当年造林面积计算。当年造林面积按年末实际成活率达到80%以上的面积,有一亩算一亩。

经营水面面积:是指农村住户年末经营的全部水面面积,包括承包集体的水面和家庭自营水面面积。经营水面面积,包括原水面面积、新挖塘养殖面积,未挖深但已停止种植粮食作物的蓄水养殖面积。

四大地区划分:分为东部、中部、西部和东北四个地区。东部地区:北京、天津、河北、上海、江苏、浙江、福建、山东、广东和海南共10个省市。中部地区:山西、安徽、江西、河南、湖北和湖南共6个省。西部地区:内蒙古、广西、重庆、四川、贵州、云南、西藏、陕西、甘肃、青海、宁夏和新疆共12个省区市。东北地区:辽宁、吉林和黑龙江共3个省。